942.7

R
D

The item should be returned or renewed by the last date stamped below.

Dylid dychwelyd neu adnewyddu'r eitem erbyn y dyddiad olaf sydd wedi'i stampio isod.

Newport
CITY COUNCIL
CYNGOR DINAS
Casnewydd

Central Library and
Information Service

WFS.

To renew visit / Adnewyddwch ar
www.newport.gov.uk/libraries

Clawr blaen: Cylch Cerrig 'Castlerigg' ger Keswick
Clawr ôl: Adfeilion tŷ hynafol yn Llwyfenyd

Golwg Newydd
ar yr
Hen Ogledd

Glen George

Argraffiad cyntaf: 2017

(h) Glen George / Gwasg Carreg Gwalch

Cyhoeddir gan Wasg Carreg Gwalch,
12 Iard yr Orsaf, Llanrwst, Conwy, LL26 0EH.
Ffôn: 01492 642031 Ffacs: 01492 641502
e-bost: llyfrau@carreg-gwalch.com
lle ar y we: www.carreg-gwalch.com

Rhif rhyngwladol: 978-1-84527-565-5

Mae'r cyhoeddwr yn cydnabod cefnogaeth ariannol
Cyngor Llyfrau Cymru

Cynllun clawr: Eleri Owen
Llun clawr: Glen George

Cyflwynir y gyfrol hon i Desmond Healy
am ei gefnogaeth a'i gymorth,
ac er cof am fy mrodyr yng nghyfraith
Edward Bindloss a Peter Carruthers,
gwladwyr o'r Hen Ogledd.

Hanes nid yw'n ein henwi
A'r byd ni ŵyr ein bod ni
Gerallt Lloyd Owen

Cynnwys

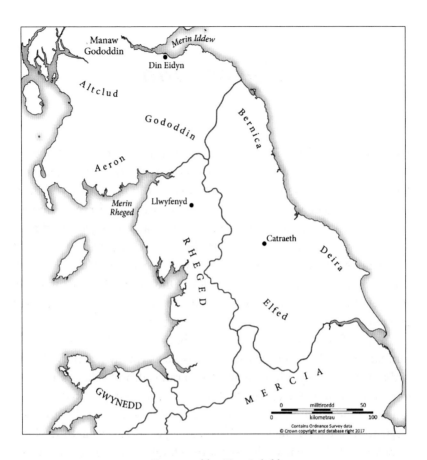

Teyrnasoedd yr Hen Ogledd

Cyflwyniad

Anodd yw ei ddiffinio mewn geiriau, ond yr un yw'r teimlad o hyd. Fe ddaw wrth weld enwau ar fap neu ar arwyddion. Fe ddaw wrth deithio mewn trên neu wrth wibio ar hyd yr M6 i gyfeiriad yr Alban. Ac fe ddaw'n sicr wrth hamddena yno a throedio'r tir. Nid hiraeth mohono. Nid tristwch chwaith. Efallai mai'r agosaf y gellir dod at ei ddiffinio fyddai ei alw'n gyfuniad o falchder ac o chwithdod. O gyrraedd Cumbria, bydd sŵn hen frwydrau'n canu'n y cof ac ymdeimlad balch o berchnogaeth yn meddiannu'r galon. Ond yn y balchder hwnnw y mae hefyd chwithdod ynghylch yr hyn a fu a'r hyn a gollwyd. Teimlad felly a ddaw'n ddieithriad wrth gyrraedd yr Hen Ogledd.

Yn y gyfrol ddadlennol hon fe'n harweinir y tu hwnt i'r fath deimladrwydd. Hen deyrnas Rheged yw maes ymchwil a myfyrdod yr awdur a cheir yma ymdrech arwrol ar ei ran i adrodd ei hanes a hynny ar ganfas cronolegol eang. Â Rheged yn bennaf y cysylltir canu Taliesin. Ond rhan yn unig yw'r hen ganu hwnnw o wead cyfoethog y gyfrol hon. Un o'i rhagoriaethau mawr yw adnabyddiaeth drylwyr yr awdur o dirlun, daearyddiaeth a henebion yr hen deyrnas. Drwy'i adnabyddiaeth braff o rai o'i thrigolion heddiw fe gafodd hyd hefyd i rai pethau gwirioneddol arwyddocaol.

Oes, fel y cyfaddefa'r awdur, y mae agweddau lawer ar hanes Rheged sy'n dywyll ac ansicr ac o raid fe'i gorfodir weithiau i ddamcaniaethu. Nid yw'n disgwyl i ni gytuno'n ddiysgog â phob un o'i ddamcaniaethau. Ond y mae un peth y bydd holl ddarllenwyr y gyfrol hon yn unfryd yn ei gylch. O hyn allan bydd cyrraedd yr Hen Ogledd yn gyflawnach profiad, a chyda'r gyfrol hon i'n harwain, nid balchder a chwithdod yn unig a ddaw wrth grwydro Rheged, ond gwir wefr hefyd.

Yr Athro Peredur Lynch
Mehefin 2017

Rhagair

Yng Nghymru, fe'n cyhuddir ni'n aml o ffoli ar ein gorffennol, 'picking the bones of a dead culture', chwedl R. S. Thomas. Ond mae yna un cyfnod yn ein hanes sydd heb dderbyn fawr o sylw; stori teyrnasoedd Cymreig yr Hen Ogledd. Term hanesyddol yw'r Hen Ogledd i ddisgrifio'r ardal rhwng ucheldir yr Alban a swydd Caerhirfryn yn y pum canrif wedi Oes y Rhufeiniaid. Am gyfnod, y Deheubarth oedd ein Cymru ni i drigolion y Gogledd ond, wedi brwydr Caer oddeutu 615, gosodwyd lletem rhwng y ddwy wlad. Teyrnasoedd enwocaf yr Hen Ogledd oedd Rheged a'r Gododdin ond, erbyn y nawfed ganrif, Ystrad Clud oedd prif dalaith yr hen Gymry yno. Dyma lle y cyfansoddwyd cerddi cyntaf ein hiaith neu, a bod yn gywir, yn y Gymbrieg, iaith debyg i'r Gymraeg. Disgrifiadau digon unochrog o hanes y cyfnod a geir yn llyfrau hanes y Saeson, gan eu bod yn amharod i gydnabod fod dylanwad y Cymry wedi para mor hir. Yn y gyfrol hon, cyflwynaf arolwg o hanes yr Hen Ogledd o safbwynt newydd: safbwynt Cymreig. Gwireb yw dweud mai'r gorchfygwr sy'n ysgrifennu hanes, ond syndod oedd gweld fod cymaint o hanes cynnar y rhanbarth wedi ei gamliwio.

Dechreuir y stori yn y Mesolithig pan oedd llwybrau'r môr yn gyswllt pwysig rhwng cymunedau gorllewin Ewrop. Credir mai o Iberia y gwladychwyd Iwerddon a gorllewin Prydain ar ôl yr Oes Iâ, ond dengys mesuriadau genynnol bod dylanwad Twrci a'r Iwcrain yn gryfach tua'r dwyrain. Datblygiad mawr y Neolithig oedd lledaeniad amaeth, ac y mae lle i gredu bod ffermwyr gorllewin Prydain yn fwy arloesol na'u cymrodyr yn y dwyrain. Profwyd, trwy astudio gweddillion paill o gorsydd, bod cyfran uchel o goed wedi eu torri yn y gorllewin mewn cyfnod cynnar iawn. Cloddfeydd y gorllewin oedd yn bennaf gyfrifol am gynhyrchu bwyeill cerrig y cyfnod ac yr oedd yna gloddfa bwysig yng Ngwynedd ac un arall yn Ardal y Llynnoedd.

Yr oedd yr Oes Haearn yn gyfnod pwysig yn hanes Celtiaid Ewrop ond gwyddys bellach mai'r diwylliant, nid llu o fewnfudwyr, a ledodd i Brydain ac Iwerddon. Trwy gydol y cyfnod, yr oedd Brythoniaid Prydain yn siarad iaith debyg i'w cymrodyr yng Ngâl ac yn rhannu'r un diwylliant. Gellir dysgu rhywfaint am hanes y cyfnod o gofnodion y Rhufeiniaid lle gwelir fod yna berthynas agos rhwng rhai o lwythau Prydain a chymrodyr ar y Cyfandir. Bernir mai cynghrair o lwythau oedd Brigantes yr Hen Ogledd ac mai un o lwythau'r trefniant oedd Carvetii Ardal y Llynnoedd. Ychydig sydd wedi ei wneud i ddatgelu hanes y llwyth rhyfelgar hwn, ond credir bod Caradog, arwr cyntaf y Cymry, ar ei ffordd i'w gwlad i gynnig cymorth pan gipiwyd ef gan ei elynion.

Ardal filwrol oedd yr Hen Ogledd yn ystod Oes y Rhufeiniaid a bu'n rhaid i'r Ymerodraeth frwydro'n hir cyn goresgyn y Carvetii. Yn y diwedd, bu'n rhaid cynnig cyfran o ymreolaeth i'r llwyth, ac wedi iddynt ymdawelu, credir eu bod yn ddigon parod i fabwysiadu gwerthoedd newydd. Yn y bedwaredd ganrif gwelwyd mwy o gyfathrach rhwng milwyr yr Ymerodraeth a'r gymuned leol, datblygiad nid annisgwyl o gofio bod llawer yn siarad iaith debyg i'r Frythoneg. Wedi i'r fyddin ganolog ddychwelyd i'r Cyfandir yn y bumed ganrif gwnaeth gweddillion y fyddin ymdrech deg i gryfhau amddiffynfeydd Prydain. Yn y dyddiau olaf, adferwyd nifer o gaerau ar Fur Hadrian ac fe godwyd cyfres o orsafoedd gwylio ar hyd y glannau. Yn ôl pob tebyg, cadlywydd yn y dull Rhufeinig oedd yr Arthur hanesyddol a cheir cyfeiriadau yng nghofnodion Nennius sy'n cynnig ei fod wedi ymladd sawl brwydr yn yr Hen Ogledd.

Pennod allweddol y gyfrol yw'r un lle sonnir am y cefndir hanesyddol i ganu Taliesin, Aneirin a Llywarch Hen. Trwy gerdded y tir ac edrych ar ddosbarthiad hen enwau, gwelwyd bod mwy o hanes dilys ynghudd yn y cerddi nag a ystyrid hyd yn hyn. Llwyddwyd i gynnig damcaniaethau newydd am leoliad rhai o'r brwydrau a ddisgrifir yng nghanu Taliesin a hyd yn oed yn yr englynion a dadogwyd ar 'Lywarch Hen'. Gan fod y stori a adroddir am frwydr y Gododdin yng Nghatraeth mor gyfarwydd, dim ond crynodeb a gynigir yn y gyfrol hon. Serch hynny, rhaid oedd adrodd stori'r neuadd o'r chweched ganrif a ddarganfuwyd yn y gogledd-ddwyrain wrth ymyl y ffordd oedd yn arwain o Ddin Eidyn i Gatraeth. Yn ôl y broliant, 'Anglo Saxon Hall' yw'r heneb ond dengys mesuriadau ymbelydrol bod y neuadd wedi ei llosgi i'r llawr oddeutu 640 OC, cyfnod ymosodiad y Saeson ar ddinas Din Eidyn.

Wedi colli brwydr Catraeth, cyfnod o wrthgilio oedd y seithfed ganrif i deyrnasoedd Cymreig yr Hen Ogledd. Collwyd darn o Elfed yn gynnar yn y ganrif, ond llwyddodd Rheged i oroesi trwy drefnu cytundeb gyda Saeson Northymbria. Dyna, yn ôl pob tebyg, oedd y cefndir i'r briodas a drefnwyd rhwng Oswiu, brawd y brenin Oswallt, a Rhianfellt o Reged oddeutu 630 OC. Pan laddwyd Oswallt mewn brwydr, esgynnodd Oswiu i'r orsedd ac, yn fuan wedyn, bu'n rhaid iddo briodi Saesnes o Gaint. Ni wyddys beth oedd tynged Rhianfellt, ond y mae hanes y plant yn cynnig bod rhwyg dinistriol yn y teulu. Cytuna pawb mai Rhianfellt oedd mam Alchfrith ac y mae lle i gredu mai hi oedd mam yr ail fab, Aldfrith, hefyd. Wedi i Alchfrith wrthryfela, y trydydd mab, Ecgfrith, a esgynnodd i'r orsedd a bu'n rhaid i Aldfrith encilio i fynachdy ar ynys Iona. Sarnu'r rhanbarth trwy ymosod ar ei gymdogion a wnaeth Ecgfrith, a phan laddwyd ef mewn brwydr, bu'n rhaid i Aldfrith ddychwelyd i adfer y deyrnas. Yn ôl yr haneswyr, Aldfrith oedd brenin mwyaf llwyddiannus Northymbria, ond prin yw'r rhai sy'n barod i gydnabod ei gysylltiadau Cymreig.

Stori fawr y nawfed ganrif oedd goresgyniad Northymbria gan y Daniaid, digwyddiad a roddodd gyfle i Ystrad Clud ymestyn ei ffiniau tua'r de. Cymry felly oedd llywodraethwyr yr ardal pan wladychwyd Ardal y Llynnoedd gan fewnlifiad o Norwyaid o Ddulyn yn y ddegfed ganrif. Ymddengys o ddosbarthiad eu haneddau bod y Cymry a'r Norwyaid yn byw yn ddigon cytûn yn nyffrynnoedd y canoldir, a cheir sawl enghraifft o enwau dwyieithog. Dyma oedd y cefndir hanesyddol i'r gynghrair a ffurfiwyd rhwng Cymry Ystrad Clud, y Norwyaid, y Gwyddyl a brenhinoedd yr Alban i ddisodli'r Saeson o ogledd Prydain yn y ddegfed ganrif. Credir mai ymgais i annog brenhinoedd petrusgar y Cymry i ymuno â'r gynghrair oedd 'Armes Prydain', un o gerddi mwyaf ymfflamychol yr iaith. Yn anffodus, methiant oedd yr ymgyrch a deil brwydr Brunarburh yn 937 OC yn drobwynt yn hanes ein cenedl o hyd. Yn fuan wedyn, collodd Ystrad Clud ei gafael ar Ardal y Llynnoedd ond yr oedd yna lywodraethwyr Cymreig yn ne'r Alban hyd ganol yr unfed ganrif ar ddeg.

Darn arall o hanes yr Hen Ogledd nas adroddir yn aml yw stori'r Eglwys Fore. Yr oedd trigolion y rhanbarth yn Gristnogion ymhell cyn i'r Saeson dderbyn y ffydd, ond prin iawn yw'r cyfeiriadau at seintiau Celtaidd yr Hen Ogledd. Brython o ardal Caerliwelydd oedd Padrig, nawddsant y Gwyddyl, a honnwyd bod Cyndeyrn, sylfaenydd eglwys gadeiriol Glasgow, yn fab i Owain ap Urien. Gwyddelod o'r Alban oedd yn bennaf cyfrifol am dröedigaeth Northymbria, ond Rhun ap Urien oedd y cenhadwr a ddechreuodd y gwaith. Encilio oedd hanes yr Eglwys Geltaidd wedi Synod Whitby yn 664 OC, ond ni ddiflannodd ei dylanwad yn llwyr. Yn y tywyslyfrau, sonnir cryn dipyn am 'Anglo Saxon Crosses' Ardal y Llynnoedd, ond camgymeriad yw hyn, gan fod y mwyafrif yn perthyn i'r un traddodiad â'r croesau a welir yng Nghymru ac Iwerddon.

Yn y bennod olaf, cynigir braslun o waddol cyfnod Cymreig Ardal y Llynnoedd. Gwaddol mwyaf annisgwyl y cyfnod yw strwythur genynnol y trigolion, gan fod ymchwiliadau diweddar wedi profi mai Cymry yw trwch y boblogaeth o hyd. Y mae hyn yn arbennig o wir am hen sir Cumberland ('Gwlad y Cumbri') felly nid rhyfedd gweld bod cymaint o enwau o darddiad Cymreig yn britho'r tir. Rhaid turio yn ddyfnach cyn dod o hyd i olion llai amlwg, ond y mae ambell air o'r hen iaith wedi aros yn nhafodiaith hynod y fro. Diddorol hefyd nodi bod chwedlau o'r cyfnod cynnar wedi aros ar lafar gwlad a bod rhai arferion cymdeithasol yn debyg i'r rhai a arferir yng Nghymru.

Rhag dychryn y darpar ddarllenydd, rhaid brysio i ychwanegu nad cyfrol academaidd yw hon, ond ymgais i adrodd stori ein hil heb foddi mewn môr o ddadleuon. Mewn adolygiad o un gyfrol ar hanes Cymru beirniadwyd yr awdur am 'geisio dal y ddysgl yn wastad'. Rhaid cyfaddef felly o'r cychwyn nad dyna oedd fy nod i. Y mae cerdded 'llwybr canol' yn anodd ar y gorau ond yn amhosib pan fod cymaint o hanes cynnar yr ardal wedi ei gamddehongli.

Wrth weld y gwaith yn dod i ben, pleser yw diolch i'r rhai a fu'n gefn i'r gwaith o'r cychwyn. I Margaret, fy ngwraig, am ei chwmni ar lawer taith ymchwil a'i hamynedd wrth golli amser gŵr a oedd wedi 'ymddeol'. I Desmond Healy am ei gefnogaeth a'i gymorth trwy gydol y fenter, ac am hybu diddordeb yn y 'pethe' pan oedd yn athro yn Ysgol y Preseli.

Carwn hefyd ddiolch i Myrddin ap Dafydd a Gwasg Carreg Gwalch am bob cymorth a gofal, a'r Athro Peredur Lynch am lunio Cyflwyniad sylwgar.

I gyd-fynd â'r gyfrol, trefnwyd cyfres o deithiau i amlygu hanes yr ardal ar wefan Carreg Gwalch. Er godidoced y golygfeydd, ni ellir teithio trwy'r ardal heb deimlo rhywfaint o dristwch. Perthnasol felly yw dyfynnu darn o gân Dafydd Iwan sy'n sôn am yr hiraeth a deimlir yng Nghymru am yr hyn a gollwyd o lawer bro:

> Af i chwilio yn y mynydd
> Af i chwilio yn y glyn;
> Af i chwilio am orffennol teg fy ngwlad.
> Gwrandawaf ar yr afon a syllaf ar y llyn
> A disgwyl, disgwyl gweled fy nhreftad.

Mae'r ffaith nad oes gan drigolion Ardal y Llynnoedd unrhyw ymwybyddiaeth o'u cefndir Cymreig yn rhybudd i unrhyw un sy'n credu nad yw'r iaith yn bwysig. Dros ganrif yn ôl, yr oedd Emrys ap Iwan yn fyw i'r perygl pan wnaeth y sylw 'y Gymraeg yw'r unig wrthglawdd rhyngddom â diddymdra'.

Glen George
Gorffennaf 2017

Y Fro Gyntefig

Tyfodd y cen yn drwm dros feini llwyd;
mae'r glew yn angof er y gwylio maith,
a'i unig lais yw fy mudandod i.

Iorwerth Peate

Y mae'r cysylltiad hanesyddol rhwng cymunedau'r gorllewin yn llawer hŷn nag oes y Celtiaid. Dengys ymchwiliadau diweddar fod rhai cysylltiadau'n deillio o wladychiad Prydain ar ôl yr Oes Iâ ac eraill o ddatblygiad amaeth yn y Neolithig. Mae arbenigwyr ym mhob maes yn hoff o fathu termau newydd i ddisgrifio syniadau syml. Un term cymharol newydd yw 'daearyddiaeth ddirnadol' (cognitive geography): gwyddor lle yr edrychir ar ddylanwad daearyddiaeth ar ddatblygiad cymdeithas. Fel arfer, adroddir hanes Prydain mewn ffordd sy'n adlewyrchu ffiniau gweinyddol ein hoes ni gan anghofio'r cysylltiadau oedd yn clymu hen gymunedau. Yn y cyfnod cyn-hanesyddol, yr oedd trigolion Prydain yn perthyn i ddau gylch tra gwahanol: Cylch yr Iwerydd yn y gorllewin a Chylch y Cyfandir tua'r de. Ni ellir deall datblygiad cymunedau cynnar yr ynys heb ymdrin â'r ddeuoliaeth sylfaenol hon. Llwybrau'r môr oedd yn gyfrifol am wasgaru pobl a nwyddau yn y cyfnod cynnar ac, yn y gorllewin, y llwybr pwysicaf oedd yr un a redai o ogledd Iberia i gyfeiriad Prydain ac Iwerddon.

Yn 1969, cyhoeddodd yr Athro E. G. Bowen o Brifysgol Aberystwyth gyfrol yn dwyn y teitl *Saints, Seaways and Settlements*.[1] Ynddi, sonnir am bwysigrwydd llwybrau'r môr i gymunedau'r gorllewin o'r cyfnod Neolithig hyd ddyddiau'r Llychlynwyr. Yr oedd y gyfrol yn llawn o sylwadau gwreiddiol ond, gan fod iddi naws academaidd, ni ddaeth i sylw llu o ddarllenwyr. Yn 2001, cyhoeddodd yr Athro Barry Cunliffe gyfrol ar yr un testun *Facing the Ocean*.[2] Yr oedd y gyfrol hon yn llawn o fapiau a lluniau lliwgar, felly llwyddodd i danio dychymyg ystod eang o ddarllenwyr. Ers hynny, y mae nifer o gyfrolau wedi ymddangos sy'n dilyn yr un trywydd, cyfrolau fel *The Sea Kingdoms*, Alistair Moffat[3] a chyfrol ysgolheigaidd Barry Cunliffe a John Koch *Celtic from the West*.[4]

Yn y bennod hon, cynigiaf arolwg o hanes Prydain yn y cyfnod cynnar er mwyn taflu golau newydd ar darddiad ein cenedl a'n hiaith. Ymdrinnir â llif hanes yn y modd traddodiadol trwy sôn am gyfnodau fel y Mesolithig, y Neolithig a'r Oes Efydd gan nodi na ellir gosod ffin bendant rhwng y cyfnodau hyn. Yn y penodau sy'n sôn am ein hanes cynnar defnyddiaf y dull diwygiedig o ddyddio hen olion. Yn yr wythdegau, sylweddolwyd bod gwall yn y dull ymbelydrol o fesur amser trwy gyfrwng yr isotop Carbon 14. Rhaid felly oedd cywiro'r ffigyrau trwy gymharu'r oed ymbelydrol gyda'r amserlen a ddatguddiwyd wrth gyfri cylchoedd tyfiant hen goed. Yn ffodus y mae digon o weddillion o'r fath wedi goroesi ar waelod corsydd i greu amserlen ddibynadwy. Wedi gwneud hyn, gwelwyd bod nifer o ddatblygiadau allweddol yn hanes y ddynoliaeth wedi digwydd ganrifoedd ynghynt nag a ystyrid hyd yn hyn. Yn ôl yr arfer a fabwysiadwyd gan archeolegwyr, defnyddiaf yr ôl-ddodiad 'cc' wrth gyfeirio at unrhyw fesur gwreiddiol a'r ôl-ddodiad 'CC' wrth gyfeirio at fesur sydd wedi ei gywiro.

Wedi'r Iâ (Y Mesolithig: 8,000–4,000 CC)

Am filoedd o flynyddoedd yr oedd gorchudd trwm o iâ yn gorwedd dros ogledd Prydain. Yn yr Alban, yr oedd yr iâ dros filltir o drwch ac yr oedd yna rewlifoedd nerthol yn llifo trwy ddyffrynnoedd Ardal y Llynnoedd. Er bod y tir tua'r de yn glir o iâ, dim ond ambell heliwr dewr oedd yn mentro i'r tir diffaith yng ngwres yr haf. Tua 10,000 CC, cynhesodd yr hinsawdd, ac erbyn 8,000 CC yr oedd y tywydd bron mor gynnes ag y mae heddiw. Wrth i'r iâ doddi, digwyddodd dau beth ar yr un pryd: adlamodd y tir wrth i bwysau'r iâ leihau ond boddwyd mannau eraill wrth i lefel y môr godi. Erbyn 9,500 CC, yr oedd sianel gul wedi agor rhwng Prydain ac Iwerddon ond yr oedd ei thir yn dal ynghlwm wrth gyfandir Ewrop. Dyma'r cyfnod pryd yr ail-boblogwyd Prydain gan fewnfudwyr a oedd wedi encilio i ardaloedd mwynach ar ddechrau'r Oes Iâ. Dengys astudiaethau genynnol bod tair 'ffrwd' o ymfudwyr wedi cyrraedd Prydain yn ystod y Mesolithig: y gyntaf yn dilyn y tir sych o ogledd Ewrop, yr ail yn croesi culfor o'r Cyfandir, a'r drydedd yn hwylio ar hyd arfordir y gorllewin. Gwlad gymharol wag oedd Prydain ar y pryd, felly gellir defnyddio dulliau genynnol i weld effaith y tair ffrwd ar gyfansoddiad y boblogaeth. Amcangyfrifwyd bod dros 50% o wneuthuriad genynnol trigolion presennol Prydain yn deillio o'r cyfnod cynnar hwn. Dengys natur y genynnau a oroesodd mai prif lochesi trigolion Ewrop yn ystod yr Oes Iâ oedd yr Wcráin, y Môr Du a gogledd Iberia. Gwaith cymharol hawdd felly oedd dilyn hynt y tair ffrwd trwy gymharu strwythur genynnol gwledydd modern Ewrop gyda strwythur genynnol y tair lloches.

Yn 2000, cyhoeddodd Zoe Rosser a'i chydweithwyr[5] ddadansoddiad dadlennol o ddylanwad y tair ffrwd ar eneteg pobl Ewrop. Trwy ganolbwyntio ar y genynnau ceidwadol a geir ar y cromosom gwrywaidd, daethpwyd o hyd i batrwm a oedd yn wirioneddol hen. Yn y dadansoddiad, defnyddiwyd y dull ystadegol a adwaenir fel 'Principal Component Analysis' i symleiddio'r patrwm ac i fesur y gyd-berthynas ddaearyddol. Mae'n debyg mai o Ogledd Iberia y gwladychwyd Iwerddon, Cernyw a'r Alban ond yr oedd mwy o ddylanwad yr Wcráin i'w weld ym mhoblogaeth Lloegr. Yn anffodus, ni chasglwyd defnydd o Gymru, ond gwyddys fod patrwm ein genynnau yn debyg iawn i'r patrwm a geir yng Nghernyw. Dyma gadarnhad felly fod yna gysylltiadau hen iawn yn rhwymo cymunedau'r gorllewin; rhaid cadw'r gwaddol hyn mewn cof, felly, wrth adrodd hanes yr Hen Ogledd.

Cymdeithas o Helwyr a Physgotwyr

Gwlad ddigon diffaith oedd Prydain ar ddechrau'r Mesolithig gyda thirwedd debyg i'r hyn a welir heddiw ym Mhegwn y Gogledd. Y prif dyfiant oedd mwsogl, porfa fain a llwyni fel bedw a meryw ac yr oedd yna lynnoedd a chorsydd ar draws y wlad. Wedi dofi'r ci, gorchwyl hawdd oedd hela ar y tir agored a phrif ysglyfaeth yr helwyr oedd y bualod mawr a'r ceirw. Cyn hir, lledodd coed fel deri, llwyf a gwern dros y dirwedd a bu rhaid cynllunio arfau newydd fel y bwa saeth i hela yn y goedwig. Nid oedd anifeiliaid y goedwig mor hawdd i'w dal, felly nid syndod gweld fod yna ostyngiad sylweddol yng nghynnyrch y tir. Nid rhyfedd felly gweld fod olion cymunedau mwyaf niferus y cyfnod i'w canfod wrth ymyl y môr neu ar lannau afonydd. Ni ellir gorbwysleisio pwysigrwydd y môr i helwyr y Mesolithig gan fod y môr yn ystorfa barod o fwyd pan oedd ysglyfaeth y tir yn brin.

Gweddillion mwyaf syfrdanol y Mesolithig yw'r olion traed a ddaw i'r golwg o dro i dro ar hyd arfordir y gorllewin. Nid olion wedi eu ffosileiddio yw'r traciau hyn ond ôl traed mewn llaid a graswyd gan yr haul cyn i'r llanw ddychwelyd i'w cuddio. Yn 1995, daethpwyd ar draws casgliad diddorol o draciau cyntefig ar y traeth ger tref glan-môr Southport. Credir bod yr olion wedi eu claddu tua 8,000 CC ac felly yn cyfateb i ddyddiau cynnar gwladychiad y gogledd orllewin. Dadorchuddiwyd yr olion wedi cyfnod o dywydd garw, felly rhaid oedd eu harchwilio ar frys cyn i storm ddinistrio'r patrwm. Trwy fesur maint y traed a hyd y camau llwyddwyd i greu darlun credadwy o gyflwr corfforol y cerddwyr a phwrpas y tro ar y traeth. Gwelwyd ar unwaith fod yna blant ac oedolion yn y cwmni a'u bod, yn ôl pob tebyg, wedi mynd i'r traeth i gasglu bwyd morol. Y mae digon o gocos a chyllyll môr i'w gweld ar y traeth o hyd er bod llygredd yn llifo ar hyd yr arfordir. Diddorol hefyd oedd sylwi bod camau'r oedolion yn dilyn llwybrau pwrpasol ond yr oedd traciau'r plant yn troelli i bob cyfeiriad. A dyna gipolwg rhyfeddol ar ddiwrnod ym mywyd teulu cyntefig, yn hel eu bwyd ar y traeth ar ddiwrnod braf o haf.

Un o greiriau mwyaf hynod y Mesolithig yn Ardal y Llynnoedd yw'r blaen gwaywffon a ddarganfuwyd ger Crosby-on-Eden yn 1884. Yr oedd blaen y waywffon yn debyg i'r un a blannwyd yng nghoes cawrgarw (elk) a gladdwyd mewn cors yn Swydd Gaerhirfryn. Ymddengys bod yr anifail hwnnw wedi dianc oddi wrth yr heliwr cyn syrthio i'r gors i farw. Ychydig iawn a wyddys am anheddau'r Mesolithig, ond credir bod yr helwyr yn byw mewn tai o wneuthuriad sylweddol pan nad oeddynt ar grwydr. Yn y flwyddyn 2000 daethpwyd o hyd i olion tŷ o'r cyfnod ger y môr yn Northymbria. Amcangyfrifwyd bod y tŷ wedi ei godi tua 7,800 CC, felly dyma dŷ annedd hynaf yr Hen Ogledd! Yn 2005, adeiladwyd copi o'r tŷ gan dîm

Copi o'r math o dŷ a ddefnyddid gan helwyr y Mesolithig

'Time Team' o'r BBC a diddorol sylwi fod yna gyntedd bach dros y porth.

Trwy amseru gwedd-illion golosg, profwyd bod cymunedau o helwyr wedi ymsefydlu ar lannau gogleddol aber afon Solway yn yr Hen Ogledd mewn cyfnod cynnar iawn. Amserwyd un safle yn ne'r Alban i'r cyfnod rhwng 5,850 a 5,750 CC ac un arall yn Cumbria i'r cyfnod oddeutu 5,000 CC. Gwelwyd hefyd fod yr helwyr yn defnyddio tân, nid yn unig i ddychryn yr anifeiliaid, ond i greu mwy o dir agored ar gyfer eu helfeydd. Yn Ardal y Llynnoedd ymddengys mai safle pwysicaf y cyfnod oedd y tir isel o amgylch aber afon Esk. Rhwng 1974 a 1986, daethpwyd o hyd i filoedd o gerrig miniog (microlithau) yn y tir corsiog, ynghyd â channoedd o flaenau saeth a darnau o'r cyllyll a ddefnyddid i drin crwyn. Anodd dweud beth oedd pwrpas y llwyfan pren a godwyd yng nghanol y gors, ond fe allai fod yn weithle, neu yn sylfaen i res o dai. Gwelwyd o natur y paill a gasglwyd o waelod y gors, fod yr helwyr hefyd yn tyfu cnydau mewn llennyrch yn y goedwig. Prawf na ddylid tynnu llinell bendant rhwng cyfnod yr heliwr a chyfnod y ffermwr, a bod rhai yn dilyn ffordd o fyw debyg i amaethwyr 'torri a llosgi' ein dyddiau ni.

Y Chwyldro Amaethyddol (Y Neolithig: 4,000–2,000 CC)

Y datblygiad pwysicaf yn nhwf y ddynoliaeth oedd y grefft o drin y tir a dofi anifeiliaid. O hynny ymlaen, cefnwyd ar fywyd ansicr yr heliwr ac esgorwyd ar y teimlad o berthyn i ran arbennig o'r wlad. Gan mai planhigion ac anifeiliaid o'r Dwyrain Canol a fabwysiadwyd gan y ffermwyr cyntaf, gwyddom mai o'r rhan honno o'r byd y lledodd amaethyddiaeth. Trwy ddefnyddio cyfuniad o ddulliau biolegol ac archeolegol, gellir dilyn hynt y chwyldro amaethyddol o wlad Groeg (tua 6,500 CC), trwy Iberia (tua 5,600 CC) i ogledd Ffrainc (tua 5,000 CC). Yn ôl pob tebyg, nifer fach o ymfudwyr oedd yn gyfrifol am ledu'r dechnoleg newydd trwy symud o wlad i wlad. Ni ledodd y chwyldro i Brydain ac Iwerddon tan 4,500 CC am fod y môr yn dipyn o rwystr. Tasg hawdd oedd symud cnydau ac anifeiliaid dros y tir ond, wedi mentro i'r môr, rhaid oedd cadw'r grawn yn sych a rhwymo'r anifeiliaid. Mae'n debyg mai o benrhyn i benrhyn y trefnwyd y teithiau cynnar gan lanio ar ddiwedd pob dydd i fwydo a disychedu'r anifeiliaid. Credir mai cychod o grwyn a gwiail a ddefnyddid i groesi'r môr, tebyg i'r *curaghs* hir a welir o hyd yn Iwerddon. Yn 1896 daethpwyd o hyd i fodel aur o gwch cyntefig ar gyrion pentref Broighter ar lan Lough Foyle yn Swydd Derry. Dim ond saith modfedd o hyd oedd y model, ond bernir bod y cwch gwreiddiol tua phymtheg metr o hyd gyda hwylbren yn y canol a seddau i ddeunaw o rwyfwyr.[6] Amcangyfrifwyd y gallai cwch o'r fath gario tair neu bedair buwch ar y tro neu ugain neu fwy o ddefaid. Camgymeriad yw cynnig na allai morwyr y cyfnod drefnu mordeithiau hir na mentro ymhell o olwg tir. Gwyddys o olion gwastraff eu bod yn dal penfras ym Môr Iwerydd, pysgodyn sy'n byw ymhell o'r arfordir.

Anodd dweud faint o'r arloeswyr cynnar a laniodd ym Mhrydain ond does dim amheuaeth mai yn Iwerddon y sefydlwyd ffermydd mwyaf llewyrchus y cyfnod. Yn y tridegau, daethpwyd o hyd i olion rhwydwaith o gaeau eang, y Céide Fields (*Achaidh Chéide*) ar arfordir Swydd Mayo gan hen ŵr oedd yn torri mawn. Enw'r hen ŵr oedd Patrick Caulfield a, deugain mlynedd yn ddiweddarach, ei fab Seamus oedd yr archaeolegydd a gafodd y fraint o ddatgelu cyfrinachau'r safle.[7] Dyddiwyd y Céide Fields i'r cyfnod rhwng 4,000 a 3,000 CC, ond bernir bod cyfran sylweddol o'r safle wedi ei diwyllio ymhell cyn hyn. Heddiw, y mae adfeilion dros naw deg o ffermydd tebyg wedi eu darganfod yn Iwerddon ac, er yr holl chwilio, ni ddaethpwyd o hyd i ddim tebyg ym mawndir de-ddwyrain Lloegr!

Ffermwyr cyntaf Ardal y Llynnoedd

Cyn trafod lledaeniad amaeth i Brydain, rhaid cyfeirio at y dulliau a ddefnyddir i amseru'r newid yn y ffordd o fyw. Yn 1916, sylwodd Lennart van Post, llysieuydd o Sweden, y gellid defnyddio trawstoriad o'r gwaddod a oedd wedi disgyn i waelod llyn i 'ddarllen' hanes llysieuol y dalgylch. Rhwng y ddau Ryfel Byd, datblygwyd y dechneg yn wyddor newydd, 'palaeolimnology': enw sy'n gyfuniad o'r geiriau Groeg am 'hen' (*paleon*), 'llyn' (*limne*) ac 'astudiaeth' (*logos*). Y mae gan baill pob planhigyn strwythur unigryw sy'n dal yn gyfan pan gleddir y paill mewn cors neu yn y llaid ar waelod llyn. Trwy gyfuno'r dull ymbelydrol o fesur amser gydag archwiliad o natur y paill, gellir penderfynu pryd y claddwyd y paill a gweld beth oedd cyflwr llysieuol yr ardal o amgylch y safle. Ym Mhrydain, un o'r cyntaf i ddefnyddio'r dechneg i amlygu lledaeniad y chwyldro amaethyddol oedd Winifred Pennington, aelod o hen deulu bonedd o Coniston yn Ardal y Llynnoedd. Rhwng 1943 a 1991 cyhoeddodd Pennington a'i chydweithwyr gyfres o erthyglau ar gyflwr llysieuol yr ardal o'r Oes Iâ hyd y cyfnod wedi'r Ail Ryfel Byd. Hi oedd y cyntaf i ddefnyddio'r ddyfais arloesol a gynlluniwyd gan F. J. H. Mackereth[8] i gasglu trawstoriad hir o waddod o waelod llyn dwfn. Am y tro cyntaf, gellid gweld natur y paill a oedd wedi disgyn i'r llyn cyn cychwyn y chwyldro amaethyddol. Heddiw, disgrifir y ddyfais fel y 'Mackereth Corer', ac y mae gan y fersiwn mwyaf pwerus bibell tua 10 m. o hyd. Gwthir y bibell drwy'r llaid gyda chwistrelliad o aer cywasgedig, cyn defnyddio chwistrelliad arall i saethu'r bibell tua'r wyneb fel taflegryn o gwch tanfor.

Un o'r safleoedd cyntaf i'w harchwilio gan ddyfais o'r fath oedd Barfield Tarn, llyn bychan tua 2km o'r môr ger Bootle[9] yn Ardal y Llynnoedd. Nodwedd amlycaf y cyfnod rhwng 4,600 a 4,000 CC oedd y cynnydd a welwyd yn y paill a wasgarwyd gan borfa ar draul y gyfran oedd wedi disgyn o'r coed. Cynigia'r patrwm fod cyfran uchel o'r coed yn y dalgylch wedi eu torri cyn 4,400 CC, ond ni welwyd cynnydd sylweddol yn y tir pori am ganrif wedi hyn. Cyn hir, datguddiwyd patrymau tebyg mewn safleoedd ar draws yr ardal i brofi bod cyfran o ucheldir Ardal y Llynnoedd wedi ei ddinoethi erbyn 4,200 CC. Heddiw, cydnabyddir bod y patrwm o ddiwyllio cynnar yn nodweddiadol o safleoedd ar draws y gorllewin o ucheldir yr Alban i ganoldir Cymru. Er enghraifft, amserwyd datblygiad amaeth ar fynydd Llandegái i'r cyfnod o amgylch 4,000 CC, ac y mae olion o ffermio llewyrchus yng Nghernyw cyn 3,700 CC.

Ffordd arall o ddirnad pryd y mabwysiadwyd y ffordd newydd o fyw yw chwilio am arwyddion o newid sydyn ym mwydlen yr helwyr. Gwneir hyn trwy gymharu cyfartaledd yr isotopau carbon (^{12}C a ^{13}C) a geir mewn darnau o esgyrn dynol. Y mae cyflenwad y ddau isotop yn newid mewn ffordd ddadlennol pan droir o fwyd morol i gnawd anifeiliaid. Fel arfer, cyfrifir mesuriadau rhwng −10 a −16 yn arwydd o fwyd morol a mesuriadau rhwng -20 a −25 yn arwydd o fwydlen a oedd yn cynnwys mwy o gig. Yn 2002 cyhoeddodd Clive Bonsall a'i gydweithwyr adroddiad ar effaith tybiedig newidiadau yn yr hinsawdd ar dwf amaeth yng ngorllewin yr Alban.[10] Gwelwyd fod y gymuned arfordirol honno yn bwyta cryn dipyn o gig erbyn 3,800 CC, felly rhaid derbyn eu bod yn magu anifeiliaid i'w lladd yn hytrach na'u hela yn y goedwig.

Y Meini Mawr

Canlyniad pwysicaf y chwyldro amaethyddol oedd y newid a welwyd ym meddylfryd y bobl. Wedi mabwysiadu bywyd sefydlog, datblygodd yr ymdeimlad o berthyn i ran arbennig o'r wlad a dechreuwyd ymboeni am lwyddiant y cynhaeaf. Mae'n debyg mai pryderon o'r fath oedd yn gyfrifol am y parch a ddangoswyd at y cyndeidiau. Parchwyd y rhai a oedd wedi gosod y seiliau i ffordd newydd o fyw ac fe fawrygwyd eu gweddillion. Yn ôl arbenigwyr, dyma oedd yn gyfrifol am y defodau claddu a oedd mor nodweddiadol o'r Neolithig a'r gofal a estynnwyd i weddillion y llwyth. Serch hynny, ymddengys mai'r llwyth, nid yr unigolyn, oedd yn bwysig gan mai beddrodau cymunedol oedd beddrodau'r cyfnod. Y mae maint rhai o'r beddrodau yn dyst i ymdrech nifer o bobl dros gyfnod hir ac y mae lle i gredu na thynnwyd llinell bendant rhwng bywyd yn y byd hwn a'r bywyd ym myd y meirw. Tybed a oedd yr ansicrwydd a oedd yn gysylltiedig â'r ffordd newydd o fyw hefyd yn rhan o'r gyfrinach? Ni welir beddrodau tebyg yng nghanoldir Ewrop ond y maent yn amlhau wrth nesu at arfordir Môr Iwerydd lle'r oedd y tywydd yn fwy ansefydlog.

Ychydig a wyddys am ddefodau claddu'r cyfnod, ond credir fod y broses yn un hir a chymhleth. Bernir mai'r cam cyntaf oedd gadael i'r corff bydru o dan domen o bridd neu ar lwyfan pren cyn casglu'r esgyrn i'w gosod yn y beddrod. Hyd y gellir barnu, nid claddgelloedd caeedig oedd y beddrodau mawr, ond ystafelloedd y gellid eu hagor o bryd i'w gilydd i ad-drefnu'r cynnwys. Mewn rhai beddau yr oedd yr esgyrn wedi eu gosod yn un pentwr cymysg, ond mewn eraill yr oedd y penglogau wedi eu gwahanu oddi wrth yr esgyrn hir. Barnwyd hefyd bod arwyddocâd defodol i'r tir o flaen y bedd, a myn rhai y dylid meddwl am safleoedd y Meini Mawr fel canolfannau cymdeithasol, yn hytrach na chladdfeydd ymylol.

Fel y nododd yr Athro Glyn Daniel,[11] prif nod archeolegwyr yr ugeinfed ganrif oedd cymharu strwythur y Meini Mawr a'u trefnu yn gyfres esblygiadol. Ar y cychwyn, tybiwyd bod y beddau bach yn hŷn na'r beddau mawr ond, wedi cywiro'r dull ymbelydrol o fesur amser, gwelwyd nad oedd hyn yn wir. Heddiw, gosodir mwy o bwys ar leoliad y beddrodau a'r ffordd yr addaswyd eu strwythur i ateb gofynion y gymdeithas. Bernir bod y mwyafrif wedi eu codi rhwng 3,900 a 3,500 CC, cyfnod y chwyldro amaethyddol, ond y mae rhai yn perthyn i gyfnod mwy diweddar. Y cyflwyniad gorau i wneuthuriad y beddrodau a'u dosbarthiad yw cyfrol Frances Lynch, *Megalithic Tombs and Long Barrows in Britain*.[12] Yn ôl yr awdur, gellir rhannu beddrodau Prydain i dri dosbarth: y siambrau pridd, y siambrau cerrig a'r siambrau sy'n gyfuniad o'r ddau draddodiad. Yn ne a dwyrain Lloegr, lle mae cerrig yn brin, codwyd y mwyafrif o bridd, ond y mae nifer o feddau pridd yn Ardal y Llynnoedd hefyd. Yn ei hanfod, traddodiad yn perthyn i diroedd y gorllewin oedd y beddrodau cerrig ond fe ddefnyddid ambell garreg i gryfhau'r siambrau a luniwyd o bridd. Y mae beddau 'cymysg' o'r fath yn gyffredin yn ne-ddwyrain Cymru a'r enw a fathwyd i ddisgrifio'r pat-rwm yw 'Cotswold-Severn Cairns'. Barnodd Francis Lynch fod y traddodiad wedi cyrraedd Prydain o ddyffryn afon Loire, ond y mae rhai yn fwy tebyg i'r beddau cyntedd a welir yn Llydaw.

O safbwynt yr Hen Ogledd, henebion mwyaf dadlennol y cyfnod yw'r beddrodau cerrig a godwyd ar lannau Môr Iwerydd. Yng nghyfrol Frances Lynch, disgrifir deg math o feddrod carreg, ond y brif ffurf oedd y garnedd Clud a'r gromlech. Yn ei ffurf symlaf, blwch isel o gerrig oedd y

Cromlech Great Urswick yn ne orllewin Ardal y Llynnoedd

garnedd Clud ond, gydag amser, cywreiniwyd y cynllun trwy ychwanegu mwy o siambrau a mynedfa o gerrig nadd. Myn rhai mai datblygiad o'r garnedd Clud oedd y gromlech, gan fod y mwyafrif yn perthyn i gyfnod diweddarach. Prif nodwedd y gromlech oedd maint y cerrig a ddefnyddiwyd i lunio'r siambr, ond yr oedd yna hefyd drefniant arbennig o gerrig o amgylch y fynedfa. Heddiw, y mae'r gromlech wedi ennill ei lle yn symbol o'r hen Gymry, felly syndod oedd dod ar draws cofnod o ddwy a godwyd ar arfordir Ardal y Llynnoedd.

Yn 2007, cyhoeddodd yr archaeolegydd Vicki Cummings arolwg o holl feddrodau carreg Prydain ac Iwerddon.[13] Fel rhan o'r ymchwil, teithiodd i weld tua 350 o'r beddrodau hyn gan dalu sylw arbennig i'w lleoliad yn y dirwedd. Y canlyniad oedd cynnig damcaniaeth newydd i esbonio cefndir hanesyddol yr henebion ac arwyddocâd diwylliannol eu lleoliad. Hi oedd y cyntaf i nodi lleoliad cromlechi Ardal y Llynnoedd, gan nad oes sôn amdanynt yng nghyfrol Frances Lynch.

Cromlech fwyaf cyfan Ardal y Llynnoedd yw'r un a saif ar fryn isel ger pentref Great Urswick. Heneb ddigon distadl yw'r gromlech o'i chymharu â chromlech Pentre Ifan yn Sir Benfro ond rhaid cofio bod y calchfaen a ddefnyddiwyd i'w chodi wedi erydu. Y mae cyflwr yr ail gromlech, a ddarganfuwyd ymhellach tua'r gogledd, yn fwy bregus ond fe all fod rhai o feddrodau cynnar yr ardal wedi eu boddi pan gododd lefel y môr.

Hyd yn gymharol ddiweddar, ni thelid fawr o sylw i leoliad y Meini Mawr, ond wedi i Vicki Cummings gyhoeddi ei hadroddiad, y mae mwy a mwy o haneswyr yn trafod arwyddocâd eu lleoliad. Bellach cydnabyddir na ellir esbonio arwyddocâd cymdeithasol y meini heb edrych ar y gyfathrach agos a ddatblygodd rhwng cymunedau arfordirol Môr Iwerydd dros gyfnod hir. Yn ei hadroddiad, nododd Vicki fod canran uchel o'r cromlechi wedi eu codi yng ngolwg y môr gyda mynydd amlwg yn y cefndir. Y mae cromlech Pentre Ifan yn enghraifft dda o'r patrwm gan ei bod yn sefyll wrth droed Carn Ingli gyda bae Trefdraeth islaw. Nodwedd gyffredin arall yw'r ffaith fod y mwyafrif yn haws i'w gweld wrth deithio o gyfeiriad y môr yn hytrach nag o gyfeiriad y tir. Dyna yn sicr yw'r patrwm ar benrhyn Tyddewi lle mae pen isel y gromlech bron yn anweledig o'r tir. Dyna awgrym fod ei hadeiladwyr yn gyfarwydd â llwybrau'r môr a'u bod yn awyddus i gynnig 'mynegbyst' i deithwyr.

Yn y diweddglo i'w harolwg, aeth Vicki Cummings mor bell â mabwysiadu'r term 'Irish Seas World' i ddisgrifio cefndir adeiladwyr y cromlechi. Myn eraill mai rhamant yw cysyniad o'r fath, ond ni ddylid anghofio'r cysylltiadau ieithyddol a diwylliannol a oedd yn dal i rwymo cymunedau'r gorllewin â'i gilydd.

Y bwyeill cerrig

I ffermwyr y cyfnod Neolithig, yr arf hanfodol oedd bwyell finiog i dorri coed. Ar ddechrau'r cyfnod, darnau o fflint o lan y môr a ddefnyddid i lunio'r bwyeill, ond, pan aeth y cerrig hyn yn brin, cloddiwyd y fflint o grombil y ddaear mewn mannau fel 'Grime's Graves' yn Swydd Norfolk. Nid oedd y fwyell fflint yn arf effeithiol am fod ansawdd llawer o'r cerrig yn wael a'r arfau yn anodd i'w trin. Rywbryd tua 3,500 CC, daethpwyd o hyd i ddefnydd mwy effeithiol: darnau o gerrig igneaidd o fynyddoedd y gorllewin. Prif ffynonellau'r adnodd chwyldroadol hwn oedd Langdale yn Ardal y Llynnoedd, y Graig Lwyd ym Mhenmaen-mawr a nifer o gloddfeydd bach yng Nghernyw. Yn y Graig Lwyd ac yng Nghernyw cloddiwyd y cerrig o dyllau yn y ddaear, ond yn Langdale yr oedd yna wythiennau ar wyneb y tir.

Am resymau anhysbys, nid cerrig o lethrau'r dyffryn a ddewiswyd i lunio'r bwyeill gorau ond cerrig o safleoedd uchel na ellid eu cyrraedd yn rhwydd. Un gloddfa bwysig oedd y rhigol rhwng Pike of Stickle a Harrison's Stickle lle yr oedd rhaid dringo sgri serth cyn cyrraedd y gloddfa. Ddeugain mlynedd yn ôl, gellid dod o hyd i ddarnau gwastraff o'r cloddio yng ngherrig y sgri, ond y mae dringwyr y clogwyni wedi casglu pob darn erbyn hyn. Anodd dweud pam y gosodwyd cymaint o werth ar y cerrig a gloddiwyd o le mor anhygyrch. Yn ôl un arbenigwr, dewiswyd cerrig o'r copa am eu bod yn nes at y duwiau, ond myn eraill mai'r ymdrech ei hun oedd yn ychwanegu'r gwerth.

Bwyell drom gyda phen llydan oedd prif gynnyrch cloddfa Langdale, ond fe gynhyrchwyd rhai arfau bach fel cyllyll i drin crwyn.

Y rhigol rhwng Harrison's Stickle a Pike o' Stickle yn Langdale lle y cloddiwyd defnydd crai'r bwyeill cerrig.

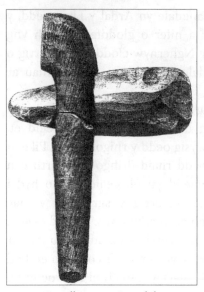

Bwyell garreg o Langdale

Dim ond torri'r garreg ar ffurf bwyell a wnâi'r gweithwyr ar y mynydd ac fe orffennid y gwaith gan grefftwyr yn y dyffryn islaw. Amcangyfrifwyd y gallai cloddiwr profiadol lunio darn garw o fwyell mewn pymtheng munud, ond fe fyddai'r gwaith o lyfnhau arf yn cymryd diwrnodau lawer. Darn hir o dywodfaen coch a ddefnyddid i lyfnhau'r bwyeill ac y mae sawl carreg o'r fath wedi dod i'r golwg yn y 'ffatrïoedd' sy'n britho'r dyffryn. Ymysg y miloedd o fwyeill a allforiwyd o Langdale yr oedd yna gyfran fach a sgleiniwyd i safon uchel. Credir mai anrhegion seremonïol i lwythau cyfagos oedd y rhain gan fod yna batrymau deniadol ar y garreg. Fel rheol, nid oedd bwyeill o'r fath yn werth dim fel arf am fod yr haenau amryliw yn gwanhau'r garreg. Dyma felly enghraifft gynnar o dreuliant amlwg lle trysorwyd y fwyell am ei llun a'i lliw, yn hytrach na'i heffeithiolrwydd!

Yn ffodus, y mae digon o fân wahaniaethau rhwng y cerrig a gloddiwyd yn y gorllewin i adnabod y 'ffatri' oedd yn gyfrifol am y gwaith. Gwyddys o ddosbarthiad y cynnyrch fod yna alw mawr am fwyeill o ddyffryn Langdale, efallai am fod rhyw hud a lledrith yn perthyn i'r lle. Ar y cychwyn, nid allforiwyd llawer o'r cynnyrch gan fod cymaint o alw am fwyeill i dorri coed lleol. Erbyn canol y cyfnod Neolithig, yr oedd cyfran sylweddol o'r coed wedi eu torri, felly yr oedd yr ardalwyr yn barod i allforio cynnyrch y dyffryn i bob cwr o Brydain. Amcangyfrifwyd bod tua 27% o'r bwyeill a gasglwyd ym Mhrydain yn deillio o ffatrïoedd Langdale a gwyddys bod rhai wedi eu cludo cyn belled â thir mawr Ewrop. Gwelir o ddosbarthiad y bwyeill mai ffatri Langdale oedd yn bennaf cyfrifol am gyflenwi ffermwyr de-ddwyrain Lloegr,[14] ond yr oedd cynnyrch ffatri Penmaenmawr yn fwy cyffredin yn y canoldir.[15] Diddorol felly oedd darganfod bod cydberthynas trawiadol rhwng patrwm yr allforio a'r ardaloedd lle y torrwyd cyfran helaeth o'r goedwig gyntefig. Heddiw, gellir dangos trwy brofion ymarferol fod y bwyeill a gynhyrchwyd yn y Neolithig yn arfau hynod o effeithiol. Wedi tipyn o ymarfer, gall tri dyn cryf dorri chwarter erw o allt mewn diwrnod neu lai os nad oes yna ormod o goed mawr.

Olion mwyaf enigmatig diwydiant bwyeill Langdale yw'r marciau a dorrwyd ar wyneb clogwyn ym mhen isaf y dyffryn. Ni ddeallwyd arwyddocâd y marciau tan 1999 er bod y clogwyn yn sefyll wrth ymyl llwybr cyhoeddus. Am ddegawdau yr oedd dringwyr yr ardal wedi ymarfer eu crefft ar y garreg heb sylweddoli mai cerfiadau o Oes y Cerrig oedd rhai o'r tyllau a'r craciau mân. Tros y dudalen gwelir rhai o'r patrymau a dorrwyd ar wyneb y clogwyn. Yr elfen amlycaf yw'r cylchoedd consentrig, ond y mae hefyd nifer o dyllau bach a llinellau crwm. Y mae patrymau tebyg i'w gweld ar gerrig o'r un cyfnod ar draws y gorllewin ac y maent yn debyg iawn i'r rhai a welir ar feddrod enwog Bryn-Celli-Ddu ar Ynys Môn. Ni wyr neb beth yw ystyr y cerfiadau ond cynigiwyd bod y rhai a welir ar glogwyn Copte Howe yn dangos lleoliad cloddfeydd a 'ffatrïoedd' pwysicaf y dyffryn.

Clogwyn Copte Howe yn nyffryn Langdale.

Rhan o'r cerfiadau Neolithig a ddarganfuwyd ar wyneb y clogwyn

Datblygiad amaethyddiaeth

Dengys olion o'r fath bod tiroedd y gorllewin wedi chwarae rhan allweddol yn y chwyldro amaethyddol a hynny mewn cyfnod cynnar iawn. Fel arfer, fe ymdrinnir â hanes datblygiad amaeth yn y gorllewin mewn ffordd ddigon brysiog cyn ymhelaethu am ddatblygiadau mwy diweddar yn y de-ddwyrain. Yn ffodus, gellir cynnig darlun mwy cytbwys o gyflwr 'economaidd' Prydain yn y Neolithig trwy droi at yr hyn a wyddys am lysieueg, hinsoddeg a geneteg y wlad.

Yn y flwyddyn 2000, cyhoeddodd Petra Dark y gyfrol *The Environment of Britain in the First Millennium AD*[16] sy'n cynnwys crynodeb o'r newidiadau amgylcheddol a welwyd ar draws y wlad. Y mesur a ddewiswyd i amlygu datblygiad amaethyddiaeth oedd y cyfnod pryd yr amcangyfrifid bod mwy na 50% o'r coed wedi eu torri yn y dalgylch dan sylw. Gweddillion paill o goed oedd y mesur o ddatblygiad cynnar ac fe gasglwyd y mesuriadau anghenrheidiol o gorsydd ac o lynnoedd ar draws Prydain. Rhestrwyd y canlyniadau mewn cyfres o dablau ond, yn anffodus, ni chyflwynwyd map i amlygu'r patrwm. Rhaid felly oedd creu map i ddangos yr ardaloedd mwyaf blaengar ond, cyn gwneud hyn, rhaid oedd cywiro'r amserlen

28

ymbelydrol ac ychwanegu enghreifftiau o Ardal y Llynnoedd. Ffrwyth yr ymchwil oedd datgelu mai ffermwyr y gorllewin oedd amaethwyr mwyaf anturus y Neolithig! Ffermwyr yr Alban oedd y mwyaf uchelgeisiol gan eu bod hwy wedi torri cyfran uchel o goed cyn 3,000 CC. Yr ardal fwyaf arloesol oedd Carn Dubh ger Fort William lle amcangyfrifwyd bod dros 50% o'r coed wedi diflannu erbyn 3,200 CC. Gwelwyd patrwm tebyg yn Ardal y Llynnoedd lle yr oedd cyfran uchel o'r tir o amgylch Ennerdale a Coniston wedi ei diwyllio yn yr un cyfnod. Ymddengys nad oedd ffermwyr Cymru yr un mor anturus, ond yr oedd yna ôl gwaith yn Nant Helen ger Ystradgynlais erbyn 3,000 CC ac ardal Pen-y-bont ar Ogwr oddeutu 2,000 CC. Yng ngweddill

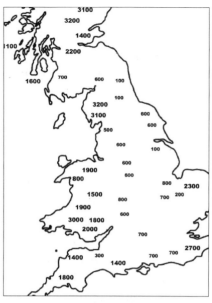

Map i ddangos twf amaethyddiaeth ym Mhrydain rhwng 3200 a 100 CC. Dengys y ffigyrau y cyfnod pryd yr amcangyfrifwyd bod mwy na 50% o'r coed wedi eu torri. Nodir y safleoedd lle torrwyd cyfran uchel o'r coed mewn cyfnod cynnar mewn llythrennau bras

Lloegr y ffermwyr mwyaf arloesol oedd ffermwyr y de-orllewin ond yr oedd yna hefyd olion amaethu cynnar ger y môr yn Swydd Caint ac yn Swydd Norfolk. Tybed ai teithwyr dros y môr o'r gorllewin oedd yn gyfrifol am yr anturio hyn? Nododd Glyn Daniel bod gweddillion cromlechi ar lannau afon Medway a'r enwocaf yw'r un a godwyd ar y safle a elwir Kit's Cothy. Y syndod mawr oedd gweld cyn lleied a oedd wedi ei gyflawni i ddiwyllio gweddill y wlad lle na welwyd fawr o gynnydd tan ddechrau'r Oes Haearn.

Yn ffodus, y mae gennym lawer mwy nag olion paill i gynnal y syniad mai ffermwyr y gorllewin oedd amaethwyr mwyaf anturus y Neolithig. Yng Ngwlad yr Haf, daethpwyd o hyd i rwydwaith o lwybrau pren yn croesi'r 'Somerset Levels', y tir gwlyb rhwng bryniau'r Mendip a'r môr. Amserwyd y llwybrau i'r cyfnod cyn 2,000

CC ac amcangyfrifwyd bod mwy nag ugain milltir o ystyllod wedi eu naddu i godi pob milltir o'r lôn. Yr oedd y defnydd a wnaed o'r coed a gludwyd o ganolbarth Cymru tua'r un cyfnod yn fwy syfrdanol. Yn 1994 daethpwyd o hyd i olion cylch pren tua 300m ar draws ger Hindwell yn Sir Faesyfed[17] ac y mae gweddillion cylch tebyg ychydig tua'r de. Yr oedd datgelu maint y cylch yn ddatblygiad cyffrous gan ei fod yn profi bod gan y gymuned leol dyrfa o weithwyr trefnus. Dim ond olion gwaelod y pyst oedd ar ôl yn y pridd ond amcangyfrifwyd bod mwy na 1400 o goed deri trwchus wedi eu torri i ateb gofynion yr adeiladwyr. Un nodwedd ddefnyddiol o'r gweddillion oedd yr ôl llosg a welwyd ar waelod y pyst. Yr oedd traed y pyst wedi eu llosgi i atal pydredd, arfer cyffredin ar rai ffermydd o hyd. Trwy fesur 'oedran' y golosg, amcangyfrifwyd bod y cylch wedi ei godi tua 2,700 CC, y cyfnod pan oedd chwyldro amaethyddol y gorllewin yn ei anterth. Y safle agosaf i Hindwell yn arolwg Petra Dark oedd Cefn Mawr yng Ngwynedd lle gwelwyd bod 50% o'r coed wedi eu dymchwel erbyn 1,900 CC.

Beth felly sydd i gyfrif am flaenoriaeth ffermwyr y gorllewin a'r diffyg cynnydd a welwyd tua'r dwyrain? Ni ellir cynnig ateb pendant i gwestiwn mor ddyrys, ond gellir llunio damcaniaeth gredadwy trwy gyfuno'r hyn a wyddys am strwythur genynnol Prydain a hinsawdd y cyfnod. Ar sail olion archeolegol, barnwyd bod y chwyldro amaethyddol wedi cyrraedd Prydain o fwy nag un cyfeiriad trwy gyfrwng dwy ffrwd o fewnfudwyr. Y ffrwd gyntaf oedd yr un a groesodd y culfor i Brydain o ganoldir Ewrop a'r ail oedd yr un a deithiodd ar hyd yr arfordir o ogledd Iberia. Gellir dilyn hynt y ddwy ffrwd trwy astudio'r math o grochenwaith a ddygwyd i Brydain gan y teithwyr. Addurnwyd y darnau a ddygwyd gan y mewnfudwyr o'r canoldir â phatrymau o linellau syth. Yr enw technegol am y math hwn o grochenwaith yw'r *Linearbandkeramic* (LBK) ac fe gyfeirir at y diwylliant a'i lledodd fel y *Linearband Kultur*. Gwyddom o ddosbarthiad yr olion bod diwylliant yr LBK wedi lledu ar draws Ewrop rhwng 6,000 a 5,500 CC ac wedi cyrraedd Ffrainc erbyn 5,000 CC. Tua'r un cyfnod, yr oedd yna ddiwylliant arall yn lledu ar hyd yr arfordir fel y tystia'r crochenwaith o batrwm cwbl wahanol. Yr enw Saesneg ar y math hwn o grochenwaith yw'r 'Cardial Ware' am fod y llestri wedi eu haddurno trwy wasgu cragen gocos o'r genus *Cardium* ar wyneb y clai. Myn rhai mai cludwyr yr LBK a'r Cardial Ware oedd ffermwyr cyntaf Prydain a bod ffrwd yr LBK wedi aros yn y dwyrain, tra bod ffrwd y Cardial Ware wedi gwladychu Iwerddon a gorllewin Prydain. Ond nid y patrwm a dorrwyd ar y llestri oedd y gwahaniaeth allweddol rhwng y ddwy ffrwd, ond y ffordd y dewisodd y ddwy garfan amaethu. Arfer yr LBK oedd trin darnau cul o dir ar lannau'r afonydd a thyfu llysiau mewn llennyrch yn y coed. Yr oedd ganddynt dai hir o batrwm cyntefig a barnwyd eu bod yn treulio cryn dipyn o amser yn hela. Mewn cyferbyniaeth, yr oedd ffrwd y Cardial Ware a hwyliodd o ogledd Iberia yn arfer dull mwy datblygedig o amaethu. Hwy oedd arloeswyr y Céide Fields ac y mae lle i gredu mai hwy oedd yn gyfrifol am gyflwyno'r dull newydd o fyw i Brydain.

Yn ei gyfrol ddadlennol *The Origins of the British*, cynigiodd Stephen Oppenheimer[18] y gellid dilyn hynt ffermwyr yr LBK a'u cymrodyr o Iberia trwy edrych ar ddosbarthiad hen enynnau. Ymddengys mai'r Almaen a'r Iseldiroedd oedd cartref gwreiddiol y mewnfudwyr a gysylltir â'r LBK a phrin iawn oedd eu dylanwad ar ynys Prydain. Ar y llaw arall, yr oedd y genynnau a gysylltir â ffrwd y Cardial Ware yn niferus yn Iwerddon ac yr oedd eu dylanwad yn gryf ar draws y gorllewin o Gernyw i ucheldiroedd yr Alban. Diddorol, felly, nodi fod yna gydberthynas trawiadol rhwng dosbarthiad y genynnau 'arloesol' hyn a'r ardaloedd lle torrwyd cyfran uchel o goed. Gellid dadlau yn hir am arwyddocâd cymdeithasol y patrwm, ond anodd derbyn mai cyd-ddigwyddiad yw'r gyfatebiaeth.

Ffactor arall a gafodd gryn dipyn o ddylanwad ar ddatblygiad amaeth ym Mhrydain oedd y newid a welwyd yn hinsawdd Ewrop rhwng 4,100 a 3,200 CC. Am ganrifoedd yr oedd gorllewin Ewrop wedi bod o dan ddylanwad gwyntoedd oedd yn chwythu o'r môr. O ganlyniad, yr oedd y gaeafau yn fwyn a'r hafau yn anghyffredin o wlyb. Mewn sefyllfa o'r fath yr oedd gan ffermwyr yr LBK yn y dwyrain fantais amlwg dros eu cymrodyr yn y gorllewin. Rywbryd tua 3,800 CC, trodd y gwynt tua'r dwyrain ac fe welwyd mwy o hafau sych yn y gorllewin. Am y tro cyntaf, yr oedd gan ffermwyr y Cardial Ware gyfle i ennill y blaen gan fod hafau'r dwyrain wedi troi yn beryglus o sych. Nid rhyfedd, felly, fod y canrifoedd rhwng 3,800 a 1,200 CC wedi bod yn gyfnod o lwyddiant i ffermwyr y gorllewin lle yr oedd yna alw cynyddol am dir. Tua 1,200 CC, newidiodd cyfeiriad y gwynt unwaith eto ac, wrth i'r glaw ddychwelyd i'r gorllewin, caed cyfle i ddysgu dulliau newydd o amaethu yn y dwyrain. O hyn ymlaen, yr oedd gan ffermwyr dwyrain Prydain fantais amlwg ac ni fuont yn hir cyn torri mwy o goed.

Y Cylchoedd Cerrig

Henebion mwyaf trawiadol y Neolithig yw'r cylchoedd cerrig ac fe godwyd mwy yn Ardal y Llynnoedd na bron unrhyw ran arall o Brydain. Y mae'r ffaith fod cymaint yn sefyll ar dir uchel hefyd yn dystiolaeth bendant fod y tir oddi amgylch yn glir o goed. Yr oedd safle agored yn hanfodol i'r doethion a oedd yn dilyn hynt yr haul a'r lloer ac i greu argraff ar y tyrfaoedd a oedd yn ymgynnull ymysg y meini. Gwelir o faint y cylchoedd bod rhai yn gynnyrch cydweithrediad ugeiniau, os nad cannoedd, o bobl dros gyfnod hir. Fel arfer, nid cerrig lleol a ddefnyddid i godi'r cylch ond cerrig a oedd wedi eu cludo o gryn bellter. Yn ôl yr anthropolegydd Victor Turner[19] yr oedd yna arwyddocâd arbennig i liw'r cerrig a ddewiswyd. Lluniodd y ddamcaniaeth fod y cerrig gwyn yn cynrychioli maeth, y cerrig coch yn symbol o waed a'r cerrig du yn arwydd o farwolaeth. Ni ŵyr neb pam y codwyd y cylchoedd, ond barnwyd mai rhan o'r ateb oedd y pryder cynyddol a gododd ynghylch newidiadau yn yr hinsawdd. Dyma'r cyfnod pryd y gwelwyd y gostyngiad cyntaf yng nghynnyrch ffermydd y gorllewin, felly hawdd gweld sut y trodd y gymuned at dduwiau'r ffurfafen i ymbil am dywydd gwell. I wybodusion y cyfnod, yr haul, y lloer a'r sêr oedd yn gyfrifol am hynt y tymhorau; does dim syndod, felly, bod astudio codiad a machlud yr haul a symudiadau'r lloer yn rhan o gynhysgaeth y glewion. Y mae llwyth o lyfrau wedi eu cyhoeddi ar arwyddocâd seryddol y cylchoedd ond gormodiaith yw cynnig mai 'cyfrifiaduron cynnar' oedd y meini.

Cylch 'Long Meg and her Daughters' ger Penrith yw cylch mwyaf Ardal y Llynnoedd gan ei fod yn mesur tua 100m ar draws. Credir bod 70 o gerrig yn y cylch gwreiddiol ond dim ond 59 sydd ar ôl erbyn

'Long Meg and her Daughters' yn nyffryn afon Idon.

hyn. Ar gyrion y cylch ceir maen hir ('Long Meg') a diddorol nodi bod y patrymau a dorrwyd ar ei wyneb yn debyg i'r rhai a welir ar glogwyn dyffryn Langdale. Yn ôl hen chwedl, gwrach oedd Meg a'i merched anystywallt yw'r cerrig. Dywedir bod dewin lleol wedi troi'r teulu yn feini am eu bod wedi bod mor haerllug â dawnsio ar y Sul! Gwenithfaen yw cerrig y cylch ond naddwyd y garreg hir o dywodfaen coch a gludwyd o lan afon Idon. Yn ôl yr archaeolegydd David Barrowclough,[20] mynegbost i leoliad y machlud ar ddydd Calan Gaeaf oedd y garreg hir ac, ar y diwrnod hwnnw, gellir gweld yr haul yn llithro yn araf tua'r gorwel heibio i wyneb cam y maen.

Cylch enwocaf Ardal y Llynnoedd yw cylch Castlerigg ger Keswick. Fel y gwelir o'r llun ar y clawr, saif y cylch ar lecyn agored gyda golygfa eang o fynyddoedd yn y cefndir. Dim ond tua 30m ar draws yw'r cylch, ond y mae'r cerrig yn ddigon tal i daflu cysgodion hir ar ddiwedd y dydd. Cred rhai bod y cylch wedi ei godi yn fan cyfarfod i fasnachwyr bwyeill Langdale gan ei fod yn perthyn i'r un cyfnod. Gwyddys, hefyd, fod yna arwyddocâd seryddol i drefniant y meini er nad yw'r pwrpas yn glir. Yn ôl Barrowclough, gosodwyd y mwyafrif o'r meini i ddilyn symudiadau'r lloer yn hytrach na'r haul ond y mae lleoliad un garreg fawr yn cyfateb i godiad yr haul ar ddydd Calan Gaeaf.

Cylch Cerrig y Derwydd gerllaw tref Ulverston

Cylchoedd bach yw'r mwyafrif o gylchoedd yr ardal ac ni chodwyd y rhan fwyaf o'r rhain tan gychwyn yr Oes Efydd. Un o gylchoedd bach mwyaf diddorol y fro yw 'Cylch y Derwydd' sy'n sefyll ar fryn uwchben y môr ar gyrion tref Ulverston. Ar yr olwg gyntaf, casgliad digon di-nod yw'r cerrig, ond y mae'r safle yn bwysig am ei fod yn enghraifft brin o gylch dwbl. Yn anffodus, dim ond y cylch mewnol sy'n dal i sefyll, ond gellir gweld cerrig yr ail gylch trwy chwilio yn y rhedyn. Cylch dwbl enwocaf Prydain yw Côr y Cewri yn Swydd Wiltshire ac y mae'n werth nodi bod cylch Ulverston yn perthyn i'r un cyfnod. Cerrig glas o'r Preseli a ddefnyddiwyd i godi cylch mewnol Côr y Cewri, a phan archwiliwyd Cylch Cerrig y Derwydd dros ganrif yn ôl, yr oedd yna balmant o gerrig glas yn y canol. Yn anffodus ni chadwyd un darn o'r cerrig ond honnwyd nad oeddent yn debyg i'r rhai a welir yn Ardal y Llynnoedd. Tybed ai cerrig glas o'r Preseli oedd y rhai a gludwyd i'r fan? Fel y gwelir, y mae'r cylch o fewn ergyd carreg i'r môr felly tasg gymharol hawdd fyddai cludo'r meini i ben y bryn.

Yr Oes Efydd (2,000–700 CC)

I haneswyr yr ugeinfed ganrif, datblygiad pwysicaf yr Oes Efydd oedd dyfodiad 'Pobl y Diodlestri' o gyfandir Ewrop. Treuliwyd cryn dipyn o amser yn dadansoddi patrymau'r llestri ac awgrymwyd bod saith ton o fewnfudwyr wedi meddiannu'r wlad! Erbyn hyn, gwyddom mai datblygiad cynhenid oedd y crochenwaith, dylanwad ffasiwn newydd nid cynnyrch llu o fewnfudwyr. Trwy gydol y cyfnod, rhanbarth ceidwadol oedd Ardal y Llynnoedd ac ni welwyd newid mawr yn y ffordd o fyw. Y mae'r beddrodau pridd, sydd mor nodweddiadol o dde Lloegr, yn brin iawn yn yr ardal, felly ychydig iawn o'r llestri dadlennol sydd wedi goroesi. Y casgliad gorau oedd yr un a ddarganfuwyd ger Caerliwelydd ym 1861, ond wedi colli'r llestri, dim ond hen lun o'r celc sydd ar ôl.

I drigolion Ardal y Llynnoedd, 'stori fawr' yr Oes Efydd oedd y dirywiad a welwyd yn yr hinsawdd. Ar ddechrau'r cyfnod yr oedd y tywydd yn fwyn, felly torrwyd mwy o goed ac erbyn 1,500 CC, yr oedd yna ffriddoedd cynhyrchiol yn ymestyn ar draws yr ucheldir. Un ardal lle gwelwyd cynnydd mawr oedd y tir o amgylch Devoke Water yn y de-orllewin. Y mae olion ugeiniau o dai crwn i'w gweld yn y dalgylch o hyd a phentyrrau o'r cerrig a godwyd wrth aredig y

Crochenwaith o'r Oes Efydd a ddarganfuwyd ar gyrion Caerliwelydd

llethrau. Myn rhai fod yr arfer o symud y preiddiau o dir isel i dir uchel yn ystod yr haf ('trawstrefa') yn deillio o'r Oes Efydd, gwaith deniadol pan oedd y tywydd yn fwyn. Rywbryd tua 1,200 CC, trodd y gwynt tua'r gorllewin ac fe ddychwelodd y glaw a oedd wedi bod yn gymaint o rwystr i ffermwyr y gorllewin. Yn ôl Hubert Lamb[21] syrthiodd tymheredd Prydain tua 2°C mewn cyfnod byr ac yn y gorllewin, collwyd pum wythnos o'r tymor tyfiant. Wrth gwrs, nid oedd y newid yn fantais ddiamwys i ffermwyr y dwyrain, ond yr oedd y glaw yn fendith wedi dioddef cyfnod hir o sychder. Erbyn diwedd yr Oes Efydd, credir bod cyfran sylweddol o ffermwyr Ardal y Llynnoedd wedi gorfod troi i'r dyffrynnoedd am gynhaliaeth. Cyn hir, gorchuddiwyd ffriddoedd yr ucheldir gyda thrwch o fawn a dyna yw cyflwr y mwyafrif o hyd. Rhaid tybio mai dyma pryd yr enwyd y llyn sydd bellach yn llanw'r dyffryn. Credir mai ystumiad o 'Du Fach' yw'r elfen gyntaf o Devoke Water a dyma'r unig lyn mawr yn yr ardal yn llawn o ddŵr tywyll.

Ymysg yr holl ansicrwydd amgylcheddol, esgorwyd ar gyfnod newydd yn hanes y gorllewin pan fabwysiadwyd dull newydd o drin metel. Ers canrifoedd, yr oedd gofaint y Cyfandir wedi llunio arfau o gopr, ond yr oeddynt yn wan ac yn anodd eu hogi. Ross Island, ger Killarney, oedd cloddfa gopr gyntaf y gorllewin ac, erbyn 2,400 CC, yr oedd 80% o arfau copr Prydain yn deillio o Iwerddon. Tua 3,000 CC dysgodd gofaint gwlad Groeg sut i greu metel cryfach trwy gymysgu tun gyda'r copr i wneud efydd. Lledodd y dechneg yn gyflym i orllewin Ewrop, ond ni chynhyrchwyd llawer o'r metel newydd nes dod o hyd i gyflenwad o dun yng Nghernyw. Sefydlwyd diwydiant efydd cyntaf y gorllewin ym Mount Gabriel ger Corc tua 1,700 CC, ond rhaid oedd mewnforio pob pwys o dun o gloddfeydd Cernyw. Yn 1992, daethpwyd o hyd i weddillion y math o gwch a ddefnyddid i gario'r tun ar draeth rhwng Dover a Folkstone. Dyddiwyd y gweddillion i'r cyfnod oddeutu 1,500 CC ac yr oedd y cwch yn ddigon mawr, a digon cryf, i gario llwyth trwm. Yr oedd y plisgyn tua 12m o hyd ac wedi ei lunio o ystyllod wedi eu clymu gyda phob cymal wedi ei selio â chymysgedd o saim a chwyr.

Cyn hir yr oedd yna sawl cloddfa gopr wedi agor ym Mhrydain mewn mannau fel aber y Fal yng Nghernyw a Chwm Ystwyth yng

Nghymru. Gwaith copr mwyaf Ewrop yn ystod yr Oes Efydd oedd cloddfa Penygogarth yn Llandudno, ond ni ddaethpwyd o hyd i'r twneli hynafol tan 1987. Ers hynny, y mae'r archaeolegwyr wedi agor dros ddeng milltir o hen dwneli ac wedi troi'r safle yn atynfa bwysig i dwristiaid. Credir bod Penygogarth wedi trin dros 1,800 tunnell o fwyn cyn i'r cloddio ddod i ben ac y mae'r twneli a dorrwyd ym mlynyddoedd olaf y gwaith yn treiddio i ddyfnderoedd y penrhyn. Picellau o esgyrn a chyrn anifeiliaid a ddefnyddid fel arfer i gloddio'r mwyn ac y mae rhai o'r twneli mor gul fel bod rhaid tybio mai plant oedd yn gwneud y gwaith. Bernir mai canhwyllau gwêr a ddefnyddid i oleuo'r twneli, ond rhaid oedd eu diffodd wedi dechrau'r gwaith rhag llygru'r awyr. Purwyd y mwyn ar safle a godwyd yn agos i'r gwaith ac y mae olion y broses i'w gweld o hyd ar y traeth o dan y clogwyn. Mae'n debyg mai elw o'r copr a allforiwyd o'r mwynfeydd hyn oedd yn gyfrifol am gyfoeth amlwg pendefigion yr ardal. Yn 1833, daethpwyd o hyd i fantell aur mewn beddrod yn yr Wyddgrug. Dyma un o drysorau mawr ein cenedl a barnwyd, o faint y crair, fod y fantell wedi ei chynllunio ar gyfer bachgen neu ferch ifanc.

Hyd yn hyn, does dim gweithfeydd tebyg wedi dod i'r golwg yn Ardal y Llynnoedd er bod digon o gopr ar gael. Yn ôl pob tebyg, chwalwyd olion yr hen weithfeydd gan fwynwyr yr Oesoedd Canol gan fod yna arbenigwyr o'r Almaen wedi eu cyflogi i wneud y gwaith yn oes Elisabeth I. Yn sicr, yr oedd yna ofaint medrus yn yr ardal ar ddechrau'r Oes Efydd ac y mae awgrym bod rhai wedi dysgu eu crefft oddi wrth ofaint Iwerddon. Gweddillion mwyaf dadlennol y diwydiant efydd yn Ardal y Llynnoedd yw'r mowldiau clai a ddefnyddid i greu arfau. Canfuwyd cyllell yn Ardal y Llynnoedd a diddorol nodi bod cynllun y gyllell yn union yr un fath â'r rhai a gynhyrchwyd yn Iwerddon. Anodd dweud ai arf a fewnforiwyd neu ddarn lleol oedd y gyllell, ond rhaid cydnabod mai gofaint Iwerddon oedd crefftwyr gorau'r oes.

Yn 1970, cyhoeddodd Cymdeithas Hynafiaethau Cymru ganlyniadau cynhadledd ar *The Irish Sea Province in Archaelogy and History*.[22] Yn y bennod agoriadol, dangosodd yr Athro E. G. Bowen bod Ynys Manaw wedi bod yn gyswllt pwysig i'r fasnach a ddatblygodd rhwng tiroedd gorllewin Prydain yn ystod yr Oes Efydd.

Trwy nodi tarddiad y creiriau a gasglwyd ar Ynys Manaw, gellir dirnad cryfder y cysylltiadau masnachol a oedd yn bodoli rhwng y gwahanol ardaloedd. Canlyniad pwysicaf yr archwiliad oedd profi bod Ynys Manaw yn garreg sarn bwysig rhwng Iwerddon a gorllewin Prydain yn ystod y cyfnod. Yn ôl tarddle'r creiriau, y cysylltiad cryfaf oedd yr un a ddatblygodd rhwng gogledd Iwerddon ac Ardal y Llynnoedd. Cysylltiad nid annisgwyl o gofio bod copa Snaefell ar Ynys Manaw i'w weld yn glir o ogledd Iwerddon a bod yr ynys yn nes fyth i benrhyn St Bees yn Ardal y Llynnoedd.

Ieithoedd y Fro Gyntefig

Ni ŵyr neb pa iaith a siaredid ym Mhrydain yn ystod y Mesolithig ond credir ei bod yn debyg i'r iaith a siaredir heddiw yng ngwlad y Basg. Y cwestiwn llosg yw pryd y cyrhaeddodd yr ieithoedd Celtaidd Prydain a beth oedd yn gyfrifol am eu lledaeniad? Am gyfnod hir yr oedd unrhyw drafodaeth ar natur y Byd Celtaidd yn siŵr o greu mwy o wres na golau am fod yna rwyg amlwg ymysg haneswyr. Ar y naill ochr yr oedd y rhai a gredai fod y Byd Celtaidd yn rhyw fath o Undeb Ewropeaidd cyntefig, ac ar y llall, roedd y rhai a fynnai mai rhith oedd pob cysyniad o Geltigrwydd. Da gweld bod y sefyllfa wedi gwella erbyn hyn, a hynny yn sgil darganfyddiadau cyffrous ym myd archaeoleg, ieitheg a geneteg. Y cyntaf i weld y cysylltiad teuluol rhwng y Gymraeg, yr Wyddeleg, yr Aeleg a iaith Gâl oedd Edward Lhuyd yn y ddeunawfed ganrif. Ar sail ei ddadansoddiadau ef, lluniwyd y cysyniad bod yr ieithoedd Celtaidd wedi lledu i Brydain ac Iwerddon yn sgil dwy don o ymfudwyr yn ystod yr Oes Haearn. Yn ôl y ddamcaniaeth hon, siaradwyr y Q-Gelteg (cangen yr ieithoedd Goidelig) oedd y cyntaf i gyrraedd cyn i siaradwyr y P-Gelteg (yr ieithoedd Brythonig) eu disodli o Brydain mewn cyfnod diweddarach. Y broblem fawr gyda'r ddamcaniaeth oedd nad oedd yna olion archaeolegol o symudiad torfol nac arwydd bod strwythur genynnol Prydain wedi newid yn y cyfnod dan sylw. Ateb rhai oedd cynnig y dylid edrych ar ddatblygiad y Gelteg fel proses hir ac amlochrog ac fe fathwyd y term 'Celtigrwydd Cynyddol' i ddisgrifio'r broses.

Y cyntaf i gynnig damcaniaeth amgen oedd Barry Cunliffe a John Koch yn y gyfrol ddadlennol *Celtic from the West*. Yn y gyfrol, cyflwynwyd tystiolaeth enwol, hanesyddol ac archaeolegol i gynnal y syniad mai o ogledd Iberia, yn hytrach nag o ardal yr Alpau, y lledodd y Gelteg a hynny mewn cyfnod cynnar iawn. Y brif dystiolaeth enwol oedd y map o ddosbarthiad enwau Celtaidd mewn adroddiad o waith Patrick Sims-Williams.[23] Gwelwyd fod y trwch i'w gweld yn y gorllewin, patrwm a oedd yn cyd-fynd â chysyniad yr hen Roegwyr o ddosbarthiad y Celt. Mor gynnar â'r chweched ganrif cyn Crist yr oedd Hecataeus wedi sôn am eu presenoldeb yn y gorllewin a'r un oedd stori Herodotus yn y ganrif ddilynol. Yn anffodus, prin iawn yw olion archaeolegol yr iaith, ond yn 2012 llwyddodd John Koch[24] i brofi mai cymar i'r Gelteg oedd iaith trigolion Tartessus yng ngogledd Portiwgal. Seiliodd y ddamcaniaeth ar yr arysgrif a welwyd ar gerrig beddau ac amcangyfrifodd bod rhai yn perthyn i'r seithfed ganrif cyn Crist. Yn y gyfrol *Celtic from the West* ceir dadansoddiad manwl o natur yr iaith a phwysigrwydd Tartessus fel canolfan fasnach. Trwy osod gwreiddiau'r Gelteg yn y gorllewin yn hytrach na'r dwyrain, llwyddwyd i osgoi'r hen ddadl am ddylanwad diwylliannol yr Alpau ac fe agorwyd y drws i syniadau newydd am darddiad yr iaith.

Ym mhennod agoriadol *Celtic from the West* cynigiodd Barry Cunliffe mai iaith yn perthyn i'r Oes Efydd oedd y Gelteg a'i bod wedi lledu fel ffordd o gyfathrebu ar hyd arfordir Môr Iwerydd. Barnodd mai hi oedd *lingua franca* masnachwyr y cyfnod, ond yr oedd hefyd yn barod i gydnabod y gallai fod wedi cyrraedd ynysoedd Prydain cyn hynny. O ystyried dosbarthiad daearyddol yr iaith, anodd gweld sut y gallai llif masnach fod wedi cynnal datblygiad o'r fath. Nid oes rhaid meistroli iaith i hybu masnach a gellir mabwysiadu ffurf fratiog i gyfathrebu. Wrth gwrs, ni ellir cynnig esboniad amgen heb ailamseru taith yr iaith a gwrthdroi ein cysyniad o berthynas hanesyddol y Celteg Q a Chelteg P.

Ym 1987 cyhoeddodd Colin Renfrew gyfrol chwyldroadol ar ddatblygiad yr ieithoedd Indo-Ewropeaidd o dan y teitl *The Archaeology of Language*.[25] Yn yr adran ar yr ieithoedd Celtaidd fe aeth mor bell â chynnig bod mamiaith y Gelteg wedi lledu ar draws y gorllewin yn ystod y Neolithig a hynny yn sgil y chwyldro amaethyddol. Mewn dadansoddiad treiddgar awgrymodd bod tair sefyllfa lle y gall un iaith ddisodli un arall:

1. Y sefyllfa lle mae llu o oresgynwyr treisgar yn difa'r gymuned gynhenid. Dyna a ddigwyddodd i ieithoedd brodorol gogledd America, ond ni ddigwyddodd dim tebyg yn nyddiau cynnar Ewrop.
2. Y sefyllfa lle mae nifer fach o ymfudwyr rhodresgar yn tanseilio'r diwylliant brodorol. Dyna a ddigwyddodd yn Iwerddon am gyfnod a bu bron i'r un peth ddigwydd yng Nghymru.
3. Y sefyllfa lle mae goruchafiaeth y naill iaith ar y llall yn dilyn llwyddiant ysgubol rhyw ddatblygiad technolegol.

Nid yw'r syniad o'r Gelteg yn lledu ar draws y gorllewin fel *lingua franca* yr Oes Efydd yn eistedd yn esmwyth mewn cynllun fel hwn ac anodd credu bod trais yn rhan o'r esboniad. Mae'r syniad fod y Gelteg wedi lledu yn sgil y chwyldro amaethyddol yn ddamcaniaeth fwy deniadol. Ffermio oedd 'technoleg newydd' y Neolithig ac yr oedd gan y ffordd newydd o fyw ganlyniadau pell-gyrhaeddol. Dengys astudiaethau o gymunedau cyntefig fod yna wahaniaeth mawr rhwng llwyddiant cenhedlu cymdeithas o ffermwyr a chymdeithas o helwyr. Araf yw twf pob cymdeithas o helwyr gan fod y cyflenwad bwyd yn ansicr a chig a ffrwythau yn fwyd anaddas i fabanod. Rhaid bwydo'r plant ar y fron am gyfnod hir, felly, a'r canlyniad yw cynhyrchu mwy o'r hormon *prolactin* sy'n lleihau'r siawns o genhedlu. Dyna paham y mae bwlch o bedair neu bum mlynedd rhwng plant mewn cymdeithas o helwyr, lle na all y boblogaeth dyfu'n gyflym. Wedi dofi anifeiliaid a thyfu cnydau, y mae'r potensial cenhedlu yn llawer uwch gan y gellir diddyfnu'r babanod ar fwyd fel blawd a llaeth. Wedi troi at y ffordd newydd o fyw, amcangyfrifir y gellir cynnal ugain neu fwy o bobl ar bob milltir sgwâr, datblygiad amhosib ym myd ansicr yr heliwr. Os mewnfudwyr yn siarad iaith Geltaidd oedd amaethwyr cyntaf Iwerddon, hawdd gweld sut y lledodd yr iaith ar draws y wlad cyn iddynt allforio'r dechnoleg i Brydain.

Gwendid mawr damcaniaeth Colin Renfrew oedd y ffaith nad oedd llawer yn barod i dderbyn esblygiad mor gynnar i'r Gelteg. Yr

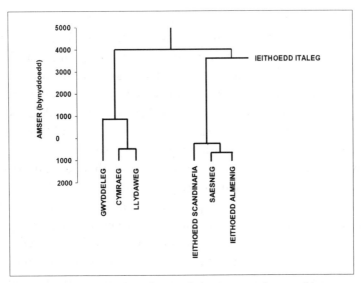

Rhan o'r 'goeden achau' a gyflwynwyd gan Gray ac Atkinson i ddangos y berthynas debygol rhwng ieithoedd 'Celteg' a 'Seisnig' Ewrop

oedd y dulliau a ddefnyddid i amseru datblygiad iaith heb eu profi ar y pryd ac yr oedd yr ieithegwyr yn gyndyn i dderbyn barn yr ystadegwyr. Yn ffodus mae'r sefyllfa wedi newid erbyn hyn wrth i'r ystadegwyr ddatblygu dulliau newydd o fesur yr amwysedd sy'n gysylltiedig â'r cyfrifiadau. Gellir dysgu mwy am y dulliau hyn yng nghyfrol Stephen Oppenheimer, *The Origins of the British* lle ceir ymdriniaeth deg o'u cryfderau a'u gwendidau. Yn ei farn ef yr astudiaeth fwyaf trwyadl yw'r un a gyhoeddwyd gan Russell Gray a Quentin Atkinson yn 2003.[26] Seiliwyd y dadansoddiad ar 2,449 o elfennau creiddiol, 87 o ieithoedd byw a thair iaith a oedd wedi marw. Nod yr astudiaeth oedd llunio amserlen gredadwy o esblygiad yr ieithoedd Indo-Ewropeaidd trwy fabwysiadu dull o fesur yr amwysedd. Enw brawychus y dull newydd oedd y 'Bayesian Markov Chain Monte Carlo Method' ac yr oedd y dechneg wedi profi ei gwerth mewn astudiaethau o esblygiad anifeiliad.

Dengys y ffigwr uchod ddarn o'r 'goeden achau' a gyhoeddwyd gan Gray ac Atkinson i esbonio'r berthynas hanesyddol rhwng ieithoedd Celtaidd ag Almaenig Ewrop. Yn ôl y cyfrifiad, yr oedd y gangen Geltaidd wedi gwahanu oddi wrth y gangen Almaenig tua 4,000 CC, cyn i'r chwyldro amaethyddol gyrraedd ei lawn dwf. Deniadol, felly, yw cynnig mai iaith o'r teulu Almaenig oedd iaith ffermwyr yr LBK tra oedd ffermwyr y 'Cardial Ware' yn arfer ffurf gynnar o'r Gelteg. Os edrychir ar dystiolaeth y genynnau a sylwi ar yr holl goed a dorrwyd yn y gorllewin, rhaid cynnig mai hwy hefyd oedd yn bennaf gyfrifol am ledu'r grefft i Brydain. Anodd dweud beth oedd cyfraniad ffermwyr petrusgar y dwyrain, ond does dim amheuaeth mai ffermwyr y gorllewin oedd arloeswyr mawr y Neolithig.

Wrth gwrs, ni ellir profi damcaniaeth o'r fath, ond diddorol nodi fod Barry Cunliffe bellach yn gwyro i'r un cyfeiriad. Yn ei gyfrol *Britain Begins*[27] darparwyd pennod gyfan i drafod esblygiad yr ieithoedd Celtaidd. Yn y bennod, cyflwynwyd map newydd i awgrymu fod mamiaith y Gelteg wedi cyrraedd gorllewin Prydain tua 3,000 CC cyn treiddio i ganoldir Ewrop tua 2,000 CC. O gofio bod y Frythoneg wedi dieithrio oddi wrth yr Wyddeleg erbyn 1,000 CC, beth felly oedd natur yr iaith a allforiwyd o Brydain i'r Cyfandir? Tybed ai dyma oedd gwreiddyn y rhwyg rhwng y Q-Gelteg a'r P-Gelteg? Os felly, rhaid cynnig fod ein cangen ni o'r iaith wedi lledu o'r gorllewin tua'r dwyrain ac nid o'r dwyrain tua'r gorllewin fel yr ystyrid hyd yn hyn. Fel y nododd Barry Cunliffe, tasg anodd yw asio ieitheg ag archaeoleg, ond y mae damcaniaeth o'r fath yn taflu golau newydd ar fyrdwn ein hanthem genedlaethol: 'O bydded i'r Hen Iaith barhau!'

Ffynonellau

1   E. G. Bowen, *Saints, Seaways and Settlements* (Caerdydd: Gwasg Prifysgol Cymru, 1977), t. 245
2   Barry Cunliffe, *Facing the Ocean: The Atlantic and its Peoples* (Rhydychen: Oxford University Press, 2001), t. 600
3   Alistair Moffat, *The Sea Kingdoms: The History of Celtic Britain and Ireland* (Llundain: Harper Collins, 2001), t. 316
4   Barry Cunliffe a John T. Koch, *Celtic from the West: Alternative Perspectives from Archaeology, Genetics, Language and Literature* (Rhydychen: Oxbow Books, 2012), t. 384.
5   Zoe H. Rosser, T. Zerjal a M. E. Hurles et al., 'Y-chromosomal diversity in Europe is clinal and influenced primarily by geography, rather than language', yn *American Journal of Human Genetics*, 67 (2000), tt. 1526-43
6   Patrick F. Wallace a Raghnall O'Floinn, *Treasures of the National Museum of Ireland* (Dulyn: Gill and Macmillan, 2002), t. 320

7   Seamus Caulfield, 'Neolithic Fields the Irish Evidence', yn H. C. Bowen a P. J. Fowler (goln), *Early Land Allotment, British Archaeological Reports* (Rhydychen: 1978), tt. 137-44

8   F. J. H. Mackereth, 'A portable core sampler for lake deposits', *Limnology and Oceanography*, 3 (1958), tt. 189-91

9   Winifred Pennington, 'The impact of man on some English lakes: Rates of change', yn *Polskie Archiwum Hydrobiologii*, 25 (1978), tt. 429-37

10   Clive Bonsall, M. G. Macklin, D. E. Anderson a R. W. Payton, 'Climate change and the adoption of agriculture in north-west Europe', yn *European Journal of Archaeology*, 5 (2002), tt. 9-23

11   Glyn Daniel, *The Megalith Builders of Western Europe* (Harmondsworth: Penguin Books, 1963), t. 155

12   Frances Lynch, *Megalithic Tombs and Long Barrows in Britain* (Princes Risborough: Shire Publications, 2004), t. 72

13   Vicki Cummings, 'From midden to megalith?: The Mesolithic-Neolithic transition in western Britain', yn *Proceedings of the British Academy*, 144 (2007), tt. 493-510

14   Nick Higham, *The Northern Counties to AD 1000* (Llundain ac Efrog Newydd: Longman, 1986), t. 392

15   Prys Morgan, *Wales: An Illustrated History* (Stroud: Tempus, 2005), t. 318

16   Petra Dark, *The Environment of Britain in the First Millennium A.D.* (Llundain: Duckworth, 2000), t. 211

17   Alex Gibson, 'A Neolithic enclosure at Hindwell, Radnorshire, Powys', yn *Oxford Journal of Archaeology*, 15 (2007), tt. 341-8

18   Stephen Oppenheimer, *The Origins of the British* (Llundain: Robinson, 2006), t. 628

19   Victor Turner, *Dramas, Fields and Metaphors: Symbolic Action in Human Society* (Efrog Newydd: Cornell University Press, 1975), t. 354

20   David Barrowclough, *Prehistoric Cumbria* (Stroud: The History Press, 2010), t. 251

21   Hubert H. Lamb, 'Climate from 1000 BC to 1000 AD', yn (goln) M. Jones a G. Dimbleby, *The Environment of Man: The Iron Age to the Anglo-Saxon Period* (Rhydychen: BAR British Series vol. 87, 1981), tt. 53-65

22   Donald Moore, *The Irish Sea Province in Archaeology and History* (Caerdydd: Cymdeithas Hynafiaethau Cymru, 1970), t. 125

23   Patrick Sims-Williams, 'Ancient Celtic place-names in Europe and Asia Minor' yn *Publications of the Philological Society* (Rhydychen: 2006), t. 406

24   John T. Koch, *Tartessian: Celtic in the southwest at the dawn of history* (Aberystwyth: Celtic Studies Publications, 2009), t. 176

25   Colin Renfrew, *Archaeology and Language: The Puzzle of Indo-European Origins*, (Llundain: Penguin Books, 1989), t. 346

26   Russell D. Gray a Quentin D. Atkinson, 'Language-tree divergence times support the Anatolian theory of Indo-European origin' yn *Nature*, 426 (2003), tt. 435-9

27   Barry Cunliffe, *Britain Begins* (Rhydychen: Oxford University Press, 2013), t. 553

Pobl y Ceirw

Rhai'n trigo mewn heddwch oedd ei phobl,
Yn prynu cymorth daear â'u dawn
Waldo Williams

Yr enw traddodiadol am y cyfnod rhwng 700 CC a 43 OC yw yr Oes Haearn er mai prin iawn oedd y defnydd o'r metel gwyrthiol hwn cyn 400 CC. Nodweddion amlycaf y cyfnod oedd y twf ym mhoblogaeth Prydain a ffyniant ysgubol ffermwyr y de. Credir bod poblogaeth yr ynys wedi cyrraedd pedair miliwn erbyn 100 CC a bod yr ymrafael am dir yn rhannol gyfrifol am y gwrthdaro a welwyd yn y de a'r dwyrain. Yr oedd y sefyllfa yn y gogledd a'r gorllewin yn fwy sefydlog gan fod y boblogaeth yn llai a meddylfryd y trigolion yn fwy ceidwadol. I bob pwrpas, parhad o'r Oes Efydd oedd yr Oes Haearn yn Ardal y Llynnoedd er bod rhai dylanwadau estron yn amlwg ar y gelfyddyd gain. Yr Oes Haearn oedd 'Oes Aur' y diwylliant Celtaidd yn Ewrop ac, wrth i'r gyfathrach rhwng Prydain a'r tir mawr gryfhau, gwanychodd yr hen gysylltiadau ar hyd arfordir Môr Iwerydd.

Yn y bennod hon, sonnir yn fras am strwythur cymdeithasol Prydain yn yr Oes Haearn cyn sôn yn fwy penodol am hanes llwythau'r Hen Ogledd. Llwyth y Votadini, hynafiaid y Gododdin, oedd yn teyrnasu yn ardal Caeredin a llwyth y Carvetii (Pobl y Ceirw), oedd rheolwyr Ardal y Llynnoedd. Diolch i waith dyfal George Jobey[1] yr ydym wedi dysgu cryn dipyn am hanes cymunedau'r gogledd-ddwyrain ond ychydig a wyddys am gymunedau'r gorllewin. Mewn adroddiad a gyhoeddwyd gan 'English Heritage' yn 2001[2] disgrifiwyd Cumbria fel 'Twll Du' o safbwynt ymchwiliadau archeolegol. Pan gyhoeddodd Barry Cunliffe y pedwerydd argraffiad o'i gyfrol *Iron Age Communities in Britain*[3] cyflwynodd restr o safleoedd ymchwil y cyfnod mewn atodiad hynod o ddefnyddiol. Yn y rhestr honno, yr oedd yna chwe deg wyth o safleoedd yng Nghymru, chwe deg yn yr

Alban ond dim ond tri yn y gogledd-orllewin. Yr oedd yr ymdriniaeth o hanes y rhanbarth yng nghyfrol Dennis Harding, *The Iron Age in Northern Britain*[4] yr un mor ddiffygiol. Mewn cyfrol swmpus, ceir chwe phennod ar hanes cymunedau amryfal yr Alban ond dim ond un ar drigolion gogledd Lloegr.

Wedi mynd ati i lunio'r bennod hon, gwelwyd bod mwy o ddefnydd ar gael ar y we, mewn ffynonellau llai ffurfiol ac mewn disgrifiadau o fywyd cefn gwlad mewn ardaloedd tebyg. Y ffynhonnell fwyaf defnyddiol i hanes Ardal y Llynnoedd yn y cyfnod dan sylw yw cyfrol Nicholas Higham a Barri Jones *The Carvetii*.[5] Prif bwnc y gyfrol oedd hanes goresgyniad yr ardal gan y Rhufeiniaid, ond yr oedd yna hefyd nodiadau ar ddull y Brythoniaid o ffermio a chyfeiriadau at eu duwiau amryfal. Dysgwyd mwy am agwedd y Rhufeiniaid at drigolion y gogledd o gofnodion Tacitus[6] ac ychydig am draddodiadau Celtiaid y Cyfandir o ddisgrifiadau Cesar.[7] Yr oedd llyfr Francis Pryor, *Britain BC*[8] hefyd o gymorth i ddeall strwythur cymdeithasol Prydain yn y cyfnod, ac ambell ddarn o gyfrol Neil Oliver, *A History of Ancient Britain*.[9] I ddysgu mwy am hanes a diwylliant Celtiaid Ewrop, ymgynghorwyd â chyfrol Miranda Green, *The Celtic World*,[10] rhannau o glasur Barry Cunliffe ar *The Ancient Celts*[11] a chyfrol Myles Dillon a Nora Chadwick, *The Celtic Realms*.[12]

Y Llwythau Brythonig

Yr unig gofnod sydd gennym o drigolion Prydain yn yr Oes Haearn yw'r disgrifiadau a luniwyd gan y Rhufeiniaid. Er bod ffurf Ladinaidd i'r enwau, y mae'n amlwg mai o'r Frythoneg y cedwid yr elfen ddisgrifiadol. Y Catuvellauni oedd yr enw a ddewiswyd am lwyth rhyfelgar yn ne Prydain ac yr oedd yna lwyth a enwid y Cornovii (Pobl y Cyrn) yn byw yn yr Hen Bowys. Cynigia'r enwau a ddewiswyd am rai eu bod yn perthyn i'r un gangen hiliol â'r llwythau a oedd yn byw yng Ngâl. Yr oedd yna lwyth a enwid y Parisii yn Swydd Efrog, ond cartref gwreiddiol y llwyth oedd yr ardal o amgylch Paris. Mae'n debyg mai llwyth o'r cyfandir oedd yr Atrebates yn nyffryn afon Tafwys hefyd, ac yr oedd yna gysylltiad amlwg rhwng Belgae Gâl a'r llwyth a oedd wedi ymgartrefu ar arfordir de Lloegr.

Does dim diben ymhelaethu am lwythau cyntefig Prydain mewn cyfrol fel hon ond y mae yn werth nodi rhai a gafodd dipyn o ddylanwad ar hanes yr Hen Ogledd. Llwyth mwyaf pwerus y de oedd y Catuvellauni, gwrthglawdd y Brythoniaid yn erbyn cyrch Cesar yn 54 CC. Disgynnydd enwocaf y Catuvellauni oedd *Caratacus* (Caradog y traddodiad Cymraeg), ond ei dad *Cunobelinus* (Cynfelyn) oedd yn llywodraethu pan oresgynnwyd Prydain gan y Rhufeiniaid yn 43 OC. Ymddengys bod eu cymdogion, y Trinovantes, yr un mor filwriaethus, ond erbyn 10 CC, yr oedd y ddau lwyth wedi ffurfio cynghrair a oedd yn tra-arglwyddiaethu dros lwythau bach y de. Llwyth dylanwadol arall oedd yr Iceni yn Swydd Norfolk, cadarnle Buddug y frenhines a arweiniodd un o wrthryfeloedd mwyaf llwyddiannus y Brythoniaid yn erbyn y Rhufeiniaid rhwng 60 a 61 OC. Yr Iceni oedd llwyth mwyaf cyfoethog Prydain ar y pryd ac mae mwy o dorchau aur wedi dod i'r golwg yn eu tiriogaeth hwy nag yn unman arall ym Mhrydain. Un o greiriau pwysicaf yr oes yw'r dorch fawr a ddarganfuwyd ger pentref Snettisham yn 1943. Yr oedd yna lwyth o aur pur yn y dorch ac yr oedd ei hedefynnau wedi eu plethu mewn ffordd arbennig o gelfydd. Gan fod ansawdd y tir yn waeth a'r hinsawdd yn fwy cyfnewidiol yn y gorllewin a'r gogledd yr oedd y safon byw yn is. Y pum llwyth y cyfeirir atynt gan amlaf yng Nghymru oedd y Demetae, yr Ordovices, y Deceangli, y Cornovii a'r Silures. Credir mai llwyth cymharol heddychlon oedd y Demetae ond gwyddys o gofnodion Tacitus bod y Silures yn ymladdwyr ffyrnig.

Yr oedd statws llwythau'r Hen Ogledd yn fwy dadleuol gan fod ffiniau eu tiriogaeth yn llai sefydlog. Yn ôl pob tebyg, yr oedd Parisii Swydd Efrog yn llwyth annibynnol ond credir mai is-lwyth i'r Brigantes oedd Carvetii Ardal y Llynnoedd yn y cyfnod cynnar. Y Brigantes oedd llwyth mwyaf pwerus yr Hen Ogledd ac, yn ôl y Groegwr Ptolemi, yr oedd eu tir yn ymestyn 'o fôr i fôr'. Tybir mai cyfeiriad at leoliad eu teyrnas o amgylch y Penwynion a gedwid yn yr enw ('Pobl y Brig') ond myn eraill ei fod yn gyfeiriad at y dduwies Gcltaidd *Briga*. Cadarnle gwreiddiol y Brigantes oedd caer Richmond yn Swydd Efrog, ond erbyn i'r Rhufeiniaid gyrraedd yr oeddynt wedi mabwysiadu tref Aldborough, ger Harrogate, yn ganolfan lywodraethol. Cymdogion y Brigantes yn ne'r Alban oedd y Novantae, y Selgovae a'r Votadini. Ni wyddom fawr amdanynt ond credir mai'r Votadini, rhagflaenwyr y Gododdin, oedd y llwyth mwyaf dylanwadol. Yr oedd llwythau gogledd yr Alban tu hwnt i ffiniau'r Ymerodraeth, felly does dim llawer o sôn amdanynt. Serch hynny, ceir cyfeiriad at arweinydd o'r enw *Calgacus* yng nghofnodion Tacitus a disgrifiad o'r frwydr fawr a ymladdwyd mewn lle a elwid *Mons Graupius*.

Y Dechnoleg Newydd

Erbyn 1,500 CC, yr oedd trigolion Twrci a Syria wedi dysgu'r grefft o wneud haearn, ond ni chynhyrchwyd llawer o'r metel ym Mhrydain tan 500 CC. Yr oedd digon o fwyn haearn ar gael, ond yr oedd y broses o ryddhau'r metel o'r mwyn yn un hir a llafurus. Ni allai ffwrneisi bach y cyfnod gynhyrchu digon o wres i droi'r haearn yn hylif, felly'r cynnyrch cyntaf oedd y blŵm, defnydd tebyg i dorth o fara. Rhaid felly oedd ailgrasu'r blŵm yn y ffwrnais i'w buro cyn ei guro am gyfnod hir i'w atgyfnerthu. Gwaith y gofaint oedd troi'r darnau haearn yn arf defnyddiol gan na ellid toddi'r metel yr ail waith i wneud haearn bwrw. Yr enghraifft gynharaf o offer haearn ym Mhrydain yw'r cryman a'r cleddyf a ddarganfuwyd ger Llyn Fawr yn y Rhondda pan ehangwyd y llyn i greu cronfa rhwng 1909 a 1913. Nodwedd hynod y cryman oedd ei bwysau a'i wneuthuriad cyntefig gan fod y gof wedi gosod rhimyn o haearn ar hyd y llafn i'w gryfhau. Dyma'r hen ffordd o lunio cryman o efydd, arwydd nad oedd y gof wedi deall bod y defnydd newydd yn llawer cryfach. Er hynny, ni fu gofaint y cyfnod yn hir cyn meistroli'r grefft o drin haearn ond ni ddisodlwyd efydd fel defnydd crai am ganrifoedd wedi hyn.

Ni wyddys sut y trefnwyd gwaith gofaint yr Oes Haearn, ond credir mai'r crefftwyr gorau oedd y gofaint teithiol. Does dim amheuaeth na chyfrifid crefft y gof yn alwedigaeth bwysig, crefft a oedd, yn nhyb rhai, yn ymylu ar y goruwchnaturiol. Erbyn diwedd y cyfnod, yr oedd yr arfau a gynhyrchwyd o safon uchel gan fod y gofaint wedi dysgu sut i galedu'r metel trwy ychwanegu ychydig o garbon at yr haearn tawdd.

Un o ganlyniadau pwysicaf y penderfyniad i fabwysiadu arfau haearn oedd y newid a welwyd yn y rhwydweithiau masnachol. Yn yr

Oes Efydd, yr oedd Prydain ac Iwerddon yn rhan o rwydwaith cyfnewid a oedd yn ymestyn ar hyd arfordir Môr Iwerydd o Sbaen i ogledd yr Alban. Yr oedd y tun a gloddid yng Nghernyw yn rhan bwysig o'r fasnach gan mai ychydig iawn o'r metel oedd ar gael ar dir mawr Ewrop. Gwyddom fod llwyth y Veneti o Lydaw hefyd yn rhan o'r rhwydwaith, gan fod ganddynt longau digon mawr i gario llwythi trwm. Gwyddys hefyd fod y Phoeniciaid o ogledd Affrica yn ymweld â Chernyw yn rheolaidd ac fe geir cyfeiriadau at y gyfathrach mewn cyfrol a gyhoeddwyd gan yr hanesydd Groegaidd Diodorus:

> Y mae trigolion Prydain a'r penrhyn a elwir Belerion (Cernyw) yn arbennig o groesawgar i ddieithriaid ac wedi eu gwareiddio trwy eu cysylltiad â masnachwyr o wledydd tramor.

Wedi troi at haearn, nid oedd rhaid dibynnu mwyach ar gynnyrch cloddfeydd Cernyw. O dipyn i beth, fe wanychodd y cysylltiadau morwrol rhwng Cymru, Iwerddon a'r Alban, cysylltiadau a oedd yn bod ers cychwyn y chwyldro amaethyddol. Ar yr un pryd, cryfhawyd y cysylltiadau masnachol rhwng trigolion de Prydain a thrigolion Gâl, ac fe gryfhawyd y cysylltiadau diwylliannol rhwng trigolion de Prydain a thir mawr Ewrop dros y culfor. Erbyn 800 OC, yr oedd canoldir Ewrop yn fwrlwm o ddatblygiadau newydd ym myd masnach, technoleg a chelf. Sail y cynnydd oedd cyfoeth naturiol yr ardal a'i lleoliad yn groesffordd rhwng gorllewin Ewrop a dinasoedd y byd clasurol. Dyma darddle afonydd mawr Ewrop; does dim syndod, felly, fod dyffrynnoedd yr afonydd hyn wedi bod yn fodd i hybu'r cysylltiadau. Yr Oes Haearn oedd 'Oes Aur' y Celtiaid yn Ewrop, ac erbyn diwedd y cyfnod yr oedd dylanwadau canoldir Ewrop wedi ymestyn cyn belled ag Iwerddon.

Cysylltiadau Newydd

Fel y nodwyd yn y bennod gyntaf, y mae ein hamgyffred o gefndir Celtiaid Ewrop wedi newid cryn dipyn yn ddiweddar. Er bod gwreiddiau'r ieithoedd Celtaidd yn gorwedd yn Iberia, lledodd y diwylliant ar draws Ewrop i wledydd cyn belled â Serbia, Bwlgaria ac

Albania.[13] Gellir rhannu'r dylanwadau hyn i ddau gyfnod penodol: cyfnod Hallstatt (1,200 i 500 CC) a chyfnod La Tène (500 i 20 CC). Tarddle diwylliant Hallstatt oedd yr ardal i'r de o ddinas Saltzburg yn Awstria lle yr oedd cloddfeydd halen pwysig. Yr oedd ardal y *Saltzkammergut* wedi allforio halen i'w chymdogion ers canrifoedd ac, o'r herwydd, wedi dod yn hynod gyfoethog. Yn 1846 daeth rheolwr y gwaith halen, Georg Ramsauer, ar draws casgliad anferth o greiriau Celtaidd mewn claddfa ar lan llyn Hallstattersee. Y darn mwyaf syfrdanol oedd cerbyd addurnedig, ond yr oedd yna hefyd gleddyfau hir a bwyeill rhyfel. Diddorol nodi bod y mwyafrif o'r creiriau wedi eu gwneud o efydd, ond yr oedd rhai o'r cleddyfau haearn o batrwm newydd. Nodwedd hynod y cleddyfau hyn yw'r tafod metel a osodwyd ar y wain i dderbyn blaen y droed. Bernir mai cleddyfau ar gyfer marchogion oedd yr arfau newydd ac mai dyfais i gadw'r wain yn llonydd gyda'r droed wrth dynnu'r cledd oedd y tafod. Cyn hir, daethpwyd o hyd i gleddyfau tebyg mewn lleoliadau ar hyd a lled Ewrop ac fe'u henwyd yn gleddyfau o fath 'Gundlingen' ar ôl enw tref yn yr Almaen. Ym Mhrydain, arfau wedi eu llunio o efydd yw'r mwyafrif o'r creiriau a gysylltir â chyfnod Hallstatt ond ceir canran fechan o gleddyfau haearn. Un o'r enwocaf yw'r un a gloddiwyd o'r tir gwlyb ger Llyn Fawr yn y Rhondda. Yn ôl arbenigwyr o'r Amgueddfa Genedlaethol, gof lleol a luniodd y cleddyf, ond bernid ei fod yn gweithio o dan ddylanwad crefftwr o Lydaw.

Ar lan llyn Neuchatelle yn y Swistir y daethpwyd o hyd i'r trwch o'r creiriau a gysylltir â diwylliant La Tène. Ymestyniad o gelfyddyd Hallstatt oedd y diwylliant hwnnw, ond bod dylanwad y byd clasurol yn fwy amlwg yn y gwaith celf. Nodwedd amlycaf celf La Tène yw dyfeisgarwch y crefftwyr a'r patrymau cymhleth a ddefnyddir i addurno'u gwaith. Patrymau haniaethol a ddewiswyd fel arfer, ond fe geir hefyd ddelweddau o ddynion ac anifeiliaid ynghudd yn y llinellau troellog. Myn rhai bod cymhlethdod y patrymau yn adlewyrchiad o deithi meddwl y Celtiaid. Yn sicr, yr oedd eu beirdd yn hoff o batrymau geiriol ac yr oedd y syniad o weddnewid ffurf yn elfen amlwg yn eu chwedlau. Lledodd y diwylliant yn gyflym ar draws Ewrop a chyn hir gwelwyd dylanwad crefftwyr La Tène yng ngehlf weledol y gorllewin. Credir mai anrhegion o'r Cyfandir oedd y darnau

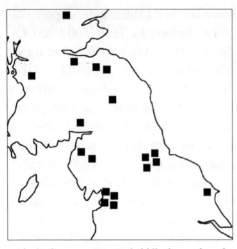

Lleoliadau yn yr Hen Ogledd lle darganfuwyd cleddyfau o batrwm 'La Tène'

cyntaf i gyrraedd Prydain ond ni fu ein crefftwyr cynhenid yn hir cyn dynwared yr arddull. Gan amlaf, cleddyfau ac offer ceffyl oedd y darnau a efelychwyd ond fe geir ambell i addurn personol. Wrth edrych ar y map gyferbyn, nid oes digon o gleddyfau wedi'u canfod i allu dirnad patrwm y cysylltiadau masnachol, ond ceir yr argraff bod dylanwad celf yr Almaen yn gryf yn y dwyrain a dylanwad Iwerddon yn gryfach yn y gorllewin. Credir bod y mwyafrif o'r cleddyfau a gasglwyd yn y dwyrain yn fewnforion o'r Cyfandir, ond y mae arddull Wyddelig i'r darnau a gasglwyd yn y gogledd-orllewin.

Crair mwyaf trawiadol Ardal y Llynnoedd yw'r cleddyf a ddarganfuwyd ger Embleton, pentref ar gyrion Maryport, yn 1854. Credir mai gwaith gof lleol oedd y cleddyf, ond yr oedd dylanwad crefftwyr Iwerddon i'w weld yn yr addurniadau. Ni ellir gwerthfawrogi ceinder y gwaith heb fanylu ar strwythur y carn a phen y wain. Techneg o'r Aifft oedd gosod darnau o enamel lliw i addurno metel, ond yr oedd y dull wedi ei gywreinio cyn hyn ym Mhersia ac India. Yng nghleddyf Embleton, yr oedd yna ddarnau o enamel coch ar gnap y cleddyf ac ar y 'fodrwy' o fetel a osodwyd i addurno'r carn. Math o wydr tawdd yw enamel, a diddorol nodi bod gweithwyr yn Iwerddon wedi dod ar draws lwmp mawr o enamel coch wrth dorri ffos ar fryn Tara ym 1887. Bryn Tara (*Cnoc na Teamhrach*) oedd caer Uwch-frenhinoedd y Gwyddyl, felly rhaid cynnig mai defnydd crai un o grefftwyr y brenin oedd yr adnodd.

Fel y nodwyd eisoes, ni cheir tystiolaeth fod nifer sylweddol o bobl wedi cyrraedd Prydain o'r Cyfandir yn ystod yr Oes Haearn, heblaw am ddau eithriad: mewnlifiad y Belgae i'r de a gwladychiad Swydd Efrog gan y Parisii. Dywed cofnodion Cesar bod nifer sylweddol o'r Belgae wedi croesi'r culfor i Brydain pan oedd eu cymrodyr yng Ngâl yn brwydro yn erbyn y Rhufeiniaid. Yn ei gofnodion, y mae cyfeiriad at arweinydd a enwid Commius ymysg y ffoaduriaid, a sôn bod milwyr o Brydain wedi ymladd yn erbyn byddin Rhufain yng Ngâl. Myn rhai mai tâl am gymorth milwrol yw'r darnau arian o Gâl a ddaw i'r golwg o dro i dro ar draethau'r de ac y mae digon o greiriau wedi goroesi i brofi fod yna gysylltiad agos rhwng y ddwy wlad. Gwaddol mwyaf trawiadol y mewnfudwyr o'r Cyfandir yw'r claddfeydd cerbyd yn null Arras a ddatgelwyd yn Swydd Efrog. Dyma leoliad teyrnas y Parisii ac y mae'n arwyddocaol mai dim ond yn yr ardal hon y gwelir defod gladdu o'r fath. Yn rhai o'r beddrodau, claddwyd cerbyd cyfan ond datgymalwyd y cerbyd cyn gosod y darnau yn y bedd fel arfer. Canfuwyd cerbyd cyfan pan gloddiwyd safle yn agos i'r ffin rhwng tir y Parisii a thir y Carvetii. Pan agorwyd y bedd, yr oedd yna gasgliad o esgyrn dynol ger y cerbyd a gweddillion dros ddau gant o warheg mewn ffos a dorrwyd gerllaw. Credir mai beddrod un o benaethiaid y llwyth oedd y safle a bod y gwarheg wedi cael eu lladd yn rhan o'r wledd a drefnwyd i'w anfon i'r byd arall. Arfer cyffredin yn ystod yr Oes Haearn oedd claddu casgliad o eitemau personol gyda'r corff. Diddorol sylwi bod cynllun y creiriau a gladdwyd ym meddau'r Parisii yn dilyn yr un patrwm â'r rhai a gasglwyd ar y Cyfandir er bod naws frodorol i'r addurniadau. Un darn dadlennol yw'r blwch addurnedig a gloddiwyd o feddrod ger Wetwang yn nwyrain Swydd Efrog. Ni wyddys beth oedd pwrpas y blwch ond yr oedd yn debyg iawn i'r rhai a welir ar y Cyfandir. Serch hynny, yr oedd y patrwm a dorrwyd ar wyneb yr efydd yn dilyn patrwm 'Prydeinig', ac yn cynnwys patrymau a oedd yn debyg i'r rhai a welir ar greiriau o Llyn Cerrig Bach ym Môn. Y mae'r ddadl parthed y nifer o bobl a ymfudodd o'r Cyfandir i Brydain yn ystod yr Oes Haearn yn parhau. Heddiw, bernir mai nifer fach o'r Parisii a groesodd y môr o Gâl tua 400 CC cyn i drigolion y gogledd-ddwyrain fabwysiadu dull tebyg o gladdu'r meirw.

Y Ffordd o Fyw

Cwpan efydd o Swydd Efrog gydag addurniadau 'La Tène' mewn dull cynhenid

Y teulu a'r llwyth oedd canolbwynt bywyd yn ystod yr Oes Haearn ac nid oedd gan y mwyafrif unrhyw ymwybyddiaeth o fyd ehangach. Mewn anheddau bychain, gwasgaredig y trigai trwch poblogaeth yr Hen Ogledd, er bod olion anheddau mwy moethus i'w gweld tua'r dwyrain. Y cyntaf i gynnig dadansoddiad cyflawn o strwythur cymdeithasol y wlad yn ystod y cyfnod oedd yr archeolegydd Barry Cunliffe. Yn y gyfrol *Iron Age Communities in Britain* nododd fod y ffordd o fyw yn amrywio o ardal i ardal, ond bod arwyddion o undod diwylliannol hefyd. Natur y dirwedd a'r hinsawdd oedd yn bennaf gyfrifol am yr amrywiaeth, a'r cyferbyniad amlycaf oedd y gwahaniaeth rhwng safon byw trigolion yr ucheldir a'r iseldir. Ers yr Oes Efydd, yr oedd ffermwyr gorllewin Prydain wedi llafurio o dan anfantais fawr wedi i'r tywydd droi'n wlyb. Yn y de a'r dwyrain yr oedd yr hafau yn sychach a'r tymor tyfiant yn hwy, felly ni chafwyd yr un drafferth i dyfu cnydau a phesgi anifeiliaid. Yn ystod yr Oes Haearn gwelwyd ymestyniad sylweddol yng nghyfran y tir a ddiwylliwyd yn y de, ond prin iawn oedd y cynnydd yn y gorllewin a'r gogledd.

Yr oedd cynllun yr anheddau a adeiladwyd ar draws y wlad yn adlewyrchiad o'r gyferbyniaeth sylfaenol hon. Casgliad o dai heb unrhyw fath o amddiffynfa oedd mwyafrif anheddau'r Hen Ogledd, ond yr oedd yna hefyd fryngaerau sylweddol yng ngwlad y Votadini. Yn ôl Barry Cunliffe, prif nod cymunedau amaethyddol y gogledd oedd bod yn hunangynhaliol gan nad oedd yna unrhyw ysgogiad i gynhyrchu gweddill i'w allforio. Yr oedd yna fwy o amrywiaeth ym mhatrwm yr anheddau a godwyd yng Nghernyw a gorllewin Cymru. Yn yr ardaloedd hyn yr oedd gan y mwyafrif o'r anheddau fur neu glawdd ac yr oedd yna fryngaerau mwy ar yr ucheldir. Bathodd Cunliffe y term *'clientage economy'* i ddisgrifio'r cymunedau hyn am ei fod o'r farn fod ffermwyr yr iseldir yn cyflwyno peth o'u cynnyrch i wŷr yr ucheldir fel 'treth'. Serch hynny, rhaid bod yn ofalus cyn cynnig bod cyfuniad o anheddau bach a chaerau mawr yn profi bod trefn hierarchaidd. Fel yn ein hoes ni, yr oedd yna elfen o rwysg yn perthyn i gynllun llawer o'r tai, felly byddai codi caer ar fryn yn arwydd o statws uchel. Diddorol sylwi felly mai ar y ffin rhwng yr ucheldir a'r iseldir y codwyd y mwyafrif o'r caerau y gellid eu disgrifio yn adeiladau amddiffynnol. Yn ei chyfrol *Prehistoric Wales*,[14] awgryma Frances Lynch mai'r prif reswm am y dosbarthiad hwn oedd yr ymrafael am dir a welwyd ar ddiwedd yr Oes Efydd. Dyma'r cyfnod pryd y bu rhaid i lawer o ffermwyr yr ucheldir chwilio am dir yn y dyffrynnoedd wedi i'r tywydd droi yn oer a gwlyb. Mae hwn yn gynnig digon teg ond, os felly, anodd esbonio pam y codwyd yr holl gaerau yng ngwlad y Votadini. Y cyferbyniad mawr yn y wlad oedd rhwng ardaloedd 'tlawd' y gorllewin a'r gogledd ac ardaloedd mwy 'cyfoethog' y de. Y prif wahaniaeth rhwng y ddau ranbarth oedd y trefi mawr a godwyd yn y de a'r sylw a roddid i adeiladau lle gellid cynnal cyfarfodydd torfol. Erbyn 150 OC yr oedd canran sylweddol o drigolion y de yn byw mewn *oppida*, trefi a oedd hefyd yn ganolfannau masnachol. Nid trefi yn yr ystyr fodern oedd y mwyafrif o'r *oppida* ond casgliad o adeiladau yn sefyll ar ganol caeau âr. Yr oedd maint yr *oppida* yn adlewyrchiad, nid yn unig o gyfoeth y tir, ond o statws y teulu llywodraethol. Un o drefydd mwyaf y de oedd *oppidum* Colchester ac y mae tystiolaeth bod ei ffiniau wedi ymestyn dros 3,000 hectar ar un cyfnod. Serch hynny, nid oedd ei muriau yn ddigon cryf i wrthsefyll ymosodiad, arwydd mai rhwysg y llwyth oedd yn bennaf cyfrifol am y cynllun.

Gyda dyfodiad yr *oppida*, gwelwyd newid mawr ym mywyd trigolion y de. O hyn allan arian, nid cyfnewid nwyddau, oedd sylfaen y gymdeithas, ac fe welwyd cynnydd syfrdanol yng nghyfoeth y teuluoedd mwyaf dylanwadol. Ni wyddys pryd y bathwyd arian cyntaf

Prydain, ond mae'n debyg bod y Trinovantes wedi bathu arian cyn 40 CC a bod y Catuvellauni wedi eu hefelychu tua 20 CC.

Gwendid arolwg cyffredin o strwythur cymdeithasol y wlad, fel yr un a gynigir gan Cunliffe, yw ei fod yn cuddio tipyn o amrywiaeth rhanbarthol. Y mae hyn yn arbennig o wir am ardaloedd fel Cymru ac Ardal y Llynnoedd lle ceir cyfuniad o wastadedd cynhyrchiol ac ucheldir llwm. Yn yr ardaloedd hyn rhaid edrych yn ofalus ar weddillion y ffermydd cyn dirnad natur y cynnyrch a dysgu rhywfaint am y ffordd o fyw. Dyna a wnaeth George Williams a'i gydweithwyr wedi gorffen eu gwaith ar olion ffermydd o'r Oes Haearn yn yr hen Ddyfed.[15] Yn ôl damcaniaeth Cunliffe fe ddylai cynllun y ffermydd ddilyn patrwm y 'clientage economy' ond nid dyna a welwyd wedi manylu. Canlyniad yr ymchwil oedd dangos mai cynnyrch y tir yn hytrach na strwythur y gymdeithas oedd yn bennaf gyfrifol am natur yr hen anheddau a ddatgelwyd. Dyna hefyd oedd casgliad Francis Pryor yn ei gyfrol *Britain BC* lle sylwodd bod digon o resymau i godi muriau ar wahân i fygythiad cymdogion. Yn ne'r sir y patrwm arferol oedd ffermydd agored gan fod y mwyafrif yn tyfu grawn. Ymhellach tua'r gogledd cadw stoc oedd yr arfer felly rhaid oedd codi muriau i'w gwarchod yn ystod y nos. Nid syndod felly gweld bod patrwm y ffermydd hynafol a welir yn Ardal y Llynnoedd yn hynod o debyg i'r rhai a ddisgrifiwyd ar odre'r Preseli. Un enghraifft dda yw gweddillion y fferm a godwyd yn nyffryn Kentmere yn ardal Windermere lle gwelwyd yr un cyfuniad o fuarth canolog a chaeau bach i gadw stoc.

Adfeilion fferm o'r Oes Haearn yn Kentmere
o Google Earth Infoterra Ltd a Bluesky

Pobl y Ceirw

Yn ôl pob tebyg, cynghrair o lwythau oedd Brigantes yr Hen Ogledd gyda'r drefn lywodraethol yn amrywio o gyfnod i gyfnod. Yn y gorllewin, aelod amlycaf y gynghrair oedd Carvetii Ardal y Llynnoedd, llwyth a'u tiriogaeth yn ymestyn o ogledd Swydd Gaerhirfryn i iseldir yr Alban. Cymdeithas o ffermwyr oedd y Carvetii, yn byw bywyd syml heb olion amlwg o rwysg na chyfoeth. Yn anffodus, ychydig iawn o eiddo personol o'r cyfnod sydd wedi goroesi gan fod haearn yn rhydu a phren yn pydru yn y tir gwlyb, ond cadwyd mwy o eiddo eu cymdogion tua'r dwyrain. Erbyn diwedd y cyfnod Rhufeinig gwyddys bod y Carvetii wedi ennill cyfran sylweddol o hunanlywodraeth ac mai Caerliwelydd oedd eu canolfan lywodraethol.

Y Tai

Tai crwn a adeiladwyd ar draws Prydain yn ystod yr Oes Haearn er bod tai hirsgwar yn gyffredin ar y Cyfandir. Yr oedd gwneuthuriad y tai yn amrywio o ardal i ardal ac yn adlewyrchiad o'r defnydd a oedd ar gael i'w codi. Mewn ardaloedd lle nad oedd yna lawer o gerrig, adeiledid y muriau o bridd a choed plyg a defnyddid gwellt neu gawn i orchuddio'r to. Yn ôl pob tebyg, yr oeddynt yn debyg iawn i'r tai a godwyd o'r newydd yn amgueddfa Castell Henllys yn Sir Benfro er bod digon o gerrig ar gael yn yr ardal honno. Yn Ardal y Llynnoedd, yr arfer cyffredin oedd codi tai gyda muriau cerrig a tho a oedd wedi ei orchuddio â thrwch o dyweirch neu fawn. Yr oedd gan y tai to gwellt do serth i waredu'r glaw ond yr oedd ongl y toeau tyweirch yn is gan fod y gorchudd mor drwm. Mewn tai o'r fath ni thorrid twll yn y to i'r mwg ddianc rhag ofn i wreichion roi'r tŷ ar dân. Gwelwyd yr un drefn yn y tai to tyweirch, ond yno rhaid oedd cadw'r tân ynghyn drwy'r flwyddyn i sychu'r glaw a oedd yn treiddio drwy'r to. Un fynedfa oedd i'r tŷ, fel arfer, ond yr oedd y porth yn llydan er mwyn i'r haul oleuo'r llawr.

Yr archaeolegydd Mike Pearson[16] oedd y cyntaf i gynnig dadansoddiad llawn o batrwm byw'r cyfnod ar sail gweddillion y tai.

Un ffactor bwysig oedd cylchdaith ddyddiol yr haul a, bron yn ddieithriad, yr oedd porth y tŷ yn wynebu haul y bore. Trefnwyd gweithgareddau'r dydd i gyd-fynd â'r golau a ddeuai i mewn, ond nid oedd yna lawer o haul yn treiddio i'r cysgodion. Y brif ardal waith oedd y llawr i'r chwith o'r fynedfa, fel y tystia gweddillion y golosg a ddefnyddid gan y gof, neu'r pwysau plwm a adawyd gan y gwehydd. Erbyn y prynhawn, fe fyddai'r haul wedi cyrraedd canol y llawr lle coginid bwyd ar dân agored. Pair efydd a ddefnyddid i baratoi'r bwyd, fel arfer, ond gellid gosod brigwn haearn o flaen y tân i rostio cig neu bysgod. Yn yr hwyr, yr oedd golau gwan yr haul wedi cyrraedd pen pella'r tŷ lle cysgai'r teulu ar welyau o groen a gwellt. Yn ôl Pearson, yr oedd yna arwyddocâd ysbrydol i'r ffordd y trefnid cynnwys y tŷ ac fe awgrymodd yr edrychid ar gylchdro'r haul yn gydwedd â chylch bywyd. Seiliodd ei ddamcaniaeth ar y ffaith fod cyrff babanod wedi dod i'r golwg o dan riniog ambell dŷ, arwydd bod y truain wedi marw cyn i haul eu bywyd godi.

Yn ffodus, gan mai cerrig a ddefnyddid i'w codi, y mae gweddillion sawl tŷ o'r Oes Haearn wedi goroesi yn Ardal y Llynnoedd. Y gweddillion mwyaf trawiadol yw'r rhai a welir ar lethrau Threlkeld Knotts, bryn isel gyferbyn â mynydd Blencathra. Ar y safle hwn y mae'r tai mwyaf yn mesur tua 8m ar draws ac y mae digon o gerrig wedi aros yn y muriau i weld bod y mwyafrif yn mesur tua 1.2m o drwch.

Y Ffermydd

Nicholas Higham a Barri Jones oedd y cyntaf i ddangos bod olion ffermydd o'r Oes Haearn i'w gweld ledled Ardal y Llynnoedd. Dyna gadarnhad bod llawer mwy yn byw yn yr ardal na honiad yr haneswyr sy'n ymfalchïo yn llwyddiant y de. Seiliwyd y dadansoddiad ar gyfres o luniau a dynnwyd o'r awyr yn ystod haf sych 1976. Prin oedd yr olion ar wyneb y tir ond, wrth i'r pridd sychu, gwelwyd olion lu o hen anheddau. Cyhoeddwyd crynodeb o ganlyniadau'r arolwg yn y gyfrol *The Carvetii* ynghyd â map i ddangos dosbarthiad yr anheddau. Ymddengys mai ffermydd ynysig oedd y mwyafrif, ond yr oedd yna ardaloedd mwy poblog i'w gweld ar hyd yr arfordir. Yn y canoldir, y

Copi o dŷ o'r Oes Haearn a godwyd yn Castell Henllys, Sir Benfro

dyffrynnoedd mwyaf poblog oedd dyffryn Idon yn y gogledd a'r tir o amgylch Lune tua'r de. Yn ôl Taliesin, yr oedd gan Urien Rheged lys yn nyffryn Idon, ardal lle yr oedd ansawdd y tir yn arbennig o dda. Syndod felly oedd gweld bod cynifer o anheddau'r cyfnod wedi eu codi ar dir sydd, erbyn hyn, o ansawdd gwael. Un ardal boblog oedd y tir o amgylch Merin Rheged (y Solway Firth) sydd bellach yn weundir corsiog.

Er trylwyred yr arolwg, ni lwyddwyd i ddisodli'r casgliad cyffredin mai 'Celtic Cowboys' yn magu ychydig o wartheg oedd trigolion yr Hen Ogledd. Seiliwyd y casgliad ar dri honiad anghywir:

1. Nad oedd gan y Brythoniaid erydr digon cryf i droi pridd trwm.
2. Bod y caeau sgwâr a welir ar yr ucheldir yn rhy fach i'w haredig gan ychen.
3. Nad oedd yna dystiolaeth archaeolegol bod ffermwyr y rhanbarth yn tyfu grawn.

Perthnasol nodi, felly, bod ymchwiliwr o Gymro wedi gwrthdroi'r ddau honiad cyntaf beth amser yn ôl a bod gwaith diweddar y palaeolimnegwyr wedi profi bod digon o baill o gnydau wedi suddo i lynnoedd a chorsydd yr ardal trwy gydol yr Oes Haearn.

Yn ei gyfrol *Yr Aradr Gymreig*, dangosodd Ffrancis Payne[17] nad y Saeson oedd y bobl gyntaf i greu aradr drom, gan fod erydr o'r fath ar gael yng nghyfnod y Brythoniaid. Taclau heb wadn, fel yr un a ddarlunnir isod, oedd erydr cyntaf Prydain ac ni ellid torri cwys ddofn gydag erydr o'r fath. Dyma'r math o erydr a ddefnyddid ar draws Prydain yn yr Oes Efydd a gwyddys o'r olion a gladdwyd o dan hen grugiau bod rhaid aredig ar hyd ac ar groes gydag erydr o'r fath. Yn ystod yr Oes Haearn y dyfeisiwyd yr erydr gwadn cyntaf (fel yr ail aradr a ddarlunnir isod) ac fe allai'r erydr hyn dorri cwys ddofn mewn tir trwm. Sychau pren oedd gan yr erydr gwadn cyntaf ond, gydag amser, ychwanegwyd swch o haearn a chwlltwr miniog. Gwyddys bod erydr gwadn o gynllun syml wedi eu cynllunio ar gychwyn yr

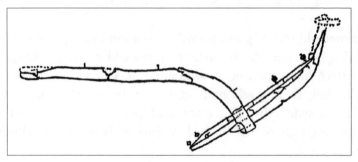

Aradr cyntefig o'r Oes Efydd

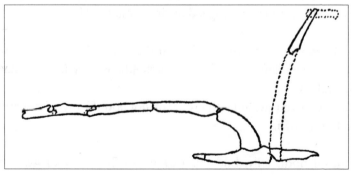

Aradr gwadn o'r Oes Haearn

Oes Haearn fel y tystia'r olion tonnog sydd wedi goroesi ar dir nas arddiwyd am gyfnod hir.

Ychen a ddefnyddid i aredig cyn i'r ceffyl gwedd gyrraedd yn yr Oesoedd Canol, felly'r arfer cyffredin oedd trefnu caeau hir i osgoi gormod o droi. Gan fod caeau sgwâr yn fwy cyffredin yng ngorllewin Prydain, bernid na ellid eu haredig gyda gyr o ychen. Dangosodd Ffrancis Payne nad oedd hyn yn wir, ac y gallai pâr o ychen aredig cae bach os nad oedd y tir yn drwm. Un arwydd o hen dir âr yw'r glasleiniau (*lynchets*) a grëir wrth i beth o'r pridd lithro i waelod y llethr. Mae rhychau o'r fath yn gyffredin ar draws yr Hen Ogledd ac y mae enghreifftiau da ar y tir calchog oddeutu afon Idon. Trwy astudio gweddillion o'r fath, gwelwyd mai natur y tir, yn hytrach na'r cnwd a dyfid, oedd yn bennaf cyfrifol am ffurf y caeau. Ar gyrion Crosby Garrett yn nyffryn afon Idon y mae olion hen fferm lle gwelir cyfuniad o gaeau bach sgwâr a nifer o gaeau hir. Nid syndod felly gweld bod y caeau bach ar ben y bryn, lle mae'r tir yn sych, a'r caeau hir yn y dyffryn gwlyb islaw. Hawdd dychmygu pâr o ychen yn aredig y caeau bach heb fawr o drafferth ond fe fyddai'n rhaid trefnu gyr o bedwar neu fwy cyn mentro aredig y caeau gwlyb.

Yn ne Prydain, defnyddir olion y tyllau a dorrwyd yn y ddaear i gadw cynnyrch yn arwydd bod y fferm yn tyfu grawn, ond yn y gogledd, rhaid oedd codi adeilad i gadw'r grawn yn sych. Gan ei bod mor wlyb, pydrodd yr olion hyn, ond daethpwyd o hyd i olion stordai tebyg ar safle Castell Henllys yn Sir Benfro. Un ffordd o ddirnad y math o gnydau a dyfid yn Ardal y Llynnoedd yw dod o hyd i weddillion y melinau bach a ddefnyddid i wneud blawd. Y mae digon wedi dod i'r golwg i brofi nad 'Celtic Cowboys' oedd trigolion yr ardal, er mai prin iawn yw'r safleoedd a archwiliwyd hyd yn hyn. Mesur mwy dibynadwy o gynnyrch cyffredinol y ffermydd yw natur y paill a ddisgynnodd i'r llynnoedd. Yn 2010, cyhoeddodd Emily Forster[18] adroddiad, lle dangoswyd bod ffermydd cymysg yn gyffredin, a bod ffermwyr o ddyffryn afon Duddon yn tyfu haidd cyn 400 CC. Mesur arall o ddylanwad y ffermwyr yw'r cynnydd yn y llwyth o waddod a olchwyd o wyneb y tir. Mewn arolwg o'r patrwm erydu, nododd Chiverrell[19] fod yna gynnydd sylweddol yn y pridd a gollwyd o ddalgylch Coniston wedi 1,000 CC ac fe welwyd patrwm tebyg yn nalgylch Brotherswater wedi 800 CC.

Hyd yn hyn, dim ond adfeilion dwy ffasrm o'r Oes Haearn sydd wedi eu harchwilio yn Ardal y Llynnoedd. Y ffarm fwyaf yw'r un a godwyd ar Auchertree Fell ger Wigton, lle mae tystiolaeth archaeolegol fod yr uned wedi datblygu dros gyfnod hir. Yn 1978, cyhoeddodd Nicholas Higham[20] ddisgrifiad manwl o'r ffarm, ac y mae darluniau o'r safle yng nghyfrol Tom Clare, *Archaeological Sites of the Lake District*.[21] Ymddengys mai'r adeiladwaith cyntaf oedd y buarth ar ochr y bryn lle gwelir olion tŷ crwn a chyfres o lociau. Y mae lôn lydan yn rhedeg i gyfeiriad y buarth ac adfeilion clawdd uchel ar bob llaw. Dyma'r math o lôn a elwir yn 'feidr' yng ngogledd Sir Benfro, felly hawdd dychmygu'r ffermwr yn gyrru gwartheg ar hyd y lôn o'r tir pori. Ychydig yn uwch ar y bryn y mae buarth sgwâr heb olion adeilad o unrhyw fath. Yn ôl pob tebyg dyma lle y cedwid y gwartheg yn ystod y nos, y drefn arferol mewn cyfnod pan oedd bleiddiaid yn niferus. Yr oedd y buarth a godwyd yn is ar y bryn yn llai o ran maint ac o gynllun gwahanol. Awgryma'r patrwm mai dyma lle cedwid defaid y ffarm gan fod yna gyfres o lociau bach y tu mewn i'r muriau.

Credir bod olion y ffarm, neu yn hytrach y pentref, a godwyd ar fryn Threlkeld Knotts yn perthyn i gyfnod diweddarach. Y mae adfeilion nifer o dai crwn ar y safle a rhwydwaith o furiau cerrig sy'n syndod o gyfan. Ymddengys mai gwartheg a defaid oedd prif gynnyrch y ffarm, ond wedi dod o hyd i weddillion melin law, rhaid derbyn fod y trigolion yn tyfu peth grawn. Ar yr olwg gyntaf, anodd deall pam y codwyd cynifer o dai ar dir mor uchel, ond efallai bod rhai o'r trigolion yn gweithio mewn mwynfa gyfagos. Gwyddys bod hen waith plwm yn y dyffryn, ond chwalwyd y gweddillion pan agorwyd chwarel wenithfaen ar y safle yn Oes Fictoria.

Y Bryngaerau

Ym 1962, cyhoeddodd yr Arolwg Ordnans fap i ddangos lleoliad dros 1,300 o fryngaerau yng Nghymru a Lloegr. Yn anffodus, defnyddir y gair 'bryngaer' i ddisgrifio pob math o anheddau amddiffynnol, o ffermydd bach i drefydd mawr. Yn ystod yr Oes Efydd y codwyd caerau cyntaf Prydain ac, yn ôl rhai, yr oedd yn ymateb i'r cystadlu

Cloddiau pridd y prif fuarth ar Aughertree Fell. Mae'r ffos bellach yn llawn o frwyn

parhaus am dir. Y mae'r llyfryn, *Hillforts of England and Wales*, gan James Dyer[22] yn gyflwyniad defnyddiol i strwythur a dosbarthiad y caerau, ond y mae diben y mwyafrif yn dal yn destun dadl. Yn ne Prydain yr adeiladwyd y caerau mwyaf a does dim amheuaeth nad oedd gan rai ohonynt bwrpas milwrol. Bryngaer fwyaf Prydain yw Maiden Castle yn Swydd Dorset a oedd, yn ei hanterth, yn ymestyn dros 19 hectar. Niall Sharples o Brifysgol Caerdydd oedd yr archeolegydd cyntaf i gyflwyno dadansoddiad llawn o hanes y gaer[23] gan gynnig bod adeiladau o'r fath yn arwydd o newid sylfaenol yn y ffordd o fyw. Yn ôl Sharples, canolfan weinyddol oedd Maiden Castle a'i phrif bwrpas oedd gwarchod ffermwyr yr ardal a chodi treth ar eu tir. Yn ôl Barry Cunliffe, ni welwyd llawer o ymladd yn ystod yr Oes Haearn, ond yr oedd maint y caerau yn fesur o gyfoeth a statws y pendefigion. Cunliffe oedd yn gyfrifol am archwilio caer enwog Danebury yn Swydd Hampshire a chyhoeddi crynodeb o'r gwaith.[24] Yn ystod y cloddio, daethpwyd o hyd i olion 75 o dai crwn, gweithdai petryal a chyfres o stordai. Prif nodwedd y gaer oedd cymhlethdod y fynedfa lle ceid celloedd i'r gwarchodlu a phont lle gellid taflu cerrig ar unrhyw ymosodwr. Ychydig a wyddys am drefn economaidd y cyfnod, ond credir mai prif bwrpas y stordai oedd cadw'r grawn a gasglwyd o'r ffermydd fel treth. Hyd y gellir barnu, swyddogaeth ddigon tebyg oedd i fryngaerau'r Hen Ogledd, er bod y mwyafrif yn fach ac heb olion amlwg o drefn rodresgar.

Bryngaer fwyaf yr Hen Ogledd oedd yr un a adeiladwyd gan y Votadini ar fryn Traprain Law ger Haddington. Cyn iddynt symud i Din Eidin, Trapraine Law oedd prif ddinas y llwyth a gwyddys eu bod wedi dal gafael ar y safle trwy gydol y cyfnod Rhufeinig. Bryngaer fwyaf y Brigantes oedd Almondbury ger Huddersfield a oedd, ar un amser, yn ymestyn dros 3.2 hectar. Er bod muriau uchel o amgylch y bryn, difethwyd y gaer gan dân tua 430 CC a bu'n rhaid i'r Brigantes symud eu canolfan i fryngaer Stanwick ger Richmond. Yn ôl Mortimer Wheeler,[25] yr oedd y gaer honno yn ymestyn dros 300 hectar, ac erbyn 72 OC yr oedd yn fwy tebyg i dref na safle milwrol. Credir mai Stanwick oedd canolfan lywodraethol Cartimandua, brenhines y Brigantes ar ddechrau'r cyfnod Rhufeinig pan oedd newydd lunio cytundeb gyda'r goresgynwyr. Adroddir mwy o hanes Cartimandua yn y bennod ar yr egwyl Rufeinig, lle cyfeirir at y cweryl rhyngddi hi a'i gŵr a oedd yn perthyn i lwyth y Carvetii. Bernir bod y Carvetii yn gynghreiriaid bodlon i'r Brigantes ar y cychwyn ond, ar ôl

Adfeilion muriau cerrig un o ffermydd Threlkeld Knotts

i Cartimandua dderbyn goruchwyliaeth y Rhufeiniad, chwalwyd y briodas a'r berthynas.

Yn anffodus, ni wyddys fawr ddim am drefniant milwrol y Carvetii, ond fe geir yr argraff eu bod yn ymladdwyr ffyrnig. Yn ôl adroddiad a gyhoeddwyd gan Glwb Archaeolegol Appleby yn 2007, 'There are no hill forts in the Lake District'. Honiad hurt o gofio bod y Parc Cenedlaethol wedi cyhoeddi map i ddangos lleoliad ugain o'r caerau! Cyn hyn, yr oedd Higham a Jones wedi cyflwyno map i ddangos lleoliad y prif gaerau a nodi bod rhai o faint sylweddol. Canllaw defnyddiol i leoliad caerau Ardal y Llynnoedd yw gweld enwau sy'n cynnwys yr elfen 'castle' neu 'dun' ar y map. Caerau o'r Oes Haearn yw 'Maiden Castle' ar lannau Ullswater a 'Castle Howe' yn Little Langdale, a gellir cynnig fod yna weddillion hen gaer rhywle yn nyffryn 'Dunnerdale'.

Yn sicr, does dim prinder caerau yn yr ardal ac mae'u dosbarthiad yn dilyn patrwm synhwyrol. Os edrychir ar fap o'r ardal fe welir bod dyffrynnoedd Ardal y Llynnoedd yn ymestyn o fynyddoedd y canoldir fel edyn olwyn. Nid syndod felly gweld bod adfeilion caer ymhob dyffryn a mwy ar hyd yr arfordir. Cwestiwn anos ei ateb yw pam y codwyd mwy nag un gaer mewn ambell ddyffryn? Dyma batrwm sy'n cynnal y syniad mai canolfannau cymdeithasol oedd y caerau, gan fod nifer yn sefyll ar safleoedd heb fawr o rinwedd strategol.

Un ffordd o esbonio dosbarthiad o'r fath yw cynnig mai canolfannau gweinyddol oedd y caerau yn hytrach na safleoedd milwrol. Un hanesydd sydd wedi gwneud tipyn i hybu'r syniad o'r caerau fel canolfannau cymunedol yw'r archaeolegydd Francis Pryor. Yn ei gyfrol *Britain BC* cynigir darlun o gaerau'r cyfnod fel canolfannau amlbwrpas. Yn ei dyb ef, yr oeddynt yn fwy tebyg i ystadau Oes Fictoria na chestyll yr Oesoedd Canol, a barnodd mai deiliaid i'r 'gŵr mawr' ar ben y bryn oedd ffermwyr y dyffrynnoedd. Yn y ddamcaniaeth hon, penaethiaid y bryngaerau oedd yn gyfrifol am gynnig cymorth mewn cyfnod o drallod a dyletswydd y deiliaid oedd gwneud gwaith gwirfoddol i gynnal adnoddau'r gaer.

Yn anffodus, ychydig sydd wedi ei wneud hyd yn hyn i ddatgelu cyfrinachau caerau'r ardal ers i R. G. Collingwood orffen ei waith arloesol yn 1937.[26] Testun ei ymchwiliad oedd y gaer a godwyd ar Carrock Fell ac, yn ôl y cofnodion, fe orffennodd y gwaith mewn llai na diwrnod. Yn ystod yr arolwg, llwyddodd i nodi llu o fesuriadau a llunio map o brif nodweddion y gaer. Sylwodd bod patrwm y gaer yn debyg iawn i weddillion Tre'r Ceiri ar benrhyn Llŷn, ond ni ddaethpwyd o hyd i olion o dai byw ar y copa. Y gweddillion amlycaf oedd adfeilion y muriau er bod cyfran o'r cerrig wedi eu dwyn i drwsio muriau. Ar sail strwythur y gaer, barnodd mai'r Brigantes oedd yn gyfrifol am ei chodi cyn i'r Carvetii ei meddiannu yn rhan o'r cynllun i amddiffyn eu gwlad. Myn rhai fod Caradog ar ei ffordd i ymuno â lluoedd *Venutius* ar Carrock Fell pan gipiwyd ef gan garfan a oedd yn ffyddlon i Cartimandua. Ym marn Collingwood, y Rhuf-einiaid oedd yn gyfrifol am ddinistrio'r gaer, a hynny wedi i *Venutius* golli gafael ar ymylon ei deyrnas. Sonnir mwy am frwydrau'r Rhufeiniaid yn y bennod nesaf ond does neb wedi cloddio modfedd o Carrock Fell wedi i Collingwood orffen ei arolwg.

Safle a anwybyddwyd yn llwyr yw gweddillion caer Dunmallard ar lan Ullswater. Y mae maes parcio wrth droed y bryn ond dim i nodi bod bryngaer o'r Oes Haearn ynghudd yn y coed uwchben. Y mae'r llwybr a drefnwyd i gerddwyr ger Pooley Bridge yn osgoi pen y bryn ond fe ellir cyrraedd y copa trwy ddilyn cangen o'r llwybr. Wrth ddringo'r llwybr gellir gwerthfawrogi cryfder strategol y safle er bod y coed yn cuddio cryn dipyn o'r olygfa. Ar ôl cyrraedd y copa, yr olion amlycaf yw'r twmpathau pridd, ond fe ellir gweld cerrig sail rhai muriau mewn mannau lle mae'r pridd wedi'i erydu. Y mur mwyaf sylweddol yw'r un a godwyd o amgylch y copa ac y mae cyfres o ffosydd llai amlwg ar y llethrau islaw. Pan godwyd y gaer, rhaid cofio fod pob coeden ar y bryn wedi ei thorri a bod cyfres o gaeau bach wrth droed y bryn. Prif bwrpas y gaer oedd gwarchod y rhyd a groesai afon Eamont, a chadw golwg ar y dyffryn a ymestynnai tua'r gorllewin. I bob pwrpas, y dyffryn hwn oedd y drws i galon gwlad y Carvetii ac y mae'n werth nodi bod y Rhufeiniaid wedi codi cyfres o wersylloedd ymgyrchu gerllaw cyn mentro i'r ucheldir.

Anodd dweud beth oedd enw gwreiddiol 'Dunmallard' ond gellir cynnig tri awgrym ar sail y ffurf dreuliedig. Yn gyntaf, gellir cynnig mai cyfuniad o *dīn, mẹl* ac *ard* a gedwid yn yr enw i gyfleu'r syniad o gaer, moel, uchel. Yn ail, gellid cynnig esboniad mwy mentrus drwy fentro 'Din Malltod' fel disgrifiad o safle hen gyflafan. Yn olaf, gellir cynnig mai cyfeiriad at Frython pwysig a gedwid yn yr enw ac mai ef oedd ceidwad y gaer. Ychydig tua'r gogledd ceir cylch cerrig a adwaenir yn 'Moor Divock' a gwyddys mai ystumiad o'r enw Brythonig 'Dyfog' yw'r ail elfen yn y disgrifiad hwnnw.

Y Rhyfelwyr

Y darlun cyffredin o Frythoniaid yr Oes Haearn yw casgliad o lwythau cecrus yn ymladd yn barhaus. Un darn y cyfeirir ato yn aml i gynnal syniad o'r fath yw disgrifiad Strabo o ryfelgarwch Celtiaid Gâl:

> Y mae'r genedl gyfan yn hoff o ryfel, yn danllyd eu hysbryd ac yn awchu am frwydr.

Y mae digon o offer rhyfela o'r cyfnod wedi goroesi i gadarnhau bod brwydro yn rhan o fywyd yr oes, ond dylid gochel rhag derbyn bod lladdfeydd enbyd yn gyffredin. Gwyddom o gofnodion y Rhufeiniaid fod bygwth yn rhan bwysig o'r drefn a bod defodau i osgoi brwydrau torfol. Arfer cyffredin oedd trefnu i lewion dau lwyth ymladd un wrth un, cyn penderfynu pwy oedd i ildio. Dro arall, gelwid ar feirdd y llwyth i adrodd hanes brwydrau mawr y gorffennol yn y gobaith y gellid dychryn y gelyn.

Pan nad oedd modd osgoi brwydr, yr oedd y dull o ymladd yn amrywio o wlad i wlad ac o gyfnod i gyfnod. Ar y Cyfandir, yr oedd ymladd ar droed yn gyffredin a'r milwyr yn brwydro yn noeth a dim ond gwregys am eu canol a thorch am eu gwddf. Yr oedd arwyddocâd ysbrydol i'r dorch ymysg y Celtiaid am eu bod yn credu fod y dorch yn sicrhau gofal y duwiau mewn brwydr. Fel arfer, y cleddyf oedd yr arf a ddewisid, ond defnyddid gwaywffyn i daro'r gelyn o bell. Tarian o bren a lledr a ddefnyddid gan amlaf ac yr oedd yna glod arbennig i filwr â tharian ddrylliedig. Credir mai cyfarpar ar gyfer seremonïau oedd y tarianau addurnedig sydd wedi goroesi. Un enghraifft dda yw'r darian o efydd a ddarganfuwyd yn afon Tafwys, ger Battersea, yn 1857 gan ei bod yn rhy fyr i amddiffyn y corff. Yr

Muriau drylliedig Caer Carrock Fell

oedd gan y ceffyl hefyd le pwysig ym mrwydrau'r Celtiaid, nid yn bennaf i'w farchogaeth, ond yn fodd i dynnu cerbydau. Gwyddom fod cyflymdra a sŵn byddin o gerbydau wedi creu tipyn o argraff ar Cesar o'r cofnod a luniodd wedi brwydro yng Ngâl:

Dyma'r ffordd yr ymladdant yn eu cerbydau: yn gyntaf rhuthrant i bob cyfeiriad gan daflu gwaywffyn i glwyfo lluoedd y gelyn a'u dychryn gyda sŵn yr olwynion; wedi aflonyddu ar batrwm y frwydr, neidiant o'u cerbydau i ymladd ar draed. Yn y cyfamser, bydd gyrwyr y cerbydau wedi cilio o'r maes gan aros gerllaw rhag i'w meistri golli tir yn y frwydr. Fel hyn y mae eu brwydrau yn cyfuno cyflymder y llu a gallu ymosodol y milwr unigol.

Mewn man arall, cyfeirir at wŷr yn ymladd heb ddisgyn o'u cerbydau ac fe geir disgrifiadau o rai yn rhedeg ar hyd siafftiau'r cerbydau i daro'r gelyn. Dywedir bod dros fil o gerbydau wedi ymosod ar y Rhufeiniaid ym mrwydr *Sentinum* yn yr Eidal, y tro olaf y gwelwyd trefniant mor fawr. Parhaodd yr arfer o ymladd mewn cerbydau ym Mhrydain am ganrifoedd wedi i'r arfer ddarfod ar y cyfandir ac mae sôn bod y Catuvellauni wedi hyrddio pedair mil o gerbydau yn erbyn Cesar yn 54 CC. Ail-grewyd cerbyd o'r Oes Haearn ar sail gweddillion cerbyd a gloddiwyd o feddrod yn Swydd Efrog. Credir mai cerbyd seremonïol oedd yr un yn y bedd gan mai cerbydau ysgafnach o wiail oedd y rhai a ddefnyddid ar faes y gad.

Un o greiriau seremonïol mwyaf trawiadol y cyfnod yw'r helm geffyl a ddarganfuwyd ger pentref Torrs yn Kirkudbrightshire. Lluniwyd yr helm o efydd tenau ac yr oedd patrwm yr addurniadau

Llethrau coediog Caer Dunmallard ar lan Ullswater

yn nodweddiadol o gyfnod La Tène. Gwyddys bod y Brigantes yn yrwyr medrus a honnir mai hwy oedd y cyntaf i ddyfeisio genfa a allai reoli ceffyl yn effeithiol heb niweidio ei geg. Yn 1845, daethpwyd o hyd i lwyth o offer ceffyl ger caer Stanwick yn Swydd Efrog ac yr oedd yna enfa bres o batrwm newydd yn rhan o'r casgliad. Bernid o fanylder y darnau fod yr enfa wedi ei llunio gyda'r dechneg a elwir 'cŵyr coll' (*cire perdu*). Yn y dechneg hon, defnyddir patrwm o gŵyr i greu mowld o glai cyn arllwys metel poeth i'r mowld i gymryd lle'r cwyr tawdd.

Crefyddau yr Oes Haearn

Ychydig a wyddom am arferion crefyddol y Brythoniaid gan nad oedd eu harweinwyr yn cadw cofnodion. Gellir dysgu rhywfaint am arferion yr oes o weithiau'r awduron clasurol a rhagor trwy ddarllen chwedlau cynnar y Gwyddyl. Yng Ngâl a Phrydain, yr oedd yna dair gradd o wybodusion yn gysylltiedig â'r hen grefydd: y *druides* (y derwyddon), y *vates* (y gweledyddion) a'r *bardi* (y beirdd). Yn Iwerddon, yr enwau ar y tair gradd oedd y *drui*, y *fili* a'r *bardi*. Hyfforddid y *druides* am ugain mlynedd ac fe ddisgwylid iddynt fod yn hyddysg yn y gyfraith a gwyddorau fel meddygaeth a seryddiaeth.

Eu prif ddyletswydd oedd trefnu'r defodau crefyddol gan y credid mai dim ond hwy a allai ymddiddan yn uniongyrchol â'r duwiau. Y gred ymysg y Rhufeiniaid oedd mai Ynys Môn oedd canolfan ysbrydol y derwyddon ac yr oeddynt o'r farn mai hwy oedd yn cynnal ysbryd gwrthryfelgar holl Geltiaid Ewrop. Dyna pam y trefnodd Gaius Suetonius Paullinus gyrch nerthol yn erbyn yr ynys yn 60 OC pan laddwyd miloedd o ddilynwyr yr hen grefydd. Dywedir mai hon oedd brwydr ffyrnicaf y Rhufeiniaid ym Mhrydain, a rhaid tybio bod y canlyniad yn ergyd drom i hunanhyder y Celtiaid. Swyddogaeth y *vates* oedd cynorthwyo'r derwyddon yn eu seremonïau ond yr oeddynt hefyd yn gyfrifol am ragweld y dyfodol. Mae'n debyg y gellid hyfforddi'r *vates* mewn deuddeng mlynedd ac un o'u dyletswyddau pwysicaf oedd trefnu ebyrth i'r duwiau. Ar y Cyfandir, y *bardi* oedd y radd isaf gan y gellid eu hyfforddi mewn cwta saith mlynedd. Eu prif swydd oedd canu clodydd y pendefigion ond yr oeddynt hefyd yn gyfrifol am restru achau'r pendefigion a chofio hanes y llwyth. Rhaid cofio fod yna elfen ysbrydol yn perthyn i swydd y *bardi* ac yr oedd yna gred gyffredin y gallent ladd gelyn trwy lymder eu dychan! Credir bod statws y beirdd yn uwch ym Mhrydain am eu bod yn rhannu mwy o waith brudiol y *vates*.

Fel pob cymdeithas gyntefig, crefydd wedi ei seilio ar fyd natur oedd crefydd y Brythoniaid. Yr oedd gan y fam-ddaear le canolog yn eu defodau ac fe gynhelid y rhan fwyaf o'r seremonïau yn yr awyr agored. Wedi dyfodiad y Rhufeiniaid, credir bod llawer o'r cyfarfodydd hyn yn cael eu trefnu mewn llennyrch yn y goedwig er mwyn cadw'r cyfan o olwg yr awdurdodau. I'r derwyddon, yr oedd yna arwyddocâd arbennig i goed fel y dderwen a'r griafolen ac arferent ddringo i frigau'r coed gyda chryman aur i dorri beichiau o uchelwydd. Gwyddom fod aberthu teirw ar ddiwrnod gŵyl yn ddefod gyffredin, ond bernir mai gormodiaith oedd disgrifiadau Cesar am loddest o ebyrth dynol. Ar draws y Byd Celtaidd roedd mannau gwlyb fel llynnoedd, corsydd ac afonydd yn safleoedd arbennig o sanctaidd. Yn wir, edrychid ar lynnoedd a phyllau dyfnion fel ffenestri i fyd arall ac yr oedd yna syniad fod yna elfen hudol yn perthyn i adlewyrchiad person yn y dŵr. Un arfer cyffredin oedd taflu nwyddau gwerthfawr i'r llynnoedd, yr afonydd a'r corsydd yn offrwm i'r duwiau. Dyna oedd cefndir yr arfau a ddarganfuwyd ar lan Llyn Fawr yn y Rhondda a'r celc a gloddiwyd ar lannau Llyn Cerrig Bach ym Môn. Fel arfer, byddent yn niweidio'r nwyddau a'r arfau cyn eu taflu i'r dŵr fel na allai neb eu defnyddio. Gwerth gwreiddiol yr offrwm oedd yn bwysig, nid ei ddefnyddioldeb.

Yn rhyfedd iawn, ychydig o greiriau o'r Oes Haearn sydd wedi dod i'r golwg yn llynnoedd Ardal y Llynnoedd. Ers degawdau, y mae nofwyr tanddwr wedi chwilio am ddarnau o'r cyfnod ond heb lawer o lwyddiant. Pan gyhoeddodd Barrowclough[27] restr o offrymau addunedol yr ardal, nododd fod 36% wedi eu casglu o safleoedd sych, 17% o gorsydd, 7% o afonydd a dim ond 5% o waelod llynnoedd. Yr offrwm mwyaf diddorol o safle 'gwlyb' yw'r ddwy lwy efydd a ddarganfuwyd ger Crosby Ravensworth yn nyffryn Lyvennet yn 1868. Ffermwr yn glanhau hen ffynnon a ddaeth ar draws y llwyau mewn ardal sy'n llawn o anheddau hynafol. Daethpwyd ar draws llwy o batrwm tebyg yn afon Tafwys ym 1856 ac y mae mwy wedi dod i'r golwg yn Iwerddon ac ar y Cyfandir. Mae llwyau Crosby Ravensworth yn bwysig am fod cael gafael ar ddwy yn gymorth i esbonio pwrpas y crair. Ar un, ceir llinellau croes i rannu'r bowlen yn bedwar, ond dim ond twll bach sydd ym mowlen y llall. Mae'r drisgell a dorrwyd ar glust y llwyau yn nodweddiadol o gyfnod 'La Tène' ac yn debyg iawn i rai o'r addurniadau a welir ar dlysau Llyn Cerrig Bach. Yn ôl arbenigwyr, offer i ddirnad ffawd oedd y llwyau a'r gamp oedd gadael i hylif lifo trwy'r twll yn y naill lwy i ffurfio patrwm ar bowlen y llall. Rhyw ŵr neu ddynes hysbys oedd yn gyfrifol am ddirnad ystyr proffwydol y diferion ac, mewn cyfres o arbrofion, dangoswyd bod rhaid defnyddio hylif tew (fel gwaed!) i greu patrwm sefydlog.

Un o ddefodau mwyaf barbaraidd yr Oes Haearn oedd yr arfer o gynnig offrwm dynol i'r fam-ddaear trwy daflu corff i lyn neu gors. Daethpwyd o hyd i ddau gorff o'r fath mewn corsydd yn Ardal y Llynnoedd, ond yr enwocaf ym Mhrydain yw'r un a gloddiwyd o gors ger Caer yn 1984. Enw'r gors oedd 'Lindow Moss', awgrym mai i'r 'Llyn Du' y taflwyd y corff yn yr Oes Haearn. Bachgen ifanc oedd y gŵr a aberthwyd ac fe farnwyd ei fod o dras uchel gan nad oedd ôl gwaith ar ei ddwylo. Wedi ymchwil pellach, gwelwyd ei fod wedi bwyta bara croyw cyn ei ladd a bod gweddillion uchelwydd yn gymysg â'r bara. Gwelwyd o'r anafiadau ei fod wedi ei ladd trwy gael ei anafu deirgwaith, gan ergyd i'r pen, toriad cyllell i'r gwddf a thrwy ddefnyddio llinyn tenau i'w grogi. Defod a gysylltir â'r derwyddon oedd y 'tair marwolaeth' a myn rhai bod y bachgen wedi ei aberthu o'i wirfodd.

Yn Oes y Rhufeiniaid, addaswyd llawer o grefyddau'r Celtiaid i gyd-fynd ag arferion yr Ymerodraeth. Yr oedd agwedd y Rhufeiniaid at grefyddau lleiafrifol yn syndod o oddefgar ac, am y tro cyntaf, ceir cofnod o dduwiau amryfal y Brythoniaid. Yr oedd Cesar o'r farn fod prif dduwiau'r Celtiaid yn debyg iawn i'r pantheon clasurol, felly cymharwyd *Camulos*, duw rhyfel y Trinovantes, gyda Mawrth, duw rhyfel yr Ymerodraeth a *Taranis*, y duw a gysylltid â'r daran, gydag Iau. Ceir nifer o gyfeiriadau at dduwiau'r Celtiaid yng ngweithiau awduron fel Lucan a Tertullian: sonnir am dduw'r teulu a enwid *Teutates*, duw'r anifeiliaid a enwid *Cernunnos* a duwies ffrwythlondeb a enwid *Epona*. Adeiladwyd allorau i nifer o'r duwiau hyn ar draws yr Hen Ogledd a dengys cyfrol Higham a Jones ar y Carvetii mai *Cocidius* a *Belatucadros* oedd duwiau mwyaf poblogaidd yr ardal, ond yr oedd yna hefyd allorau i *Vitris* ac i *Maponus*. Duw rhyfel oedd *Cocidius* ac y mae'n dra phosib mai cyfeiriad at liw gwaed a gedwid yn yr enw. Yn y cerflun a ddarganfuwyd yn Maryport portrewyd *Cocidius* fel dyn corniog ond ceir hefyd gerfluniau sy'n dangos y duw gyda chleddyf ar ei lin. Duw rhyfel oedd *Belatucadros* hefyd a oedd, yn ôl yr hanes, yn boblogaidd ymysg milwyr Gâl. Ni wyddom fawr ddim am *Vitris* ond ei brif ddilynwyr oedd y milwyr a wasanaethai ar Fur Hadrian. Yn ôl pob tebyg, yr oedd yn gydenwog â *Mogons*, duw Celtaidd o'r Cyfandir, gan fod delweddau o nadroedd yn gyffredin ar yr allorau a drefnwyd i'r ddau. Un o dduwiau cynhenid yr Hen Ogledd oedd *Maponus* (Y Mab Ifanc), cwlt a sefydlwyd yn wreiddiol yng ngogledd Gâl. Delwedd syml o ben bachgen yw'r ddelw o *Maponus* a ddarganfuwyd yng nghaer Corbridge ond y mae eraill sy'n dangos y duw â choron ar ei ben. Awgryma'r arysgrif a gerfiwyd ar ei allorau mai duw celf a barddoniaeth oedd *Maponus*. Diddorol gweld felly fod y cerflun a ddarganfuwyd mewn caer yn Swydd Gaerhirfryn yn darlunio'r duw

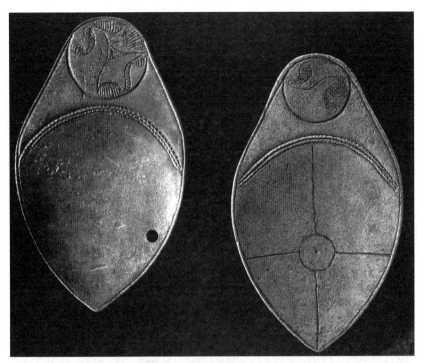

Pâr o lwyau efydd a ddefnyddid i ddirnad ffawd o Crosby Ravensworth

yng nghwmni merch ifanc! Heddiw, coffeir *Maponus* yn 'Lochmaben', enw tref ar ororau'r Alban, a gwyddys mai *Locus Maponi* oedd enw'r Rhufeiniaid ar yr ardal. 'Mabon' yw'r ffurf Gymreig ac fe gedwir cyfeiriad at y duw yn 'Rhiw Mabon', sef hen enw Rhiwabon.

Un o olion crefyddol mwyaf rhyfedd y cyfnod Rhufeinig yn Ardal y Llynnoedd yw'r garreg ar ffurf pidyn a godwyd i'r duw *Priapus* ger pentref Great Urswick. Credir bod y cwlt wedi lledu i Brydain o wlad Groeg yn nyddiau cynnar yr Ymerodraeth a'i fod yn llawn o ddefodau rhywiol. Cwlt cefn gwlad oedd y cwlt hwn ar y cychwyn ac yr oedd yn rhan o'r defodau blynyddol a drefnwyd i ffrwythloni'r tir. Yn ddiweddarach, mabwysiadwyd y traddodiad gan eraill fel esgus i ymddwyn yn anweddus ac yr oedd rhai o'i ddilynwyr o uchel ach. Ar un amser, yr oedd carreg Great Urswick yn sefyll ar ganol cae, ond ym 1920 claddwyd hi ar waelod mur rhag i'r ardalwyr ailgydio mewn hen draddodiad!

Iaith a diwylliant

Y Frythoneg oedd yr iaith a siaredid ar draws de Prydain yn ystod yr Oes Haearn a, hyd y gellir barnu, yr oedd y Bicteg a siaredid yn y gogledd pell yn iaith ddigon tebyg. Rhaid tybio bod gwahaniaethau tafodieithol wedi codi rhwng y gogledd a'r de a rhwng y dwyrain a'r gorllewin, ond dim digon i rwystro cyfathrebu. Ceir cadarnhad o hyn o'r hyn a wyddys am Caradog yn teithio o'r dwyrain i gynnal brwydrau'r Silures yn erbyn y Rhufeiniaid cyn troi tua'r gogledd i gynorthwyo'r Ordovices a'r Carvetii.

Yn ôl arbenigwyr, yr oedd y Frythoneg yn debyg i'r iaith a siaredid yng Ngâl ac, yn ffodus, y mae peth o'r iaith honno wedi goroesi ar gerrig nadd ac ar ysgrifau mewn Groeg a Lladin. Gwyddys bod y Frythoneg yn iaith fwy cymhleth na'r Gymraeg gan fod rhaid ffurfdroi pob enw mewn modd rheolaidd. Er enghraifft, yn y gair am fardd fe geid *'bardos'* (y cyflwr enwol), *'bardon'* (y cyflwr gwrthrychol) a *'bardî'* (y cyflwr genidol). Ffurfid yr ansoddeiriau yn yr un modd ac yr oedd rhaid i genedl pob ansoddair ateb cenedl y gwrthrych. Felly, gyda'r ansoddair 'trwm' fe geid *'trumbos'* (gwrywaidd), *'trumba'* (benywaidd) a *'trumbon'* (diryw). Ceir ymdriniaeth gryno o strwythur y Frythoneg a'i dylanwad ar ein hiaith yng nghyfrol Henry Lewis, *Datblygiad yr Iaith Gymraeg*[28], a dadansoddiad dyfnach yng nghyfrol Thomas Charles-Edwards, *Wales and the Britons*.[29] Heddiw, gellir gweld olion yr iaith mewn ambell enw yn Ardal y Llynnoedd mewn elfennau fel **barr*, **camboc* a **derwa* ac fe geir mwy o enghreifftiau yn yr Atodiad.

Gwyddys, o'r cofnodion a gedwid gan awduron clasurol, bod y Celtiaid yn hoff o rethreg ac yn ymhyfrydu mewn barddoniaeth. Adroddir yr hanes am deithiwr yng Ngâl yn gweld delwedd o hen ŵr yn tywys cynulleidfa gerfydd cyfres o gadwyni aur a oedd yn ymestyn o flaen ei dafod. Wedi gofyn am esboniad, eglurwyd bod y ddelwedd yn dangos bod huodledd yn drech na grym ac mai Hercwl y Gâl oedd yr hen ŵr. Yn anffodus, dim ond adlais o'r cyfnod cynnar sydd wedi aros yn y traddodiad storïol Cymreig, ond y mae blas mwy hynafol yn perthyn i chwedloniaeth y Gwyddyl. Yn yr Oesoedd Canol y cofnodwyd y mwyafrif o'r chwedlau hyn ac y mae lle i gredu bod y mynachod Gwyddelig yn fwy parod i adrodd storïau na'r Cymry 'paganaidd'. O safbwynt cymdeithasol, y chwedlau mwyaf diddorol yw'r rhai a gedwid yng Nghylch Wlster lle darlunnir gwlad a oedd yn gyfuniad o fân freniniaethau. Y chwedl enwocaf yw'r *Táin Bó Cúailnge* (Cyrch Gwartheg Cooley); stori am wŷr Connacht yn dwyn gwartheg o Wlster ar gais y frenhines Medb.[30] Credir bod y chwedl yn cyfeirio at hanes cyfnod cyn geni Crist felly hon yw'r unig stori Ewropeaidd i gynnig cipolwg ar fywyd yn yr Oes Haearn. Yn y chwedl, sonnir am arferion tebyg i'r rhai a nodwyd gan y Rhufeiniaid yng Ngâl; yr arfer o yrru i frwydr mewn cerbyd ac ymladd fesul un, y naill yn erbyn y llall. Hanfod yr hen chwedlau yw'r cysyniad o arwriaeth, teyrngarwch i'r llwyth a'r ymroddiad i frwydro yn erbyn gelynion dynol a goruwchnaturiol. Dywedwyd bod yr hen storïwyr yn cymryd wythnos gyfan o nosweithiau hir i adrodd y *Táin* gan fod rhaid dilyn hanes cymaint o gymeriadau. Yn yr un chwedlau, ceir cyfeiriadau cyson at gyfoeth y wlad a'r gwleddoedd a drefnwyd yn y neuaddau. Yr oedd y wledd yn elfen ganolog o chwedlau'r Cymry a'r Gwyddyl fel ei gilydd ac y mae sawl cyfeiriad at 'bair hudol' yn chwedlau'r ddwy wlad. Yng Nghymru, y pair enwocaf yw'r pair dadeni yn chwedl Branwen merch Llŷr yn y Mabinogi. Y pair hwnnw a ddefnyddiwyd i atgyfodi'r meirw wedi brwydr ond, yn anffodus, ni allai'r adferedig siarad gair. Yn chwedlau'r Gwyddyl yr oedd y syniad o bair di-waelod yn elfen gyffredin. Un o drysorau mawr y *Tuatha Dé Danan* oedd pair hudol Dagda a allai ddiwallu newyn pawb. Gwyddom ar sail darganfyddiadau archaeolegol fod i'r pair le canolog yn y gwleddoedd a drefnid yn yr Oes Haearn. Yr oedd i'r wledd le pwysig iawn ym mywyd y gymdeithas ac yr oedd lletygarwch y Celtiaid yn destun syndod i lawer. Fel y sylwodd un cofnodydd clasurol:

> Gwahoddant ddieithriaid i gydwledda heb ofyn pwy ydynt na beth yw eu neges. Wedi ciniawa y maent yn barod iawn i gynnal dadl hirwyntog....ond y maent yn chwim eu meddwl ac yn ddysgwyr cyflym.

Yr oedd yna drefn arbennig yn perthyn i bob gwledd, gyda'r gwestai pwysicaf yn eistedd ar ddeheulaw'r penteulu. Yn ystod y wledd, rhennid y cig yn ôl yr un drefn, ond fe allai cynnen godi os nad anrhydeddid ymwelydd pwysig. Yr oedd gan y bardd le anrhydeddus ym mhob gwledd, ond disgwylid iddo dalu am ei le trwy ddiddanu'r cwmni. O gylch y tân yr adroddid y storïau, a byddai pair o gig eidion yn berwi yn y canol a chig moch yn rhostio gerllaw. Nid dychymyg yw creu darlun o'r fath, gan fod cemegwyr wedi darganfod olion cig eidion ar hen bair a gweddillion cig moch ar hen frigwn. Yr oedd rhai o'r arfau a ddefnyddid i goginio yn ystod yr Oes Haearn yn hynod o ddatblygedig. Credir fod y bêr a ddefnyddid i droi'r cig wedi ei gynllunio yng ngogledd Iberia tua 1,000 CC cyn lledu ar hyd arfordir Môr Iwerydd.

Yn 1907 daethpwyd o hyd i bair o'r Oes Haearn gan weithwyr a oedd yn cloddio am fawn yn Bewcastle, pentref ar gyrion Ardal y Llynnoedd. Lluniwyd y pair o ddarnau tenau o efydd wedi eu hasio â rhesi o rybedion bach. Bernid o'r olion trwsio fod y pair o oedran teg cyn iddo gael ei luchio i hen lyn yn offrwm i'r duwiau. Y mae ffurf y pair yn debyg i'r un a gloddiwyd o lan Llyn Fawr yn y Rhondda, lle daethpwyd o hyd i lwyth o offrymau addunedol. Hawdd dychmygu pair o'r fath yn berwi yng nghanol y tŷ wrth i'r teulu ymgynnull i wrando ar y storïwr yn traethu. Rhyfedd meddwl y gallem ni, fel Cymry, ddilyn rhediad y stori os nad y manylion trwy nesu at y tân. Efallai y byddai yna gyfeiriad at y *cŭnes* (cŵn) yn croesi *abona dubnos* (afon ddofn) i chwilio am *epālos* (ebol) coll. Gellid gwrando wedyn ar stori am *catus* (brwydr) enwog lle clodforwyd dewrder y milwyr ar eu *mărci mārī* (meirch mawr). Cyn diwedd y noson, fe fyddai'r bardd teulu yn siwr o godi i gynnig cerdd fyrfyfyr. Fe fyddai clywed clecian y gynghanedd gynnar yn brofiad cyfarwydd, ond fe fyddai gweld y bardd yn taro'r ddaear â ffon i atseinio'r acenion yn peri syndod. Dyma, yn ôl pob tebyg, oedd patrwm bywyd yn yr Hen Ogledd am ganrifoedd cyn dyfodiad y Rhufeiniaid. Ymhen pedair canrif, byddai'r haul wedi machlud ar yr Ymerodraeth ond fe fyddai'r beirdd yn dal i ganu mewn iaith lawer tebycach i'n hiaith ni.

Ffynonellau

1   Robert Miket a Colin Burgess, *Between and Beyond the Walls: Essays on the Prehistory and History of North Britain in Honour of George Jobey* (John Donald, 1983), t. 350

2   Colin Haselgrove, *Understanding the British Iron Age: An Agenda for Action* (English Heritage, 2001)

3   Barry Cunliffe, *Iron Age Communities in Britain* (Llundain ac Efrog Newydd: Routledge, pedwerydd argraffiad, 2005), t. 741

4   Dennis W. Harding, *The Iron Age in Northern Britain: Celts and Romans, Natives and Invaders* (Llundain ac Efrog Newydd: Routledge, 2004), t. 350

5   Nicholas Higham a Barri Jones, *The Carvetii*, cyfres 'Peoples of Roman Britain', (Bath: Alan Sutton, 1985), t. 157

6   Tacitus, *The Annals*, cyfieithwyd gan A. J. Woodman (Indianapolis: Hackett Publishing, 2004), t. 412

7   Iŵl Cesar, *The Conquest of Gaul*, cyfieithwyd gan Jane P. Gardner (Llundain: Penguin Classics, 1982), t. 272

8   Francis Pryor, *Britain BC: Life in Britain and Ireland before the Romans* (Llundain: Harper Perennial, 2003), t. 488

9   Neil Oliver, *A History of Ancient Britain* (Llundain: Phoenix, 2012), t. 452

10   Miranda J. Green, gol., *The Celtic World* (Llundain ac Efrog Newydd: Routledge, 1995), t. 839

11   Barry Cunliffe, *The Ancient Celts* (Rhydychen: Oxford University Press, 1997), t. 324

12   Myles Dillon a Nora Chadwick, *The Celtic Realms: The History and the Culture of the Celtic Peoples from Pre-History to the Norman Invasion* (Efrog Newydd: Barnes and Noble, 2003), t. 355

13   Catalin Nicolae Popa a Simon Stoddard, *Fingerprinting the Iron Age: Approaches to Identity in the European Iron Age* (Rhydychen: Oxbow Books, 2014), t. 336

14   Frances Lynch, Stephen Aldhouse-Green a Jeffrey L. Davies, *Prehistoric Wales* (Stroud: Sutton Publishing, 2000), t. 246

15   George Williams, 'Recent Work on Rural Settlement in Late Prehistoric and Early Historic Dyfed' yn *Antiquaries Journal*, 68 (1988), tt. 30-54

16   Mike Parker Pearson, 'Food, Fertility and Front Doors in the First Millennium BC' yn (goln) T. Champion a John Collis, *The Iron Age in Britain and Ireland: Recent Trends* (Sheffield: J. R. Collis Publications, 1996), tt. 117-32

17   Ffransis Payne, *Yr Aradr Gymreig* (Caerdydd: Gwasg Prifysgol Cymru, 1975), t. 205

18   Emily E. Forster, 'Palaeoecology of human impact in Northwest England during the early mediaeval period: Investigating "cultural decline" in the Dark Ages' (Traethawd Ph.D. Prifysgol Southampton, 2010), t. 355

19   Richard Chiverrell, 'Past and future perspectives upon landscape instability in Cumbria, northwest England' yn *Regional Environmental Change*, 6 (2006), tt. 101-14

20   Nicholas Higham, 'Early Field Survival in North Cumbria' yn (goln) H. E. Bowen a P. J. Fowler, *Early Land Allotment in the British Isles*, British Archaeological Reports, 48 (1978), tt. 119-125

21   Tom Clare, *Archaeological Sites of the Lake District* (Derbyshire: Moorland Publishing, 1981), t. 159

22   James Dyer, *Hillforts of England and Wales* (Rhydychen: Shire Publications, 1992), t. 64

23   Niall Sharples, 'Maiden Castle Excavations and Field Surveys 1985-86' yn *Archaeological Report*, cyfrol 19 (Llundain: English Heritage, 1991)

24   Barry Cunliffe, *Danebury Hill Fort* (Stroud: The History Press, 2011), t. 176

25   Mortimer Wheeler, *Maiden Castle Dorset* (Llundain: Her Majesty's Stationary Office, 1975), t. 11

26   Robin G. Collingwood, 'The hill-fort on Carrock Fell' yn *Transactions of the Cumberland and Westmorland Antiquarian and Archaeological Society*, New Series, 38 (1938), tt. 32-41

27   David Barrowclough, *Prehistoric Cumbria* (Stroud: The History Press, 2010), t. 251

28   Henry Lewis, *Datblygiad yr Iaith Gymraeg* (Caerdydd: Gwasg Prifysgol Cymru, 1983), t. 144

29   Thomas M. Charles-Edwards, *Wales and the Britons: 35-1064* (Rhydychen: Oxford University Press, 2013), t. 795

30   Ciaran Carson, *The Tain: Translated from the Old Irish Epic* Táin Bó Cúailnge (Llundain: Penguin Classics, 2007), t. 256

Crib Carrock Fell, gwrthglawdd tir y Carvetii

Yr Egwyl Rufeinig

Un dydd o wanwyn y daeth
Hydref yr Ymerodraeth
Gerallt Lloyd Owen

O safbwynt hanesyddol, egwyl oedd y cyfnod Rhufeinig ym mywyd yr Hen Ogledd gan na welwyd newid mawr yn y ffordd o fyw. Pobl y ffin oedd trigolion y rhanbarth yng ngolwg yr Ymerodraeth: y ffin rhwng cymunedau gwareiddiedig y de a llwythau anystywallt yr Alban. Glaniodd y Rhufeiniaid ar arfordir Caint yn 43 OC ond ni fentrwyd ymhell i dir y Carvetii am hanner canrif arall. Fel yng Nghymru, profodd y dasg o drechu llwythau'r ucheldir yn un hir a chostus a bu rhaid encilio o'r Alban yn yr ail ganrif. Ardal filwrol oedd yr Hen Ogledd trwy gydol y cyfnod ac y mae Mur Hadrian, adeiladwaith mwyaf uchelgeisiol yr Ymerodraeth yn y gorllewin, yn rhannu'r rhanbarth yn ddwy. Tasg amhosib yw trafod hanes cyfnod mor hir a chymhleth mewn pennod fel hon ond rhaid cynnig crynodeb i esbonio sylfaen teyrnasoedd Cymreig y bumed ganrif.

Cyhoeddwyd llwyth o lyfrau ar hanes y Rhufeiniaid ym Mhrydain ond o safbwynt y gorchfygwyr yr adroddir y stori fel arfer. I haneswyr Oes Fictoria, yr oedd trefn lywodraethol y Rhufeiniaid yn un y gellid ei hedmygu wrth i inc coch yr Ymerodraeth Brydeinig ledu ar draws y map. Yn anffodus, ceir blas o'r un agwedd mewn cyfrolau cyfoes sy'n ymhyfrydu mewn teitlau fel *The Glory that was Rome* a *Roman Power: A thousand years of Empire*. Yn ffodus, ceir awduron sy'n cynnig darlun mwy cytbwys trwy gydnabod ochr dywyll yr Ymerodraeth. Dyna a geir yng nghyfrol David Mattingly, *An Imperial Possession*,[1] cyfrol Neil Faulkner, *The Decline and Fall of Roman Britain*[2] a dadansoddiadau Barri Jones a David Mattingly yn *An Atlas of Roman Britain*.[3] Dysgir mwy am gyfraniad y Rhufeiniaid i ddatblygiad Prydain yng nghlasur Sheppard Frere, *Britannia: A*

History of Roman Britain,[4] a chyfrol John Wacher, *Roman Britain.*[5]
Yn anffodus, prin iawn yw'r cyfeiriadau at hanes gogledd Prydain yn
y cyfrolau hyn am fod dylanwad yr Ymerodraeth yn llai treiddiol. Yr
unig gyfrolau i ganolbwyntio ar hanes y gogledd yw cyfrol David
Shotter, *Romans and Britons in North-West England*[6] a chyfrol
Higham a Jones, *The Carvetii.*[7] Diddorol hefyd oedd pori trwy gyfrol
Anthony Birley, *The People of Roman Britain*[8] a chyfrol Alan
Bowman, *Life and Letters on the Roman Frontier.*[9] Dim ond yn 1973
y daethpwyd o hyd i'r cofnodion o fywyd beunyddiol y milwyr yng
nghaer *Vindolanda* ond y mae amgueddfa ddadlennol wedi ei hagor
ar y safle erbyn hyn.

Yn y bennod hon, cyflwynaf arolwg o oresgyniad Prydain gan y
Rhufeiniaid cyn sôn am ymateb llwythau'r Hen Ogledd i'r drefn
newydd. Rhoddir sylw arbennig i ymgyrchoedd y fyddin yn nhir y
Carvetii am fod y brwydro yn Ardal y Llynnoedd wedi para yn hir. Yn
ei gyfrol *Hanes Cymru,*[10] nododd John Davies fod Ordovices gogledd
Cymru yn amharod iawn i gyfaddawdu ac yr oedd yr un peth yn wir
am y Carvetii. Rhyfedd felly nodi mai disgynyddion llwyth mwyaf
anystywallt yr Hen Ogledd oedd y mwyaf parod i warchod
gwerthoedd y drefn Rufeinig pan fygythiwyd yr ardal gan
ymosodiadau'r Saeson. Ar ddiwedd y bennod, sonnir am ymdrechion
Brythoniaid yr Hen Ogledd i 'Gadw'r Mur' wedi i'r fyddin ganolog
ddychwelyd i'r Cyfandir. Ceir tystiolaeth archaeolegol[11] i brofi bod
nifer o gaerau Mur Hadrian wedi eu hadfer yn ystod y bumed ganrif,
a rhaid cofio bod llawer o'r milwyr oedd ar ddyletswydd yn y gogledd
yn siarad iaith debyg i'r Frythoneg.

Y Cefndir

Nid digwyddiad sydyn oedd goresgyniad Prydain gan y Rhufeiniaid
ond canlyniad cysylltiadau a oedd wedi datblygu dros gyfnod hir. Yr
oedd y gyfathrach rhwng Prydain a'r Cyfandir wedi cynyddu yn ystod
yr Oes Haearn ac, fel y nodwyd eisoes, yr oedd rhai o lwythau
Celtaidd Gâl wedi ymsefydlu yn y de. Pan oresgynnwyd gogledd Gâl
gan y Rhufeiniaid rhwng 58 a 51 CC , ni fu'r Ymerodraeth yn hir cyn
chwennych cyfoeth naturiol yr ynys ar draws y môr. Yr esgus a

gynigiwyd gan Iŵl Cesar am ei gyrchoedd oedd bod y Brythoniaid yn cefnogi gwrthryfel yng Ngâl, ond yr oedd hefyd yn awyddus i brofi ei allu fel cadlywydd. Llanast oedd ei gyrch cyntaf yn 55 CC, ond y flwyddyn ddilynol, llwyddodd i drechu rhai o lwythau'r de a threfnu cytundeb gyda'r gweddill. Am bron i ganrif wedi hyn ni feiddiodd yr Ymerodraeth drefnu cyrch ar Brydain nes i *Cunobelinus* (Cynfelyn y traddodiad Cymraeg) uno'r Catuvellauni a'r Trinovantes i ffurfio cynghrair gref. Rhaid, felly, oedd paratoi rhagymosodiad, a phan fu farw Cynfelyn yn 40 OC, achubwyd ar y cyfle i ddiddymu'r hen gytundebau a dileu breintiau ei etifeddion. Ymddengys fod rhai o'r meibion yn barod i dderbyn y telerau, ond yr oedd *Togodumnus* a *Caratacus* yn awchu am frwydr ac yn awyddus i gefnogi eu cymrodyr yng Ngâl. Yn ôl John Wacher, y prif reswm am drefnu'r cyrch ar dde Prydain yn 43 OC oedd lleihau'r gost o amddiffyn Gâl. Gwyddys bod milwyr o Brydain yn croesi'r culfor yn gyson i frwydro a bod ffoaduriaid o Gâl yn derbyn pob croeso yng ngwlad y Catuvellauni. Yr oedd y Rhufeiniaid o hyd yn hapusach i frwydro ar y tir yn hytrach nag ar y môr felly barnwyd mai'r cynllun gorau oedd cipio darn o dir yn ne Prydain fel gwrthglawdd.

Y Goresgyniad

Yr Ymerawdwr Claudius a drefnodd yr ymgyrch, ond Aulus Plautius a hwyliodd ar draws Môr Udd gyda 40,000 o wŷr arfog. Yr oedd Plautius yn gadlywydd profiadol ond bu bron iddo ohirio'r fordaith pan wrthododd rhai o'r fyddin hwylio. Yr oedd ymgyrchu dros y môr yn brofiad newydd i lawer ac yr oedd storïau erchyll wedi lledu am drigolion anwaraidd Prydain. Pan glywodd arweinwyr y Catuvellauni am yr oedi, penderfynasant nad oedd ymosodiad ar ddigwydd, ond wedi i'r anghydfod ddod i ben yn sydyn, glaniodd y Rhufeiniaid yn ddidrafferth ar arfordir Caint. Wedi glanio, trefnodd Plautius symudiad cyflym i gyfeiriad *Camulodunum* (Colchester), prif ddinas y Catuvellauni ac, ar lan afon Medway, cyfarfuont fyddin y Catuvellauni yn ymdeithio i'w cyfarfod. Mewn brwydr a barodd am ddau ddiwrnod lladdwyd *Togodumnus* ond llwyddodd Caradog a gweddill y fyddin i ffoi i gyfeiriad *Camulodunum*. Methiant fu pob ymdrech i amddiffyn y ddinas honno a bu'n rhaid i Caradog ffoi i gyfeiriad y gorllewin. Dywedir bod Plautius wedi aros am dri mis wedi hyn cyn meddiannu'r ddinas er mwyn cynnig cyfle i'w Ymerawdwr rannu'r clod. Disgrifia Tacitus[12] Claudius yn ymdeithio trwy'r ddinas ar gefn eliffant, golygfa a oedd yn siŵr o fod wedi creu arswyd ymysg y Brythoniaid. Am bedair blynedd wedi'r goresgyniad, ni fentrodd Plautius ymhell o'r de-ddwyrain ond llwyddodd i oresgyn mwy o lwythau'r de a threfnu cytundebau gyda'r gweddill. Yr oedd cynnig cytundebau o'r fath yn rhan allweddol o strategaeth yr Ymerodraeth er mwyn osgoi gormod o golledion.

Yn 47 OC penodwyd Ostorius Scapula yn llywodraethwr ar Brydain yn y gobaith y gallai ennill rhagor o dir tua'r gorllewin. Ni fu'n hir cyn sylweddoli bod llwythau'r gorllewin yn llawer mwy dygn na'u cymrodyr yn y dwyrain a bu'n rhaid iddo ymladd deg ar hugain o frwydrau yn erbyn Durotriges Swydd Dorset yn unig. Brwydrau ffyrnicaf y cyfnod oedd y rhai a drefnwyd yn erbyn y Silures a'r Ordovices yn ne a gogledd Cymru. Erbyn hyn, yr oedd Caradog wedi ymuno â hwynt yn gadlywydd, datblygiad sy'n awgrymu ei fod yn ŵr carismataidd ac yn ymladdwr glew. Wrth i'r sefyllfa strategol waethygu, penderfynodd Scapula ddiarfogi rhai o lwythau llai bygythiol y dwyrain, cam a daniodd wrthryfel byrhoedlog ymysg yr Iceni. Y canlyniad oedd gorfod danfon milwyr o'r gororau i dawelu'r llwyth a gohirio'r cyrch i oresgyn Cymru. Wedi ailgydio yn y frwydr honno, yr oedd ar fin trechu'r Deceangli pan fu'n rhaid danfon mwy o filwyr tua'r gogledd i atal gwrthryfel ymysg y Brigantes. Am gyfnod, tawelwyd y cynnwrf ond yr oedd y rhanbarth mewn cyflwr bregus pan ddychwelodd Scapula i Gymru i ymladd ei frwydr olaf yn erbyn Caradog. Os credir yr hanes, ymladdwyd y frwydr honno ger caer Llanymynech ac y mae gan Tacitus ddisgrifiad byw o Caradog yn annog ei filwyr i ymladd:

...rhedai o le i le gan gyhoeddi mai'r frwydr hon fyddai'n penderfynu eu tynged: cam tuag at ryddid neu oes o gaethiwed. Galwodd ar eu cyndeidiau a oedd wedi gwrthdroi Cesar i gynnal y frwydr.... addawodd pob rhyfelwr i wrthsefyll pob arf ac archoll.

Ond er yr holl rethreg, colli wnaeth Caradog a bu'n rhaid iddo ddianc i gyfeiriad yr Hen Ogledd. Gwlad ar chwâl oedd tir y Brigantes erbyn hyn gan fod eu brenhines (*Cartimandua*) wedi arwyddo cytundeb gyda'r Rhufeiniaid tra oedd ei gŵr (*Venutius*) yn annog gwrthryfel. Yn ôl Higham a Jones, yr oedd *Venutius* yn aelod o lwyth y Carvetii ac, fel yng ngweddill Prydain, yr oedd gwŷr yr ucheldir yn llai parod i ildio. Credir fod Caradog ar ei ffordd i ymuno â byddin y Carvetii pan gipiwyd ef gan garfan a oedd yn deyrngar i *Cartimandua*. Yn ôl Tacitus, gwnaethant hyn 'trwy dwyll' cyn ei drosglwyddo i ofal y fyddin Rufeinig. Mae'r stori am huodledd Caradog o flaen senedd Rhufain yn un cyfarwydd, ond myn eraill mai dyfais i amlygu trugaredd yr Ymerodraeth yw'r araith a gofnodir.

Wedi colli Caradog, credir mai *Venutius* oedd cadlywydd mwyaf llwyddiannus y Brythoniaid. Ni fentrwyd, felly, ym mhell i ucheldir Ardal y Llynnoedd. Yn ne Prydain, yr oedd y frwydr yn erbyn y Silures yn parhau ac nid oedd Tacitus yn celu'r anawsterau:

> Gwelwyd brwydr ar ôl brwydr yn y coed ac ar y corsydd. Trefnwyd rhai gyda chryn fedr ond yr oedd eraill yn fympwyol. Eu nod oedd anrhaith a dial. Yr oedd y Silwriaid yn ymladdwyr anghyffredin o ystyfnig.

Wedi marwolaeth Scapula yn 52 OC, ni chipiwyd mwy o dir yn y gorllewin nes i Suetonius Paulinus gydio yn yr awenau yn 58 OC. Camp fawr Paulinus oedd goresgyn Môn yn 61 OC mewn ymgais i wanhau dylanwad tybiedig y derwyddon ar holl Geltiaid Ewrop. Adeiladwyd fflyd o gychod i gludo'r milwyr ar draws y Fenai ond bu'n rhaid i'r gwŷr meirch nofio'r culfor. Wedi brwydro ffyrnig, trechwyd y Brythoniaid a gwelwyd lladdfeydd erchyll wrth i'r fyddin erlid gweddillion y fyddin a'r derwyddon. Serch hynny, byr iawn oedd y cyfnod dathlu, gan fod gwrthryfel arall wedi tanio yng ngwlad yr Iceni, gwrthryfel a fyddai'n siglo holl seiliau'r Brydain Rufeinig. Arweinydd y cyffro oedd *Boudica*, Buddug y traddodiad Cymraeg. Y prif reswm am yr anghydfod oedd y penderfyniad i beidio â chydnabod ei holyniaeth pan fu farw ei gŵr. Ychwanegwyd at y sarhad pan fflangellwyd Buddug a threisio ei merched gan garfan anystywallt o'r fyddin. Wedi clywed am yr anfadwaith, ymunodd holl lwythau'r de yn y gwrthdaro ac fe losgwyd *Londinium* (Llundain) i'r llawr. Y mae olion y tân i'w canfod ym mhridd y ddinas o hyd ond yr oedd ymateb yr Ymerodraeth yn ffyrnig, a chyn hir yr oedd gwlad Buddug yn anghyfannedd.

Wedi tawelu'r de, ailgydiwyd yn y gwaith o ymestyn ffiniau'r Ymerodraeth tua'r gogledd. Cadfridog o'r enw Petillius Cerialis oedd yn bennaf cyfrifol am lwyddiant y fyddin er mai Julius Agricola sy'n cael y clod yng nghofnodion Tacitus. Yr oedd hwnnw yn dad yng nghyfraith i Tacitus felly does dim syndod nodi mai ei ymgyrchoedd ef yw prif destun y cofnodion. Wedi cipio ystod eang o dir yn y gogledd y gamp fawr oedd ei gadw. Buan y gwelwyd na ellid gosod sail sicr i'r ymestyniad heb osod lletem rhwng llwythau rhyfelgar yr Hen Ogledd a'u cymrodyr yng Nghymru. Dyma oedd diben y gaer fawr a adeiladwyd yng Nghaer rhwng 77 a 79 OC ac a ddaeth yn gartref i'r Ugeinfed Leng. Codwyd y gaer ar dir y Deceangli ond yr oedd hefyd mewn lleoliad da i gadw golwg ar wlad yr Ordovices. Ymgyrchoedd enwocaf Agricola oedd y rhai a drefnwyd i ucheldir yr Alban rhwng 78 a 83 OC. Hyd y gellir barnu, ni fentrodd ei fyddin yn bell i dir y Carvetii ond llwyddwyd i gyrraedd ardal Inverness yn y gogledd a Stranraer yn y de-orllewin. Brwydr enwocaf yr ymgyrch oedd yr un a ymladdwyd ar y mynydd a ddisgrifir fel *Mons Graupius*. Yn ôl Tacitus, yr oedd yna 3,000 o wŷr meirch, 8,000 o wŷr traed ac 11,000 o filwyr cynorthwyol ym myddin orfoleddus Agricola. Ar yr ochr arall, yr oedd yna dros 30,000 o filwyr ym myddin y Caledones o dan arweiniad y brenin *Calgacus*. Yn ei gyfrol *Agricola*,[13] honnodd Tacitus bod *Calgacus* wedi annog ei filwyr i ymladd gydag araith danllyd ond, unwaith eto, credir nad oes yna sail hanesyddol i'r stori. Erbyn diwedd y frwydr dywedir bod 10,000 o'r Caledones wedi eu lladd cyn i'r gweddill ffoi i ddiogelwch mynyddoedd y canoldir. Myn rhai mai enciliad strategol oedd hwn ac fe gynhelir y ddamcaniaeth gan y ffaith fod y Rhufeiniaid wedi colli cyfran helaeth o'r tir a enillwyd yn yr Alban yn fuan wedyn.

Yr ymgyrchoedd cynnar yn erbyn y Carvetii

Yn ei gyfrol *Hanes Cymru* cyfeiriodd John Davies at yr Ordovices fel llwyth 'na ddenwyd byth gan rasusau'r Ymerodraeth'. I raddau helaeth, yr oedd yr un peth yn wir am y Carvetii a, chyn 90 OC, ni wnaed mwy na threfnu ambell gyrch brysiog i'w tir. Prif amcan y cyrchoedd cynnar oedd cadw'r ffordd tua'r Alban yn glir ac atal lluoedd o Gymru rhag glanio ar yr arfordir. Yr oedd y cof am ymgais Caradog i gynnal gwrthryfel *Venutius* yn dal yn fyw ac nid oedd ysbryd milwriaethus y Carvetii wedi ei ddifa. Dyma'r cyfnod pryd y trefnodd y Rhufeiniaid gyfres o ymosodiadau sydyn ar hyd yr arfordir gan finteioedd tebyg i'r 'SAS'. Yn ôl Shotter, canolfan y cyrchoedd oedd aberoedd Dyfrdwy a Merswy a'r nod oedd glanio ar draethau unig cyn anturio ymhellach i'r tir. Ceir tystiolaeth sicr o'r dacteg yn yr arian bath o gyfnod cynnar a ddaw i'r golwg o dro i dro ar hyd yr arfordir. Y mae rhai o'r darnau yn perthyn i'r cyfnod cyn 68 OC ac felly'n dyddio o'r cyfnod cyn sefydlu pencadlys y fyddin yng Nghaer.

Hyd y gellir barnu, ni wnaed fawr o ymdrech i ymosod ar Ardal y Llynnoedd tan 90 OC pan gipiwyd darn sylweddol o'r tir i'r de o Gaerliwelydd. Credir mai trwy fwlch Stainmore y cyrhaeddodd y fyddin yr ardal ond bu'n rhaid iddynt symud yn araf wedi cyrraedd y gorllewin. Yr oedd gan y fyddin Rufeinig ddull gofalus o ymgyrchu, a'r nod dyddiol oedd teithio tua deuddeng milltir cyn trefnu gwersyll diogel. Fel arfer, codid y gwersyll y tu draw i afon i sicrhau y gallai'r milwyr ddechrau pob dydd gyda thraed sych. Ychydig iawn o olion gwersylloedd o'r fath sydd i'w gweld ar wastadedd Lloegr ond y mae trwch ohonynt yng Nghymru, Ardal y Llynnoedd a'r Alban. Un enghraifft dda o wersyll ymgyrchu yw'r olion a welir ar gyrion pentref Troutbeck wrth ymyl yr hen ffordd rhwng Penrith a Keswick. Dyma'r darn olaf o dir isel cyn cyrraedd yr ucheldir a hawdd dychmygu'r milwyr yn treulio nosweithiau digon anesmwyth ar y waun wrth rythu i gyfeiriad y mynyddoedd.

Patrwm tebyg oedd i bob gwersyll ymgyrchu gyda ffos ddofn, clawdd o bridd a phalis o goed os oedd yna allt gerllaw. Arfer cyffredin oedd taenu llwyni drain ar waelod y ffos a gosod darnau o frigau nadd ar ongl i glwyfo traed unrhyw ymosodwr. Y tu mewn i'r gwersyll, codid pafiliwn cyfforddus i'r cadlywydd, ond cysgai'r milwyr mewn pebyll o groen eidion. Gwyddys o'r cofnodion manwl a gedwid fod yna le penodol i bob pabell, system a ddisgrifir gan un arbenigwr yn 'camping by numbers'. Hawdd felly oedd cael gafael ar ffrind yn y tywyllwch neu ddod o hyd i'r babell lle cedwid offer

Llun o glawdd amddiffynnol un o wersylloedd ymgyrchu Troutbeck ar ddiwrnod sych o haf

arbennig. Nid yw amlinelliad gwersyll ymgyrchu Troutbeck yn amlwg wrth gerdded y tir ond fe ellir gweld gweddillion y cloddiau a'r ffosydd. Prin iawn yw olion y cloddiau ond y mae rhai wedi goroesi ac fe ellir gweld y patrwm mewn haf sych pan fo'r gwair ar eu brig yn troi'n wyn. Ni wyddys pryd y codwyd gwersylloedd Troutbeck, ond mae'r ffaith fod olion cyfres o amddiffynfeydd ar y waun yn profi bod y fyddin wedi ymgynnull yn yr un man dro ar ôl tro cyn mentro tua'r gorllewin.

Y Fyddin Rufeinig

Yn ei hanfod, peiriant milwrol oedd yr Ymerodraeth Rufeinig yn ysbeilio pob gwlad a ddôi i'w gafael. Gan mai ardal filwrol oedd yr Hen Ogledd, y fyddin oedd 'wyneb cyfarwydd' yr Ymerodraeth i'r ardalwyr trwy gydol y cyfnod. Serch hynny, rhaid cofio mai byddin Rufeinig, nid byddin o Rufeiniaid, oedd y llu a groesodd y môr i Brydain. Yr oedd yna gynrychiolwyr o wledydd ar draws Ewrop a'r Dwyrain Canol ac yr oedd cyfran sylweddol yn deillio o wledydd Celtaidd. Trefnwyd y fyddin mewn ffordd a oedd yn cydnabod ei natur ryngwladol trwy ei rhannu yn ddwy garfan: gwŷr y lleng a gwŷr y fyddin gynorthwyol. Milwyr profiadol oedd gwŷr y lleng ac yr oeddynt i gyd yn ddinasyddion llawn. Yr oedd gwŷr y fyddin gynorthwyol (yr *auxilia*) yn llai profiadol ac ni chyfrifid hwynt yn ddinasyddion llawn nes gorffen cyfnod hir o wasanaeth. O wledydd newydd eu trechu y dewisid y mwyafrif o'r *auxiliae*, felly'r arfer cyffredin oedd penodi swyddog o dras Rufeinig i ofalu amdanynt. Yn aml, yr oedd gan yr *auxiliae* gyfrifoldebau a oedd yn adlewyrchiad o'u cefndir a'u harbenigedd. Er enghraifft, yr oedd yna unedau o gychwyr o lannau afon Tigris ac yr oedd cyfran uchel o'r gwŷr meirch yn deillio o wledydd Celtaidd. Yn nyddiau cynnar yr Ymerodraeth, yr oedd 5,300 o wŷr ym mhob lleng ond yr oedd niferoedd yr *auxiliae* yn llai rhag ofn i'r 'estroniaid' drefnu gwrthryfel.

Y milwyr traed oedd asgwrn cefn y fyddin gan fod y gost o gynnal a chadw uned o wŷr meirch yn uchel. Prif arf y milwr troed oedd y *gladius*, cleddyf byr a oedd yn haws ei drin wrth ymladd mewn lle cyfyng. Yr oedd yna gosb lem am golli'r *gladius*, rhag ofn i arf mor effeithiol syrthio i ddwylo'r gelyn. Arf hanfodol arall oedd y *pilum*, y waywffon a deflid at y gelyn ar ddechrau brwydr. Nid lladd oedd prif bwrpas y *pilum* ond glynu wrth darian y gelyn i wneud honno yn aneffeithiol. Fel ym mhob cyfnod, yr oedd yna strwythur hierarchaidd i'r fyddin gyda'r swyddogion o dras uchel a'r milwyr o gefndir cyffredin. Uned sylfaenol y fyddin oedd y gatrawd, uned o 80 o wŷr (nid cant fel y mynnir yn aml) yn byw, symud ac ymladd gyda'i gilydd. Ychydig a wyddys am ddull y fyddin o ymgyrchu, ond y mae'n amlwg ei bod ar ei gorau pan oeddynt yn ymladd ar dir agored. Dyna paham y gallai ymosodiadau 'guerilla' achosi cymaint o anhrefn yn y rheng, a'r ymateb arferol oedd ffurfio cragen amddiffynnol o darianau (y *testudo*).

Prif swyddogaeth gwŷr meirch y fyddin oedd ymlid y gelyn ar ddiwedd brwydr. Dyma'r ddelwedd a ddefnyddir o hyd ar gerrig coffa'r bechgyn. Y mae sawl carreg o'r fath i'w gweld yn yr Hen Ogledd ac un enghraifft dda yw'r un a gedwir yn amgueddfa dinas Cacrhirfryn. Daethpwyd o hyd i'r cerflun yn 2005 wrth ddymchwel rhes o dai ac, er bod cornel y garreg wedi ei niweidio, yr oedd y cerflun mewn cyflwr da. Darlun o farchog yn dal pen toredig y gelyn yn ei law sydd ar y garreg ac fe welir o'i wisg ei fod yn swyddog mewn *ala*, adain o wŷr meirch. Dyddiwyd y garreg i'r cyfnod rhwng 75 a 120

OC ac fe welir o'r arysgrif mai Celt o ogledd Gâl oedd y bachgen a goffawyd:

> I gysgodion y marw. Insus mab Vodullus. Dinesydd o Treveri, un o wŷr meirch *ala* Augusta...

Carreg fedd i fachgen o lwyth y Treveri yng Ngâl a oedd ar wasanaeth yng nghaer Caerhirfryn

Llwyth Celtaidd oedd y Treveri yn byw ar lannau Mosel yng Ngâl a chredir bod eu henw yn seiliedig ar y gair *trei* yn yr Aleg sy'n cyfateb i 'trwy' yn Gymraeg. Yr oeddynt wedi derbyn yr enw am eu bod yn byw ar lan afon a oedd yn rhwygo'r wlad yn ddwy. Rhan o'u swyddogaeth oedd trefnu cychod i groesi'r afon, gwaith a oedd yn bwysig i hybu masnach dros ardal eang. Yn nyddiau Cesar, yr oedd y llwyth wedi ymladd yn erbyn lluoedd yr Ymerodraeth ond, erbyn hyn, yr oedd eu bechgyn yn awyddus i ymuno â'r fyddin ac yn falch o'u henw da fel marchogion. Ymddengys mai delweddau 'stoc' oedd y rhai a dorrwyd ar gerrig beddau'r gwŷr meirch lle darlunnid ceffyl yn neidio dros gorff y gelyn. Yn ddieithriad, yr oedd y 'barbariad' ar y llawr yn noeth ac, yn yr enghraifft hon, yr oedd y marchog hefyd wedi torri ei ben.

Swyddogaeth arall y gwŷr meirch oedd cymryd rhan yn y seremonïau a drefnid i danlinellu mawredd yr Ymerodraeth. Y mae gan y cofnodydd Arrian ddisgrifiad o seremoni o'r fath yn yr iaith Roeg, a'r unig enw am y seremoni sydd wedi aros yw *hipika gymnasia* (ymarfer ceffyl). Credir bod brwydrau ffug yn rhan o'r ymarfer pryd y defnyddid arfau o bren i osgoi anaf. Ceir cofnod bod yr Ymerawdwr Hadrian wedi gweld *hipika gymnasia* yn Affrica yn 118 OC ac wedi cael argraff dda o allu a chywirdeb y marchogion. Ar achlysuron o'r fath, gwisgent arfwisgoedd moethus gyda helmau addurnedig i gyfleu'r syniad eu bod yn fwy tebyg i dduwiau nag i ddynion. Yn 2010, daethpwyd o hyd i helm swyddog gwŷr meirch ger pentref Crosby

Garrett yn Ardal y Llynnoedd. Yr oedd y benwisg mewn dau ddarn ond, wedi ei thrwsio, gwelwyd bod gan yr helm big uchel a miswrn ar ffurf wyneb gŵr ifanc. Ar ben yr helm yr oedd yna addurn o *griffon* gydag un droed o'r anifail ar *amphor*, y botel fawr a ddefnyddid i gadw gwin. Anodd dweud beth oedd arwyddocâd y ddelwedd, ond gwyddys ei bod yn arfer cyffredin i ddangos y *griffon* yn gymar i *Nemesis*, duwies ffawd. Yr oedd helm Crosby Garret wedi ei llunio o aloi digon cyffredin ond yr oedd yna olion ei bod hefyd wedi ei gorchuddio â haen o fetel gwyn i ddynwared arian. Gan fod yr helm yn ddarn mor hynod, sefydlwyd cronfa i'w phrynu i amgueddfa Tullie House yng Nghaerliwelydd. Yn anffodus, ni chasglwyd digon o arian i brynu'r trysor ond yr oedd y gŵr a'i prynodd yn ddigon hael i'w benthyg ar gyfer arddangosfa a gynhaliwyd yn Llundain yn 2012. Diddorol hefyd sylwi nad bechgyn o wledydd tramor oedd yr unig rai i ymuno â byddin yr Ymerodraeth. Yn amgueddfa Vindolanda, y mae llythyr a ddanfonwyd at swyddog ar Fur Hadrian i'w hysbysu fod bachgen lleol yn awyddus i ymuno â'r gatrawd yng Nghaerliwelydd:

> Claudius Karus i'w ffrind Cerialis, cyfarchion. Y mae gŵr o'r enw Brigionus wedi gofyn i mi ei gymeradwyo i ti. A fyddet mor garedig a chefnogi ei gais i ymuno â'r fyddin ger bron Annius Equester, y canwriad sy'n gyfrifol am ardal Luguvalium?

Mae'n amlwg o'r enw mai Brython oedd *Brigionus* a'i fod wedi gofyn i'w ffrind Claudius anfon neges at Cerialis, er mwyn i hwnnw ddanfon gair at ganwriad Caerliwelydd. Gwyddys fod yna ddwy uned o wŷr meirch (*alae*) ar wasanaeth yn Ardal y Llynnoedd yn y cyfnod dan sylw: un yng Nghaerliwelydd a'r llall yn Kirkby Thore. Tybed a oedd mab un o ffermwyr cefnog yr ardal wedi gweld y gwŷr meirch yn ymarfer ac wedi dotio at yr arfwisgoedd moethus a'r ceffylau disgybledig?

Y Ffyrdd Rhufeinig

Olion amlycaf y cyfnod Rhufeinig yn yr Hen Ogledd yw'r ffyrdd a adeiladwyd ar draws y wlad. Y fyddin oedd yn gyfrifol am adeiladu'r ffyrdd ac yr oedd eu gwneuthuriad o safon uchel gyda cherrig

Darn o'r ffordd Rufeinig a adeiladwyd i gysylltu Mamucium (Manceinion) ag Eboracum (Efrog) ar ucheldir Blackstone Edge

gwastad ar eu hwyneb a chwteri ar bob llaw. Uchod gwelir darn o ffordd Rufeinig ar Blackstone Edge yn y Penwynion. Syndod gweld bod y ffordd mewn cyflwr cystal ond mae'r ffaith ei bod wedi ei hadfer yn ffordd dyrpeg yn y ddeunawfed ganrif yn rhan o'r gyfrinach. Ar y cychwyn, prif bwrpas y ffyrdd a adeiladwyd yn nhir y Carvetii oedd hwyluso symudiadau'r milwyr. Dim syndod felly eu bod yn dilyn patrwm digon tebyg i'r ffyrdd a adeiladwyd yng Nghymru gydag un yn rhedeg ar hyd y gororau, un yn dilyn yr arfordir a'r gweddill yn croesi'r ucheldir. Y ffordd gyntaf i'w hadeiladu oedd yr un a redai o'r de i gyfeiriad Caerliwelydd. Cynlluniwyd y ffordd i gynnal ymgyrchoedd cynnar Cerialis ac fe'i gorffennwyd yng nghyfnod Agricola. Y ffordd nesaf i'w hagor oedd yr un a redai o Gaerliwelydd i borthladd Maryport yn y gogledd-orllewin. Oddeutu 72 OC agorwyd ffordd arall o Gaerliwelydd i gyfeiriad *vicus* Papcastle cyn ymestyn y gwaith i gyfeiriad pentref arfordirol Moresby. Perthyn gweddill y ffyrdd i gyfnodau diweddarach, ond bernir fod y mwyafrif wedi eu hagor cyn dechrau'r ail ganrif. Ffordd fwyaf uchelgeisiol y cyfnod oedd yr un a adeiladwyd ar draws yr ucheldir i gysylltu caer *Brocavum* (Brougham) ar gyrion Penrith â *Glannoventa* (Ravenglass) ar yr arfordir. Heddiw, adnabyddir y ffordd fel 'High Street' gan fod man uchaf y ffordd dros 800m uwchben lefel y môr.

Dosbarthiad y caerau Rhufeinig

Wrth astudio dosbarthiad y caerau Rhufeinig a godwyd yn nhir y Carvetii gwelir mai'r nod oedd amgylchu'r canoldir a sicrhau na allai lluoedd o Gymru neu'r Alban gyrraedd yr ardal i gefnogi gwrthryfel. Diddorol nodi felly mai dim ond un gaer a godwyd ar yr ucheldir tra yr oedd yna bedair yn nyffryn afon Idon. *Galava* ar lan llyn Windermere oedd yr unig gaer a godwyd yn yr ucheldir ac yr oedd y ffaith y gellid cyflenwi'r garsiwn trwy hwylio ar hyd y llyn yn gymorth mawr yn y dyddiau cynnar. Gan fod caerau Mur Hadrian wedi derbyn cymaint o sylw does dim llawer wedi ei wneud i ddatgelu hanes caerau'r ucheldir a dim ond dwy sy'n denu llu o ymwelwyr.

Caer enwocaf yr ardal yw'r un a saif wrth droed y bwlch sy'n rhedeg o Eskdale i Langdale yn yr ucheldir. Enw Rhufeinig y gaer oedd *Mediobogdum* ond 'Hardknott Fort' yw'r enw yn y llyfrau tywys. Adeiladwyd y gaer rywbryd rhwng 120 a 130 OC i amddiffyn y ffordd rhwng *Galava* a phorthladd *Glannoventa* (Y Farchnad ar y Lan). Cyn gorffen y gwaith ar y gaer ymddengys fod y sefyllfa strategol wedi gwella. Ar wahân i dŷ moethus y penswyddog, adeiladau pren oedd y gweddill a byr iawn oedd cyfnod y safle fel caer amddiffynnol. Gwyddys fod milwyr o *Mediobogdum* wedi eu danfon i gynnal ymgyrchoedd yn yr Alban tua chanol yr ail ganrif a bu'r gaer yn wag am gyfnod wedi hyn. Ailagorwyd y gaer fel safle i wŷr meirch o Dalmatia ar ddiwedd yr un ganrif, ond uned fach oedd hon. Nodwedd hynod y gaer yw'r maes ymarfer a godwyd yn yr awyr agored wrth droed y mynydd, arwydd arall bod dyddiau'r brwydro caled ar ben. Y mae gweddillion llwyfan y prif swyddog ymarfer yno o hyd ynghyd ag adfeilion y gilfach lle cedwid yr offer seremonïol. Prif adeilad y gaer oedd y pencadlys (y *principia*) lle trefnid gweithgareddau'r dydd. Adeilad pwysig arall oedd y baddondy ac y mae adfeilion yr ystafell oer (y *frigidarium*), yr ystafell gynnes (y *tepidarium*) a'r ystafell boeth (y *caldarium*) wedi goroesi. Ar gyrion y gaer, y tu allan i'r muriau, y mae adfail hynod arall, y *sudatorium*. Math o *sauna* oedd y *sudatorium* ac y mae'r adfeilion sy'n aros yn *Mediobogdum* gyda'r mwyaf cyfan a welir yn Ewrop. Erbyn cychwyn y drydedd ganrif, yr oedd y gaer wedi ei throi yn arhosfan i deithwyr

Caer Mediobogdum (Hard Knott)

(*mansio*) ac yr oedd yna *vicus* llewyrchus gerllaw lle gellid prynu bwyd a diod.

Hanes tra gwahanol oedd i gaer *Galava* ar lan llyn Windermere gan fod y safle wedi ei throi yn ganolfan weinyddol i ardal eang. Pan archwiliwyd y safle gan R. G. Collingwood yn ystod y Rhyfel Mawr[14] gwelwyd fod yna olion caer arall gerllaw a gweddillion *vicus* sylweddol. Caer yn perthyn i'r cyfnod oddeutu 90 OC oedd y gyntaf ond fe godwyd caer fwy sylweddol ar dwmpath o bridd rhwng 117–138 OC i osgoi llif yr afon. Yr oedd patrwm y gaer newydd yn nodweddiadol o gyfnod Hadrian gyda thŵr ym mhob cornel a phorth yng nghanol pob mur. Yn *Galava*, yr oedd prif borth y gaer yn wynebu'r tir ond yr oedd yna hefyd borth yn agor i gyfeiriad y llyn lle codwyd cei bach i ddadlwytho nwyddau. Adeilad pwysicaf y gaer oedd y pencadlys (y *principia*) ac ymddengys o faint a nifer y swyddfeydd bod gweinyddwyr *Galava* yn gyfrifol am ardal eang. Mewn adeilad arall yr oedd yna risiau yn arwain i gell danddaearol, y *sacculum*, ystafell ddiogel lle cedwid arian y gaer. Heddiw, y mae'r safle mewn cyflwr digon gwael ond y mae nifer fechan o arwyddion disgrifiadol.

Yr adfeilion amlycaf yw seiliau y stordai a ddefnyddid i gadw grawn a'r ffwrneisi a drefnwyd i sychu'r cynnyrch. Nid oedd rhaid wrth stordai mor fawr mewn caer y gellid ei chyflenwi yn rhwydd o'r

Seiliau'r stordai grawn yng nghaer Galava (Ambleside)

llyn, felly rhaid cynnig fod y gaer hefyd yn storfa i'r grawn a gasglwyd o'r ardaloedd cyfagos fel treth. Ers ymchwiliadau cynnar Collingwood, ychydig iawn sydd wedi ei wneud i ddatgelu hanes y safle. Heddiw, y mae'r safle yng ngofal 'English Heritage' ond does dim llawer wedi ei wneud i hybu diddordeb yr ymwelwyr sy'n tyrru i'r ardal. Digon pitw yw'r casgliad o greiriau a drosglwyddwyd i ofal yr amgueddfa leol, ond ceir llestri o Gâl a darn arian o gyfnod Valens (328-78 OC). Credir bod y *vicus* a godwyd wrth ymyl y gaer wedi para am ganrif a mwy wedi hyn ond ni ellir archwilio'r safle mwyach gan fod yna stad o dai newydd yn sefyll ar y tir. Yn y chwedegau, daethpwyd o hyd i garreg fedd ger y ffordd oedd yn arwain i'r *vicus* gydag arysgrif hynod o ddiddorol. Dyddiwyd y garreg i'r bedwaredd ganrif, a'r syndod oedd gweld mai cadwr-cownt (*actarius*), nid milwr, a goffeid:

> I ysbryd da'r ymadawedig Flavius Romanus, actarius. Bu fyw am dri deg pump o flynyddoedd cyn ei ladd y tu mewn i'r gaer gan y gelyn.

Dyna beth annisgwyl, brodor o'r ardal yn lladd dyn swyddfa a hynny y tu mewn i furiau'r gaer. Ni wyddys beth oedd achos yr ymosodiad ond gellir dychmygu ffermwr bach o Frython yn colli ei dymer yn llwyr pan ofynnwyd iddo dalu mwy o dreth!

Bywyd y Wlad

Gan fod cyn lleied o waith archaeolegol wedi ei gyflawni, astudiaethau palaeolimnegol Emily Forster[15] yw'r cyflwyniad gorau i fywyd cefn gwlad yn y cyfnod Rhufeinig. Fel y nodwyd eisoes, yr oedd cyfran sylweddol o'r tir wedi ei drin ymhell cyn dyfodiad y Rhufeiniaid ond yr oedd galw'r fyddin am fwyd yn symbyliad i'r ffermwyr ddwysáu eu hymdrechion. Canlyniad amlycaf y goresgyniad oedd y penderfyniad i dyfu mwy o rawn ond, gydag amser, mewnforiwyd cnydau newydd a mabwysiadwyd dulliau newydd o amaethu. Y Rhufeiniaid oedd y cyntaf i blannu pys ac erfin ac i gyflwyno'r genhinen i Brydain. Disodlwyd yr hen gryman gan y bladur ac fe gynlluniwyd cribau gwair a oedd yn llawer mwy effeithiol. Ffermydd teuluol oedd y mwyafrif o ffermydd yr Hen Ogledd ond rhannwyd peth tir i'r milwyr a oedd ar fin ymddeol. Tai crwn oedd tai cynhenid y gorllewin ond, y tu draw i'r Penwynion, codwyd nifer o dai hirsgwar a *villae* moethus. Serch hynny, camgymeriad yw meddwl mai mewnfudwyr oedd deiliaid pob tŷ o safon gan fod nifer wedi eu codi gan ffermwyr cefnog yr ardal. Yn ôl pob tebyg, yr oedd codi *villa* yn y dull newydd yn arwydd o lwyddiant ac yn fesur o statws y teulu.

Yn nyddiau cynnar y goresgyniad, mae'n rhaid bod trigolion y gogledd wedi dioddef caledi mawr. Defnyddiodd Tacitus y gair brawychiaeth i ddisgrifio cyrch Agricola ar *Brigantia* a'r bwriad oedd creu cymaint o ofn fel na feiddiai neb eu herio. Ni wyddys faint o filwyr a glustnodwyd i oresgyn y gogledd-orllewin ond mae'n rhaid bod 20,000 neu fwy ar wasanaeth yn y rhanbarth pan oedd ymgyrch y fyddin yn ei hanterth. Wedi cipio'r tir, y cam nesaf oedd codi treth ar y trigolion i gynnal y gost o blismona. Ar y cychwyn, telid y dreth mewn cynnyrch ond, gydag amser, dosbarthwyd arian bath i hybu masnach ffurfiol. Cyn dyfodiad y Rhufeiniaid, ffermydd hunangynhaliol oedd ffermydd y gogledd-orllewin ond, wedi sefydlu marchnad ffurfiol, gwelwyd ei bod yn werth cynhyrchu gwarged i werthu. Am gyfnod, y fyddin oedd prif gwsmer y ffermwyr felly ni ledodd yr arfer yn bellach nag ardaloedd y caerau. Pan wacawyd nifer o'r caerau yn yr ail ganrif trowyd peth o'r tir a arddwyd yn ôl i dir pori. Erbyn hyn yr oedd yna fwy o alw am gig eidion a lledr i godi pebyll gan fod cyfran uchel o'r garsiwn bellach ar ddyletswydd yn yr Alban.

Tasg anodd yw penderfynu faint o anghenion y fyddin a brynwyd yn lleol, faint a gasglwyd fel treth, a faint a fewnforiwyd. Yr oedd gofynion cynnal a chadw pob caer yn uchel gan fod rhaid sicrhau cyflenwad cyson o fwyd a diod. Yr elfen bwysicaf ym mwydlen y fyddin oedd bara, ac amcangyfrifwyd bod pob milwr yn bwyta tua 30kg o wenith neu farlys bob mis. Os oedd yna wŷr meirch yn y garsiwn, rhaid oedd sicrhau 200kg o farlys y pen bob mis gan fod gan bob milwr yn yr *ala* ddau geffyl i'w gadw. I ddiwallu chwaeth y milwyr rhaid oedd mewnforio peth bwyd a diod o wledydd tramor. Yr oedd yr *amphorae* a ddefnyddid i gadw gwin ac olew yn elfen bwysig o bob llwyth ac fe gyfrifid *garum*, saws wedi ei wneud o bysgod wedi eu bragu, yn ddanteithfwyd. Yn y caerau mwyaf anhygyrch, dim ond y swyddogion oedd yn yfed gwin, ond trefnwyd digon o *cervesa*, y cwrw Celtaidd, i ddiwallu syched y milwyr. Fel arfer, gwŷr lleol oedd yn gyfrifol am redeg y bragdai a'r enw Rhufeinig ar y pwysigion hyn oedd y *braciarii*. Dengys astudiaethau archaeolegol bod porc, cig oen a chig eidion yn rhan bwysig o fwydlen y milwyr ac, ar wyliau arbennig, lleddid ambell faedd gwyllt. Yr oedd sicrhau cyflenwad cyson o wartheg i'r caerau yn flaenoriaeth ar draws yr Hen Ogledd. Helltid y cig i fwydo'r fyddin ar daith a rhaid oedd cael cyflenwad cyson o ledr i wneud pebyll, esgidiau a nwyddau personol. Amcangyfrifwyd bod rhaid lladd tua 2,000 o loi i baratoi pebyll i 500 o filwyr ac yr oedd yna alw cyson am ledr o ansawdd da i drwsio cyfrwyau a harneisiau.

Ar ddechrau'r goresgyniad, credir bod rhai o gaerau'r Hen Ogledd yn mewnforio cryn dipyn o fwyd o'r de gan fod adfeilion stordai mawr wedi dod i'r golwg wrth ymyl y priffyrdd. Gydag amser, datblygodd rhwydwaith o fasnachwyr lleol ac fe geir blas o'u gwaith yn y cofnodion a'r llythyron a ddatgelwyd yng nghaer *Vindolanda*. Anodd dweud faint o wŷr lleol a gyflogid gan y fyddin a faint oedd yn fasnachwyr annibynnol, ond fe geir argraff fod yna gyfathrach agos rhwng rhai o drigolion yr ardal a'r fyddin.

Bywyd y Dref

Yr oedd yna drefydd ym Mhrydain yn ystod yr Oes Haearn ond yr oeddynt yn fwy tebyg i bentrefi mawr na'n syniad ni o ddinas. I'r Rhufeiniaid, y bywyd dinesig oedd y bywyd delfrydol, lle gellid creu gweinyddiaeth drefnus a mwynhau ystod eang o gyfleusterau cyhoeddus. Ym Mhrydain, gellir dilyn datblygiad y trefydd Rhufeinig trwy edrych ar gofnodion yr haneswyr a dilyn ymestyniad y ffyrdd. Erbyn 100 OC, yr oedd yna nifer o ddinasoedd mawr yn y de ond yr oeddynt yn brin iawn yn y gogledd. Y canllaw gorau i leoliad y trefydd yw'r *Iter Britanniarum*, dogfen a luniwyd rhwng 138 ac 161 OC i gofnodi prif drefydd yr Ymerodraeth. Yn y ddogfen, enwir sawl tref yn nhir y Brigantes, ond dim ond pum tref a nodir yng ngwlad y Carvetii. Yn rhyfedd iawn, does dim sôn am borthladd pwysig *Glannoventa* ond ceir cyfeiriad at dref a enwid *Voreda* yn agos i bentref Red Dial ('Rhyd Dial') ger Wigton. Un rheswm am yr amwysedd oedd pwysigrwydd gweinyddol y trefydd a nodwyd ac agwedd bersonol y croniclwr. Yn y drefn Rufeinig, nid maint y dref oedd yn bwysig ond statws cymdeithasol y trigolion. Fel rheol, adnabyddid tair gradd o dref: y *colonia*, y *municipium* a'r *civitas*, ond fe allai statws unrhyw dref newid gyda threigl amser. Yr oedd gweinyddiaeth y *colonia* yn dilyn patrwm a oedd yn gyffredin ar draws yr Eidal ac yr oedd trwch y trigolion yn ddinasyddion llawn. Ym Mhrydain, yr oedd gan y mwyafrif o ddeiliaid y *colonia* gysylltiad â'r fyddin ac fe sefydlwyd sawl un yn gartref i filwyr a oedd wedi ymddeol. Yr oedd gan ddinasyddion y *municipium* freintiau digon tebyg, ond yr oedd mwy yn perthyn i'r *auxiliae* na'r fyddin ganolog. Statws israddol oedd i drigolion y *civitas* a sefydlwyd ar droad y ganrif, a'u prif amcan oedd cynnig elfen o ymreolaeth i'r gymuned leol. Dinas Efrog oedd yr unig *colonia* yn yr Hen Ogledd ac mae yna le i gredu mai *municipium* oedd honno yn y cyfnod cynnar. Hyd y gellir barnu, yr oedd yna dair *civitas* yn y gogledd: *civitas* y Carvetii yng Nghaerliwelydd, *civitas* y Brigantes yn Alborough a *civitas* y Parisii yn Brough-on-Humber. Ychydig iawn a wyddys am drefydd bach yr Hen Ogledd, ond codwyd *vicae* wrth ymyl y rhan fwyaf o'r caerau. Prif bwrpas y *vicae* oedd hybu masnach ac y mae adfeilion *vicus* wedi dod i'r golwg wrth ymyl y caerau a godwyd yn Ambleside, Beckfoot, Maryport, Red Dial a Brougham.

Caerliwelydd oedd dinas bwysicaf y rhanbarth ond, yn anffodus, y mae adeiladau modern wedi cuddio bron pob elfen o'r hen dref. O bryd i'w gilydd, daw rhai o'r gweddillion i'r golwg wrth ddymchwel hen dai ond prin yw'r amser i drefnu archwiliad manwl. Un eithriad nodedig oedd y rhes o siopau o'r cyfnod Rhufeinig a ddatgelwyd yn y saithdegau wrth ddymchwel rhan o Blackfriars Street.[16] Yn ddiweddarach, daethpwyd o hyd i seiliau baddondy a thŷ preifat moethus wrth godi canolfan siopa newydd yn yr ardal a elwir 'The Lanes'. Yn ffodus, llwyddwyd i ddyddio adfeilion y tŷ preifat i gyfnod penodedig wedi dod o hyd i ddarn arian o dan y llawr. Syndod felly oedd gweld bod y tŷ wedi ei adnewyddu ar ddiwedd y bedwaredd ganrif, y cyfnod pan oedd y fyddin ganolog ar fin dychwelyd i'r Cyfandir. Gellir dysgu mwy am gyflwr y ddinas yn yr adroddiadau a gyhoeddwyd gan yr archaeolegwyr[17] ac y mae casgliad o greiriau yn yr amgueddfa leol. Chwe blynedd yn ôl, trefnodd yr amgueddfa arddangosfa i amlygu hanes cynnar Caerliwelydd. Diddorol sylwi mai fel 'Romans' y disgrifid y teulu a oedd yn byw yn y tŷ ond 'Celtic' oedd y ffermwr tlawd a ddarluniwyd ar stryd y ddinas!

Tref arall na restrwyd yn yr *Iter Britanniarum* oedd Papcastle ar lan yr afon sy'n llifo trwy Cockermouth. Hyd yn ddiweddar, barnwyd mai dim ond gweddillion caer oedd ar y safle ond, pan lithrodd y tir yn 2009, daethpwyd o hyd i olion tref sylweddol. Ers hynny, y mae mwy wedi ei wneud i ddatgelu hanes y safle wedi dinoethi cyfres o strydoedd cul, hen felin ac adfeilion adeilad mawr. Barnwyd o gynllun yr ystafelloedd nad tŷ preifat ond *mansio* oedd yr adeilad mawr, math o westy a drefnid ar gyfer swyddogion ar daith. Y weinyddiaeth oedd yn gyfrifol am redeg gwestai o'r fath ac fe ddefnyddid yr un rhwydwaith i ddosbarthu'r post ar draws y wlad. Ystafell fwyaf trawiadol y *mansio* oedd y baddondy lle gellid ymlacio ar ddiwedd y dydd lle yr oedd yna faddondy a mur hanner crwn.. Sonnir mwy am arwyddocâd hanesyddol Papcastle yn y bennod ar deyrnasoedd Cymreig yr Hen Ogledd. Yn ôl pob tebyg, Papcastle oedd prif ddinas Pabo Post Prydain, aelod o'r un teulu ag Urien Rheged.

Mur Hadrian

Yn 117 OC esgynnodd Hadrian i'r orsedd i wynebu gwrthryfel arall yn yr Hen Ogledd. Rywbryd tua 122 OC dechreuwyd ar y gwaith o godi mur ar draws y wlad o aber Solway yn y gorllewin i aber Tyne yn y dwyrain. Prif amcan y mur oedd cadw trefn ar y wlad tua'r gogledd lle yr oedd llwythau anystywallt yr Alban yn ddigon parod i gefnogi gwrthryfel. Problem fawr yr Ymerodraeth, fel pob system imperialaidd, oedd cadw trefn ar ymylon ei thir lle roedd y llwybrau cyflenwi yn hir. Yn gynnar iawn yn y goresgyniad disgwylid i'r ardaloedd hyn gyfrannu at y gost o blismona trwy dalu treth mewn cynnyrch neu mewn arian. Yr oedd ffermwyr de Prydain yn hen gyfarwydd â thalu trethi'r pendefigion, ond yr oedd ffermwyr y gogledd yn gyndyn i ildio dim o'u heiddo. Yn ôl yr hanesydd Neil Faulkner: 'Cyrhaeddodd yr Ymerodraeth Rufeinig ei therfyn naturiol yn y rhan o'r wlad lle'r oedd y tir da yn cwrdd â'r tir gwael.' Dyma oedd i gyfrif am fethiant yr Ymerodraeth yn yr Alban ac, er iddi godi Mur Antwn ymhellach i'r gogledd, Mur Hadrian oedd ei hateb terfynol i'r broblem.

Rhan fynyddig o Fur Hadrian

O ran saernïaeth, yr oedd y mur yn waith trawiadol, yn ymestyn o fôr i fôr ac yn cynnwys 20 o gaerau, 100 o gestyll bach a thros 200 o dyrau gwylio. Codwyd y cyfan mewn llai na phymtheg mlynedd ar dir a oedd, mewn mannau, yn uchel a garw. Amcangyfrifwyd bod dros 15,000 o filwyr o dair lleng wedi eu cyflogi i wneud y gwaith: y II Augusta o Gaerleon, y XX Valeria Victrix o Gaer a'r VI Victrix o Sbaen. Nid amddiffynfa yn yr ystyr arferol oedd Mur Hadrian, ond ffordd i gadw golwg ar y wlad oddi amgylch a rheoli symudiadau. Heddiw, yr olion amlycaf yw'r mur ei hun gan mai dim ond darnau o'r *vallum*, y ffos a dorrwyd i'r de o'r mur, sydd wedi goroesi. Pwrpas y *vallum* oedd gosod darn cul o dir neb rhwng y mur a thir y Brythoniaid. Arwydd ei bod yr un mor ddrwgdybus o gymunedau 'gwareiddiedig' y de â'u cymrodyr tua'r gogledd. Wedi codi'r mur, chwalwyd pob annedd rhwng y mur a'r *vallum* ac, o hynny ymlaen, defnyddid y llain gul i bori ceffylau'r fyddin. Archwilid trwydded pob un oedd yn dymuno croesi'r ffin ac ni chaniateid i neb symud yn syth o'r bwlch yn y *vallum* i'r porth agosaf yn y mur. Ar y cychwyn, dim ond cestyll bach (y 'milecastles') a godwyd i warchod y ffin ond buan y sylweddolwyd bod rhaid codi caerau mwy sylweddol i rwystro ymosodiadau. Gan fod yna lwyth o lyfrau wedi eu cyhoeddi ar hanes y mur ynghyd â llyfr tywys[18] ni wneir mwy na disgrifio dwy gaer i gynnig blas o fywyd y fyddin warchodol. Y cyntaf yw *Vindolanda*, caer a godwyd i'r de o'r mur, lle darganfuwyd casgliad gwych o gofnodion ar ddarnau tenau o bren. Yr ail yw *Vercovicium*, caer a adeiladwyd fel rhan o'r mur, sydd hefyd yn enghraifft dda o'r gyfathrach a welwyd rhwng y fyddin a'r gymuned leol mewn cyfnod diweddarach.

Caer Vindolanda

Cyn codi Mur Hadrian, dibynnwyd ar gyfres o gaerau gwasgaredig i blismona'r ardal i'r gogledd o dir y Carvetii a'r Brigantes, ond buan y gwelwyd nad oedd hyn yn effeithiol. Un gaer sydd wedi goroesi o'r cyfnod cynnar yw *Vindolanda* ger pentref Bardon Mill sy'n sefyll ychydig i'r de o'r mur. Y mae adeiladau'r gaer yn dilyn y patrwm arferol, gyda thŷ moethus i'r prif swyddog, canolfan weinyddol,

Y stryd lydan sy'n arwain o'r vicus i brif borth caer Vindolanda

baddondy, gweithdai a barics syml i'r milwyr. Credir bod Hadrian ei hun wedi treulio peth amser yn y gaer yn 122 OC pan oedd ar ymweliad i oruchwylio'r gwaith ar y mur. Credir bod nifer o ffyrdd yr ardal wedi eu hadnewyddu ddwy flynedd cyn hyn i greu argraff dda ar y gwestai pwysig. Dengys ansawdd yr adeiladau a godwyd ar gyrion y mur sut y manteisiwyd ar nodded y fyddin i sefydlu cymdeithas a oedd yn hynod wareiddiedig. Erbyn diwedd y ganrif, yr oedd yna *vicus* llewyrchus ar y safle ac arwyddion bod rhwydwaith o fasnachwyr lleol yn cynnal y garsiwn. Gwelir uchod lun o'r stryd lydan a oedd yn arwain o'r *vicus* i brif borth y gaer. Yn y *vicus* yr oedd yna nifer o fwytai, siopau cyfleus a chyfres o weithdai bach. Cynllun doeth oedd adeiladu gweithdai o'r fath y tu allan i'r gaer rhag i ffwrneisi'r gofaint ddechrau tân na ellid ei ddiffodd.

Heddiw, y mae *Vindolanda* yn enwog fel safle un o amgueddfeydd mwyaf deniadol y cyfnod Rhufeinig am fod cymaint o nwyddau personol y garsiwn wedi goroesi yn y gors wrth ymyl y gaer. Yr arfer o daflu sbwriel i'r gors oedd yn gyfrifol am y goroesiad, a chan fod yna gymaint o fawn yn y gors, cadwyd y cyfan rhag pydru. Rhaid ymweld

Y llythyr oddi wrth Candidus at Octavius lle y sonnir am y llwyth crwyn o Gatraeth

â'r amgueddfa i werthfawrogi ansawdd y creiriau; y mae cyfrwy ceffyl mewn cyflwr da, esgidiau nifer o filwyr a gwisgoedd eu gwragedd a'u plant. Y trysor mwyaf yw'r llythyron a chofnodion o fywyd ar hyd y ffin a dorrwyd mewn inc du ar ddarnau tenau o bren. Daethpwyd o hyd i'r darnau cyntaf ym 1973 ond, erbyn hyn, y mae mwy na 400 o gofnodion wedi dod i'r golwg sy'n llawn o sylwadau diddorol. Perthyn y mwyafrif i'r cyfnod rhwng 90 a 120 OC ond y mae rhai o gyfnod mwy diweddar ac un o'r flwyddyn 180 OC. Y cyflwyniad gorau i'r cofnodion yw cyfrol Alan Bowman, *Life and Letters on the Roman Frontier*, ac fe ellir lawrlwytho nifer o enghreifftiau o'r wefan vindolanda.csad.ox.ac.uk

Cofnod mwyaf dadlennol y casgliad yw'r un lle nodwyd lleoliad pob milwr a oedd ar ddyletswydd yn y gaer ar un diwrnod arbennig. Dyma'r unig gofnod o'r fath yn y wlad ac fe ddengys fod gan y Rhufeiniaid ddull cyfrwys o blismona. Dim ond hanner y garsiwn oedd yn y gaer ar y pryd gan fod y gweddill wedi eu danfon i gaerau cyfagos. Yr oedd gweld milwyr yn ymdeithio yn gyson ar hyd y ffyrdd yn fodd effeithiol o gadw trefn er bod y niferoedd yn gyfnewidiol. Defnyddid yr un ffyrdd i gario'r post a oedd, erbyn hyn, yn wasanaeth hynod o effeithiol. Y mae nifer o'r llythyron hyn wedi goroesi fel yr un a ddanfonwyd gan filwr o Gaerllion at ei frawd yn *Vindolanda*:

> Vittius Adiutor, cludwr yr eryr i'r Lleng II Augusta, i Cassius Saecularis, ei frawd bach, llawer o gyfarchion.

Enwau gosod oedd ail enw y mwyafrif o'r milwyr, felly rhaid tybio bod Vittius yn frawd llawn i Cassius.

Erbyn yr ail ganrif, milwyr o Gâl, a adwaenid fel 'y Fintai Gyntaf o Twngria', oedd ar ddyletswydd yn *Vindolanda*. Ardal ar lan afon Meuse oedd Twngria felly y mae yn dra thebyg bod y milwyr yn deall rhywfaint o'r Frythoneg. Serch hynny, ymddengys nad oedd ganddynt fawr o feddwl o drigolion yr ardal, gan eu bod yn cyfeiro atynt fel y *Brittunculi* ('Y Brythoniaid Bach'). Brodor o'r un wlad oedd Flavius Cerialis, penswyddog y gaer, ond gwelir o'i lythyrau ei fod ef yn was ffyddlon i'r Ymerodraeth. Tystia ei lythyron mai bywyd digon hamddenol oedd bywyd milwyr y ffin ac, mewn un llythyr, gwelwn ei fod wedi danfon cais i ffrind am rwydi i hela. Credir mai rhwydi i ddal cwningod oedd y rhain gan mai'r Rhufeiniaid oedd y cyntaf i fewnforio'r anifail dinistriol hwn i Brydain. Mewn llythyr arall, gwelwn fod ganddo wraig a phlant a'u bod hwy mewn cysylltiad â theulu mewn caer arall. Un llythyr diddorol yw'r un a ddanfonwyd gan ei wraig (Claudia Severa) at ei ffrind (Lepidina) i'w gwahodd i ddathliad pen-blwydd:

> Claudia Severa i fy Lepidina, cyfarchion. Ar y trydydd dydd cyn dechrau Medi, dydd fy mhen-blwydd, danfonaf wahoddiad cynnes i wneud yn siŵr y gallwch ddod i'n gweld i wneud y dydd yn fwy pleserus. Cyfarchion oddi wrth Cerialis. Y mae Aelius a fy mab bach yn danfon eu cyfarchion hwythau.

Bywyd llawer caletach oedd bywyd y milwr cyffredin, yn enwedig y rhai oedd wedi teithio i Brydain o wledydd lle'r oedd y tywydd yn llawer cynhesach. Serch hynny, yr oedd yna gwmnïaeth glòs yn y rhengoedd a byddai ambell barsel yn cyrraedd oddi wrth y teulu dros y môr. Ni wyddys pwy a ddanfonodd y llythyr canlynol, ond y mae ei neges yn gwbl gyfoes:

Yr ydym wedi danfon pâr o sanau o Sattua, dau bâr o sandalau a dau bâr o drôns cynnes. Cofion at Tetrius a dy gyd-filwyr, hyderwn dy fod yn cydfyw gyda hwynt yn ddigon diddig.

Yn y cyfnod cynnar, credir nad oedd yna lawer o gyfathrach rhwng y milwyr a'r gymuned leol ond, gydag amser, daeth nifer yn barod i gynnig cymorth i'r fyddin. Mewn un cofnod, cyfeirir at Frython a oedd yn gwarchod gwartheg, ac mewn un arall clywn am y cymrawd a oedd yn gyfrifol am fagu moch. Wedi gosod trefn ar y wlad, cam cyntaf yr Ymerodraeth oedd trefnu cyfrifiad lle y disgwylid i bawb gofrestru yn ei fro enedigol. Er na chedwid unrhyw fanylion, gwyddys bod ardalwyr Mur Hadrian wedi bod yn rhan o'r cyfrifiad fel y tystia'r neges a ddanfonwyd ar frys o'r gaer:

Yfory, yn y bore bach, rhaid i chwi ddod i Vindolanda er mwyn cymryd rhan yn y cyfrifiad.

Yr oedd teithio o amgylch y wlad yn rhan annatod o fywyd pob swyddog, ac fel y nodwyd yn barod, yr oedd yna westai arbennig ar gael i'w croesawu. Ymddengys serch hynny fod rhaid chwilio am lety llai ffurfiol ar adegau, fel y tystia'r llythyr a dderbyniodd Cerialis oddi wrth un o'i swyddogion. Yn rhyfedd iawn, nid poeni am ei gysur ei hun yr oedd y bachgen, ond am y cyfleusterau oedd ar gael i'w geffylau:

Tybed a elli gymeradwyo lle i aros dros nos lle caiff fy ngheffylau ofal da.

Diddorol nodi nad *equi* oedd y gair a ddefnyddiwyd yn y llythyr gwreiddiol ond *caballi*, gair am geffyl a fenthyciwyd o'r Frythoneg.

Ceir hefyd ohebiaeth sy'n awgrymu mai masnachwyr lleol oedd yn rhannol gyfrifol am gyflenwi'r gaer. Mewn un llythyr oddi wrth ŵr â'r enw Brythonig 'Metto' at ei gyfaill cyflwynir rhestr o'r darnau roedd yn rhaid eu prynu er mwyn adeiladu ceirt. Yn y rhestr, yr oedd yna 300 o ystyllod, 38 echel a 34 both olwyn; archeb dderbyniol iawn i grefftwr gwlad. Mewn un arall gwelir bod y cyflenwr yn gorfod esbonio pam fod llwyth o grwyn a archebwyd gan y fyddin yn hwyr:

> Y mae'r crwyn yr holaist yn eu cylch yng Nghatraeth. Os gelli ddanfon llythyr i gadarnhau fod y wagen yn barod, fe drefnaf i'w codi. Byddwn wedi eu casglu yn barod oni bai fy mod yn awyddus i beidio niweidio fy anifeiliaid ar y ffyrdd gwael.

Yn anffodus, ychydig iawn o gofnodion o'r cyfnod diweddar, pan oedd rhai o'r milwyr wedi priodi merched lleol, sydd wedi goroesi. Un enghraifft ddiddorol yw'r llythyr a ddyddiwyd i'r cyfnod rhwng 180 a 200 OC, ac er bod rhai geiriau ar goll, mae'r neges yn ddigon clir:

> Martius i Fictor, fy annwyl frawd, cyfarchion. Yr wyf wedi dy ddewis yn asiant... ... (?)...mae perthnasau fy nhad... (?) ...yn medru gwerthu popeth...

Ni wyddys pwy oedd Martius na Fictor ond y mae awgrym fod y ddau wedi gosod y seiliau i draddodiad cwbl Gymreig!

Caer Vercovicium

Cyn gorffen codi Mur Hadrian, sylweddolwyd bod rhaid codi mwy o gaerau ar hyd y mur i atal ymosodiadau. Dyma pryd y codwyd caer *Vercovicium* ger pentref Haltwhistle er mai fel 'Housesteads' yr adnabyddir y safle erbyn hyn. Dechreuwyd ar y gwaith o godi'r gaer yn 124 OC, ond fe barodd y gwaith yn hir am fod y tywydd mor wael. Gan fod y safle yn bell o'r briffordd, *Vercovicium* oedd yr unig gaer heb uned o wŷr meirch. Yn ei hanterth, yr oedd yna 800 o wŷr traed ar y safle ac yr oedd ei phyrth yn ddigon llydan i ollwng tyrfa o filwyr ar frys. Erbyn yr ail ganrif yr oedd yna *vicus* llewyrchus wrth ymyl y gaer, ond cwtogwyd y garsiwn wedi 142 OC pan ddanfonwyd llu o'r milwyr i'r Alban i godi Mur Antwn. Milwyr o Gâl oedd ar ddyletswydd yn y gaer ar y pryd ac am gyfnod bu'n rhaid danfon aelodau o Leng II Augusta o Gaerllion i lanw'r bwlch. Anodd dweud faint o wŷr y Silures a deithiodd i'r gogledd ond daethpwyd ar draws allor i un o'u duwiau rhyfel ar gyrion y gaer. Yng nghanol y drydedd ganrif, danfonwyd rhagor o filwyr i'r gaer i wrthdroi ymosodiadau o gyfeiriad yr Alban. Codwyd llwyfan wrth ymyl y mur i osod catapwlt mawr (*ballista*) ac fe atgyfnerthwyd rhai o'r muriau allanol. Mae'n amlwg bod y sefyllfa wedi gwella yn fuan wedi hyn, gan fod y gaer yn hanner gwag erbyn diwedd y ganrif.

Y mae adfeilion *Vercovicium* o bwys arbennig am eu bod yn dangos y newid a welwyd ym mywyd y gaer wrth i'r gyfathrach â'r gymuned leol gynyddu. Adeilad mwyaf moethus y gaer oedd tŷ'r cadlywydd lle gellir gweld adfeilion yr *hypocaust* a ddefnyddid i dwymo'r ystafelloedd. Bywyd ansefydlog iawn oedd bywyd cadlywyddion yr Ymerodraeth, felly rhaid oedd cynnig tai moethus iddynt hwy a'u teuluoedd. Gan fod rhaid symud yn aml nid oedd yna lawer o gelfi yn eu tai, ond trefnwyd digon o garpedi a llenni i greu naws cartrefol. Ar y llaw arall, yr oedd y barics lle trigai'r milwyr yn adeiladau cyfyng iawn gydag un ystafell fyw a lle i gadw arfau. Fel arfer, yr oedd yna wyth yn rhannu pob ystafell ac, er bod lle i goginio, prynwyd llawer o'r bwyd o bopty'r gaer. Da gweld bod cyfleusterau cyhoeddus y gaer o

Adfeilion caer Vercovicium ('Housesteads'): tŷ'r prif swyddog gyda hypocaust o dan y llawr

safon uchel fel y tystia adfeilion y 'tŷ bach' cymunedol. Gan nad oedd yna ffynnon ar ben y bryn, rhaid oedd dibynnu ar ddŵr glaw i sicrhau cyflenwad. Gwelir yno hefyd danciau a osodwyd i ddal dŵr a'r sianel a drefnwyd i'w gario i'r tŷ bach. Yr oedd digon o le yn y *latrina* i ugain o wŷr i eistedd ac yr oedd yna lawr pren i guddio'r ffos danddaearol. Cerrig llyfn oedd seddau'r adeilad ac yr oedd yna dwll ym mlaen pob sedd i olchi'r pen-ôl. Darn o sbwng ar flaen ffon a ddefnyddid i wneud y gwaith a myn rhai mai dyma oedd tarddiad yr ymadrodd 'To get hold of the wrong end of the stick'!

Adeilad pwysig arall oedd yr ysbyty a drefnwyd ar gyfer y cleifion. Yn yr ysbyty yr oedd yna gyfres o ystafelloedd o amgylch clos agored a gardd fach i dyfu llysiau meddygol.

Un o'r ystafelloedd ym marics y milwyr

Rheoli twymyn a thrin clwyfau oedd prif waith y meddygon ond yr oedd yna hefyd lawfeddygon a allai drin anafiadau difrifol. Diddorol nodi bod arfau'r llawfeddygon yn hynod o debyg i offer ein hoes ni, ond rhaid cofio nad oedd anasthetig o unrhyw fath ar gael. Wedi i'r ffisigwr Galen ymweld â dinas Rhufain yn 169 OC i drin y rhai oedd yn dioddef o'r pla, yr oedd yna alw mawr am feddygon o wlad Groeg. Beth amser yn ôl, daethpwyd ar draws beddrod un o feddygon *Vercovicium* ac yr oedd yn amlwg o'r enw ei fod o gefndir Groegaidd:

I ysbryd yr ymadawedig Anicius Ingenuus Prif Swyddog Iechyd y Fintai Gyntaf o Twngria a fu byw am bum mlynedd ar hugain.

Er na wyddom ni ddim amdano, y mae'n amlwg ei fod wedi dringo i swydd uchel tra'n ifanc iawn.

Cyfran o Ymreolaeth

Yr oedd agwedd yr Ymerodraeth Rufeinig at ei gelynion yn amrywio o ardal i ardal ac o gyfnod i gyfnod. Ar ddiwedd y saithdegau yr oedd yna 30,000 o filwyr ar ddyletswydd yng ngwlad y Silures ond erbyn troad y ganrif yr oedd y llwyth wedi derbyn cyfran o ymreolaeth.

Credir bod y *Civitas Silures* wedi ei sefydlu yng nghyfnod Hadrian cyn dechrau ar y gwaith o godi'r mur. Canolfan filwrol y rhanbarth oedd *Isca* (Caerllion) ond prif ddinas y *civitas* oedd *Venta Silurum* (Caerwent). Ceir cofnod o statws newydd y llwyth ar garreg a gedwir yn eglwys y dref. Gwaelod cerflun a gollwyd yw'r garreg ac ar ei hwyneb torrwyd arysgrif i nodi bod y gofeb wedi ei chodi gan 'Drefnydd Gwaith Cyhoeddus Llwyth y Silwriaid'.

Yn yr Hen Ogledd, yr oedd y Carvetii yr un mor elyniaethus â'r Silures ond, wedi brwydro hir, yr oedd yr Ymerodraeth yn barod i gynnig cyfran o ymreolaeth iddynt hwythau hefyd. Hyd y gellir barnu, sefydlwyd y *Civitas Carvetiorum* y tu mewn i ffiniau'r wlad a oedd yng ngofal y llwyth yn ystod yr Oes Haearn. Yn ôl Higham a Jones, calon y deyrnas oedd dyffryn afon Idon ac yr oeddynt o'r farn mai'r Rhufeiniaid oedd y cyntaf i ddyrchafu Caerliwelydd yn brif ddinas. Myn rhai bod ffiniau'r *civitas* yn ymestyn cyn belled ag afon Lune yn y de ond anodd dweud ble y gosodwyd y ffin tua'r gogledd.

Cynllun tebyg oedd i weinyddiaeth pob *civitas,* lle etholid tua chant o wŷr blaenllaw'r ardal i'r senedd neu'r *ordo.* Tirfeddianwyr oedd y mwyafrif ac yr oedd yn rhaid i bob aelod fod yn fwy na deg ar hugain oed. Dewisid dau ynad lleol o blith y detholion a'r enw ar y ddau ustus oedd y *duoviri iuridicundo.* Ychydig a wyddys am waith y cyngor na'r ynadon ond fe gadwyd enw un aelod blaenllaw. Ar garreg fedd ger pentref Temple Sowerby nodwyd mai enw'r ymadawedig oedd Flavius Martius a'i fod yn 'Seneddwr yng Nghyngor Llywodraethol y Carvetii.' Heddiw, cedwir y garreg ym mynedfa castell Brougham a barnwyd o'r arysgrif ei bod yn perthyn i'r cyfnod rhwng 260 a 269 OC. Ceir cipolwg arall ar ddyletswyddau'r *civitas* ar garreg filltir a ddarganfuwyd ar gyrion yr un pentref yn 1964. Erbyn hyn, y mae'r geiriau a dorrwyd ar wyneb y garreg wedi erydu ond nid cyn i arbenigwr nodi bod yr arysgrif yn cofnodi mai 'Gwaith Cyhoeddus Talaith y Carvetii' oedd yr heneb. Diddorol felly gweld mai'r cyngor sir oedd yn gyfrifol am gynnal a chadw'r ffyrdd yn oes y Rhufeiniaid ond, erbyn hyn, y mae'r garreg filltir yng ngofal cwmni preifat!

Crefyddau'r Ymerodraeth

Yr oedd gan y Rhufeiniaid agwedd oddefgar at grefyddau lleiafrifol ar yr amod na fyddai eu dilynwyr yn bygwth y drefn ganolog. Y prif reswm am eu cyrch yn erbyn derwyddon Môn oedd y syniad eu bod yn hybu gwrthryfel ymysg holl Geltiaid Ewrop. Yr oedd yna strwythur cymhleth iawn i grefyddau'r byd Rhufeinig gan eu bod yn addoli duwiau o Ewrop ac o'r Dwyrain Canol. Prif dduwiau'r pantheon oedd Iau (duw'r awyr), Mawrth (duw rhyfel), Apolo (duw'r haul) a Festa (duwies y teulu). Mewn ambell i gyfnod, cyfrifid yr Ymerawdwr yn dduw ond, fel arfer, nid oedd rhaid gwneud mwy na chydnabod ei ysbryd dwyfol (y *numen*). I'r Rhufeiniaid, nid profiad ysbrydol oedd crefydd ond ffordd i sicrhau llwyddiant yn y byd hwn. Er eu holl addysg, yr oeddynt yn hynod o ofergoelus, ac ni feiddient wneud dim os bernid bod yr arwyddion yn anffafriol.

Y mae mwy o allorau i dduwiau amryfal yr Ymerodraeth wedi goroesi yn Ardal y Llynnoedd nag yn unrhyw ran arall o Brydain. Y mae casgliad gwych yn Amgueddfa Senhouse yn Maryport sy'n sefyll ar dir caer Rufeinig *Alauna*. Dechreuwyd y casgliad yn 1570 gan John Senhouse, perchennog maenor Ellenburgh, a ddewisodd y creiriau fel addurn i'w dŷ. Heddiw, y mae'r cyfan yng ngofal yr Amgueddfa a drefnwyd gan y teulu mewn adeilad a oedd unwaith yn ysgol i'r llynges. Yn yr Amgueddfa ceir ugeiniau o ddarnau crefyddol o'r cyfnod Rhufeinig, a'r darnau pwysicaf yw'r casgliad o allorau a gladdwyd mewn twll yn y gaer. Dengys y casgliad fod penswyddog y gaer wedi cysegru allor er clod i'r Ymerawdwr Agrippa bob blwyddyn rhwng 117 ac 138 OC. Ar y pryd, yr oedd *Alauna* yn un o borthladdoedd pwysicaf yr Ymerodraeth yn y gogledd-orllewin, ac enw arall y safle oedd 'Lle Dymunol y Carvetii'. Wedi i'r Ymerodraeth fabwysiadu'r ffydd Gristnogol tua 330 OC ni fu dinasyddion y dref yn hir cyn dilyn, felly rhaid oedd cael gwared ar bob arwydd o'r hen grefydd. Tybir bod yr allorau wedi eu claddu yng nghanol y gaer tua'r un cyfnod, a hynny mewn defod ffurfiol.

Dengys yr allorau a gasglwyd yn yr amgueddfa fod milwyr yr ardal yn addoli duwiau o sawl traddodiad. Yr oedd duwiau Celtaidd fel *Belatucadros* a *Cocidius* yn boblogaidd iawn ac fe ddaethpwyd o hyd i gerflun prin o *Epona*, duwies y meirch. Anrhegion syml, fel gwin a bwyd, oedd yr offrwm arferol, ond ar ddyddiau gŵyl lleddid bustach gwyn cyn i ddyn hysbys (yr *haruspices*) ddirnad ffawd trwy edrych ar batrwm y perfedd.

Ond nid oedd pawb yn barod i ddilyn y fath ddefodau paganaidd ac yr oedd yna alw cynyddol am grefydd mwy dyrchafol. Dyma, mae'n debyg, oedd gwreiddiau cwlt y duw *Mithras*, crefydd a fewnforiwyd o Bersia ar ddechrau'r ail ganrif. Duw'r haul oedd *Mithras* yn y bôn ond yr oedd ei ddilynwyr wedi mabwysiadu rhai o syniadau'r Eglwys Fore. Prif ddyletswydd dilynwyr y cwlt oedd byw bywyd da a hybu moesoldeb, ond yr oedd yna hefyd elfen gyfriniol i'r grefydd. Gan fod defodau'r cwlt yn gyfrinachol, adeiladwyd templau pwrpasol i drefnu cyfarfodydd dirgel. Fel Seiri Rhyddion ein hoes ni, yr oedd ganddynt ffordd arbennig o ysgwyd llaw a'u henw cyffredin oedd y *syndexioi*: 'y rhai a adnabyddir trwy ysgwyd llaw'. Does dim llawer o demlau'r cwlt wedi goroesi ym Mhrydain, ond y mae enghraifft dda yng nghaer *Brocolitia* (Carrawburgh) ar Fur Hadrian. Gwyddys o'r cerfluniau a gysylltir â'r cwlt bod chwedloniaeth gymhleth yn perthyn i'r grefydd. Yn y cerfluniau hyn, gwelir *Mithras* yn cael ei eni o graig, atsain o fedd gwag y Testament Newydd, ac yn lladd tarw, gwaddol o hen grefydd. Adeiladau tywyll oedd y templau a godwyd i'r duw hwn ac yr oedd yna le i osod lamp ar yr allor i daflu golau gwan dros lawr y deml.

Nodwedd hynod y drefn Rufeinig oedd ei pharodrwydd i addasu crefyddau lleiafrifol i ddibenion yr Ymerodraeth. Nid syndod felly gweld ei bod wedi mabwysiadu ac addasu cyfran sylweddol o dduwiau amryfal y Celtaidd. Un arfer cyffredin oedd cyplysu duwiau'r Celtiaid gyda duwiau o'r byd clasurol mewn trefn a adnabyddid fel yr *Interpretatio Romano*. Ym Mhrydain, disodlwyd pymtheg o dduwiau rhyfel y Brythoniaid gan dduw Mawrth, ond fe gedwid rhai yn arwydd o barch. Ystyriaethau ymarferol oedd yn bwysig i'r drefn Rufeinig felly yr oeddynt bob amser yn barod i fabwysiadu duwiau lleiafrifol. Dyma sy'n gyfrifol am yr holl allorau a godwyd i dduwiau Celtaidd, fel *Belatucadros* a *Cocinus* yn nhir y *Carvetii*, ac fe godwyd teml arbennig i'r dduwies *Coventina* yng nghaer *Brocolita*. Duwies y dŵr oedd *Coventina*, a chyn i'r

Rhufeiniaid gyrraedd, dim ond ffynnon fach oedd ar y safle. Cyn hir, codwyd teml hardd mewn dull clasurol dros y ffynnon i blesio dilynwyr lleol a chymrodyr Celtaidd o dir mawr Ewrop. Drylliwyd gweddillion y deml dros ganrif yn ôl ond y mae llun o'r cerfluniau a ddarganfuwyd mewn dogfen a gyhoeddwyd yn 1876. Ambell waith darluniwyd *Coventina* fel nymff Rufeinig ond yn nheml *Brocolita* cyflwynwyd hi yn un o drindod. Gwyddys mai milwyr o Gâl oedd yn gyfrifol am godi teml yn *Brocolita* gan fod yna arysgrif yn mynegi:

I'r dduwies Coventina, Titus D.... Cosconianus, Rhaglywydd y Cohors Primae Batavoram, oedd y rhoddwr teilwng.

Dyma'r unig deml i *Coventina* sydd wedi goroesi ym Mhrydain ond y mae gweddillion temlau tebyg i'w gweld yng Ngâl ac yng ngogledd Sbaen. Credir bod y mwyafrif o'r temlau Celtaidd wedi eu chwalu rhwng 379 a 395 OC ar ôl i'r Ymerawdwr Theodosius dderbyn y ffydd Gristnogol. Crefydd leiafrifol oedd Cristnogaeth cyn hyn ac y mae lle i gredu ei bod yn fwy poblogaidd yn y de nag yng ngogledd Prydain. Sonnir mwy am ledaeniad yr Eglwys Fore yng nghyfnod y Rhufeiniaid yn y bumed bennod, lle nodir bod saint o'r cyfnod ôl-Rufeinig wedi chwarae rhan bwysig yn ymlediad y ffydd.

Iaith a diwylliant

Y Frythoneg oedd iaith y mwyafrif o drigolion Prydain pan gyrhaeddodd y Rhufeiniaid a bernir bod y Bicteg a siaredid yn yr Alban yn iaith ddigon tebyg. Gydag amser, tyfodd Lladin i fod yn iaith gweinyddwyr y de, ond prin oedd y defnydd o'r iaith yn y gorllewin a'r gogledd. Gwyddys o gofnodion Tacitus fod yna ysgolion i ddysgu Lladin yn y de, ond ychydig iawn o Ladin a siaredid y tu allan i gaerau a dinasoedd y gogledd. Gydag amser, benthycwyd nifer o eiriau Lladin i'r Frythoneg ac y mae tua chwe chant wedi aros yn y Gymraeg. O safbwynt cystrawen ac ynganiad, yr oedd y Lladin a'r Frythoneg yn debyg, felly yr oedd benthyg geiriau yn broses hawdd. Fel y gellid disgwyl, geiriau am bethau newydd fel 'ffenestr' (*fenestra*), 'gwydr' (*vitrum*) a 'papur' (*papyrus*) oedd y mwyafrif o'r geiriau newydd ynghyd â geiriau fel 'ffwrn' (*furnus*) a 'ffrwythau' (*fructus*) o fyd y cogydd. Nid syndod gweld, felly, fod nifer o'r termau a fenthyciwyd yn gysylltiedig â'r fyddin, geiriau fel 'saeth' (*sagitta*). 'llurig' (*lorica*) a 'castell' (*castellum*). Yn y cyswllt hwn, anodd dweud pam y disodlwyd y *briva* Frythonig gyda 'pont' Ladinaidd os na chyfrifid y *pontes* a adeiladwyd gan y Rhufeiniaid yn adeiladwaith o safon uwch. Bernir ar sail cystrawen mai o'r iaith lafar y trosglwyddwyd y mwyafrif o'r Lladin i'r Frythoneg felly'r cwestiwn allweddol yw pa bryd ac ym mhle?

Ar un amser, bernid bod y Lladin wedi disodli'r Frythoneg yn llwyr yn y de ac mai ffoaduriaid o'r de oedd yn gyfrifol am ledaenu'r Lladin i'r gogledd. Bellach, gwyddys mai'r Frythoneg oedd iaith cyfran uchel o boblogaeth y de, a bod y gyfathrach rhwng aelodau o'r fyddin a thrigolion y gogledd yn gryfach nag yr ystyrid gynt. Un arwydd o darddiad y benthyciadau yw ffurf y geiriau a dreiddiodd o'r Lladin, trwy'r Frythoneg i'r Gymraeg. Yr oedd y math o Ladin a siaredid yn y fyddin (y Lladin Llafar) yn wahanol iawn i'r Lladin clasurol, ac un gwahaniaeth oedd y duedd i fyrhau geiriau. Trwy gymharu strwythur y geiriau a fenthycwyd, gellir profi mai o'r Lladin Llafar, yn hytrach na'r Lladin clasurol, y treiddiodd llawer o eiriau cyffredin i'r Gymraeg. Ceir ymdriniaeth o'r newidiadau dadlennol hyn mewn pennod a luniwyd gan D. Ellis Evans[19] mewn cyfrol a olygwyd gan Geraint Bowen. Er enghraifft, newidiwyd '*populus*' y Lladin Clasurol i '*pop'lus*' yn y Lladin Llafar cyn i'r gair droi i 'pobl' yn y Gymraeg. Yn yr un modd, newidiwyd y gair am gladdfa o '*monumenta*' y Lladin Clasurol i '*mon'menta*' yn y Lladin Llafar cyn gorffen gyda'r gair 'mynwent' yn y Gymraeg. Ffactor arall a hwylusodd y benthyg oedd y ffaith mai ail iaith oedd y Lladin i'r mwyafrif o filwyr yr Ymerodraeth. Yr oedd rhai wedi ymuno â'r fyddin ym Mhrydain ac eraill wedi teithio o wledydd lle siaredid iaith debyg i'r Frythoneg. Dylanwad pwysig arall oedd y gyfathrach a welwyd rhwng milwyr y caerau a nifer o ferched lleol. Ar y cychwyn, cyd-fyw oedd yr unig ddewis, ond wedi i'r Ymerawdwr Septimus Severus (193-211 OC) ganiatáu priodasau cyfreithlon, hawdd gweld sut y lledodd geiriau o'r Lladin Llafar trwy'r *vicae* i'r gymuned leol.

O'i chymharu â chynnyrch ysblennydd y Groegiaid, rhywbeth

digon mecanyddol oedd celfyddyd gain y Rhufeiniaid. Digon gwir fod yna gywreinrwydd yn perthyn i'r mosaics a welid yn y *villae* a'r adeiladau cyhoeddus, ond nid oedd yna lawer o ddychymyg yn perthyn i'r gwaith. I adeiladwyr yr Oesoedd Canol yr oedd yna lawer i'w edmygu ym mhensaernïaeth yr Ymerodraeth, ond adloniant digon ciaidd oedd yr hyn a lwyfennid yn yr adeiladau hyn. Fel yn hanes pob trefn imperialaidd, gwelwyd newid mawr yn chwaeth pwysigion y wlad wedi'r goresgyniad. Collasant bob diddordeb yng ngwaith crefftwyr lleol gan chwennych nwyddau a fewnforid o safon digon isel. Wrth gwrs, yr oedd yna ddarnau gwych o gelf ar gael ar y Cyfandir, ond arddull ddigon symol oedd i'r darnau a werthid ym Mhrydain. Mae'n rhaid bod y crefftwyr a oedd yn dal i arddel traddodiad 'La Téne' wedi digalonni wrth weld safon y gwaith, cyn ystyried nad oedd eu noddwyr bellach yn parchu crefftwaith gain. Serch hynny, y mae lle i gredu fod peth o'r hen arddull wedi goroesi yn y gogledd ac fe lwyddwyd i addasu celfyddyd gain yr Oes Haearn i ateb gofynion cwsmeriaid newydd.

Yn 2009 trefnwyd arddangosfa yn amgueddfa Tulley House i gyflwyno darnau cel o'r cyfnod Rhufeinig a oedd yn gysylltiedig â Mur Hadrian. Yn eu mysg yr oedd yna nifer o ddysglau bach a grewyd yn ystod yr ail ganrif yn gofroddion i'r rhai a oedd wedi teithio i weld y rhyfeddod newydd. Ar y pryd, yr oedd y mur yn dipyn o atynfa ac yn denu, nid yn unig luoedd o'r de ond teithwyr o'r Cyfandir. Dim syndod nodi felly fod yna ystod eang o gofroddion ar werth yn y *vicae*, gan gynnwys cyfres o ddysglau a luniwyd gan grefftwyr lleol. Un enghraifft o'u gwaith yw'r ddysgl a ddarganfuwyd gan gloddiwr yn Swydd Stafford yn 2003. Dim ond 10cm ar draws yw'r ddysgl ond yr oedd wedi ei llunio yn gywrain o efydd ac wedi ei haddurno ag enamel amryliw. Ar ymyl y ddysgl yr oedd y crefftwr wedi torri enwau pedair o gaerau'r mur a diddorol nodi eu bod i gyd yn perthyn i wlad y Carvetii. Nodwedd hynod y ddysgl oedd y patrymau a dorrwyd ar ei hwyneb; cyfres o linellau troellog a thrisgell nid annhebyg i'r un a welir ar y creiriau a gasglwyd o Lyn Cerrig Bach. Dyma dystiolaeth bod celfyddyd ddychmygus yr Oes Haearn yn dal yn fyw yn yr Hen Ogledd hyd o leiaf yr ail ganrif a bod rhai yn dal i'w gwerthfawrogi. Ni thaflwyd fawr o oleuni ar gefndir cymdeithasol y gelfyddyd yn y disgrifiad a gynigiwyd gan yr Amgueddfa, ond mewn llyfryn a gyhoeddwyd yn 2012, nododd David Breeze[20] bod dylanwad y byd Celtaidd yn amlwg yn y cynllun.

Y Dadrithiad

Ymosodiadau ymhell o Brydain oedd yn bennaf gyfrifol am ddadrithiad yr Ymerodraeth, ond yr oedd yna hefyd drafferthion lleol. Yn y de, y ffactor allweddol oedd pwysedd y trethi, gwasgedd a arweiniodd at ddirywiad cynyddol y bywyd dinesig. Am ganrifoedd, yr oedd tirfeddianwyr cyfoethog y de wedi tyrru i'r dinasoedd i fwynhau'r cyfleusterau ac ennill bri yn *decuriones*, noddwyr y bywyd cymdeithasol. Yn ystod 'Oes Aur yr Ymerodraeth' (300-50 OC) codwyd llu o dai moethus yn ninasoedd y de wrth i berchnogion y *villae* gefnu ar y wlad. Ond, wedi i gyllid y weinyddiaeth leihau disgwylid i'r *decuriones* ariannu mwy o'r bywyd trefol ac fe bylodd atyniad y swydd. Un ateb i'r cyfnod o wasgedd oedd dychwelyd i'r wlad lle gellid byw yn fras ac osgoi cyfran uchel o'r trethi. Gydag amser, syrthiodd rhai o dai moethus y de i gyflwr gwael a bu'n rhaid rhoi'r gorau i'r gwyliau a'r dathliadau torfol. Wrth i gyllid y wlad brinhau rhaid oedd bathu arian i gwrdd ag anghenion y fyddin, enghraifft gynnar o 'quantitative easing'. Erbyn 350 OC yr oedd chwyddiant yn rhemp yn y wlad a llygredd bellach yn rhan o'r drefn gymdeithasol.

Tua'r gogledd, yr oedd y sefyllfa yn well am fod y fyddin yn elwa o'r cynnydd yn y trethi. Serch hynny, yr oedd y ffaith fod maint y fyddin yn crebachu yn ofid mawr i'r cadfridogion a oedd yn disgwyl am ddyrchafiad. Am ganrifoedd, yr oedd y weinyddiaeth ganolog wedi gwneud ei gorau i warchod budd y fyddin er mwyn lleihau'r perygl o wrthryfel. Wrth i'r drefn ddadfeilio, collwyd pob ffydd yn y drefn ganolog ac fe elwid am fwy o adnoddau i ymateb i'r bygythiadau a welid ar hyd y ffin. Ledled gorllewin Ewrop clywid galw am weledigaeth amgen, a rhwng 260 a 353 OC, ceisiodd pedwar o gadlywyddion gipio awenau'r fyddin i gynnig elfen o ddatganoli. Yr ymdrech fwyaf llwyddiannus oedd gwrthryfel Postumus yn 260 OC gan ei fod ef, am gyfnod, wedi creu is-ymerodraeth oedd yn cynnwys

Prydain, Gâl a Sbaen. Canlyniad yr holl ymgiprys oedd gwanhau'r fyddin ym Mhrydain wrth i fwy o filwyr adael y wlad i gynnal brwydrau ar y Cyfandir. Erbyn diwedd y ganrif, dim ond trichant o wŷr oedd ar ôl yng nghaer *Vercovicium* ac fe welwyd teneuo tebyg ar draws yr Hen Ogledd. Dyma, yn ôl pob tebyg, oedd yn gyfrifol am yr ad-drefnu mawr a welwyd yn y fyddin Brydeinig i greu system a oedd yn llai disgybledig ond yn fwy hyblyg. O dan y drefn newydd, rhannwyd y fyddin yn ddwy garfan gyda dyletswyddau tra gwahanol. Y garfan gyntaf oedd y *comitantensis* ('byddin y maes'), milwyr profiadol a fyddai'n barod i deithio i unrhyw ran o'r Ymerodraeth i atal ymosodiad. Yr ail garfan oedd y *limitanei* ('byddin y ffin'), casgliad o filwyr cynorthwyol a oedd i aros ar dir cyfarwydd i warchod darn penodol o'r wlad. Ymddengys bod swyddogaeth y *limitanei* yn ddigon tebyg i 'territorials' ein hoes ni ac yr oedd eu tâl yn llawer is na thâl y *comitantensis*. Brythoniaid oedd y mwyafrif o'r *limitanei* ar ddyletswydd yn yr Hen Ogledd, ac yr oedd llawer wedi priodi merched lleol. Yn ôl rhai, dyma paham yr adnewyddwyd barics *Vercovicium* ar ddiwedd y drydedd ganrif i ffurfio stryd o 'chalets'. Nid pawb sy'n cytuno mai tai i wŷr priod oedd y 'chalets', ond y mae'r ffaith fod nifer o dlysau benywaidd wedi dod i'r golwg yn yr adfeilion yn cynnal damcaniaeth o'r fath. Yn ôl Higham a Jones yr oedd *Vercovicium* yn fwy tebyg i bentref nag i gaer erbyn troad y ganrif ac yr oedd yna gyfres o gaeau hir ar y tir islaw. Datblygiad pwysig arall oedd yr ymlacio strategol a welwyd ar Fur Hadrian. Yn *Vercovicium*, agorwyd bwlch i wneud symud stoc yn haws, arwydd bod preswylwyr y gaer ar delerau da gyda'u cymdogion tua'r gogledd.

Yn anffodus, daeth bywyd cyfforddus gwarchodlu'r ffin i ben yn gynnar yn y bedwaredd ganrif pan welwyd cynnydd sydyn yn ymosodiadau'r Saeson o'r dwyrain a'r Pictiaid o'r gogledd. I atal ymosodiadau'r Saeson, codwyd rhes o gaerau ar hyd arfordir y dwyrain a'u gosod yng ngofal Iarll Glannau'r Saeson. Nid oedd ymosodiadau'r Pictiaid ar y gorllewin yr un mor daer ond atgyweiriwyd nifer o gaerau ac fe godwyd caer newydd ar aber Lune. Ateb yr Ymerawdwr Valentian i'r ymosodiadau oedd danfon byddin brofiadol o'r Cyfandir i Brydain o dan lywyddiaeth Iarll Theodosius. Rhwng 368 a 369 OC llwyddwyd i drawsnewid y sefyllfa

Y bwlch a dorrwyd yn y mur ger caer Vercovicium

amddiffynnol trwy ad-drefnu'r fyddin ac atgyweirio ffyrdd a chaerau ar draws yr Hen Ogledd. Un gaer a adferwyd oedd caer Catraeth, ac wedi symud uned o wŷr meirch i'r gaer, bu raid gwacáu rhan o'r dref i'w lletya. Yn yr un cyfnod, cryfhawyd amddiffynfeydd Mur Hadrian, ond enciliodd y fyddin yn llwyr o dde'r Alban. Yno, yr oeddynt wedi dibynnu ar fintai o ysbïwyr (yr *areani*) i gadw golwg ar y wlad a llwgrwobrwyo nifer o'r penaethiaid. Camgymeriad mawr Theodosius oedd ymrestru nifer o hurfilwyr barbaraidd o Ewrop (y *foederati*) i gynnal braich y fyddin. Ar y cychwyn, llwyddwyd i wrthdroi nifer o ymosodiadau, ond yn y tymor hir bu presenoldeb yr estroniaid hyn yn beryg i ddyfodol Prydain. Yr oedd hyn yn arbennig o wir am y *foederati* a gyrhaeddodd o'r Almaen gan nad oeddynt hwy yn atebol i neb ond eu penaethiaid gwancus. Fel y darganfu Gwrtheyrn yn ddiweddarach yn y bumed ganrif, ni ellid dibynnu ar deyrngarwch yr hurfilwyr hyn, gan eu bod mor awyddus i ddenu mwy o'u cydwladwyr o dir mawr Ewrop.

Ffordd arall o gryfhau ffiniau'r Ymerodraeth oedd cynnig mwy o annibyniaeth i'r *civitates*. Gŵr a wnaeth gryn dipyn i hybu trefn o'r fath oedd Magnus Maximus, Celt o Galicia, a oedd wedi dilyn gyrfa ddisglair yng ngogledd Affrica. Yn ôl y traddodiad Cymreig, Magnus Maximus (Macsen Wledig) oedd yn gyfrifol am sefydlu teyrnasoedd cynnar y Cymry. Ni wyddom gymaint am ei yrfa yn yr Hen Ogledd, ond gwyddys ei fod wedi ymladd yn erbyn y Pictiaid, cryfhau Mur Hadrian a threfnu cytundebau gyda llwythau Brythonig yr Alban. Y llwythau cyntaf i gydsynio oedd y Votadini o amgylch Caeredin a'r Damnonii yn ardal Ystrad Clud. Cyn hir yr oedd y Novantae hefyd yn rhan o'r cytundeb ac fe lwyddwyd i osod rhyw fath o 'dir neb' rhwng tiriogaeth yr Ymerodraeth a Phictiaid y gogledd. Yn 1919, daethpwyd o hyd i gasgliad o ddysglau arian ger hen gaer y Votadini ar Traprain Law. Ar y cychwyn, bernid mai ffrwyth ysbail oedd y celc ond bellach credir fod y darnau wedi eu cynnig i'r Votadini fel tâl am amddiffyn y ffin. Nodwedd hynod y celc oedd y modd yr oedd y llestri mawr wedi eu torri yn ddarnau. Yr oedd pwysau pob darn yn debyg iawn, arwydd eu bod wedi eu torri'n fwriadol er mwyn creu darnau o werth cyfartal.

Yn 383 OC dyrchafwyd Macsen yn Ymerawdwr gan y fyddin ym Mhrydain a'r flwyddyn ganlynol arweiniodd garfan gref o filwyr i gynnal ei uchelgais ar y Cyfandir. Ymgais newydd i gipio awenau'r fyddin o ddwylo'r weinyddiaeth ganolog oedd hon, ac yr oedd yna gefnogaeth frwd i'w ymgyrch yng ngorllewin Ewrop. Wedi ymgyrch lwyddiannus yn erbyn Gratian llwyddodd i greu is-ymerodraeth yn y gorllewin a oedd yn debyg i'r un a sefydlwyd gan Postumus. Canolfan ei weinyddiaeth oedd dinas Trier yn hen wlad y Treveri, lle dywedir ei fod ef a'i wraig, Elen, yn gefnogwyr i Sant Martyn. Yn 387 OC trefnodd Macsen gyrch ar yr Eidal i ddisodli'r Ymerawdwr Valentian ond, wedi colli brwydr Aquileia yn 388 OC, dedfrydwyd ef i farwolaeth gan y Senedd. Yn y chweched ganrif cyhuddwyd ef gan Gildas o ddinoethi Prydain o'i hamddiffynwyr. Efallai fod hyn yn wir yn y de, ond nid oedd gwarchodlu Mur Hadrian yn rhan o'r fyddin a ddanfonwyd i'r cyfandir. Credir mai gwŷr o *Segontium* (Caernarfon) oedd asgwrn cefn byddin Macsen, a dyna yw tarddiad y chwedl am freuddwyd Macsen yn y Mabinogi. Yn ôl yr *Historia Brittonum*,[21] ymsefydlodd gweddillion byddin Macsen yn Armorica (Llydaw) wedi'r drin ac y mae tystiolaeth archaeolegol sy'n cynnig bod y traddodiad yn gywir.

Y Cyfnod Olaf

Hanes digon niwlog sydd i ddyddiau olaf y Rhufeiniaid ym Mhrydain gan fod haneswyr yn cynnig disgrifiadau gwahanol iawn o gyflwr y wlad. Y ddogfen a ddefnyddir fel rheol i amseru 'diwedd' yr Ymerodraeth yw'r llythyr a ddanfonwyd gan yr Ymerawdwr Honorius at ddinasyddion de Prydain yn 410 OC. Yn y llythyr, cynghorir hwynt i amddiffyn Prydain heb gymorth canolog ac y mae lle i gredu bod Prydain, i bob pwrpas, yn wlad annibynnol erbyn hynny. Yr unig gofnod sydd gennym o ddyddiau olaf yr Ymerodraeth yw *De Excidio et Conquestu Britanniae* Gildas.[22] Darlun o ddistryw materol a dirywiad moesol a geir yn y *De Excidio*, ond y mae ei arddull bregethwrol wedi cymell rhai haneswyr i amau'r cynnwys.

Ers degawdau, y mae haneswyr wedi adrodd dwy stori dra gwahanol am ddyddiau olaf y Rhufeiniaid ym Mhrydain. Mewn un, cynigir na welwyd dirywiad sydyn, ac fe honnir bod Brythoniaid y gogledd a'r gorllewin wedi gwneud ymdrech deg i gadw fflam gwareiddiad ynghyn. Yn y llall, honnir nad etifeddodd y Brythoniaid fawr o werth o'r byd clasurol ac aeth un hanesydd cyn belled â disgrifio sefyllfa'r wlad fel 'return to tribalism'. Yn 2002, cyhoeddodd Ken Dark y gyfrol *Britain and the end of the Roman Empire*[23] lle cynigir darlun cwbl newydd o'r cyfnod ôl-Rufeinig. Dywed yr awdur y dylid tynnu llinell bendant rhwng y dirywiad a welwyd yn y de ac ymgais gweddill y wlad i gadw elfen o'r hen gymdeithas. Yn ei dyb ef, yr Eglwys Geltaidd oedd y grym symudol ac yr oedd hefyd o'r farn mai'r eglwys oedd yn gyfrifol am warchod y ffoaduriaid a grewyd gan ymosodiadau'r Saeson. Prif bwrpas y gyfrol oedd amlygu'r dystiolaeth archaeolegol o barhad y drefn Rufeinig dros gyfran sylweddol o'r wlad. Yn y cyfnod ôl-Rufeinig, y de-orllewin oedd rhanbarth cyfoethocaf Prydain a rhaid cofio na lethwyd Dyfnaint gan y Saeson tan 680 OC. Y mae lle i gredu mai ffoaduriaid o Gâl oedd yn gyfrifol am godi rhai o *villae* moethus yr ardal ac y mae gweddillion rhai yn dal mewn cyflwr da. *Villa* enwocaf yr ardal yw'r un a ddarganfuwyd yn Hinton St Mary yn Swydd Dorset, tŷ a addurnwyd â chyfres o fosaics ar themâu Cristnogol. Ymhellach tua'r gorllewin yr oedd Tintagel yng Nghernyw yn ganolfan masnach o bwys. Gwyddys bod y porthladd yn dal i fewnforio nwyddau o Gâl ac ardal y Môr Canoldir, ac y mae olion dros ddau gant o dai hirsgwar wedi dod i'r golwg ar y safle. Ar draws y gorllewin a'r gogledd, gwelwyd bod cenhedlaeth newydd o benaethiaid wedi ailfeddiannu ac adfer nifer o gaerau cynnar. Yn ôl Leslie Alcock,[24] dyna a ddigwyddodd yn Ninas Powys ac yr oedd yna enghreifftiau tebyg yn Ninas Emrys a Deganwy. Hyd y gellir barnu, ni wnaed fawr ddim i gynnal caerau Rhufeinig Cymru a cheir tystiolaeth bod canolfan bwysig *Segontium* yn wag erbyn y bumed ganrif. Yn ôl Ken Dark, yr oedd y sefyllfa yn gwbl wahanol yn yr Hen Ogledd lle atgyweiriwyd nifer o gaerau strategol yng nghefn gwlad ac ar hyd Mur Hadrian.

Dros y ddalen, gwelir addasiad o fap Ken Dark sy'n dangos dosbarthiad y caerau lle gwelwyd olion cynnal a chadw yn y bumed a'r chweched ganrif. Ymddengys fod y gwaith a drefnwyd yn amrywio o le i le, ond un newid cyffredin oedd culhau'r pyrth i rwystro ymosodwyr. Pan oedd gwarchodaeth y ffin yn ei hanterth, yr oedd gan y caerau ddrysau llydan i hwyluso ymateb sydyn. Wrth i faint y garsiwn leihau, rhoddwyd y flaenoriaeth i amddiffyn y caerau, gan na ellid disgwyl cymorth o gaerau cyfagos. Newid dadlennol arall oedd troi'r stordai a drefnwyd i gadw grawn yn adeiladau cymunedol. Yn y cyfnod newydd o hunanlywodraeth, gellid cyflenwi pob caer o ffermydd lleol ac nid oedd rhaid trefnu lle i gynnyrch a dalwyd fel treth.

Un enghraifft dda o safle a welodd newidiadau o'r fath yw Birdoswald, caer a godwyd ar Fur Hadrian i'r gogledd o Gaerliwelydd. Ystumiad o 'Buarth Oswallt' yw 'Birdoswald', tystiolaeth bod y gaer

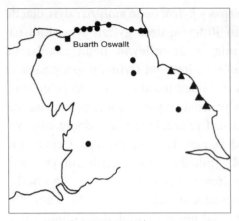

Y caerau (cylchoedd duon) a'r gorsafoedd gwylio (trionglau) lle daethpwyd ar draws olion cynnal a chadw o'r bumed a'r chweched ganrif

wedi ei throi yn llys i ryw bennaeth lleol. Y mae'r olion cynnal a chadw a ddatgelwyd ym Muarth Oswallt yn arbennig o bwysig, gan eu bod yn profi bod y gwaith wedi ymestyn dros gyfnod hir. Y datblygiad cyntaf oedd dymchwel yr ystordai grawn i godi adeilad newydd tua 420 OC. Mae'n bosib bod y gwaith wedi dechrau cyn i'r fyddin ganolog adael, gan fod yna ddarn arian o gyfnod Theodosius (379-95 OC) wedi ei gladdu yn y rwbel. Barnwyd mai neuadd gymunedol oedd yr adeilad a godwyd yn ei le ac yr oedd o faint sylweddol a gwneuthuriad cadarn. Trefnwyd rhes o byst mawr i gynnal y to a oedd, yn ôl pob tebyg, wedi ei orchuddio â gwellt. Heddiw, y mae dwy res o byst wedi eu gosod yn y tyllau a ddatgelwyd gan y cloddio i ddangos maint y neuadd, a godwyd yn y cyfnod ôl-Rufeinig. Beth amser yn ôl, cyflogwyd artist i dynnu llun dychmygol o'r neuadd ac y mae copi i'w weld ar y poster a osodwyd ar gyrion y safle. Dyma arwydd pendant

Y pyst pren a osodwyd i ddangos maint y neuadd ôl-Rufeinig a adeiladwyd ym Muarth Oswallt

Argraff artist o'r adeilad fel yr oedd yn y bumed ganrif

o'r parhad a welwyd yn y gogledd ac awgrym bod gan yr ardalwyr gynllun i 'gadw'r mur' yn y dyddiau du.

O safbwynt hanesyddol, nodwedd amlycaf y caerau a adnewyddwyd yw'r ffaith eu bod i gyd yn sefyll yn y rhan o'r wlad a oedd yng ngofal y *Dux Brittaniarum*. Yn ôl y traddodiad, Coel Hen o ddinas Efrog oedd y *Dux* olaf ac ef hefyd oedd cyndad y mwyafrif o frenhinoedd yr Hen Ogledd. Fel Caradog, yr oedd Coel Hen yn aelod o lwyth y Catuvellauni a chredir ei fod wedi symud i'r gogledd i amddiffyn ffiniau'r Ymerodraeth. Awgryma dosbarthiad y caerau a adnewyddwyd ar Fur Hadrian yn y bumed ganrif mai'r Pictiaid oedd y gelyn pennaf o hyd. Gorsafoedd gwylio'r arfordir oedd y prif wrthglawdd yn erbyn y Saeson cyn iddynt lanio i fygwth cymunedau'r canoldir. Un gaer yn y canoldir lle gwelwyd arwyddion cynnal a chadw oedd Catraeth, safle hollbwysig wrth ymyl y ffordd oedd yn rhedeg o ddinas Efrog i Ddin Eidyn. Anodd dweud beth oedd trefn warchodol yr Hen Ogledd erbyn canol y bumed ganrif, ond mae'n rhaid bod gan y gwŷr meirch ran allweddol. Yn anffodus, gwyddys nad oedd arweinwyr newydd y gogledd o hyd yn barod i gytuno, ond credir bod y sefyllfa wedi gwella gyda threigl amser. Os credir yr hanes, nid oedd Coel Hen ar delerau da gyda Chunedda o'r Gododdin, nes i hwnnw briodi ei ferch (Gwawl). Yn fuan wedyn, danfonwyd Cunedda i Wynedd i atal ymosodiadau'r Gwyddyl, ond efallai mai ffordd i'w alltudio oedd y fenter ddadleuol hon.

Ffynonellau

1   David Mattingly, *An Imperial Possession: Britain in the Roman Empire* (Llundain: Penguin Books, 2007), t. 622
2   Neil Faulkner, *The Decline and Fall of Roman Britain* (Stroud: Tempus, 2004), t. 287
3   Barri Jones a David Mattingly, *An Atlas of Roman Britain* (Rhydychen: Oxbow Books, 1990), t. 341
4   Sheppard Frere, *Britannia: A History of Roman Britain* (Llundain: Book Club Associates, 1987), t. 423
5   John Wacher, *Roman Britain* (Llundain: Book Club Associates, 1978), t. 286
6   David Shotter, *Romans and Britons in North-West England* (Caerhirfyn: Centre for North-West Regional Studies, University of Lancaster, 1997), t. 121
7   Nicholas Higham a Barri Jones, *The Carvetii* (Stroud: Alan Sutton, yn y gyfres 'Peoples of Roman Britain', 1985), t. 157
8   Anthony R. Birley, *The people of Roman Britain* (Llundain: Batsford, 1979), t. 224
9   Alan K. Bowman, *Life and Letters on the Roman Frontier: Vindolanda and its people* (Llundain: British Museum Press, 2006), t. 179
10 John Davies, *Hanes Cymru* (Llundain: Penguin Books, 1992), t, 710
11 Ken R. Dark, *Civitas to Kingdom: British Political Continuity 300-800* (Caerlŷr, Leicester University Press, 1994), t. 322
12 Tacitus: *The Annals*, cyfieithwyd gan A.J. Woodman (UDA: Indianapolis, 2004), t. 412
13 Tacitus: *Agricola and Germania*, cyfieithiad gan James Rives (Llundain: Penguin Classics, 2010), t. 176
14 Robin George Collingwood, 'The exploration of the Roman fort at Ambleside: report on the third year's work' yn *Transactions of the Cumberland and Westmorland Antiquarian and Archaeological Society* (Kendal: 1916), tt 57-90
15 Emily E. Forster, 'Palaeoecology of human impact in northwest England during the early mediaeval period: investigating 'cultural decline' in the Dark Ages'. (Southampton: University of Southampton, Geography, Doctoral Thesis, 2010), t. 378
16 Michael McCarthy, 'A Roman, Anglian and mediaeval site at Blackfriars Street Carlisle: Excavations 1977-9'. *Cumberland and Westmorland Antiquarian and Archaeological Society* (Kendal: 1990), t. 411
17 Michael McCarthy, T. G. Padley a M. Henig, 'Excavations and Finds from 'The Lanes', Carlisle. *Britannia*, 13, (Caergrawnt: 1982), tt. 79-89.
18 Mark Richards, *Hadrian's Wall Path* (Milnthorpe, Cumbria: Cicerone, 2004), t. 253
19 D. E. Evans, *Y Brydain Rufeinig* yn Y Gwareiddiad Celtaidd, gol: Geraint Bowen (Llandysul: Gwasg Gomer, 1987), t. 228
20 David J. Breeze, 'The First Souvenirs from Hadrian's Wall'. *Cumberland and Westmorland Antiquarian and Archaeological Society*, (Kendal: 2012), t. 136

21 John Morris, cyfieithiad o *'Historia Brittonum'* 'Nennius'. (Chichester: Philimore, 1980), t. 100

22 Michael Winterbottom, cyfieithiad o waith Gildas *'De Excidio et Conquestu Britanniae'*. (Chichester: Philimore, 1978), t. 162

23 Ken R. Dark, *Britain and the End of the Roman Empire* (Stroud: Tempus, 2002), t. 256

24 Leslie Alcock, *Arthur's Britain* (Llundain: Penguin Books, 1989), t. 437

Pennod 4

Dyfodiad y Saeson a Gwŷr y Gogledd

Ym min nos mae hanesion i'w clywed
Nas clywir gan estron

Gerallt Lloyd Owen

Yr oedd y cyfnod rhwng 450 a 700 OC yn amser tyngedfennol yn hanes Prydain. Ar y cychwyn, dim ond nifer fach o Saeson oedd wedi ymgartrefu yn y de ond, erbyn y diwedd, yr oedd y Brythoniaid wedi encilio i Gernyw, Cymru a theyrnas fach Alclud. Darlun digon anghytbwys o'r cyfnod a geir yng nghyfrolau hanes y Saeson sy'n awyddus i greu'r argraff mai digwyddiad heddychlon oedd y goresgyniad. Y mae hyd yn oed y ffordd y disgrifir y cyfnod yn nodweddiadol o'r trawiad meddwl pan gyferbynnir 'Anglo Saxon Settlements' y dwyrain gyda 'Descent to Tribalism' yn y gorllewin! Fel hyn y disgrifid cyflwr y Brythoniaid gan un hanesydd beth amser yn ôl, a does fawr wedi newid ers hynny:

> ...the descendants of the Romanised British lingered on ... sinking lower and lower in the scale of civilisation, becoming by degrees mere barbarians to the outward eye...

Digon gwir fod yna ddirywiad amlwg wedi dilyn dinistr de Prydain, ond yr oedd y sefyllfa yn y gorllewin a'r gogledd yn llawer gwell fel y tystia hanes yr Eglwys Fore. Yr enw cyffredin ar y cyfnod yw'r 'Oesoedd Tywyll' ond y maent yn llawer mwy tywyll i'r rhai sy'n dewis anwybyddu'r hyn a gadwyd yn yr Hengerdd. Gellir pori yn hir trwy gyfrolau hanes cyfredol cyn dod o hyd i unrhyw gyfeiriad at Reged a'r Gododdin, heb sôn am Taliesin ac Aneirin. Ar y llaw arall, cyhoeddwyd llwyth o lyfrau am y 'Brenin Arthur', er mai cymeriad hanner chwedlonol oedd hwnnw.

Yn y bennod hon, cyflwynaf amlinelliad o hanes yr Hen Ogledd o'r cyfnod ôl-Rufeinig i ddechrau'r seithfed ganrif. Rhoddir sylw arbennig i gerddi Taliesin, Aneirin a Llywarch Hen ac i hanes Rheged a'r Gododdin. Prif amcan y bennod yw dangos fod mwy o hanes y cyfnod yn gudd yn yr hen ganu nag yr ystyrid hyd yn hyn. Yn sicr, nid 'pseudo-history composed in Wales' oedd gwaith y Cynfeirdd fel y myn rhai sydd heb fedru darllen gair o'r gwreiddiol! Cyn gwneud synnwyr o'r cyfeiriadau hanesyddol rhaid oedd troedio'r tir gyda meddwl strategol ac esbonio ystyr ambell hen enw. Rhaid cofio fod y ffyrdd a'r caerau Rhufeinig mewn cyflwr da yn y chweched ganrif ac mai gwŷr meirch yn y dull Rhufeinig oedd lluoedd Rheged a'r Gododdin. Wrth gwrs, ni ellir deall y sefyllfa strategol heb gyfeirio at gyflwr gweddill y wlad a chyfraniad yr Arthur hanesyddol i'r frwydr barhaus yn erbyn y Saeson. Yn y bennod hon, defnyddiaf y gair 'Cymry' i ddisgrifio'n cyd-wladwyr am y tro cyntaf gan mai Cymraeg Cynnar oedd iaith y Cynfeirdd. Serch hynny, dylid cofio mai Brythoniaid oeddynt yn eu tyb eu hunain ac na fabwysiadwyd y gair 'Cymry' nes y ddeuddegfed ganrif.

Fy mhrif ffynonellau oedd cyfrolau Ifor Williams ar ganu Taliesin,[1] Aneirin,[2] a Llywarch Hen,[3] diweddariadau o gyfrol Gwyn Thomas, *Y Traddodiad Barddol*[4] a chyfrol A. O. H. Jarman a G. R. Hughes, *A Guide to Welsh Literature*.[5] Roedd yn rhaid ymgynghori hefyd â chyfieithiadau o *De Excidio Brittanniae* Gildas,[6] *Historia Brittonum*[7] Nennius a diweddariad o *The Anglo Saxon Chronicles*.[8] Y ganllaw sicraf i ieithoedd yr Hen Ogledd oedd cyfrol Kenneth Jackson, *Language and History in Early Britain*[9] a chyfrol Thomas Charles-Edwards, *Wales and the Britons 350-1064*.[10] Er yr holl lyfrau a gyhoeddwyd am yr Arthur hanesyddol, y cyfrolau mwyaf dadlennol oedd cyfrol Lesley Alcock, *Arthur's Britain*,[11] a chyfrol Mike Ashley, *King Arthur: The Man and the Legend Revealed*.[12] Digon siomedig yw'r cyfrolau a gyhoeddwyd am yr Arthur chwedlonol, ond y mae digon o ddefnydd perthnasol yng nghyfrol Rachel Bromwich, A. O. H. Jarman a Brynley Roberts, *The Arthur of the Welsh*.[13] O bryd i'w gilydd, trowyd at adroddiadau o feysydd mor amryfal â phaleolimnoleg a geneteg i gynnig darlun llawnach o gyflwr y wlad. Y pwysicaf oedd traethawd ymchwil Emily Forster ar lysieueg Ardal y

Llynnoedd rhwng 100 CC a 1066 OC[14] ac adroddiad Mark Thomas ar 'apartheid' yn y cyfnod Eingl-Sacsonaidd.[15]

Dyfodiad y Saeson

Mae'r ffordd yr adroddir y stori am oresgyniad Prydain gan y Saeson wedi newid cryn dipyn ar hyd y degawdau. Pan oedd yr Ymerodraeth Brydeinig yn ei hanterth, yr oedd ei haneswyr yn ddigon parod i gydnabod grym y goresgyniad ond, erbyn hyn, honnir mai digwyddiad cymharol heddychlon oedd y mewnlifiad! Dau gwestiwn perthnasol felly yw: beth oedd maint y mewnlifiad a beth oedd tynged y cymunedau Brythonig? Atebion digon amwys a gynigir fel arfer, ond gellir creu darlun mwy cytbwys trwy gyfuno tystiolaeth hen gofnodion, astudiaethau archaeolegol a mesuriadau genynnol.

Y Dystiolaeth Hanesyddol

Yr unig ddisgrifiad cyfoes o gyflwr Prydain wedi'r goresgyniad yw gwaith Gildas *De Excidio et Conquestu Britannia* ('Ar Ddinistr a Choncwest Prydain'), dogfen a gyhoeddwyd tua 540 OC. Mynach o'r Hen Ogledd oedd Gildas, ond yr oedd wedi treulio y rhan fwyaf o'i oes yn y de. Ei brif amcan wrth gyhoeddi'r gyfrol oedd dilorni'r brenhinoedd Brythonig am eu hanfoesoldeb. O ganlyniad, cyfrifir y llawysgrif yn fwy o bregeth nag o ddogfen hanesyddol a myn rhai nad oedd yn llygad-dyst i rai o'r digwyddiadau erchyll a nodwyd. Un darn dadleuol o'r *De Excidio* yw'r un lle y cyfeirir at ymosodiadau'r Saeson ar ddinasoedd y de:

> Dinistriwyd y prif ddinasoedd gan beiriannau rhyfel y gelyn ynghyd â'r trigolion, y bobl gyffredin a'r offeiriaid fel ei gilydd, ac fe ddisgleiriodd eu cleddyfau ymysg y fflamau. Yr oedd yn olygfa drist. Yng nghanol y dinasoedd gwelid adfeilion y muriau tal a'r tyrau a oedd wedi eu dymchwel, allorau sanctaidd a darnau o gyrff wedi eu gorchuddio â gwaed yn sychu fel cramen o weddillion rhyw felin win uffernol.

Mewn darn arall sonnir am ffoaduriaid o'r de yn croesi'r môr i wlad arall a rhaid barnu o'r cyswllt mai i Lydaw yn hytrach nag i Iwerddon yr hwyliodd y mwyafrif:

> Teithiodd eraill i diroedd ar draws y môr ac o dan yr hwyliau tyn clywyd hwy yn wylo ac yn canu salmau yn lle sianti.

Yn anffodus, ni ellir dysgu fawr ddim am gyflwr yr Hen Ogledd o'r *De Excidio* am fod Gildas wedi colli cysylltiad â gwlad ei febyd. Syndod gweld hefyd nad oes yna unrhyw gyfeiriad at Arthur yn y cofnodion ac, yn ôl Gildas, gŵr o'r enw Ambrosius Aurelianus oedd prif amddiffynnydd y wlad. Gan fod y rhan gyntaf o'r Cronicl Eingl-Sacsoniaid yn seiliedig ar waith Gildas, y mae'r cyfeiriadau a geir at gyflwr y gogledd yn y ddogfen honno yr un mor brin. Prif destun y cofnodion cynnar yw llwyddiant ysgubol Saeson y de, lle gwelir disgrifiadau o laddfeydd erchyll:

> 456: Dyma pryd y brwydrodd Hengist a Horsa yn erbyn y Brythoniaid mewn lle a enwid Crayford ble y lladdwyd pedair mil. Wedi'r frwydr gadawodd y Brythoniaid wlad Caint mewn dychryn a ffoi i gyfeiriad Llundain.
> 491: Dyma pryd y gwarchaeodd Aelle a Cissa Anderitum gan ladd pawb oedd yn byw yno; nid oedd hyd yn oed un Brython ar ôl.
> 508: Dyma pryd y lladdwyd brenin Brythonig o'r enw Natanleod gan Cerdic a Chynric ynghyd â phum mil o'i wŷr...

Ymateb rhai haneswyr i ddisgrifiadau o'r fath yw cynnig nad ydynt yn seiliedig ar ddim ond ymffrost, ond anodd derbyn hyn am eu bod yn dilyn yr un patrwm ym mhob rhan o'r wlad. O safbwynt hanesyddol, elfen fwyaf dadlennol y Cronicl yw'r bwlch a welir yn y brwydrau a nodir yn y cyfnod rhwng 520 a 570 OC. Dyma'r cyfnod a gysylltir gyda'r Arthur hanesyddol, yr arweinydd y cyfeirir ato yn yr *Historia* fel y *Dux Bellorum* (Trefnwr y Brwydrau). Yr esboniad tebygol yw mai dim ond brwydrau lle roedd y Saeson yn fuddugol a gofnodwyd yn y Cronicl a bod brwydrau Arthur wedi atal eu hymlediad am gyfnod sylweddol.

Y Dystiolaeth Archaeolegol

Y dystiolaeth sicraf i'r ardaloedd a gipiwyd gan y Saeson yn nyddiau cynnar y goresgyniad yw dosbarthiad y beddrodau paganaidd. Ar ddiwedd y cyfnod Rhufeinig, yr oedd cyfran sylweddol o Frythoniaid Prydain yn Gristnogion, felly dim ond ambell i dlws personol a gladdwyd gyda'r meirw. Paganiaid oedd y Saeson a oresgynnodd y de yn y bumed ganrif ac yr oedd eu defodau claddu yn dilyn yr un patrwm â'u cymrodyr ar y Cyfandir. Yr arfer yno oedd claddu pob corff gyda chasgliad o nwyddau personol a digon o fwyd a diod i gynnal yr ymadawedig ar ei daith i arall fyd. Erbyn hyn, y mae dros 50,000 o feddau paganaidd wedi dod i'r golwg ac fe ellir dilyn hynt y goresgyniad trwy ddyddio gweddillion y cyrff. Dengys y map isod ddosbarthiad beddau a gysylltir â'r cyfnod cynnar pan oedd lluoedd y Saeson yn prysur ymestyn eu gafael ar yr ynys. Credir bod disgrifiadau Gildas yn perthyn i ganol y cyfnod hwn gan ei fod yn canolbwyntio ar ddigwyddiadau yn y de. Ceir cadarnhad o gefndir hiliol y cyrff a gladdwyd trwy astudio'r math o greiriau a osodwyd yn y bedd. Y darnau mwyaf dadlennol oedd y tlysau a wisgid gan y merched gan eu bod i gyd yn dilyn yr un 'ffasiwn' â'u chwiorydd yn yr Almaen. Anodd esbonio patrwm o'r fath os mynnir mai niferoedd bach o Saeson a groesodd y môr o'r Cyfandir yn y cyfnod cynnar. Un esboniad a gynigir am amlder y beddau yw mai Brythoniaid oedd y mwyafrif a oedd wedi mabwysiadu ffordd newydd o fyw. Yn ôl rhai, 'dilyn ffasiwn newydd' a wnaeth y mwyafrif o drigolion de Prydain yn ystod y bumed ganrif, nid ffoi tua'r gogledd a'r gorllewin i osgoi

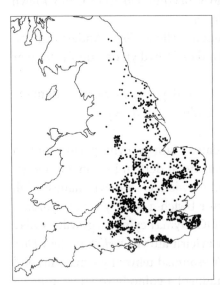

Dosbarthiad beddau paganaidd y bumed a'r chweched ganrif

lladdfa. Fe allai hynnny fod yn wir am ambell unigolyn, ond anodd dirnad sut y gallai unrhyw un a oedd wedi mwynhau breintiau'r byd clasurol fabwysiadu arferion o'r fath. Fe fyddai hyn yn arbennig o wir am y rhai a oedd wedi derbyn y ffydd Gristnogol a'r rhai a oedd wedi chwarae rhan amlwg yng ngweinyddiaeth y wlad. Pobl gwbl anllythrennog oedd y Saeson trwy gydol y bumed a'r chweched ganrif, ond gwyddys bod o leiaf rai o'r Cymry yn medru darllen ac ysgrifennu.

Y Dystiolaeth Enynnol

Yn ystod y degawd diwethaf, y mae'r ddadl rhwng y rhai sy'n cynnig mai ffermwyr heddychlon oedd goresgynwyr Prydain a'r rhai sy'n mynnu eu bod wedi lladd miloedd, wedi dwysáu. Yn ffodus, y mae datblygiadau ym myd geneteg yn fodd i gynnal dadl sy'n osgoi'r eithafion. Y cyntaf i gynnig darlun mwy cytbwys o strwythur hiliol y wlad ar sail mesuriadau genynnol oedd Michael Weale a'i gyd-weithwyr yn 2002.[16] Trwy gymharu'r data o leoliadau ar draws ynys Prydain, llwyddwyd i ddangos bod newid sylfaenol yn ansawdd y cromosomau gwrywaidd wrth symud o Gymru tua'r dwyrain. Y mae'r genynnau a geir ar y cromosomau gwrywaidd yn fesur da o hil y tad am nad ydynt yn newid o genhedlaeth i genhedlaeth. Canlyniad yr ymchwil oedd dangos bod rhwng 50% a 100% o gromosomau gwrywaidd y de-ddwyrain yn debyg iawn i'r rhai a geir yn yr Almaen. Ar y llaw arall yr oedd y cromosomau a archwiliwyd yn y gorllewin yn dilyn patrwm gwahanol, awgrym na ddylid diystyru'r stori a adroddir yn *De Excidio* Gildas. Yr ail grŵp i fentro i'r maes oedd Mark Thomas a'i gyfeillion mewn erthygl o dan y teitl 'Evidence for an apartheid-like social structure in early Anglo-Saxon England'.[15] Yn eu barn hwy, nid oedd yn rhaid cynnig bod miloedd wedi eu lladd i esbonio patrwm y genynnau os oedd yna drefn ffurfiol i wahardd priodasau cymysg. Cynigiwyd ar sail arbrofion y gallai 20% o fewnfudwyr fod yn ddigon i greu 'mur hiliol' ymhen tair canrif os oedd trefn o'r fath yn bod. Anodd profi fod hyn wedi digwydd, ond yr oedd y ffaith bod gan y Cymry statws israddol yng ngwlad y Saeson yn siŵr o effeithio ar barhad eu hil. Un mesur o'r diffyg parch oedd yr iawndal (*weregild*) a delid am ladd dyn yn ôl deddf y Saeson. Yn ôl y cofnodion, yr oedd pob Sais yn werth 1,200 swllt ond dim ond 80 swllt oedd pris y Cymro.

Gwendid pob dadansoddiad sy'n seiliedig ar y cromosomau gwrywaidd yw eu bod yn cynnwys plant a genhedlwyd trwy drais. Ceir darlun mwy cytbwys trwy gymharu dosbarthiad casgliad o gromosomau gwrywaidd a benywaidd cyn cynnig mesur o strwythur hiliol y wlad. Dyna a wnaeth Walter Bodmer a'i gydweithwyr yn y prosiect 'The Human Genome',[17] astudiaeth ryngwladol a barodd am 13 blynedd. Un canlyniad diddorol oedd profi bod ffin hiliol rhwng y 'Cymry' a'r 'Saeson' o hyd a bod lleoliad y ffin yn cyfateb yn fras i ddosbarthiad beddau 'paganaidd' y bumed a'r chweched ganrif. Y cwestiwn allweddol felly yw pwy oedd yn gyfrifol am osod y ffin a'i hamddiffyn am gyfnod digon hir i newid cwrs hanes?

Yr 'Arthur' Hanesyddol a'r 'Arthur' Chwedlonol

Petrusais cyn cynnwys dim am y Brenin Arthur mewn cyfrol fel hon gan fod yna ddiwydiant rhyngwladol yn y cyfrolau sy'n datgan y 'gwir' am yr arweinydd chwedlonol. Serch hynny, ceir tystiolaeth hanesyddol a chwedlonol i awgrymu mai cadlywydd o'r Hen Ogledd oedd Arthur. Rhaid felly gynnig arolwg o'r defnydd amryfal i ddangos fod gan drigolion Cumbria fwy o hawl i'w arddel na'u cymrodyr yng Nghernyw!

Yr 'Arthur' Hanesyddol

Â de-orllewin Prydain y cysylltir yr Arthur hanesyddol fel arfer, am resymau digon simsan. Ym 1191, honnodd mynachod Glastonbury yng Ngwlad yr Haf eu bod wedi dod o hyd i fedd Arthur a'i frenhines Gwenhwyfar. Gŵr o'r enw Ralph o Coggeshall oedd y cyntaf i ddisgrifio'r gweddillion, ond cyhoeddwyd disgrifiad arall gan neb llai na Gerallt Gymro. Yn anffodus, nid yr un stori a adroddwyd gan y ddau awdur. Yn ôl Ralph, yr oedd y cyrff yn gorwedd mewn arch o garreg, ond mynnodd Gerallt eu bod wedi eu claddu mewn derwen gau (*querca concava*). Ailgladdwyd y gweddillion mewn beddrod moethus yn 1278 ond chwalwyd y gysegrfa honno yn ystod y Diwygiad Protestannaidd ac fe gymysgwyd yr esgyrn. Heddiw, credir mai ymgais i ddyrchafu statws Abaty Glastonbury oedd y 'datguddiad', cynllun da o gofio bod llu o dwristiaid yn tyrru i'r safle o hyd. Yn y saithdegau, honnwyd mai Tintagel yng Nghernyw oedd gorffwysfa olaf yr hen arwr ar sail ymchwiliadau archaeolegol Leslie Alcock.[18] Er bod y safle wedi ei archwilio yn ofalus, ni ddaethpwyd ar draws dim i brofi'r honiad, ond gwelwyd bod Tintagel yn ganolfan fasnachol o bwys yn y cyfnod dan sylw. Ym 1998, atgyfodwyd y chwedl 'Arthuraidd' pan ddaethpwyd ar draws llechen mewn ffos yn Tintagel yn dwyn yr arysgrif:

PATERN COLIAVI FICIT ARTOGNOU CUL FACIT

Yr enw 'Artognou' a achosodd y cynnwrf ond, wedi i'r hanesydd Charles Thomas gynnig cyfieithiad newydd, sylweddolwyd nad enw'r Arthur hanesyddol oedd ar y garreg ond gŵr a'i wreiddiau yn yr Hen Ogledd. Yn ôl Charles Thomas, neges yr arysgrif oedd: 'Arthur tad disgynnydd i Coll gododd hon'. Y mae'r cyswllt hanesyddol ymhell o fod yn glir, ond credir mai cyfeiriad at Goel Hen oedd y 'Coll' a dorrwyd ar y garreg. Yn ôl yr achau a elwir yn 'Bonedd Gwŷr y Gogledd', Coel Hen oedd llywydd olaf y drefn Rufeinig yn yr Hen Ogledd. Does dim sôn am unrhyw Arthur yn yr achau, ond dyma awgrym bod aelod o deulu brenhinol y rhanbarth wedi derbyn yr un enw.

Diddorol nodi felly mai'r cyfeiriad llenyddol cyntaf at yr Arthur hanesyddol yw'r un a geir yn y 'Gododdin'. Fel yr esbonnir cyn diwedd y bennod, cerdd a gyfansoddwyd yn y chweched ganrif i goffáu arwyr brwydr Catraeth yw'r Gododdin. Wrth restru'r arwyr, cyfeiria Aneirin at filwr a enwid Gwawdur cyn ychwanegu'r sylw nad oedd cystal ymladdwr ag Arthur:

Gochore brein du ar uur
Caer ceni bei ef arthur

[Porthodd frain ar fur caer er nad oedd yn Arthur.]

Yr oedd sôn am frain yn porthi ar gyrff y meirw yn thema gyffredin yn yr hen ganu, ond y mae'n bwysig nodi mai dim ond arwyr o gig a gwaed a enwir yn y 'Gododdin'. Dyma felly gadarnhad bod y cof am Arthur yn parhau yn yr Hen Ogledd ymhell cyn i'r chwedlau canoloesol amdano ledu ar draws Prydain.

Yr unig gofnod sydd gennym o frwydrau Arthur yw'r rhai a gedwir yn yr *Historia Brittonum*, cyfrol a dadogwyd ar Nennius. Bellach, gwyddys mai dim ond y rhagair a luniwyd gan Nennius a bod y gweddill yn gybolfa o ddefnyddiau a loffwyd o lawysgrifau cynharach. Dull Nennius o gyflwyno'r gyfrol sy'n rhannol gyfrifol am y diffyg hyder yn ei waith. Yn y cyflwyniad, fe aeth cyn belled â disgrifio'r gyfrol yn 'bentwr o bopeth a ddarganfyddais'. Yn ôl David Dumville,[19] yr oedd casgliadau o'r fath yn gyffredin yn ystod y cyfnod ac yn ffordd o gyfuno darnau o hanes eglwysig a chyfeiriadau seciwlar. Does dim rhyfedd felly bod y gyfrol yn llawn o sylwadau rhyfedd a chwedlau amheus am y saint. Camp ymchwilwyr ein hoes ni fu didoli'r hanes dilys oddi wrth y clytwaith chwithig a'i ddehongli yng nghyswllt y cyfnod. Yn ffodus, credir bod yr adran lle cyfeirir at frwydrau Arthur yn fwy dibynadwy na'r gweddill. Yn wir, fe aeth Nora Chadwick[20] mor bell â chynnig, ar sail yr odli amlwg, bod y disgrifiadau yn seiliedig ar gerdd a gollwyd.

Erbyn hyn, y mae llu o awduron wedi ceisio lleoli'r brwydrau a restrwyd yn y gyfrol ar sail ystyriaethau strategol ac enwol. Un o'r dadansoddiadau mwyaf treiddgar yw'r un a gynigir gan Mike Ashley yn ei gyfrol, *King Arthur: The Man and the Legend Revealed*. Adnodd defnyddiol arall yw gwefan Fitzpatrick-Mathews[21] lle trafodir cynnwys copi cynnar o'r *Historia* sydd heb dderbyn llawer o sylw. Disgrifiadau digon niwlog o'r brwydrau a geir yn y copi hwn hefyd, ond diddorol nodi bod mwy o frwydrau honedig Arthur wedi cymryd lle yn yr Hen Ogledd. Rheswm arall dros ystyried sylwadau Fitzpatrick-Mathews yn ofalus yw ei fod yn talu sylw arbennig i gyswllt strategol y brwydro. Fel y nodwyd eisoes, yr oedd yna ffin bendant rhwng tir y Cymry a thir y Saeson yn y chweched ganrif, felly rhaid petruso cyn derbyn unrhyw leoliad sy'n gorwedd i'r de neu i'r dwyrain o'r ffin honno.

Dengys y map leoliad tebygol y brwydrau wedi hepgor pob brwydr a oedd ym mherfeddion tir y Cymry neu ymhell yn nhir y Saeson. Wedi gwneud hyn, gellir creu rhestr fer o leoliadau tebygol, cyn dewis y rhai sy'n cyfateb i'r disgrifiadau a geir yn yr *Historia*:

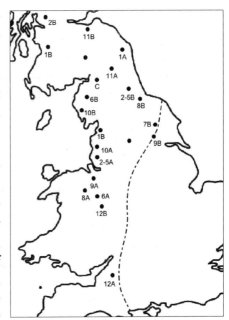

Lleoliadau posibl brwydrau Arthur. Nodir y lleoliad mwyaf tebygol gyda'r llythyren (A) a'r lleoliad llai tebygol gyda'r llythyren (B). 'C' yw Camboglanna, y gaer a adnewyddwyd ar Fur Hadrian. Dengys y llinell doredig y ffin rhwng tir y Cymry a thir y Saeson tua diwedd y bumed ganrif.

1. 'Ymladdwyd y frwydr gyntaf ger aber afon Glein.' Credir mai ystumiad o'r 'glân' Brythonig oedd y 'Glein' a'r lleoliad tebygol oedd y gaer Rufeinig a saif ar lan afon Glen yn Northymbria (1A). Safle posib arall yw Glen Water yn Swydd Aeron (1B) gan fod yna awgrym bod Arthur yn treulio peth amser yn brwydro yn erbyn y Pictiaid. Yn sicr, fe atgyfnerthwyd nifer o gaerau arfordirol y gogledd ar ddiwedd y bedwaredd ganrif a gwyddys fod y Pictiaid yn forwyr hynod o fedrus.

2. 'Ymladdwyd yr ail, y drydedd, y bedwaredd a'r bumed frwydr ger afon a enwid Dubglas yn ardal Linnuis.' Y mae gweld y disgrifiad 'du' neu 'glas' mewn enw afon yn gyffredin ond nid yn aml y ceir cyfuniad o'r ddau. Un safle posib yw afon 'Douglas' yn Swydd Gaerhirfryn (2-5A), ond gan fod yna allt a elwir yn 'Linnel Wood' gerllaw fe ellid dewis caer Corbridge ar Fur Hadrian (2-5B).

3. 'Ymladdwyd y chweched frwydr ger afon a enwid Bassas.' Dyma enw sydd wedi peri cryn benbleth i ymchwilwyr. Y cynnig arferol yw Basschurch yn Swydd Amwythig (6A), ond fe ellid dewis Bassenthwaite yn Ardal y Llynnoedd (6B). Dyma un o lynnoedd

mwyaf bas yr ardal a *bassas* oedd y gair Brythoneg am 'bas'.

4. 'Yng nghoed Celidon oedd y seithfed frwydr, hynny yw Cat Coit Celidon'. Cytuna bron bawb mai Coed Celyddon yn ne'r Alban (7A) oedd lleoliad y frwydr hon, ond myn rhai mai gallt Galtres yn Swydd Efrog (7B) oedd y safle ar sail yr enw Rhufeinig Calaterium.

5. 'Ar safle Caer Guinnon yr oedd yr wythfed frwydr, lle cariodd Arthur lun Mair Forwyn ar ei ysgwydd i erlid y paganiaid ar y dydd hwn'. Awgrymwyd dau leoliad i'r frwydr hon: Caer Guricon ar y Wrekin (8A) a chaer Vinovium ger Durham (8B). Y ffurf Frythonig o Vinovium oedd Uinnouin, felly hawdd gweld sut y gallai fod wedi troi yn '*Guinnon*'.

6. 'Ymladdwyd y nawfed frwydr yn Ninas y Lleng'. Yn y cyfnod Rhufeinig yr oedd yna dair 'Dinas Lleng' ym Mhrydain: Caer, Caerllion a Chaer Efrog. Y lleoliad mwyaf tebygol yw Caer (9A), ond dylid cofio bod cyfeiriad at Gaer Efrog (9B) fel y '*Legionum urbis cives*' yng nghofnodion Gildas.

7. 'Ymladdwyd y ddegfed frwydr ar lan afon a enwid Tribruit'. Fel arfer, lleolir y frwydr hon ger caer Rufeinig Ribchester (10B) lle mae tair afon yn cwrdd. Ond y mae'r copi o'r *Historia* a gedwir yn y Fatican yn cynnig ateb arall gan ei fod yn cyfeirio at '*traith* (traeth) *Tribruit*'. Y mae digon o lefydd ym Mhrydain lle mae tair afon yn cwrdd ond does dim llawer yn agos at lan y môr. Un lleoliad sy'n ateb y disgrifiad yw caer *Glannoventa* yn Ardal y Llynnoedd (10A) lle y mae afonydd Irt, Mile ac Esk yn llifo i'r môr dros y traeth.

8. Mewn sawl copi o'r *Historia* lleolir yr unfed frwydr ar ddeg ar fynydd a elwir '*Agned*', ond '*Breguoin*' yw'r enw a welir yng nghopi'r Fatican. Y cynnig arferol am '*Agned*' yw'r bryn uwchben Caeredin (11B) ond, os derbynnir '*Breguoin*', gellir cynnig mai yn ardal caer Bremenioum (11B) yn Northymbria yr ymladdwyd y frwydr.

9. 'Yr oedd y ddeuddegfed frwydr ar Fynydd Badon lle lloriodd Arthur naw cant a chwech o wŷr mewn un ymosodiad'. Gormodiaith yw'r 'nawcant a chwech', ond y mae'n amlwg fod hon yn frwydr bwysig. Y lleoliad tebygol yw Caer Faddon (12A), ond ni ellir gwrthod y cynnig mai ar fynydd y Breiddyn yn Swydd Amwythig (12B) yr ymladdwyd y frwydr.

10. Nid oes sôn am frwydr olaf Arthur yn yr *Historia*, efallai am nad oedd yr awdur yn awyddus i adrodd hanes ei dranc. Yn ôl yr *Annales Cambriae*[22] 'Camlann' oedd enw'r safle, disgrifiad da o leoliad arall yn Ardal y Llynnoedd. Ar dro uwchben afon Irthing (C) y mae adfeilion caer *Camboglanna*. 'Birdoswald' yw'r enw erbyn hyn, ac fel y nodwyd eisoes, y mae gweddillion neuadd o'r bumed ganrif ar y safle. Diddorol hefyd nodi mai *Aballava* oedd enw'r gaer a godwyd wrth ymyl *Camboglanna*. Rhaid felly gofyn ai dyma oedd tarddiad y chwedl am dynged Arthur, lle dywedir ei fod wedi ei gludo i 'Afallon' i wella ei glwy'?

Ni ddylid darllen gormod i ddyfaliadau o'r fath, ond dengys patrwm y brwydrau mai camgymeriad yw meddwl am Arthur fel arwr o'r deorllewin. Os oes yna sail hanesyddol i'r hyn a gofnodir yn yr *Historia*, rhaid derbyn mai trefnydd cad o'r gogledd oedd yr Arthur hanesyddol. Awgryma dosbarthiad y brwydrau ei fod wedi arwain y Brythoniaid yn erbyn Pictiaid y gogledd a Saeson y de, a'i gamp fawr oedd cynnig gweledigaeth strategol. Ym 1999 cyhoeddodd Alistair Moffat gyfrol i awgrymu mai llywydd gwŷr meirch o dde'r Alban oedd Arthur a bod ganddo gaer yng Nghalchfynydd (Kelso).[23] Credaf na ellir bod mor benodol, ond y mae'r gyfrol yn cynnig darlun amgen o'r arwr ac yn herio'r holl hanesion a gynigir am fuchedd yr Arthur Cernywaidd.

Yr 'Arthur' Chwedlonol

Y dyddiad allweddol i unrhyw ymdriniaeth â'r Arthur chwedlonol yw 1139, y flwyddyn pryd y cyhoeddodd Sieffre o Fynwy ei gyfrol *Historia Regum Brittaniae* ('Hanes Brenhinoedd Prydain').[24] Yn y gyfrol, cyflwynir Arthur fel arwr o'r Oesoedd Canol, a chyn hir, yr oedd chwedlau amdano yn lledu ar draws Ewrop. O ganlyniad, ni ddylid derbyn dim a gyhoeddwyd wedi 1150 yn dystiolaeth o'r Arthur hanesyddol ond y mae darnau cynharach sy'n dyst o hen gof. Un darn dadlennol yw'r un a gadwyd yn Llyfr Du Caerfyrddin, cyfrol o'r drydedd ganrif ar ddeg sy'n cynnwys defnydd o gyfnod cynharach. Y cyfeiriad allweddol yw'r un a geir mewn cerdd lle disgrifir Arthur a

Chai yn teithio i gastell yn yr arall fyd ac yn ymgomio â cheidwad y porth:

> Pa gur yv y porthaur
> Gleuluid gauaeluaur.
> Pa gur ae gouin.
> Arthur a chei guin.

> [Pwy yw ceidwad y drws? / Glewlwyd gadarn ei law / Pwy sy'n gofyn? / Arthur a'r gwron Cai]

Credir mai gweddillion hen chwedl yw'r gerdd, enghraifft o'r hen arfer o adrodd stori trwy gyfrwng rhyddiaith a barddoniaeth. Yn y gerdd, cyfeirir at ragor o gymrodyr Arthur, ac un o'r rhain yw Mabon fab Modron 'gwas Uthr Bendragon'. Uthr Bendragon oedd tad honedig Arthur a dyma'r tro cyntaf iddo gael ei enwi mewn unrhyw destun Cymraeg. Yn ôl Patrick Sims-Williams[25] cyfansoddwyd y gerdd tua 1100 OC, prawf fod yna gof am Arthur yn bod cyn i Sieffre gyhoeddi'r *Historia Regum*. Cerdd arall lle cedwid cyfeiriad cynnar at yr Arthur chwedlonol yw 'Kat Godeu' o Lyfr Taliesin. Yn y gerdd disgrifir cyfres o frwydrau rhwng gwahanol fathau o goed, ffordd i gyfeirio at frwydrau go iawn heb enwi'r ymladdwyr. Ar ddiwedd y gerdd, y mae Taliesin yn cyfarch y derwyddon ac yn gofyn:

> Derwyddon doethur
> Darogenwch y Arthur

Nid yw'n glir ai darogan o flaen Arthur neu ddarogan am Arthur oedd y derwyddon ond perthnasol nodi mai 'Godeu' oedd enw'r lleoliad ac yr oedd hwnnw, yn ôl pob tebyg, yng ngwlad y Gododdin. Darn arall o Lyfr Taliesin sy'n cynnwys cyfeiriad at Arthur yw'r gerdd a adwaenir fel 'Kanu y Meirch'. Yn y gerdd rhestrir rhai o feirch glewion y genedl ac, yn eu plith, y mae march Arthur a oedd 'o hyd yn barod i beri cur':

Bord Gron y Brenin Arthur ger Eamont Bridge

A march Gwythur,
A march Gwawrdur,
A march Arthur
Ehifyn rodi cur

Cyfeiriad perthnasol arall yw'r un a gedwir mewn triawd lle cyfeirir at lys Arthur fel 'Pen Rhionydd'. Myn rhai mai hen enw Penrith oedd Pen Rhionydd, ond y mae yn fwy tebygol mai cyfeiriad at ardal y 'Rhins' yn Swydd Galloway a gedwir yn y gerdd. Rhaid bod yn ofalus cyn derbyn unrhyw ddamcaniaeth sy'n seiliedig ar dystiolaeth fregus hen enwau ond anodd credu mai damwain yw'r holl gyfeiriadau at Arthur sy'n deillio o'r Hen Ogledd.

Arwydd arall o hen gof yw'r henebion amryfal a gysylltir â'r chwedloniaeth 'Arthuraidd'. 'Arthur's Seat' yw enw'r bryn sy'n cysgodi Senedd yr Alban ac y mae traddodiad bod Arthur a'i wŷr yn gorwedd o dan fynydd Eildon ger Melrose. Yn Ardal y Llynnoedd, yr heneb Arthuraidd enwocaf yw 'Bwrdd Crwn y Brenin Arthur' wrth ymyl y ffordd yn Eamont Bridge. Hengor o'r Oes Efydd yw'r 'Ford Gron' ac y mae hengor mwy o faint ar draws y ffordd tua'r gorllewin. Nid oes gan y ddau safle'r un cysylltiad ag Arthur ond y maent o fewn ergyd carreg i gaer Rufeinig *Brocavum*. Adfail arall a gysylltir ag Arthur yw'r castell

Castell Pendragon' yn nyffryn Mallerstang

sy'n sefyll ar dro yn afon Idon yn nyffryn Mallerstang. Yn ôl y chwedl, tad Arthur, Uthr Bendragon, a gododd y castell, a dywedir ei fod wedi torri ffos wrth droed y bryn i newid cwrs yr afon. Yn ôl y cwpled a gyfansoddwyd i wawdio'r ymdrech, methiant fu'r holl waith:

Gall Uthr Bendragon ymdrechu pob dydd
Mae afon Idon yn rhedeg yn rhydd.

Gwyddys erbyn hyn mai Norman o'r enw Ranulph de Meschines a gododd y castell ac, erbyn yr ail ganrif ar bymtheg, yr oedd yng ngofal teulu lleol. Y Foneddiges Ann Clifford a adnewyddodd y castell a'i enwi yn 'Pendragon Castle'. Rhaid tybio bod Ann yn hoff o chwedlau Sieffre ac y mae'n werth nodi mai ei hail ŵr oedd Philip Herbert (Iarll Penfro), disgynnydd i'r William ap Thomas a adeiladodd gastell Rhaglan.

Teyrnasoedd yr Hen Ogledd

Yn y cyfnod Rhufeinig, gweinyddwyr sifil oedd rheolwyr yr Hen Ogledd, ond gydag amser, trodd y *civitates* yn freniniaethau ac fe rannwyd llawer wrth estyn y cyfrifoldeb o genhedlaeth i genhedlaeth. Dyna'n sicr oedd tynged talaith Coel Hen a drodd yn glytwaith o freniniaethau bach. Gydag amser, unwyd rhai i ffurfio teyrnasoedd mwy, ond yr oedd yna gryn dipyn o ymgiprys am dir a dylanwad. Yn ôl Charles-Edwards yr oedd y drefn newydd yn gyfuniad o elfennau Rhufeinig ac elfennau a oedd yn fwy tebyg i draddodiadau yr Oes Haearn. Trwy'r cyfan, glynwyd at y syniad o *romanitas* ac o berthyn i gymdeithas a oedd yn falch i arddel dylanwad y byd clasurol. Anodd dweud faint o'r hen drefn weinyddol a oroesodd ond credir bod gan uwch-frenhinoedd y cyfnod gyfrifoldeb am ardal eang.

Dengys y map ym mlaen y gyfrol ddosbarthiad teyrnasoedd Cymreig yr Hen Ogledd ynghyd â lleoliad rhai safleoedd o bwys. Hyd y gellir barnu, yr oedd ffiniau'r teyrnasoedd newydd yn cyfateb yn fras i diriogaethau yr Oes Haearn. Felly, lleolwyd gwlad y Gododdin yn nhir y Votadini, gwlad Alclud yn nhir y Selgovae a chalon Rheged yn nhir y Carvetii. Ni wyddys beth oedd statws teyrnasoedd bach, fel Aeron, ond mae'n bosibl bod eu teyrngarwch yn newid o gyfnod i gyfnod. Yr argraff a geir wrth ddarllen cerddi Taliesin yw cyfnod o ansefydlogrwydd lle yr oedd yn rhaid i'r uwch-frenin gadw'r 'brenhinoedd bach' yn eu lle. Dyma, yn ôl pob tebyg, oedd y cefndir i frwydr Arfderydd (Arthuret) yn 573 OC, lle y dywedir bod y dewin Myrddin wedi colli ei bwyll. Y buddugwyr oedd Peredur a Gwrgi o ddinas Efrog a oedd, os credir y traddodiad, yn feibion i Efyrddyl chwaer Urien Rheged. Eu gelyn oedd Gwenddolau, perthynas pell o deyrnas fach tua'r gogledd. Myn rhai bod Gwenddolau yn dal i arddel yr hen grefydd ac felly yn fygythiad i'r rhai oedd yn awyddus i weld lledaeniad y ffydd Gristnogol.

Erbyn diwedd y bumed ganrif, yr oedd teyrnas y Gododdin mewn cyflwr sigledig wedi colli tir i'r Saeson tua'r de a'r Pictiaid yn y gogledd. Dyma'r wlad a ddisgrifir fel Manaw Gododdin yn y canu cynnar, llain o dir a oedd yn ymestyn ar hyd arfordir gogleddol Merin Iddew hyd dref fodern Falkirk. Cedwir atsain o'r enw yn 'Slamannon', bryn ar gyrion y dref, ac yn enw'r ardal a elwir 'Clackmannan'. I'r de o'r Gododdin yr oedd Brynaich, teyrnas Gymreig arall, ond trodd honno yn Bernicia pan oresgynnwyd y wlad gan y Saeson. Credir mai hurfilwyr Almaenig (*foederatae*) o Fur Hadrian oedd yn rhannol gyfrifol am ddisodli Morcant, brenin Brynaich, ond ni chadwyd dim o hanes yr ymrafael. Ymhellach tua'r de yr oedd y Saeson wedi meddiannu hen deyrnas Deifr i ffurfio Deira, digwyddiad a oedd i gael cryn ddylanwad ar hanes yr Hen Ogledd. Teyrnas arall a syrthiodd i ddwylo'r Saeson ar droad y ganrif oedd Elfed yn ardal Leeds. Dyma'r deyrnas a gysylltir â Gwallawg, ond ei fab, Ceredig, oedd y brenin a ddisodlwyd gan y Saeson. Ychydig a wyddys am gyfnod Gwallawg yn frenin ond gwyddys fod Taliesin wedi treulio peth amser yn ei lys. Mewn un ddogfen cyfeirir at Wallawg fel 'Marchog Trin' ac mewn un arall fel 'barnwr Elfed'. Y mae lle i gredu ei fod wedi disodli Urien fel uwch-frenin am gyfnod cyn cymodi mewn cyfnod diweddarach. Anodd dweud ble roedd ffiniau Elfed ond efallai bod arwyddocâd amddiffynnol i'r ffos a dorrwyd yn Aberford Dykes ar gyrion Leeds. Heddiw, cofir am y deyrnas yn enwau'r pentrefi Sherburn-in-Elmet a Barwick-in-Elmet ac mewn cofnod o'r bedwaredd ganrif ar ddeg lle disgrifir yr ardal fel 'd'Elmettio'. Credir bod rhai o drigolion Elfed wedi ffoi tua'r gorllewin wrth i'r Saeson ymestyn eu gafael ar y wlad. Ceir beddrod yn eglwys Llanaelhaearn yng Ngwynedd lle coffeir sant a oedd wedi teithio o'r gogledd gyda'r neges syml:

ALIORTUS ELMETIACO HIC IACET
'Yma gorwedd Aliortus o Elfed'.

Teyrnasoedd cryfaf yr Hen Ogledd oedd Alclud yng ngorllewin yr Alban a Rheged yn Ardal y Llynnoedd. Cadarnle Alclud oedd *Din Breattain*, caer a godwyd ar glogwyn uwchben afon Clud a adnabyddir heddiw fel 'Dumbarton'. *Coroticus* (Ceredig y traddodiad Cymreig) oedd rheolwr Alclud yn y bumed ganrif a cheir cyfeiriad at ei filwyr yn ymosod ar Iwerddon i gipio caethweision mewn llythyr a luniwyd gan Sant Padrig. Teyrnas fach oedd Alclud ar y pryd ac yr oedd nifer o Wyddelod wedi ymgartrefu ymhellach tua'r de yn yr ardal a ddisgrifir heddiw fel 'Galloway' (Galwyddel). Trwy gydol y chweched ganrif, Rheged oedd teyrnas fwyaf sefydlog yr Hen Ogledd a myn rhai bod ei ffiniau yn ymestyn o Stranraer yn y gogledd i ddinas Caer yn y de. Yn ôl pob tebyg, ffederasiwn o deyrnasoedd bach oedd Rheged, felly yr oedd gan ei huwch-frenin waith anodd i gadw trefn. Disgynyddion i Goel Hen oedd is-frenhinoedd y cyfnod ac ymddengys bod gan Pabo deyrnas yn y gorllewin tra yr oedd Llywarch yn llywodraethu tua'r de. Yn yr hen ganu, ceir yr argraff fod Urien ar delerau da gyda Llywarch ond y mae sôn am frwydr rhwng Owain ap Urien a Dunawd, mab Pabo, ar fwlch strategol.

Yn y cyfnod Rhufeinig, Caerliwelydd oedd canolfan lywodraethol y Carvetii ond, wrth i'r drefn ganolog ddadfeilio, sefydlwyd llysoedd rhanbarthol ar draws y wlad. Dyma drefn oedd yn debyg iawn i'r un a fabwysiadwyd yng Nghymru, lle clywn am yr arglwyddi yn teithio yn gyson o lys i lys i dderbyn nodded. Un llys o'r cyfnod sydd wedi goroesi yw caer Mote of Mark ar lannau Merin Rheged. Codwyd y gaer yn y bumed ganrif ac, am gyfnod, yr oedd yn ganolfan masnach o bwys. Pan archwiliwyd y safle gan archaeolegwyr, daethpwyd o hyd i seiliau neuadd fawr a chyfres o stordai a gweithdai bychain. Ymysg y creiriau a ddatgelwyd yr oedd yna lestri gwin o Gâl, gwydrau o Sbaen ac offer i grefftwyr greu tlysau cain. Credir bod Rheged wedi colli gafael ar y porthladd yn y chweched ganrif wrth i'r Pictiaid drefnu ymosodiadau o'r gogledd. Y mae olion tân ar un o furiau Mote of Mark, tacteg gyffredin i wanhau caer cyn ei chipio. Trwy gydol y cyfnod, cadarnle teyrnas Rheged oedd dyffryn afon Idon lle yr oedd yr hinsawdd yn garedig a lle roedd digon o dir da. Gwyddys o ganu Taliesin bod gan Urien lys yn y dyffryn lle gellid dibynnu ar gynnyrch y ffermydd niferus a nodded cymdeithas sefydlog.

Brenhinoedd yr Hen Ogledd

Ychydig iawn a wyddys am hanes brenhinoedd yr Hen Ogledd ond, yn ôl y cofnodion, yr oeddynt i gyd yn ddisgynyddion i weinyddwyr olaf yr Ymerodraeth Rufeinig. Y cofnodion mwyaf dibynadwy yw'r rhai a adwaenir fel yr 'Achau Harleiaidd' a 'Bonedd Gwŷr y Gogledd'. Canlyniad gwaith ymchwil Robert ac Edward Harley yn y ddeunawfed ganrif yw'r 'Achau Harleiadd' ond y maent yn seiliedig ar ddogfennau o'r ddeuddegfed ganrif. Y mae sawl copi o 'Bonedd Gwŷr y Gogledd' ar gael, ond y copi hynaf yw llawysgrif Peniarth 45 sy'n deillio o'r drydedd ganrif ar ddeg.

Er bod gwahaniaethau yn y manylion a geir yn y dogfennau, gallwn fod yn hyderus mai disgynyddion i ddau aelod blaenllaw o'r weinyddiaeth Rufeinig oedd brenhinoedd cyntaf yr Hen Ogledd. Yn ne'r Alban, sylfaenydd y llinach frenhinol oedd Dyfnwal Hen o Alclud. Ei ddisgynyddion enwocaf oedd Rhydderch Hael a Beli ac fe sonnir mwy am gyfraniad meibion Beli i hanes gogledd Prydain yn y bennod ar Ystrad Clud. Yn Ardal y Llynnoedd, llinach Coel Hen o ddinas Efrog oedd yn llywodraethu, ond gwyddys o gerddi Taliesin eu

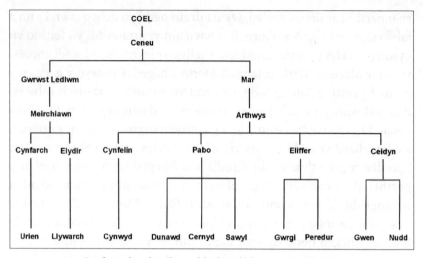

```
                          COEL
                           |
                         Ceneu
         ┌─────────────────┴──────────────────┐
   Gwrwst Ledlwm                              Mar
        |                                      |
   Meirchiawn                              Arthwys
    ┌───┴───┐        ┌──────────┬──────────────┬──────────┐
Cynfarch Elydir   Cynfelin    Pabo          Eliffer      Ceidyn
   |       |         |      ┌───┴────┐      ┌───┴───┐      ┌──┴───┐
   |       |         |      |        |      |       |      |      |
 Urien Llywarch   Cynwyd  Dunawd Cernyd Sawyl  Gwrgi Peredur  Gwen  Nudd
```

Coeden achau brenhinoedd Rheged a'r teyrnasoedd cyfagos

bod yn cael trafferth i fyw yn gytûn. Uchod mae coeden achau
brenhinoedd y gorllewin yn ôl y drefn a gofnodwyd mewn copi
diwygiedig o 'Bonedd Gwŷr y Gogledd'. Disgynyddion i Meirchiawn
oedd Urien a Llywarch ond yr oedd Dunawd yn perthyn i gangen
arall. Yn yr *Annales Cambriae* y mae sôn am frwydr rhwng meibion
Eliffer a Gwendolau, a chyfeiriad at frwydr rhwng Dunawd a lluoedd
Urien yn yr englynion a dadogwyd ar Llywarch Hen.

Yr Hengerdd

Bron yr unig gofnod sydd gennym o hanes yr Hen Ogledd yw'r hyn a
gedwir yng ngwaith Taliesin ac Aneirin ac englynion Llywarch Hen.
Yn ôl un hanesydd Seisnig, 'pseudo-history composed in Wales' yw'r
cyfan, gosodiad herfeiddiol o gofio na allai ddarllen gair o'r
gwreiddiol! Yn y bennod hon, dangosir bod llawer mwy o hanes dilys
ynghudd yn y cerddi nag a sylweddolwyd hyd yn hyn. Cyn gweld y
cysylltiadau, rhaid ystyried cyflwr strategol y wlad yn y chweched
ganrif, deall ystyr hen enwau a cherdded tipyn o'r tir.

O safbwynt hanesyddol, y cerddi pwysicaf yw'r rhai a gyflwynwyd
yn Llyfr Taliesin a'r englynion a dadogwyd ar Llywarch Hen. Credir
mai bardd o ganolbarth Cymru oedd Taliesin cyn iddo symud i Reged

140

yn fardd llys i Urien. Mae'r llawysgrif, Peniarth 2, sy'n perthyn i'r drydedd ganrif ar ddeg, yn cynnwys cybolfa o farwnadau, cerddi darogan a cherddi mawl. Yn ôl Ifor Williams[1] dim ond dwsin o'r cerddi sy'n perthyn i'r chweched ganrif, ond o'u darllen, gellir dysgu cryn dipyn am hanes Rheged. Casgliad o gerddi a

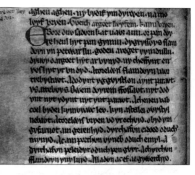

Llyfr Taliesin

gopïwyd yn y bedwaredd ganrif ar ddeg yw 'Canu Llywarch Hen' ond bernir o'r arddull eu bod yn deillio o'r nawfed ganrif. Cerddi yn ymwneud â dyddiau olaf Powys yw'r mwyafrif, ond y mae naw lle'r adroddir hanes Urien a'i deulu. Ifor Williams oedd y cyntaf i gynnig mai gweddillion hen chwedl oedd y cerddi ac awgrymu bod y stori wreiddiol yn cynnwys rhyddiaith yn ogystal â barddoniaeth. Yn anffodus, collwyd y rhyddiaith ond arhosodd cyfran fach o'r cerddi ar y cof. Heddiw, rhennir y cerddi i dri dosbarth: Cylch Llywarch, Cylch Urien a Chylch Heledd. Yr oedd Ifor Williams o'r farn bod y cyfan yn perthyn i'r un traddodiad, ond, yn ei chyfrol *Early Welsh Saga Poetry*,[26] awgryma Jenny Rowland bod 'Cylch Urien' yn deillio o gyfnod cynharach. Sail y ddamcaniaeth yw'r sylw bod y darlun a gynigir o hanes yr Hen Ogledd yng Nghylch Urien yn llai delfrydol nag yn y lleill. Erbyn y nawfed ganrif, yr oedd brenhinoedd Gwynedd yn awyddus i dynnu gorchudd dros rai o gamweddau'r hen arwyr ac yn fwy parod i anghofio'r holl gecru teuluol. Serch hynny, petrusodd Jenny Rowland cyn cynnig esboniad hanesyddol o'r cerddi am fod yr englynion yn fyr a'r gyfeiriadaeth yn ddyrys. Da felly oedd sylweddoli y gellid mentro ymhellach wedi dod o hyd i enw dadlennol ar y tir a gweld pwy oedd yn brwydro. Yr englynion mwyaf dadlennol yw'r rhai a gyflwynwyd o dan y penawdau mympwyol 'Unhwch Dunawd ac Urien' a 'Dwy Blaid'. Y mae'r hyn a ddatgelir yn 'Efrddyl' a 'Pen Urien' hefyd yn berthnasol ac yn ategu'r hyn a wyddys am y gynghrair strategol a ffurfiwyd gan Urien ar ddiwedd y chweched ganrif.

Llyfr Aneirin

Gan fod y Gododdin, fel teyrnas, wedi peidio â bod yn gynnar yn y seithfed ganrif, ni thelir cymaint o sylw i waith Aneirin yn y gyfrol hon. Llawysgrif a luniwyd yn y drydedd ganrif ar ddeg yw Llyfr Aneirin ond credir bod darnau o'r testun yn deillio o gyfnod cynnar iawn. Y mae John Koch[27] o'r farn bod copi ysgrifenedig yn bodoli yn y seithfed ganrif ac wedi cynnig esboniad credadwy o'i daith i Gymru. Yn 1997, ailgreodd ffurf hynafol o'r gerdd[28] ond nid pawb sy'n cytuno y dylid mentro mor bell â hynny. Heddiw mae yna sawl cyfieithiad Saesneg o'r 'Gododdin' ar gael[29, 30, 31] ond nid yw'r gwaith diweddar ar darddiad y cerddi wedi cael llawer o effaith ar ragfarn yr haneswyr. Credaf fod yna sawl rheswm am hyn, ond y pwysicaf yw'r ffaith nad ydynt yn ymwybodol o hynafiaeth a cheinder y traddodiad barddol Cymreig.

Y Traddodiad Barddol

Tasg anodd yw esbonio'r traddodiad barddol Cymreig i neb na all ddarllen yr iaith. Fel y sylwodd Tony Conran yn ei *Welsh Verse*[32] 'I think it is wiser to treat Welsh poetry as something *sui generis*, a product of a civilization alien to our own'. Rhaid cofio bod y cerddi a gyfansoddwyd yn yr Hen Ogledd yn rhan o draddodiad mawl a oedd yn bod ers o leiaf yr Oes Haearn. Teitl y gyfrol ar hanes Cymru a gyhoeddwyd gan Emyr Humphreys oedd *The Taliesin Tradition*[33] a'i byrdwn oedd bod ein hymwybyddiaeth o'r traddodiad barddol wedi chwarae rhan bwysig yn ein cysyniad o genedligrwydd.

Traddodiad llafar ac ôl llafur oedd barddoniaeth y Celtiaid ar draws Ewrop ac y mae cofnod yng Ngâl sy'n sôn am fardd yn encilio i ystafell dywyll gyda charreg ar ei frest i gyfansoddi! Y cyfeiriad cyntaf at feirdd yn cyfansoddi yn yr iaith Gymraeg yw'r un a welir yn yr *Historia Brittonum* lle nodwyd:

Yna bu Talhae[a]rn Tad Awen yn ddisglair mewn barddoniaeth; a Neirin [Aneirin] a Thaliesin a Blwchfardd a Chian - a elwir Gweinth [Gwenith?] Gwawd...

Yn ei gyfrol *Y Traddodiad Barddol*, cyfeiria Gwyn Thomas at ragor o feirdd cynnar, ond ni wyddys dim amdanynt ac ni chadwyd dim o'u gwaith.

Yn y cyfnod cynnar, yr oedd y bardd yn llawer mwy na diddanwr gan fod ganddo ddyletswyddau eang iawn. Trwy foli gwrhydri ei arglwydd, yr oedd yn cydnabod bod rhaid wrth drefn hierarchaidd i ddiogelu budd gwlad mewn cyfnod o ansicrwydd. Yr oedd haelioni ei arglwydd hefyd yn haeddu clod, fel y tystia'r arfer o gymortha a barodd yng Nghymru hyd ddiwedd yr Oesoedd Canol. Nid gweniaith arwynebol oedd y clod a gynigid i arglwyddi'r cyfnod gan ei fod, hefyd, yn ffordd i atgoffa'r mawrion o'u dyletswyddau. Swyddogaeth arall y bardd oedd cofio hanes yr hil ac adrodd hanes brwydrau enwog y deyrnas. Wedi mabwysiadu'r ffydd Gristnogol, nid oedd yr elfen gyfriniol mor amlwg yn eu gwaith, ond yr oedd darogan yn rhan bwysig o'r canu. Diddorol felly nodi fod y gair a ddefnyddir heddiw am ysbrydoliaeth ('awen') yn tarddu o'r un gwraidd ag 'awel'; awgrym fod ein beirdd yn dal i aros am ryw chwa o'r arall fyd!

Nodweddion hynod yr Hengerdd oedd ei cheinder a'i chynildeb. Meddylier, er enghraifft, am linell agoriadol y 'Gododdin': ('Greddf gwr, oed gwas'). Ni ellir llunio gwell disgrifiad o wrhydri bachgen ifanc ac y mae'r cyfan yn cydio yn y cof. Un esboniad o'r ceinder oedd yr hyfforddiant a roddid i'r beirdd dros gyfnod hir. Yr oedd yna o leiaf dair gradd o fardd yn y cyfnod cynnar a rhaid oedd wrth ymarfer hir cyn dringo o safle'r 'Cerddor' i swydd y 'Pencerdd'. Hawdd deall pam y mae beirniaid o Loegr mor awyddus i gynnig mai gwaith beirdd o'r Oesoedd Canol yw'r Hengerdd. Wedi colli cyseinedd cerddi Eingl-Sacsonaidd, fel '*Beowulf,*' rhaid cyfaddef mai digon clogyrnaidd oedd arddull beirdd cynnar y Saeson.

Yr Iaith Newydd

Dadl gyson yn erbyn hynafiaeth yr Hengerdd yw'r syniad na ellid creu gwaith mor gywrain mewn iaith 'newydd'. Ar un amser, bernid bod y Gymraeg wedi esblygu o'r Frythoneg mewn cyfnod byr ond, erbyn hyn, gwyddys iddi fod ar ei thwf am ddwy ganrif. Yn ôl yr ieithydd Kenneth Jackson[9] yr oedd y Frythoneg wedi dechrau dadfeilio cyn diwedd y bedwaredd ganrif. Ymysg y newidiadau cynnar oedd y duedd i golli terfyniadau, byrhau enwau a newid lleoliad yr acen. Yn y Frythoneg, fel yn y Lladin, rhedid pob berf, enw ac ansoddair i gyfleu ystyr y frawddeg. Wedi colli'r terfyniadau, rhaid oedd defnyddio gair amgen, fel 'i' neu 'oddi' i ddangos y cysylltiad rhwng y goddrych a'r gwrthrych. Newid pwysig arall oedd symud lleoliad yr acen mewn gair aml sill o'r goben i'r sill olaf. Credir bod hyn wedi digwydd cyn diwedd y bumed ganrif ond ni symudwyd yr acen i flaen y gair tan ddechrau'r ddegfed ganrif. Yn ôl Kenneth Jackson, yr oedd strwythur sillafog y Gymraeg yn ei lle erbyn dechrau'r chweched ganrif, felly rhaid derbyn bod y beirdd wedi cael digon o amser i gywreinio eu crefft.

Fel arfer, rhennir twf y Gymraeg i dri chyfnod: Cymraeg Cynnar (rhwng y chweched a'r nawfed ganrif), Hen Gymraeg (rhwng y nawfed ganrif a'r unfed ganrif ar ddeg) a Chymraeg Canol (rhwng y ddeuddegfed ganrif a'r bedwaredd ganrif ar ddeg). Cymraeg Cynnar oedd iaith Taliesin ac Aneirin ond, gan nad oes un testun cyfoes wedi goroesi, anodd dweud beth oedd strwythur yr iaith. Prin iawn yw'r testunau sydd wedi aros o Hen Gymraeg hefyd, ond y mae digon i ddangos bod yr iaith wedi esblygu yn araf. Yn ôl pob tebyg, nid oedd yna wahaniaeth mawr yn yr ieithoedd a siaredid ar draws gorllewin Prydain yn y cyfnod cynnar ond, erbyn y seithfed ganrif, yr oedd y tafodieithoedd wedi dieithrio. Y Gymbrieg, nid y Gymraeg, oedd iaith Taliesin a cheir digon o dystiolaeth enwol i brofi ei bod yn debyg iawn i'r Gymraeg. Sonnir mwy am weddillion y Gymbrieg yn y bennod olaf, lle gwelir fod ambell air wedi aros yn nhafodiaith yr ardal. Digon felly yw nodi nad oedd y newid a welwyd yn yr iaith yn ddigon i rwystro'r Hengerdd rhag lledu i Gymru, a hynny mewn cyfnod pan oedd y ddwy ardal wedi dieithrio oddi wrth ei gilydd.

Y Traddodiad Llafar

Y mae tystiolaeth mewn cymunedau cyntefig ar draws y byd fod gan bobl anllythrennog y gallu i gofio ac i adrodd straeon cymhleth. Yn Iwerddon, cadwyd llu o chwedlau o gyfnod cynnar iawn gan y *seanachie*, storïwyr traddodiadol yr ardaloedd Gwyddelig. Nid ar chwarae bach y cofiwyd y chwedlau am arwyr o'r hen fyd a rhaid oedd eu hadrodd mewn iaith goeth oedd yn llawn o ymadroddion hynafol. Yr oedd yr un peth yn wir am y cerddi a draddodwyd ar lafar lle yr oedd cyseinedd yn elfen amlwg o draddodiad barddol y Celtiaid. Dyna, yn ôl pob tebyg, oedd yn gyfrifol am dwf y gynghanedd o'i dyddiau cynnar yn yr Oes Haearn i waith beirdd yr Oesoedd Canol. Crefft ar ei thwf oedd y gynghanedd yn nyddiau Taliesin ac Aneirin, ac ni wyddom fawr ddim am y drefn a'i cadwodd yn fyw. Yn ôl arbenigwyr, gellir dysgu rhywbeth am natur yr esblygiad trwy gymharu'r patrymau geiriol a geir yng ngherddi Taliesin, tua chanol y chweched ganrif, gyda gwaith Aneirin ar droad y ganrif. Sylwer, er enghraifft, ar y llinellau agoriadol i gerdd Taliesin 'Gweith Argoet Llwyfein':

> E Bore duw sadwrn kat **f**awr a **fu**
> Or pan dwyre **h**eul **h**yt pan gyn**nu**
> (CT, VI, ll. 1-2)

Y mae'r datgan yn syml a'r acen yn glir ond nid oes yna lawer o gyflythrennu. Mewn cyferbyniad, y mae cerdd Aneirin i arwyr brwydr Catraeth yn fwy soniarus ac, o'r herwydd, yn fwy cofiadwy:

> **G**wyr a *aeth* **g**atr*aeth*, oedd ff*raeth* eu **llu**
> **G**lasfedd eu hanc*wyn* a **g**wen*wyn* **fu**.
> (CA, VIII, ll. 68-9)

Does dim amheuaeth felly fod y gynghanedd wedi ei chywreinio dros gyfnod byr i osod y seiliau i draddodiad sy'n dal i ffynnu.

Yn y bennod hon, dyfynnir yn hael o waith Taliesin i olrhain hanes Urien a'i frwydrau yn erbyn Pictiaid y gogledd a Saeson y dwyrain.

Dewiswyd cyfran fach o englynion Llywarch Hen i amlygu mwy o hanes y deyrnas, er bod yr englynion tair llinell yn amlwg yn perthyn i gyfnod diweddarach. Dyfynnir llai o gynnyrch Aneirin, yn rhannol am fod ei waith wedi derbyn cymaint o sylw, ond hefyd am fod teyrnas y Gododdin wedi diflannu o lwyfan hanes yn gynnar yn y seithfed ganrif. Codwyd y dyfyniadau o gyfrolau Ifor Williams ar ganu Taliesin, Aneirin a Llywarch Hen ac ni newidiwyd dim ar y testun ar wahân i sillafu 'Urien' gydag 'u' yn hytrach na 'v'. Wrth droed pob dyfyniad, cynigir diweddariad i gyfleu ystyr tebygol y datgan. Seiliwyd y cyfieithiadau ar y nodiadau a luniwyd gan Ifor Williams, yr enghreifftiau a gyhoeddwyd gan Gwyn Thomas yn *Y Traddodiad Barddol*, a'r esboniadau a gynigir yn y trosiadau Saesneg o waith Aneirin. Talwyd sylw arbennig i'r lleoliadau a nodwyd yn y cerddi, y cyswllt strategol ac unrhyw waddol archaeolegol o'r cyfnod ôl-Rufeinig. Trwy wneud hyn llwyddwyd i gynnig darlun credadwy o deyrnas Rheged, bywyd y llys a chynnig damcaniaethau newydd ar leoliad rhai o'r brwydrau a ddisgrifir yn y canu.

Rheged: Teyrnas goll yr Hen Ogledd

Ar sail dadansoddiad Ifor Williams o gerddi Taliesin, gallwn dybio'n hyderus fod Rheged wedi chwarae rhan bwysig yn hanes yr Hen Ogledd o gychwyn y bumed ganrif hyd ddiwedd y seithfed. Ni ellir gosod ffiniau pendant i'r deyrnas, ond credir bod ei thirwedd yn ymestyn o Stranraer (*Dun Ragit*) yn y gogledd i Rochdale (*Recedham*) yn y de. Ymddengys mai ar lethrau'r Penwynion yr oedd ei ffin ddwyreiniol, ond y mae awgrym ei bod wedi ymestyn cyn belled â chaer strategol Catraeth. Am resymau sy'n anodd eu dirnad, y mae llawer o haneswyr Seisnig yn amharod i dderbyn dadansoddiad o'r fath, ac fe aeth un mor bell â chynnig nad oedd yn ddim mwy na theyrnas fach ym mherfeddion yr Alban. Dyna yn sicr oedd casgliad Mike McCarthy ar ddiwedd ei adroddiad, *Rheged: An Early Historic Kingdom near the Solway Firth.*[34] Yn yr adroddiad, ceir crynodeb teg o gyflwr yr ardal yn y cyfnod Rhufeinig, ond nid yw'n barod i gydnabod bod arweinwyr Cymreig y chweched ganrif wedi etifeddu dim o'r cyfnod clasurol. Yn ei farn ef, teyrnas fach yn y Rhins of

Galloway oedd Rheged, ond yr oedd yn barod i gydnabod bod Urien yn rhyw fath o uwch-frenin. Yn 2011, cyhoeddodd erthygl arall ar gyflwr amgylcheddol yr ardal yn yr un cyfnod o dan y testun *The Kingdom of Rheged: A Landscape Perspective*.[35] Ni wnaed llawer mwy yn yr erthygl hon nag ailadrodd yr hen stori cyn gorffen ar nodyn digon negyddol:

> it is arguable that the picture of Rheged that has come down to us is largely fantasy. With the possible exception of one or two events and people, including Urien, it did not exist. Rheged became an ancient British equivalent of Shangri-la...

Dadansoddiad arall sy'n cynnig darlun camarweiniol o hanes yr Hen Ogledd yw'r un a geir yng nghyfrol Tim Clarkson, *The Men of the North: The Britons of Southern Scotland*.[36] Y mae ei ymdriniaeth o hanes Alclud, y Pictiaid a'r Gwyddelod yn ddigon teg, felly rhyfedd gweld ei fod yn awyddus i ddarbwyllo'r darllenydd mai yr unig ddatblygiadau o bwys oedd y rhai a groniclwyd yn yr Alban. I gynnal y gosodiad, honnodd nad oedd yna unrhyw arwyddocâd hanesyddol i'r enw 'Lyvennet' ac nad Catterick yn swydd Efrog oedd Catraeth Aneirin! Anodd dweud pam y dilynodd y trywydd hwn os nad oedd yn awyddus i hybu gwerthiant y gyfrol yn yr Alban. Mewn erthygl a gyhoeddwyd ar y we yn fwy diweddar fe aeth gam ymhellach trwy nodi:

> Modern maps of sixth century Britain often show Rheged as a huge realm straddling the Solway and part of the Pennines. This goes well beyond the information provided by Taliesin, and is as far away from serious historical scholarship as the maps in *The Lord of the Rings.*

Prif bwrpas y bennod hon yw dangos mai haerllugrwydd yw gosodiadau o'r fath, yn enwedig o gofio bod y sylwadau yn seiliedig ar ddadansoddiadau ail-law. Gellir cynnig gweledigaeth gwbl wahanol wedi darllen y cerddi, wrth ymweld â rhai safleoedd dadlennol ac edrych ar natur y wlad yn nyffryn Lyvennet.

Hanes Taliesin

Ychydig a wyddys am hanes Taliesin, ond gellir cynnig amlinelliad o'i fywyd trwy ddarllen ei waith. Credir ei fod wedi cychwyn ei yrfa yn fardd llys i Cynan Garwyn ym Mhowys lle gwelir ef yn canmol ei noddwr i'r entrychion (Canu Taliesin I):

> Myg kynnelw o gynan. kadeu ergynnan.
> Aeleu fflam lydan. kyfwyrein mawrtan.
> kat ygwlat brachan. katlan god aran.
> Tegyrned truan crinyt rac kynan.
>
> (*CT*, I, ll. 18-21)

[Fy noddwr Cynan yw'r prif gadlywydd / Ei fflamau sy'n difa tir ei elynion / Brwydr yng ngwlad Brychan, nid oedd ei gaer ond pridd y wadd / Chwi frenhinoedd bychain crynwch rhag Cynan.]

Darlun digon amheus o Gynan a geir yn y gerdd ond deellir bod Taliesin yn derbyn tâl anrhydeddus:

> kant gorwyd kyfret aryant eu tudet.
> Cant llen ehoec o vn o vaen gyffret.
> Cant armell ym arffet. A phympwnt cathet.
> Cledyf gwein karrec dyrngell gwell honeb.
>
> (*CT*, I, ll. 3-6)

[Cant o feirch cyflym â harneisiau arian / Cant o glogynnau porffor o faint cymesur / Cant o freichledau yn fy nghôl a hanner cant o dlysau / Cleddyf a gwaun emog gwell na'r un.]

Rhaid dyfalu mai gormodiaith yw'r 'cant' ond yr oedd cledd a gwaun emog yn anrheg gwerthfawr. Cyn hir yr oedd y bardd ar ei ffordd i lys Urien (CT VII):

> Ardwyre reget ryssed rieu.
> neu ti rygosteis kyn bwyf teu.

gnissynt kat lafnawr a chat vereu.
Gnissynt wyr ydan kylch wyawr.

(*CT*, VII, ll. 1-4)

[Cyfoded Rheged a'i harglwyddi uchel / Mi a'i gwarchodaf er nad
wyf yn un ohonynt / Ochneidia'r milwyr cyn codi gwaywffon /
Achwynant o dan eu tarianau crwn.]

Dyma gadarnhad nad oedd Taliesin yn enedigol o Reged a'i fod wedi
aros nes i Urien ac Ulph gymryd awenau'r deyrnas cyn gadael Powys:

o dreic dylaw adaw doethaw don.
yny doeth vlph yn treis ar y alon.
hyny doeth vryen yn edyd yn aeron.
ny bu kyvergyryat ny bu gynnwys.

(*CT*, VII, ll. 10-13)

[A ddaw arweinwyr dewr wedi'r diffyg? / Nid cyn i Ulph
gyrraedd i dreisio'r gelyn (?) / Nid cyn i Urien feddiannu tiroedd
Aeron / Cyn hyn ni fydd brwydro na chymhelliad i frwydro.]

Ystyr 'dreic dylaw' yw arweinydd aflwyddiannus; beirniadaeth lem o
gyflwr Rheged cyn i Urien esgyn i'r orsedd. Gair sy'n haeddu mwy o
sylw yw'r 'alon' yn yr ail linell. Fel arfer, mynnir mai camsillafiad o'r
gair 'gelyn' oedd 'alon' ond wedi gweld yr un gwall mewn dau fan,
mentraf gynnig esboniad arall. Tybed ai ffurf Gymreig o'r gair Lladin
ala a ddefnyddiwyd yn y gerdd? Enw am uned o wŷr meirch yn y
cyfnod Rhufeinig oedd *ala* a hawdd gweld sut y gallai'r gair fod wedi
newid i 'alon' yn y Gymraeg.

Nid oedd canu rhamantaidd yn rhan o gynhysgaeth y Cynfeirdd
ond ceir blas o ganu natur mewn cerdd a gyfansoddwyd ar drothwy'r
Pasg (CT VIII):

Gweleis i pasc am leu am lys.
Gweleis i deil o dyuyn adowys.
Gweleis i keig kyhafal y blodeu.

Neur weleis vd haelhaf y dedueu.
Gweleis i lyw katraeth tra maeu

(CT, VIII, ll. 5-9)

[Gwelais blanhigion ir y Pasg / Gwelais ddail y coed yn blaguro / Gwelais frigyn yn llawn o flodau / Gwelais arweinydd hael ei gynneddf / Gwelais i lyw Catraeth ar draws y tir.]

Yn ôl pob tebyg, darn a gyfansoddwyd gan Taliesin yn ystod ei ddyddiau cynnar yn Rheged yw'r gerdd hon. Ar Ŵyl y Pasg yr oedd lliwiau'r gwanwyn ar eu gorau, ac fe geir yr awgrym fod dinas bell Catraeth yn rhan o diriogaeth Urien yn y cyfnod dan sylw. Ystyr 'tra maeu' yw 'across the plains', disgrifiad da o'r gwastadedd sy'n ymestyn tua'r dwyrain o'r Penwynion. Ond ymysg yr holl harddwch nid anghofiodd y bardd ganu clod ei arglwydd (CT III):

Uryen yr echwyd.	haelaf dyn bedyd.
lliaws a rodyd.	y dynyon eluyd.
Mal y kynnullyd	yt wesceryd.
llawen beird bedyd	tra vo dy uuchyd.

(CT, III, ll. 1-4)

[Urien Erechwydd y dyn haelaf yn y byd Cristnogol / Llawer a roddi i ddynion y byd. / Fel y cesgli, felly y gwasgeri. / Mae beirdd y byd Cristnogol yn llawen tra byddi byw.]

Wedi derbyn y fath groeso yn ei wlad fabwysiedig, anodd dirnad pam y symudodd Taliesin o Reged i lys Gwallawg yn Elfed.

Nid oes dim yng nghanu Taliesin i esbonio'r ymfudo, ond y mae dwy gerdd yng nghanu Llywarch Hen sy'n cyfeirio at ryw fath o ryfel cartref. Y gyntaf yw'r gerdd 'Unhwch Dunawd ac Urien' lle sonnir am frwydr rhwng cangen Urien a changen Pabo o'r teulu:

Dymkyuarwydyat Unhwch dywal,
Dywedit yn Drws Llech,
'Dunawt vab Pabo ny tech.'

(CLIH, t. 12)

Drws Llech ('Trusmadoor') lleoliad tebygol y frwydr rhwng Dunawd ac Owain

[Unhwch ffyrnig a arferai roi cyngor i mi / Dywedid yn Nrws Llech / 'Na chiliodd Dunawd fab Pabo'.]

Ni wyddom ddim am Unhwch ond, wedi darllen llinell gyntaf y gerdd, deellir ei fod wedi treulio peth amser yn gadlywydd yn Rheged cyn newid ochr i ymladd ym myddin Pabo. Gan fod Urien yn dal yn fyw, gwyddys nad brwydr am olyniaeth frenhinol yw'r un a ddisgrifir, ond rhwyg digymrodedd yn y teulu. Tybed a oedd Pabo yn awyddus i ddisodli Urien fel uwch-frenin neu i osod y sail i uchafiaeth ei fab? Dim ond dyfalu yw hyn, ond fe allwn fod yn bur sicr lle yr ymladdwyd y frwydr. Cadarnle Pabo oedd Papcastle, pentref ar gyrion Cockermouth lle daethpwyd o hyd i *vicus* o'r cyfnod Rhufeinig pan lithrodd y tir yn 2009. Yn y cyfnod cynnar, y ffordd hawsaf i gyrraedd gwlad Pabo o wlad Urien yn y dwyrain oedd dilyn ffordd dros yr ucheldir trwy fwlch 'Trusmadoor'. Yn Ardal y Llynnoedd, y mae cyfran fach o enwau sy'n gyfuniad o enw Cymreig a chyfieithiad Saesneg. Dyma a welir yn 'Trusmadoor' lle adleisiwyd y 'drws' Cymraeg gyda'r 'door' Saesneg. A dyma'r allwedd i ddatgloi'r hanes a guddiwyd yn y gerdd gan fod 'Drws Llech' yn ddisgrifiad perffaith o'r bwlch uwchben Cockermouth. Gwelir o'r llun uchod o Trusmadoor fod craig noeth ar y naill ochr a rhediad o gerrig ar y llall. Yr oedd trefnu brwydrau mewn bylchau cul yn arfer cyffredin yn y cyfnod dan sylw ac yr oedd Trusmadoor ar y ffin debygol rhwng y ddwy wlad.

Yn y gerdd 'Dwy Blaid' ceir mwy o hanes y frwydr lle gwelir bod Dunawd wedi derbyn cefnogaeth Gwallawg o Elfed yn yr un ymrafael:

> Pwllei Wallawc, marchawc trin,
> Erechwyd gwneuthur dynin
> Yn erbyn kryssed Elphin.

(CLlH, t. 16)

[Bwriadai Gwallawg, marchog brwydr / Yn Erechwydd wneud celanedd / Yn erbyn ymosodiad Elffin.]

Yn ôl y traddodiad, yr oedd chwaer Gwallawg yn wraig i Dunawd, felly nid syndod gweld ei fod wedi dewis cefnogi ei frawd yng nghyfraith. Rhaid darllen y gerdd gyfan i ddysgu mwy am y frwydr ac y mae'r manylion a gynigir yn profi nad stori ddychmygol yw'r gerdd. Ymddengys o'r disgrifiad bod dwy adain i fyddin Dunawd a'i fod ef yn arwain yr adain a oedd yn brwydro yn erbyn Owein a Phasgen, meibion Urien. Gwaith adain Gwallawg oedd ymateb i ymosodiadau'r trydydd mab, Elphin; golygfa drist o deulu ar chwâl ac ardal wedi ei rhwygo.

Os gwir y dyfalu, gellir mynd gam ymhellach a chynnig mai yn sgil y frwydr hon y symudodd Taliesin o Reged i deyrnas Elfed. Gwyddys o'r ddau bennill a gyflwynwyd o dan y teitl 'Anoeth' (Anodd) bod tipyn o anfri wedi disgyn ar deulu brenhinol Rheged wedi'r ymrafael. Ceir mesur o ddwyster y gynnen yn yr englyn cyntaf:

> Anoeth byd brawt bwyn kynnull
> Am gyrn buelyn, am drull;
> Rebyd uilet Reget dull.

(CLlH, t. 15)

[Anodd hyd Ddydd y Farn fydd hi i ni ymgynnull / O gwmpas cyrn yfed, [ac] o gwmpas y lletwad / [Ni] frenhinllu byddin Rheged].

Dyna ddigon i esbonio cwymp Urien a chynnig ei fod, am gyfnod, wedi ildio ei le yn uwch-frenin i Wallawg o Elfed. Dyna, yn sicr, yw'r argraff a geir wedi darllen y gerdd a luniodd Taliesin i Wallawg:

En enw gwledic nef goludawc. ydrefynt
biewyd gyneiluoawc.
eiric y rethgren riedawc.
rieu ryfelgar gewrheruawc.

(*CT*, XI, ll. 1-4)

[Yn enw Arglwydd Nef, yr ymgasglodd y teulu / I gynnal eu hamddiffynnydd / Yn awchus am daro gyda'u gwaywffyn aruchel / Y brenhinoedd rhyfelgar.]

Ystyr 'gwledic' yw arweinydd â chyfrifoldeb dros ardal eang, nid annhebyg i *Dux bellorum* y cyfnod Rhufeinig. Y mae'r gerdd i Wallawg yn llawn o gyfeiriadau at frwydrau ar hyd a lled y gogledd o 'Bretwyn' (Troon) yn yr Alban i 'Gwensteri' (Winster) yn Ardal y Llynnoedd. Serch hynny, ymddengys mai cyfnod byr oedd cyfnod Gwallawg yn uwch-frenin gan fod yna dystiolaeth yn yr *Historia* ei fod wedi ymuno â'r gynghrair fawr a drefnwyd gan Urien cyn diwedd y ganrif.

Ymhell cyn hyn yr oedd Taliesin wedi sylweddoli mai camgymeriad oedd dilyn Gwallawg, fel y tystia cerdd ddadlennol o gasgliad Ifor Williams. Teitl y gerdd yw 'Dadolwch Urien' (CT IX), disgrifiad o gais taer Taliesin i ddychwelyd i Reged i ailgydio yn ei waith fel bardd llys Urien. Ni ellir ond rhyfeddu at haerllugrwydd y cais, ond y mae'n rhaid bod angen 'spin doctor' da ar ei hen noddwr. Wrth gwrs, rhaid oedd gofyn am faddeuant yn y ffordd fwyaf gwasaidd ac addo ffyddlondeb hyd ddiwedd oes!:

Nyt mawr ym dawr byth gweheleith a welaf.
Nyt af attadunt ganthunt ny bydaf.
Ny chyrchafi gogled ar meiteyrned.

(*CT*, IX, ll. 5-7)

153

[Ni chlodforaf neb arall tra byddi byw / Nid af atynt ac nid arhosaf yn eu plith / Nid af i'r gogledd ar wŷs mân frenhinoedd.]

Gorffennir y gerdd trwy ganmol meibion ei noddwr i'r entrychion. Yr oedd Urien yn hen ŵr erbyn hyn, felly rhaid oedd gwarchod y dyfodol!:

> Dy teyrn veibon haelav dynedon.
> Wy kanan eu hyscyrron yn tired eu galon
>
> *(CT, IX, ll. 21-2)*

[Dy feibion meistrolgar yw'r dynion haelaf / Parod ŷnt i godi eu cri yn nhir y gelyn.]

Gwlad Urien

Y darlun cyffredin a gynigir o'r cyfnod ôl-Rufeinig yw cymdeithas ar chwâl. Gwyddys o gofnodion Gildas bod hyn yn wir am y de, ond ni welwyd yr un dirywiad yn y gogledd. Yno yr oedd y ffyrdd Rhufeinig mewn cyflwr da ac yr oedd hyd yn oed rai o'r caerau wedi eu hadnewyddu. Dinas Efrog oedd cadarnle Coel Hen ond credir bod cangen Urien o'r teulu wedi symud i Gaerliwelydd i sefydlu gweinyddiaeth annibynnol. Rhaid tybio mai dyma lle y ganwyd Urien, gan mai ystyr *urb gen* oedd 'ganwyd mewn dinas'. Ni wyddys faint o gyfrifoldebau'r weinyddiaeth Rufeinig a etifeddodd y teulu, ond gwelwn o ganu Taliesin (CT III) fod Urien yn ŵr o awdurdod:

> Ac ef yn arbennic   yn oruchel wledic.
> yn dinas pellennic.   yn keimyat kynteic.
>
> *(CT, III, ll. 7-8)*

[Ef oedd ein harglwydd ac arweinydd y fyddin / Mewn dinas bell yr oedd yn ymladdwr cryf.]

Ystyr 'arbennic' oedd 'prif arweinydd' a dyletswydd gŵr o'r fath oedd cadw trefn ar is-frenhinoedd y rhanbarth. Yn y cyfnod ôl-Rufeinig, yr oedd y cysyniad o berthyn i'r byd clasurol, y *romanitas*, yn dal yn fyw ond fe ailgydiwyd mewn rhai arferion cyntefig. Yn un o gerddi Taliesin disgrifir Urien yn 'arch lleidr gwartheg', atsain o draddodiad a oedd yn fwy nodweddiadol o'r Oes Haearn (CT II):

> Arwyre gwyr katraeth gan dyd.
> am wledic gweithuudic gwarthegyd.
>
> (CT, II, ll. 1-2)

[Cododd gwŷr Catraeth gyda'r wawr / O amgylch eu harglwydd buddugol, arch-leidr gwartheg.]

Yn nyddiau Urien, yr oedd gwartheg yn fesur o gyfoeth, ac yn ôl pob tebyg, yr oedd y nifer yn bwysicach nag ansawdd y fuches. Yn sicr, yr oedd yna ddigon o dir pori yn Ardal y Llynnoedd gan fod yna nifer o 'Romano-Brittonic Settlements' i'w gweld o hyd ar y map. Magu da a defaid oedd yr arfer ar yr ucheldir, ond yr oedd ffermio cymysg yn gyffredin ar hyd yr arfordir ac yn y dyffrynnoedd canolog. Un o gymoedd mwyaf cynhyrchiol yr ardal oedd dyffryn afon Idon. Ceir cadarnhad o hyn yn un o gerddi Taliesin lle gwelir fod y bardd ei hun yn berchen darn o dir (CT IV):

> Eg gorffowys can rychedwys
> parch a chynnwys. a med meuedwys.
> Meuedwys med y oruoled
> a chein tired imi yn ryfed.
>
> (CT, IV, ll. 1-4)

[Gorffwysaf gyda gwŷr Rheged / Yno caf groeso a chyflenwad o fedd / Fy rhan i yw medd ei orfoledd / Ac ystod eang o dir gwerthfawr.]

Arfer brenhinoedd y chweched ganrif oedd symud o lys i lys i dderbyn nawdd, ond ymddengys bod Urien a'i deulu yn treulio tipyn o amser yn yr ardal sych a heulog i'r gorllewin o'r Penwynion.

Gan fod cyn lleied wedi ei wneud i archwilio gweddillion ffermydd y cyfnod, rhaid troi i fyd y paleolimnegydd i ddysgu mwy am ansawdd y tir. Tasg gymharol hawdd yw gweld ble y torrwyd y coedwigoedd cynnar gan fod yna strwythur unigryw i'r paill a ddosberthir gan goed. Gwaith llawer anoddach yw adnabod y paill a wasgerir gan gnydau, ond fe ellir dirnad faint o'r tir a arddwyd trwy chwilio am baill y chwyn sy'n nodweddiadol o dir newydd ei drin. Dyna a wnaeth Emily Forster yn ei thraethawd ymchwil 'Palaeoecology of human impact in Northwest England during the early medieval period: investigating 'cultural decline' in the Dark Ages'. Yn y traethawd, ceir arolwg defnyddiol o gyflwr llysieuol Ardal y Llynnoedd o'r Oes Haearn hyd ddyfodiad y Normaniaid.

Y cyfnod cyntaf i ddenu sylw'r awdur oedd y cyfnod rhwng 100 CC a 250 OC pan lithrodd yr ardal i ddwylo'r fyddin Rufeinig. Gwelwyd o weddillion y paill bod digon o ffermydd da yng ngwlad y Carvetii ond, wedi'r goresgyniad, bu'n rhaid tyfu mwy o ŷd ar gyfer y caerau. Yr ail gyfnod i ddenu sylw oedd y cyfnod rhwng 250 a 600 OC a oedd, i bob pwrpas, yn gyfnod Cymreig. Erbyn 260 OC, yr oedd y Carvetii wedi ennill cyfran o ymreolaeth ac ni welwyd fawr o grebachu yng nghynnyrch y wlad hyd ddiwedd y seithfed ganrif. Tystia ansawdd y paill fod cyfran uchel o'r tir ar draws yr ardal yn cael ei drin yn rheolaidd i dyfu cnydau. Lleolid rhai o'r ffermydd gorau yn ardal Caerliwelydd, ond yr oedd yna ddigon o dir da yn nyffrynnoedd y canoldir. Rhaid derbyn felly na syrthiodd ffermwyr yr ardal i bwll o anobaith wedi i fyddin Rhufain ddychwelyd i'r Cyfandir. Ni ellir cynnal cynnydd o'r fath heb rywfaint o drefn, felly rhaid tybio nad oedd yr ymladd a welwyd ar ffiniau'r Hen Ogledd yn rhwystr i ffyniant y ffermwyr.

Rywbryd tua 680 OC collodd Rheged ei gafael ar y tir tua'r de wrth i fyddin Northymbria oresgyn y gwastadedd. Gwyddys o gofnod a luniwyd tua 685 OC bod rhai o'r trigolion wedi eu troi yn gaethweision, ond credir mai gafael gwan oedd gan y goresgynwyr ar weddill y wlad. O gofio'r holl frolio am fedr amaethyddol y Saeson, diddorol sylwi na welwyd fawr o gynnydd yn yr ardaloedd a gipiwyd. Prin oedd yr olion o gynnydd yng nghynnyrch ffermydd y de er bod mwy o dir wedi ei aredig yn ardal Caerliwelydd. Un newid dadlennol oedd y dirywiad a welwyd yn ansawdd y tir i'r de o Windermere, yr ardal gyntaf i syrthio i ddwylo'r Saeson.

Afon Lyvennet ger pentref Crosby Ravensworth

Llys Urien

Deellir o ganu Taliesin mai 'Llwyfenyd' oedd enw llys Urien yn nyffryn afon Idon. Yn ffodus, does dim rhaid chwilio yn hir cyn dod o hyd i'w leoliad gan fod yna afon a adnabyddir fel 'Lyvennet' yn ymuno ag Idon ger Temple Sowerby. Y mae mwy o adfeilion o'r bedwaredd a'r bumed ganrif wedi goroesi ar lannau Lyvennet nag mewn unrhyw ardal arall, ond ychydig sydd wedi ei wneud i ddatgelu eu cyfrinachau. Anodd felly esbonio pam y neilltuodd yr hanesydd Tim Clarkson ddeg tudalen o'i gyfrol *The Men of the North* i ddadlau nad yn y rhan hon o'r wlad y lleolwyd llys Urien. Mynnodd mai cydddigwyddiad oedd enw'r afon ac fe aeth mor bell â chynnig mai cwmwd ym mherfeddion yr Alban oedd Rheged. Cyfeiriodd at bob tystiolaeth i'r gwrthwyneb fel 'factoids' cyn nodi: 'Excavations of ancient settlements in the Lyvennet valley have produced no evidence of habitation in post-Roman times.' Gosodiad digon teg, ond un sy'n diystyru'r ffaith nad oedd y dull ymbelydrol o fesur amser yn bod pan archwiliwyd yr adfeilion ar ddechrau'r ugeinfed ganrif! Olion mwyaf trawiadol y dyffryn yw adfeilion 'Ewe Close', y gaer fawr a archwiliwyd gan W. G. Collingwood a'i fab R. G. Collingwood ym

1907. Cyhoeddwyd y disgrifiad cyntaf o'r gwaith yn 1908[37] cyn cynhyrchu adroddiad llawnach yn 1909.[38] Ar sail yr arolwg hwn yr oedd Collingwood o'r farn fod yna gysylltiad rhwng yr adfeilion a ddatgelwyd a'r hyn a gofnodwyd yng ngherddi Taliesin. Sylwodd bod adeiladwaith y tai wedi newid o gyfnod i gyfnod a bod olion o gynnal a chadw dros gyfnod hir. Yn anffodus, ni fedrwyd gwneud dim wedi'r gwaith cychwynnol a bu'n rhaid claddu gweddillion y gaer i ddiogelu'r adfeilion. Bu farw W. G. Collingwood ym 1932 a'r flwyddyn ddilynol cyhoeddodd ei fab grynodeb o'r holl waith a gyflawnwyd ar droad y ganrif[39] i hybu diddordeb. Yn ei gyflwyniad i'r arolwg, mynegodd ei siom nad oedd mwy wedi ei wneud i ddatgelu cyfrinachau'r dyffryn:

> Ewe Close may claim to be the best known Romano-British village in northern England. But the results have lain idle, instead of being applied to the elucidation of other sites and the planning of further excavations.

Ers hynny, does neb wedi dychwelyd i'r dyffryn i gloddio ac, erbyn hyn, y mae cyflwr yr adfeilion a ddisgrifiwyd gan R. G. Collingwood wedi dirywio. Rhaid cynnig crynodeb felly o'r hyn a gyflawnwyd ar droad y ganrif, yn y gobaith y gellir gwneud mwy yn y dyfodol i ddatgelu hanes y dyffryn yn y cyfnod Cymreig.

Saif 'Ewe Close', prif adeilad y dyffryn, ar fryn isel ar lannau Lyvennet ychydig i'r de o Crosby Ravensworth. Yn ôl W. G. Collingwood, yr oedd yna gaer ar y safle cyn dyfodiad y Rhufeiniaid fel y tystia'r ffaith fod y ffordd a adeiladwyd gan y goresgynwyr yn gwyro i gyfeiriad y bryn. Caer o'r Oes Haearn oedd yr hen adeilad, felly mae'n rhaid bod y safle yn ganolfan i arweinydd o gryn bwys. Nodweddion pwysicaf y gaer a godwyd ganrifoedd yn ddiweddarach oedd maint y clostir a'r ffaith fod yr adeiladwyr wedi efelychu dull y Rhufeiniaid o drefnu amddiffynfa. Yn wahanol i'r hen arfer, yr oedd y clos ar batrwm hirsgwar ac yr oedd cerrig y mur wedi eu naddu mewn ffordd gelfydd. Prif adeilad y gaer oedd y neuadd gron a godwyd yn y buarth canolog. Yr oedd hon yn mesur tua 15m. ar draws felly nid syndod gweld bod Collingwood yn dod i'r casgliad mai dyma oedd llys arglwydd y dyffryn. Ychydig tua'r de yr oedd yna adeilad crwn arall tua 8m ar draws lle gwelwyd olion tân a ffwrnais i drin metel. Prin iawn oedd y nwyddau cludadwy a ddaeth i'r golwg yn ystod y cloddio ond yr oedd Collingwood wedi clywed si fod plant o'r pentref wedi bod yn twrio yn yr adfeilion. Serch hynny, daethpwyd o hyd i lestr gwydr, pen costrel a darnau o'r *amphorae* a ddefnyddid i gadw gwin. Dyna gadarnhad bod preswylwyr y gaer ar delerau da gyda'r Rhufeiniaid a'u bod yn mwynhau safon uchel o fyw. Hawdd dychmygu'r 'teulu' felly yn ymgynnull yn y neuadd fawr i wledda, arfer cyffredin yn ôl y disgrifiad a geir yn un o gerddi Taliesin (CT V):

Ar vn blyned vn yn darwed
gwin a mall a med. A gwrhyt diassed
Ac eilewyd gorot. a heit am vereu
ae pen ffuneu Ae tec gwyduaeu

(*CT*, V, ll. 1-4)

[Am flwyddyn gyfan yn un llifeiriant / Gwin a chwrw a medd i arwyr brwydr / A chân gelfydd i'r osgordd / Penwisg nodedig a sedd anrhydeddus.]

Ym mhen arall y gaer, yr oedd yna stryd o dai crwn gyda darnau o dywodfaen llyfn ar y llawr. Barnwyd bod yr adeilad hirsgwar a godwyd yn y buarth dwyreiniol yn perthyn i gyfnod diweddarach, gan fod gwneuthuriad y muriau yn fwy celfydd. Ystafelloedd cadarnaf y gaer oedd y rhai a godwyd yn rhan o'r mur allanol. Pan ddadorchuddiwyd y gweddillion ym 1907, yr oedd olion tân yn y cornel ac yr oedd Collingwood o'r farn fod cerrig llyfn y llawr wedi eu gosod mewn patrwm Celtaidd. Y tu allan i'r gaer yr oedd yna drefniant o gaeau bach ac adfeilion dwsin o dai a allai fod yn gartrefi i weision. Ni wyddys beth oedd statws cymdeithasol gweision y cyfnod ond, os credir y darlun a geir mewn cerdd arall o waith Taliesin (CT IV), yr oedd Llwyfenyd yn lle delfrydol i fyw:

Kwrwf oe yfet a chein trefret
a chein tudet imi ryanllofet.

Llwyfenyd van. ac eirch achlan
Yn vn trygan mawr a bychan

(CT, IV, ll. 19-22)

[Cwrw i yfed a chartref moethus / A gwisg wych i mi'n anrheg /
Llwyfenydd dlos, cân dy holl ddeiliaid dy glod.]

Yn ôl pob tebyg, clogyn porffor yn y dull Rhufeinig oedd y 'wisg' a
ddisgrifir a gallwn fod yn hyderus bod tlws gwerthfawr i'w gadw yn ei
le.

Wedi gorffen y gwaith ar 'Ewe Close' dechreuwyd ar y gwaith o
archwilio gweddillion wyth o ffermydd yr ardal. Ar droad y ganrif yr
oedd yr adfeilion mewn cyflwr da ond, pan ddychwelodd R. G.
Collingwood i'r dyffryn yn y tridegau, dim ond gweddillion chwech
oedd ar ôl. Heddiw, yr unig olion cyraeddadwy yw anheddau 'Ewe
Locks' gan fod pentref 'Burwens' bellach yn rhan o glos fferm. Yn
'Ewe Locks' gellir gweld gweddillion dwy fferm hynafol a seiliau dau
neu dri thŷ. Yn ffodus, y mae olion y caeau cyfagos mewn cyflwr da
gan fod y cyfan yn sefyll ar dir comin. Bernir bod y caeau bach crwn
yn perthyn i gyfnod cynnar ond y mae ffos a chlawdd mwy sylweddol
o amgylch y cae mawr sgwâr. Ymddengys fod y tai a godwyd gerllaw
hefyd yn perthyn i fwy nag un cyfnod. Y mae'r tŷ cyntaf un yn dilyn
patrwm crwn a'r llall y patrwm hirsgwar a gysylltir â'r chweched
ganrif. Yn y tridegau, adfeilion mwyaf cyfan y dyffryn oedd pentref
'Burwens' ar draws y cwm. Pan ymwelodd R. G. Collingwood â'r safle
yr oedd muriau'r porth gyfuwch â phen dyn, ond credir bod rhai o'r
cerrig wedi eu dwyn erbyn hyn. Yn ôl R. G. Collingwood, 'so well
preserved a relic ...would seem to demand excavation' ond trist nodi
na ddigwyddodd dim o'r fath. Heb waith pellach, ni ellir profi pwy
oedd yn byw ar lannau Lyvennet yn y bumed a'r chweched ganrif, ond
anodd credu fod cymdeithas mor ffyniannus wedi diflannu fel
cwmwl o fwg. Mae'n bwysig nodi hefyd fod enwau o darddiad Seisnig
yn brin yn y dyffryn. Enw o gyfnod y Llychlynwyr yw 'Crosby
Ravensworth' ac y mae tinc Gymreig i 'Burwens', y pentref coll.

Brwydrau Urien

Yn ei chyfrol *Singing in Chains*, cyfeiriodd Mererid Hopwood at Taliesin ac Aneirin fel 'war correspondents', disgrifiad da, gan eu bod yn dystion i rai o frwydrau mawr y cyfnod. Tasg anodd yw deall cefndir hanesyddol brwydrau Urien, ond gellir eu gosod mewn rhywfaint o drefn trwy edrych ar y cynnwys. Yn ôl pob tebyg, brwydrau o gyfnod cynnar yw'r rhai a ddisgrifir yn y gerdd a osododd Ifor Williams yng nghanol y casgliad (CT VII):

yn eidoed kyhoed yn eil mehyn
kat yn ryt alclut kat ymynuer
kat gellawr brewyn. kat hir eurur.
kat ymprysc. katleu kat yn aber

(CT, VII, ll. 20-23)

[Ger amddiffynfa o goed roedd y cyrch / Brwydr yn rhyd Alclud am y goron / Brwydr ger Brewyn a glodforir yn hir / Brwydr ym mangoed Cadleu a brwydr yn Aber.]

Gwelir o'r enwau a nodir fod Urien yn trefnu brwydrau dros ardal eang mewn lleoliadau fel 'alclut', 'brewyn' a 'prysc katleu'. Ymddengys mai ar lannau afon Clud yr ymladdwyd y frwydr gyntaf; os felly, rhaid mai cynnig cymorth i'w gymdogion i atal un o gyrchoedd y Pictiaid oedd y nod. Lleoliad tebygol 'brewyn' yw hen gaer Rufeinig *Bremenium* yn Northymbria, felly rhaid derbyn mai Saeson Bernicia oedd y gelyn y tro hwnnw. Caer a godwyd i'r gogledd o Fur Hadrian oedd *Bremenium* a'i diben oedd amddiffyn y ffordd oedd yn rhedeg o ddinas Efrog i'r Alban. Amhosib dweud ble yr ymladdwyd brwydr 'katleu' ond awgryma'r 'prysc' ei bod mewn ardal lle yr oedd yna goed bach.

Ambell waith, tasg anodd yw dirnad pwy oedd yn ymladd ond, mewn un o gerddi mwyaf ymfflamychol y bardd (CT III), does dim amheuaeth mai'r Saeson oedd y gelyn:

lloegrwys ae gwydant pan ymadrodant.
agheu a gawssant a mynych godyant.
llosci eu trefret a dwyn eu tudet
ac eimwnc collet a mawr aghyffret

(CT, III, ll. 9-12)

[Gwŷr Lloegr a wyddant pan adroddant yr hanes / Mai angau a
gawsant ac aml boen / Llosgi eu tir a'u tai a dwyn eu heiddo / yn
sgil llawer colled daw caledi mawr.]

Deallwn o'r 'ymadrodant' fod y Saeson hefyd yn barod i adrodd hanes
brwydr a gollwyd a diddorol nodi fod lluoedd Urien yn defnyddio tân
fel arf yn y maes. Cerdd arall o'r cyfnod cynnar yw'r un lle disgrifir
Urien yn arwain byddin fuddugoliaethus (CT IV):

Annogyat kat diffreidyat gwlat.
gwlat diffreidyat kat annogyat.
gnawt amdanat twrwf pystylat.
Pystylat twrwf ac yuet cwrwf.

(CT, IV, ll. 15-18)

[Trefnydd cad amddiffynnwr gwlad / Amddiffynnwr gwlad
trefnydd cad / Mewn bonllef yng nghanol dy wŷr / Yng nghanol
y twrw yn yfed cwrw.]

Hen air am guriad traed meirch yw 'pystylat' ac fe ddefnyddir yr
ymadrodd yn Sir Gaerfyrddin o hyd i gyfleu anesmwythyd. Cynigia'r
cymal 'diffreidyat gwlat' fod Urien yn feistr ar is-frenhinoedd y
gogledd yn y cyfnod dan sylw, ond hawdd oedd colli eu teyrngarwch.
Yn y cyfnod cynnar, defnyddid y gair 'gwledig' i gyfeirio at
lywodraethwr a oedd yn rheoli ardal eang, adlais o swydd y Dux yn y
cyfnod Rhufeinig. Ar y llaw arall, y mae cerddi sy'n perthyn i gyfnod
diweddarach lle gwelir fod Urien wedi dechrau heneiddio (CT V):

Ae varch ydanaw yg godeu gweith mynaw.
a chwanec anaw bud am li am law.

wyth vgein vn lliw o loi a biw.
biw blith ac ychen a phop kein agen

(CT, V, ll. 6-9)

[Â'i farch oddi tano / ym mrwydr Mynaw Goddau/ Wyth ugain
o loi a gwartheg o'r un lliw / Gwartheg godro ac ychen o'r
ansawdd gorau.]

Cyrch i ddwyn gwartheg yw testun y gerdd, ond nid oes rhaid derbyn
mai gwartheg ei gyd-Gymry a ysbeiliwyd. Yng nghyfnod y
Rhufeiniaid, yr oedd Manaw Gododdin yn rhan o'r Gododdin ond,
erbyn y chweched ganrif, yr oedd y Pictiaid wedi cipio darn sylweddol
o'r wlad i'r gogledd o Ferin Iddew. Fel darn i gadw'r gynulleidfa ar
flaen eu seddau, yr oedd y gerdd yn gampwaith seicolegol. Wedi
darlunio Urien yn cychwyn ar ei farch tanllyd, gwelwn fod y bardd yn
pryderu fod ei noddwr yn heneiddio. Beth tybed fyddai ei dynged pe
bai ei arglwydd yn dychwelyd ar elor? Wedyn, ceir disgrifiad o'r
ddaear yn crynu wrth i'r milwyr ddychwelyd, cyn iddynt gyfarch eu
harglwydd trwy floeddio cân.

Y disgrifiad mwyaf ysgytwol o frwydr yng nghanu Taliesin yw'r un
a geir yn y gerdd am frwydr Gwen Ystrad (CT II). Ni wyddys pryd y
cyfansoddwyd y gerdd, ond gwelwn fod Urien mewn gwth o oedran
erbyn hyn ac mai'r Pictiaid oedd y gelyn:

Gwyr prydein adwythein yn lluyd.
gwen ystrat ystadyl kat kynygyd.
ny nodes na maes na choedyd
tut achles dy ormes pan dyuyd.

(CT, II, ll. 6-9)

[Gwŷr Prydyn a ddinistrwyd yn llwyr / Gwen Ystrad oedd gorsaf
hogwr byddin / Nid oedd lloches mewn maes na choedwig / O
amddiffynnydd dy bobl, gorchfygir dy elyn pan ddaw.]

Yn ôl Ifor Williams, camgymeriad am y Pictiaid (y 'Prydyn') oedd
'Gwyr prydein' ac ystyr 'ystadyl' yw 'station' yn yr ystyr filwrol. Llinell

sydd wedi creu cryn drafferth i ysgolheigion yw'r unfed ar hugain lle gwelir 'kyfedwynt y gynrein kywym don'. Barn Ifor Williams oedd mai camgymeriad am 'rywin-idon' oedd 'kywym don', a'i fod yn gyfeiriad trosiadol at afon Idon yn llifo'n goch gan waed. Dyma pam y lleolwyd y frwydr yn nyffryn Idon, ond y mae cyfeiriadau yn y gerdd sy'n awgrymu lleoliad arall. Yn fy marn i, y gair allweddol yw 'ystadyl' a'r cymal pwysig yw'r un sy'n sôn am donnau'r afon yn golchi cynffonnau'r meirch: 'gwanecawr gollychynt rawn eu kaffon.' Anodd dychmygu tonnau o'r fath ar afon Idon, na gweld sut y gallai byddin y Pictiaid fod wedi ymwthio mor bell tua'r de. Ar sail ystyriaethau enwol a strategol, rhaid cynnig nad yn nyffryn Idon ond ar aber afon Wampool, i'r de o Gaerliwelydd, yr ymladdwyd y frwydr. 'Waunpol' oedd yr hen enw sy'n dangos mai rhywbeth tebyg i 'Waun Pwll' oedd yr enw gwreiddiol. Y mae hen gaer Rufeinig ('ystadyl') ar y penrhyn y tu draw i'r afon a chyfeiriad at 'ofur' yn y gerdd. Heddiw, mae yna bentref a elwir Cardunock wrth ymyl gweddillion y gaer ac ystyr 'Caer Durnog' oedd 'Caer Garregog'. Yng nghyfnod Urien gwyddys fod y Pictiaid yn trefnu ymosodiadau cyson ar yr arfordir a'u bod wedi llwyddo i gipio rhai o gaerau'r Cymry. Yr oedd penrhyn Caer Durnog yn lle cyfleus i lanio, ond yr oedd y rhyd dros Wampool yn lle da i'w hatal rhag symud tua'r de:

Lleoliad tebygol brwydr 'Gwen Ystrad' yn erbyn y Pictiaid

Yn drws ryt gweleis y wyr lletrudyon
eiryf ddillwg y rac blawr gofedon.

[Ym mwlch rhyd gwelais filwyr wedi'u staenio â gwaed / Yn gollwng arfau o flaen yr arglwydd â'r gwallt gwyn.]

Rhaid cynnig mai Urien oedd y gŵr â'r gwallt gwyn a bod y Cymry wedi llwyddo i drechu'r gelyn. Yn y llun gyferbyn o aber Wampool, gwelir nad yw'r tywod yn wyn, ond y mae'n ddigon golau i'w ddisgrifio fel 'Gwen Ystrad'. Os derbynnir hyn, disgrifiad syml o ddonnau'r aber yw 'kywim don', ac er bod yr aber yn gul, y mae yn nannedd y gwynt sy'n rhuthro o'r môr. Nid oes yna dystiolaeth archaeolegol fod y Pictiaid wedi cipio Caer Durnog, ond y mae olion ymosodiad ar gaer cyfagos. Saif y gaer honno wrth ymyl pentref Gatehouse of Fleet yn swydd Galloway ac y mae cyfres o luniau Pictaidd ar y mur. Wrth droed y mur, ceir olion y tân a gynnwyd yn ystod yr ymosodiad a gweddillion lludw yn gymysg â'r pridd. Wedi casglu tipyn o'r lludw mentrwyd mesur ei ymbelydredd, ac er na ellid cynnig dyddiad pendant, profwyd fod yr ymosodiad wedi digwydd rywbryd rhwng 536 a 646 OC.

Gellir dysgu mwy am hanes brwydr Gwen Ystrad yn y cwpled lle cyfeirir at ysgarmes ar fryn cyfagos:

Gweleis i ran reodic am urien
pan amwyth ae alon. yn llech wen

[Gwelais i fintai wych o gwmpas Urien / Pan ymladdodd â'i elynion yn Llech Wen.]

O weld y gair *alon* unwaith eto, rhaid cynnig mai Urien oedd yn gyfrifol am arwain uned o wŷr meirch yn y frwydr. Ar yr olwg gyntaf, y mae'r cyfeiriad at leoliad arall, 'Llech Wen', yn amwys, ond gellir cynnig esboniad wedi gweld fod yna gyfieithiad o'r enw wedi aros ar y tir. Ar lan ogleddol yr aber y mae pentref a elwir 'Whitrigg', ystumiad o ddau air Llychlynnaidd i ddisgrifio 'Crib Wen'. Yn y fyddin Rufeinig, defnyddid yr *alae* i ymlid y gelyn ar ddiwedd brwydr.

Hawdd felly dychmygu mai dyma oedd gwaith Urien ar ddiwedd y dydd a'i fod wedi croesi'r afon i 'Llech Wen' i atal y gelyn rhag dianc.

Dim ond dyfalu yw hyn, ond wrth edrych ar gynnwys cerdd arall, 'Gweith Argoet Llwyfein' (CT VI), rhaid derbyn bod gan Taliesin y gallu i greu darlun cryno o frwydr a'i holl gymalau strategol. Yn ystod teyrnasiad Hussa, brenin Bernicia (585-92) yr ymladdwyd brwydr 'Argoet Llwyfein' a'r nod oedd gosod ffin bendant rhwng tir Urien yn y gorllewin a thir y Saeson tua'r dwyrain. Dechreuir y gerdd trwy esbonio pwy oedd y gelyn a phwy oedd yn ymladd ym myddin Urien. Syndod gweld y cyfeiriad at gymorth gwŷr 'godeu' ond fe allent fod yn ffoaduriaid o Fanaw Gododdin:

> E Bore duw sadwrn kat uawr a uu.
> or pan dwyre heul hyt pan gynnu.
> dygrysswys flamdwyn yn petwar llu.
> godeu a reget i ymdullu.
>
> (CT, VI, ll. 1-4)

[Bore dydd Sadwrn brwydr fawr a fu / O godiad yr haul hyd ei fachlud / Ymosododd Fflamddwyn yn bedwar llu / Trefnodd Goddau a Rheged eu lluoedd i ymladd.]

Ystyr 'dygrysswys' yw brysio ac 'ymdullu' oedd y gair am drefnu byddin cyn brwydr. Credir mai Theoderic, brawd Hussa, oedd y 'Fflamddwyn' y cyfeirir ato yn y gerdd a'i fod wedi ei ladd cyn diwedd y frwydr. Cyn cychwyn, deallwn fod Fflamddwyn wedi gofyn i Owain am wystlon ac wedi derbyn yr ateb na fyddai unrhyw ddisgynnydd i Goel mor llwfr! Yr oedd gofyn am wystlon yn arfer cyffredin yn yr oesoedd cynnar ac yn ffordd o osgoi lladdfa os gellid trefnu cytundeb. Ar ddechrau'r gerdd ceir cwpled sy'n cynnig cyfeiriad defnyddiol at leoliad y frwydr:

> dyuwy o argoet hyt arvynyd.
> ny cheffynt eiryos hyt yr vn dyd.
>
> (CT, VI, ll. 5-6)

[Daethpwyd o Argoed i Arfynydd / Ni allent ohirio'r cyrch am ddiwrnod.]

Cynigia'r enw 'Argoet Llwyfein' mai ar ddarn o dir coediog heb fod ymhell o lys Urien yr ymgasglodd y fyddin cyn y frwydr. Ni ellid ymarfer ar dir ffrwythlon dyffryn Lyvennet, rhaid oedd dewis darn o dir gwyllt yn nes at gopa'r Penwynion felly. Deallwn o'r llinell gyntaf fod y fyddin wedi cychwyn ar doriad gwawr ac wedi cyrraedd lleoliad y frwydr yn gynnar. Mae'n rhaid felly ei bod wedi ymarfer ar lecyn nad oedd yn bell o droed y bryn cyn cychwyn ar fyr rybudd tua'r copa. Lleoliad tebygol y maes ymarfer oedd y waun ar gyrion pentref Brough a adnabyddir fel 'Warcop', a diddorol nodi mai tanciau byddin Prydain sy'n ymarfer ar y waun erbyn hyn! Efallai fod mwy o goed ar y llethrau yn nyddiau Urien, ond yr oedd yna hefyd ffordd Rufeinig yn croesi'r tir i gyfeiriad bwlch Stainmore. Y mae'r enw 'Ketland' i'w weld o hyd ar y map, ystumiad tebygol o'r 'coed' a'r 'glan' Cymreig. Yr oedd bwlch Stainmore yn lle delfrydol i drefnu amddiffynfa ac i gadw golwg ar wlad y Saeson tua'r dwyrain. Yn y gerdd, fe geir disgrifiad manwl o'r paratoi:

dyrchafwn eidoed oduch mynyd.
Ac am porthwn wyneb oduch emyl.
A dyrchafwn peleidyr oduch pen gwyr.

(*CT*, VI, ll. 15-17)

[Dyrchafwn fur amddiffynnol ar ben y mynydd / A chodwn wyneb dros yr ymyl / Ysgydwn ein gwaywffyn uwch ein pennau.]

Bwlch Stainmore yr 'arvynyd' y cyfeirir ato yn y gerdd

Fel y nodwyd eisoes, ystyr 'eidoed' oedd mur a godwyd yn amddiffynfa ac yr oedd copa bwlch Stainmore yn lle delfrydol i atal ymosodiad. Deallwn hefyd nad oedd y Cymry yn sicr pryd y cyrhaeddai'r gelyn, ond y mae'n rhaid eu bod wedi trefnu gwylwyr ar ben y bryn. Dyna eglurhad o'r chweched llinell yn y gerdd lle nodir 'ny cheffynt eiryos hyt yr un dyd' [Ni chaent saib am hyd yr un dydd] gan bod rhaid cychwyn ar fyr rybudd wedi gweld arwydd y gwylwyr. Y mae Warcop tu 10km i'r gorllewin o Stainmore, taith a gymerai lai na dwyawr ar gefn ceffyl. Y mae gweld y fath fanylder mewn cerdd a'i gwreiddiau yn y chweched ganrif yn agoriad llygad ac yn dyst fod y bardd yn adnabod y tir yn dda. Efallai ei fod ef yn rhan o'r fyddin, neu o leiaf, yn ddigon agos i weld y paratoadau. Dyma oedd brwydr fawr Urien a'i fab Owain yn erbyn y Saeson ac ni chofnodwyd dim tebyg wedi hyn:

> A rac gweith argoet llwyfein
> by llawer kelein.
> Rudei vrein rac ryfel gwyr.

(CT, VI, ll. 20-2)

[Ac wedi brwydr Argoed Llwyfain bu llawer celain / Cochai brain ar gyrff y rhyfelwyr.]

Dyna ddisgrifiad cignoeth o ddiwedd brwydr, gyda'r cigfrain yn bwydo ar gyrff y meirw. Gorffennir y gerdd trwy foli Urien yn y dull traddodiadol:

> Ac yny vallwyfy hen
> Ym dygyn agheu aghen.
> ny bydif ymdyrwen
> na molwyf vryen

(CT, VI, ll. 25-8)

[Hyd y byddaf yn hen / Ar wŷs ddygn angau / Ni fyddaf lawen / Os na allaf foli Urien.]

Ymddengys mai brwydr Argoed Llwyfain oedd uchafbwynt gyrfa Urien yn gadlywydd. Deellir o gofnod yn yr *Historia Brittonum* fod Urien wedi ei ladd tua 590 OC gan gymrawd a oedd yn eiddigeddus o'i lwyddiant. Mae'n rhaid fod Taliesin wedi canu marwnad fawreddog i'w arglwydd ar ôl clywed am yr anfadwaith, ond does dim wedi goroesi. Gwyddys bod Owain hefyd wedi ei ladd cyn diwedd y ganrif gan fod Taliesin wedi llunio marwnad deimladwy i hwnnw (CT X). Diddorol nodi mai gwrhydri Owain ym mrwydr 'Argoet Llwyfein' oedd prif destun y gerdd; rhaid tybio felly bod sefyllfa strategol Rheged wedi gwaethygu:

> Pan ladawd Owein fflamdwyn.
> Nyt oed uwy noc et kysceit.
> kyscit lloegyr llydan nifer
> a leuuer yn eu llygeit
>
> (*CT*, X, ll. 11-14)

[Pan laddodd Owain Fflamddwyn / Nid oedd fwy na chysgu iddo / Cysga lluoedd eang Lloegr / A golau yn eu llygaid.]

Y mae'r disgrifiad o luoedd y Saeson yn gorwedd â golau'r lleuad yn taro eu llygaid agored yn un o linellau mwyaf dirdynnol y gerdd. Dyna'r cyfan a gadwyd yng nghanu Taliesin am gyfnod Urien ond, fel y nodwyd yn barod, y mae hefyd ddarnau perthnasol yn englynion Llywarch Hen.

Dyddiau olaf Urien

Wedi'r fuddugoliaeth ar gopa'r Penwynion ymddengys bod Urien wedi trefnu cynghrair o is-frenhinoedd i ymlid gwŷr Bernicia ymhellach tua'r gorllewin. Erbyn 590 OC yr oedd y Saeson wedi encilio i'w hen gadarnle ar Ynys Metcawd ac yr oedd yna gyfle gwych i adfer yr Hen Ogledd. Ar drothwy buddugoliaeth fawr, trodd y cyfan yn llwch pan laddwyd Urien. Yr unig gofnod sydd gennym o'r anfadwaith yw'r hyn geir yn yr *Historia Brittonum*:

> Ymladdodd pedwar brenin yn eu herbyn, Urien, Rhydderch Hen, Gwallawg a Morcant. Ymladdodd Theoderic yn daer yn

erbyn Urien a'i feibion. Yn ystod y cyfnod yr oedd y gelyn, ac wedyn y Cymry, yn fuddugoliaethus a llwyddodd Urien eu gwarchae ar Ynys Metcawd am dridiau. Ond yn ystod yr ymgyrch lladdwyd Urien ar wŷs Morcant am ei fod yn eiddigeddus o'i allu fel trefnydd cad [*virtus maxima erat instauratione belli*] a'i fod yn well arweinydd na'r holl frenhinoedd [*omnibus regibus*].

Golygfa o Ynys Metcawd

Yn ôl y traddodiad, gŵr o'r enw Llofan Llaw Ddifro a wysiwyd i ladd Urien, ond y mae'r enw yn fwy tebyg o fod yn enw disgrifiadol. Ar lan y môr ger Ynys Metcawd y lladdwyd Urien tra yr oedd ei fyddin yn gwersylla gerllaw. Ynys fach yw Ynys Metcawd ond gellir ei chyrraedd o'r tir mawr trwy groesi sarn gul pan fo'n drai. Yng nghanu Llywarch Hen y mae tair cerdd lle cyfeirir at farwolaeth Urien, a'r fwyaf dirdynnol yw'r un sy'n sôn am ei chwaer yn galaru:

Handit Euyrdyl aflawen henoeth,
A lluossyd amgen.
Yn Aber Lleu llad Uryen.

[Aflawen ydyw Efyrddyl heno / A'i theulu lluosog / Yn Aber Lleu y lladdwyd Urien.]

Ger y man lle lladdwyd Urien y mae dwy afon yn rhedeg i'r môr dros y traeth. Y 'North Low' yw enw'r afon sy'n croesi'r traeth yn y gogledd a'r 'South Low' yw'r un sy'n cyrraedd y môr yn y de. Dyna ddigon i brofi nad darn dychmygol yw'r stori a adroddir yng nghanu Llywarch Hen. Hawdd gweld sut y trodd y 'Lleu' yn 'Low', felly rhaid cynnig bod y gerdd wreiddiol wedi ei llunio gan un a oedd yn adnabod yr ardal. Mewn cerdd arall, 'Celain Urien', deallwn fod y teulu wedi cael digon o amser i dorri bedd teilwng i'w harglwydd cyn dychwelyd i Reged:

> Y gelein veinwen a oloir hediw
> A dan brid a mein,
> Gwae vy llaw llad tat Owein.

> [Y corff lluniaidd a gladdwyd heddiw / O dan bridd a cherrig / Gwae fy llaw o ladd tad Owein.]

Dyna gadarnhad nad ar faes y gad y lladdwyd Urien, a bod y rhan hon o'r wlad yn nwylo'r Cymry ar y pryd. Dengys y cyfeiriad at Owein mai ef oedd yr etifedd, ond, wedi'r brad, chwalu a wnaeth y gynghrair fawr.

Y gerdd fwyaf dadleuol am ddiwedd Urien yw'r un lle nodwyd fod un o'r teulu wedi torri'r pen cyn claddu'r corff er mwyn ei gludo i Reged. Arfer rhyfedd o gofio fod y Cymry'n Gristnogion, ond tybed a oedd y syniad Celtaidd fod yr enaid yn trigo yn y pen wedi parhau?:

> Penn a borthaf ar vyn tu,
> Penn Uryen llary llywyei llu,
> Ac ar y vronn wenn vran du.
>
> (*CLlH*, t. 12)

> [Pen a gludaf ar fy ochr / Pen Urien hael arweinydd llu / Ac ar ei fron wen frân ddu.]

Nid yw ystyr y llinell olaf yn gwbl glir, ond mae yna draddodiad bod llun brân yn rhan o arfbais Urien. Ganrifoedd yn ddiweddarach, gosododd Rhys ap Gruffudd o'r Deheubarth frain ar arfbais y teulu er mwyn brolio hen gysylltiad gyda'r Hen Ogledd. Yn yr un cyswllt, rhaid gofyn ai cyd-ddigwyddiad yw'r ffaith mai 'Crosby Ravensworth' yw enw'r pentref a godwyd wrth droed y bryn o fewn ergyd carreg i 'Ewe Close'? Yn nyddiau'r Llychlynwyr y mabwysiadwyd yr enw, ond fe allent fod wedi clywed rhywbeth o hen hanes yr ardal gan eu bod ar delerau da gyda Chymry Ystrad Clud. Tasg fwy anodd yw penderfynu pwy a gadwodd y cof am ddyddiau olaf Urien cyn cludo'r stori i Gymru. Cynnig Ifor Williams oedd Llywarch ei hun a bod hwnnw wedi teithio o'r Hen Ogledd i Bowys wedi claddu ei gefnder. Lluniodd Jenny Rowland ddamcaniaeth lawer mwy cymhleth, trwy gynnig bod naws euog yn y gerdd a gyfansoddwyd i'r pen. Yn ei thyb hi, yr oedd y cymal 'gwae fy llaw' yn arwydd fod gan yr awdur law yn y cynllwyn i ladd Urien. Nododd hefyd fod y sylw a roddid i Efyrddyl, chwaer Urien, yn y gerdd yn annisgwyl, cyn mentro mai un o feibion Efyrddyl a gludodd y pen i Reged. O safbwynt hanesyddol, y canlyniad pwysig oedd dirywiad teyrnas Rheged ac, yn y degawd dilynol, lluniwyd rhyw fath o gytundeb gyda Saeson Northymbria. Byddin o'r Gododdin oedd y nesaf i sefyll yn y bwlch ac fe geir disgrifiadau cignoeth o'r ymgyrch honno yng ngherdd arwrol Aneirin i frwydr Catraeth.

Y Gododdin a Llyfr Aneirin

Casgliad o ddogfennau a luniwyd yn y drydedd ganrif ar ddeg yw Llyfr Aneirin sy'n cynnwys dau gopi o'r 'Gododdin', y 'Gorchanau' a thri darn a gopïwyd ar gam. Molawd a luniwyd gan y bardd Aneirin i'r gwroniaid a laddwyd mewn brwydr rhwng y Cymry a'r Saeson yng Nghatraeth yw'r Gododdin. Yn ôl y traddodiad, bardd llys Mynyddog Mwynfawr o Ddin Eidyn oedd Aneirin, ond bellach credir mai cyfeiriad at yr ardal yw'r disgrifiad nid enw brenin. Amserwyd brwydr Catraeth i'r cyfnod oddeutu 600 OC a bernir ei bod yn ymgais i gipio caer a syrthiasai i ddwylo'r Saeson. Mewn erthygl a gyhoeddwyd ar y we, cynigiodd John Koch bod c efndir gwahanol i'r frwydr, ond nid dyna oedd barn Ifor Williams, Kenneth Jackson na Gwyn Thomas mewn cyfieithiad diweddar. Yn y bennod hon, ni wnaf fwy na chynnig braslun o'r cefndir hanesyddol a dyfynnu ambell ddarn o'r gerdd i gyfleu naws y cyfnod a cheinder y canu.

Ni ellir cynnig dyddiad pendant i frwydr Catraeth ond mae'n rhaid ei bod wedi digwydd rhwng marwolaeth Urien ym 590 OC a goresgyniad Deira gan Bernicia yn 605 OC. Wedi marwolaeth Urien yr oedd Bernicia wedi cipio mwy o dir y Gododdin ac yr oedd ei brenin, Aethelfrith, yn awyddus i ledu ei ddylanwad tua'r de. Yno, yr oedd gwŷr Deira wedi disodli'r Cymry o hen gaer Rufeinig Catraeth, ond nid oedd eu brenin, Edwin, yn ddigon cryf i wrthsefyll ymosodiad gwŷr Bernicia. Credir mai nod y cyrch ar Gatraeth oedd cipio'r gaer cyn i'r ddwy deyrnas Seisnig gyfamodi, a thorri'r ffordd oedd yn arwain o Deira heibio Bernicia i wlad y Gododdin. 'Pre-emptive strike' yw'r term modern am gyrch o'r fath a rhaid oedd symud cyn i Aethelfrith uno Bernicia a Deira yn un deyrnas gref. Gwelir o destun y gerdd nad ar amrantiad y trefnwyd y cyrch, gan fod milwyr o sawl rhan o Brydain wedi treulio blwyddyn yn paratoi (Canu Aneirin XI):

Gwyr a aeth gatraeth gan wawr
dygymyrrws eu hoet eu hanyianawr.
med evynt melyn melys maglawr.

(*CA*, XI, ll. 90-2)

[Y gwŷr a aeth i Gatraeth gyda'r wawr / Fe gwtogwyd eu hysbryd a'u bywyd / Yfasant fedd, melyn, melys a fu yn fagl iddynt.]

Y mae nifer o gyfeiriadau yn yr hen ganu at yfed medd gan fod yna arwyddocâd moesol i'r ddefod. Yr oedd derbyn medd o law ei arglwydd yn arwydd bod y milwr yn barod i gynnal ei achos hyd at angau. Nid galaru am golledion Catraeth y mae Aneirin yn y Gododdin ond canmol gwrhydri'r glewion i gynulleidfa oedd yn edmygu aberth. Ar ddechrau'r gerdd cawn ddarlun byw o'r neuadd yn Nin Eidyn a natur y fyddin a drefnwyd yno. Deallwn mai gŵr o'r enw Gwlyged oedd yn gyfrifol am drefnu'r gwledda ac y mae cyfeiriad at ferch a oedd hefyd yn rhan o'r cwmni (CA LXVIII):

a merch eudaf hir dreis gwananhon
oed porfor gwisgyadur dir amdrychyon

(*CA*, LXVIII, ll. 829-30)

[Ac yr oedd merch Eudaf Hir wedi ei gwisgo â phorffor / Hi oedd gorthrymydd Gwanannon y tir drylliedig].

Credir mai un o benaethiaid Din Eidyn oedd Eudaf Hir ac mai ei ferch oedd yn gyfrifol am drefnu ymosodiadau tua'r de yn y tir a gollwyd i'r Saeson. Y mae'r cyfeiriad a geir at liw ei gwisg hefyd yn arwyddocaol gan mai porffor oedd lliw clogynnau'r hen weinyddwyr Rhufeinig. Rhaid derbyn felly fod ganddi statws uchel, sefyllfa gyffredin ymysg y Celtiaid, ond trefn na welwyd yng ngwlad y Saeson. Trwy gydol y canu, y mae cyfeiriadau at foethusrwydd y neuadd a'r parch a roddid i lewion y fyddin (CA XXXVI):

> Ny wnaethpwyt neuad mor diessic
> no chynon lary vronn geinnyon wledic.
> nyt ef eistedei en tal lleithic.
>
> (*CA*, XXXVI, ll. 398-400)

[Ni welwyd neuadd mor llawn o asbri / Yno daeth Cynon yr arglwydd a'r galon fawr / Iddo ef oedd y sedd ar ben y fainc.]

Ar lawr y neuadd yr eisteddai'r milwyr, felly yr oedd derbyn gwahoddiad i eistedd ar fainc uchel (y lleithic) yn anrhydedd fawr. Gwelir o'r manylion a gynigir am fedr y fyddin fod y cyrch ar Gatraeth o bwys mawr i'r Gododdin. Cyfeirir hefyd at filwyr a oedd wedi teithio cryn bellter i ymuno â'r llu ac a ddisgrifir fel 'detholwyr pob doethwlad'. Mewn un awdl sonnir am Madawg o Elfed ac fe roddir sylw arbennig i Cynan a Cynddylid, dau filwr o Aeron. Dyma gadarnhad fod Elfed yn rhan o'r Hen Ogledd ar y pryd a bod is-deyrnas a enwid Aeron yn y gorllewin. Ni wyddys ai Cymro neu Bict oedd y milwr a oedd wedi teithio o'r ardal a ddisgrifid fel 'tra Bannauc'. Cyfeiriad at y mynyddoedd sy'n gwahanu iseldir ac ucheldir yr Alban oedd 'Bannauc' ac fe gedwir adlais o'r enw yn Bannockburn, pentref i'r de o Stirling. Diddorol hefyd gweld bod gwŷr o Wynedd hefyd yn rhan o'r fyddin (CA XIX):

> ermygei galaned
> o wyr gwychyr gwned
> em blaen gwyned gwanei
>
> (*CA*, XIX, ll. 218-20)

174

[Gwnaeth gelain o ryfelwyr dewr / O flaen ymosodiadau gwŷr Gwynedd.]

Milwr arall o ogledd Cymru a enwir yn y gerdd yw Eiddef o Rufoniog (yr ardal rhwng dyffryn Conwy a dyffryn Clwyd), ac yr oedd yna hefyd gymrawd o Waredog, hen enw Llantrisant ym Môn. Un gwahaniaeth mawr rhwng canu Aneirin a chanu Taliesin yw'r disgrifiadau byw a geir o filwyr unigol. Enwir tua wyth deg yn y gerdd a gallwn fod yn bur hyderus fod mwy yn y gwreiddiol. Gwelir o'r disgrifiadau fod hufen y genedl wedi eu colli yng Nghatraeth, fel y gŵr swil a ddisgrifir ar ddechrau'r gerdd (CA II):

> Kayawc kynhorawc men ydelhei.
> diffun ymlaen bun med a dalhei.
>
> (*CA*, II, ll. 21-2)

[Gwisgodd dorch ar flaen y fyddin / Yr oedd yn swil o flaen merch ond yn werth ei fedd.]

Dywedir am un arall ei fod yn awchu am gyfle i aberthu ei fywyd (CA V):

> kynt y gic e vleid nogyt e neithyawr.
> kynt e vud e vran nogyt e allawr.
>
> (*CA*, V, ll. 52-3)

[Gwell ganddo fod yn fwyd i flaidd na mynd i briodas / Gwell ganddo fod yn fwyd i frain na mynd at allor.]

Dysgir cryn dipyn am arfau'r milwyr a'r dull o ymladd wrth ddarllen y gerdd a diddorol sylwi fod dylanwad yr hen drefn Rufeinig yn dal yn gryf. Defnyddid y gair *dull* am drefniant o filwyr ac yr oedd yna hefyd swyddogion a oedd yn gyfrifol am gant o filwyr. Geiriau a gwreiddiau Lladin fel llurug (*lorica*) a seirch (*sarcia*) a ddefnyddid i ddisgrifio eu gwisg, ond nid oes sôn am unrhyw fath o helm i'r pen. Yr oedd tarian yn rhan bwysig o gyfarpar pob milwr a rhoddid clod arbennig i ŵr a oedd wedi ymladd nes bod ei darian yn deilchion. Arfer cyffredin oedd gorchuddio tarianau â chalch, arfer a oedd yn gyffredin hefyd yn Iwerddon. Nid oes sôn am saethwyr ymysg y milwyr, ond y mae cyfeiriadau at filwyr traed. Yng Ngorchan Tudfwlch cyfeirir atynt fel y *pedyt* ac yr oedd gan rai waywffyn hir, tebyg i 'schiltrons' (*sceld-trome*) a ddefnyddid yn yr Alban. Serch hynny, y gwŷr meirch oedd asgwrn cefn y fyddin ac yr oedd gan y rhain arfau da (CA I):

> Ysgwyt ysgauyn lledan
> ar bedrein mein vuan.
> kledyuawr glas glan
> ethy eur aphan.

(CA, I, ll. 5-8)

[tarian ysgafn lydan / ar grwper [march] main a buan / cleddyfau glas, glân / gwregys o eurwaith]

Ni wyddys pa fath o feirch a ddefnyddid i ryfela, ond gallwn fod yn hyderus eu bod yn llawer llai na meirch trwm yr Oesoedd Canol. Yn ôl pob tebyg, yr oeddynt yn debyg i'r ceffylau cryf a fegir yn Ardal y Llynnoedd. Brid nid annhebyg i'r cob Cymreig yw hwn sy'n ddigon cryf i gario nwyddau a chroesi tir gwlyb heb unrhyw drafferth. Gwanychodd y brid yn y cyfnod wedi'r Rhyfel Mawr, ond wedi trefnu cymdeithas i warchod y safon, y mae ansawdd y brid wedi gwella. Gallant fyw ar borthiant digon gwael ond y mae gan y meirch yddfau cryf ac osgo tanllyd sy'n llawn deilwng o'r disgrifiad a geir yn y Gododdin (CA I):

> meirch mwth myngvras.
> a dan vordwyt megyrwas.

(CA, I, ll. 3-4)

[Meirch cyflym gyda mwng hir / O dan goesau llanc golygus.]

Yr oedd trefnu cyrch ar Gatraeth yn fenter beryglus gan fod rhaid teithio ymhell i'r de ac osgoi tir Bernicia ar hyd yr arfordir. Y ffordd hwylusaf oedd dilyn 'Dere Street', yr hen ffordd Rufeinig a redai o Din

Eidyn i ddinas Efrog. Wedi gadael Din Eidyn, fe fyddai'r fyddin wedi teithio trwy bentref Tre'r Neint ('Tranent') cyn cyrraedd hen wersyll Rhufeinig 'Camp Hill' yn Haddington. Erbyn diwedd y dydd, byddent wedi cyrraedd 'Doon Hill' ger Dunbar lle yr oedd yna neuadd fawr i'w croesawu. Daethpwyd o hyd i seiliau'r neuadd ym 1966, ac er fod y safle bellach yn agored i'r cyhoedd, does dim i nodi cysylltiad gyda'r Gododdin. I fod yn gywir, y mae olion dwy neuadd ar y safle a thystiolaeth fod un wedi ei difa cyn codi'r llall. Y mae olion y neuadd fwyaf yn mesur tua 23m o hyd a 10m o led ac fe brofwyd trwy fesuriadau ymbelydrol ei bod wedi ei llosgi i'r llawr ar ddechrau'r seithfed ganrif. Dengys seiliau yr ail neuadd ei bod yn llai o ran maint ac wedi ei chodi mewn dull a oedd yn nodweddiadol o'r Saeson. Ceir cofnod bod y Saeson wedi cipio Din Eidyn tua 638 OC gan gynnig felly esboniad parod am dynged y neuadd gyntaf. Dyna yn sicr oedd barn yr archeolegydd Brian Hope-Taylor pan gyhoeddodd y disgrifiad cyntaf o'r safle ym 1980.[40] Disgybl i'r Athro Glyn Daniel oedd Brian, ac wedi iddo orffen y gwaith yn Doon Hill, trodd i faes arall a bu farw cyn cyhoeddi adroddiad llawn o'r ymchwiliad.

Heddiw y mae disgrifiad byr o natur yr olion ar y safle a thestun hwy ar y we. Syndod gweld nad oes yna unrhyw gyfeiriad at hanes y Gododdin yn y broliant, ond fe honnir mai 'Anglo Saxon Lord' a gododd y neuadd fawr. Er na ellir profi dim o'r fath, hawdd dychmygu byddin y Gododdin yn gwersylla ar y bryn gerllaw cyn troi i'r neuadd i wledda. Tybed ai dyna oedd cefndir y ddwy linell yn y gerdd sy'n sôn am filwr yn yfed medd ar y daith i Gatraeth? (CA XCVI):

Neut eryueis y ued yg kerdet
gwinuaeth rac catraeth yn vn gwaret
(CA, XCVI, ll. 1174-5)

[Ar y daith i Gatraeth yfais ddracht o fedd mewn un llwnc.]

Rhaid gofyn hefyd a oedd Aneirin yn un o'r cwmni, gan fod yna awgrym yn y gerdd ei fod yn rhan o'r fyddin ac wedi ei glwyfo ar faes y gad (CA XXI):

a minheu om gwaetfreu gwerth vy
gwennwawt

(*CA*, XXI, ll. 242)

[A minnau a dywalltodd waed / Er mwyn gwychder fy nghân.]

Nid cronoleg o'r frwydr a geir yn y Gododdin ond darluniau byw o'r dewrion a oedd yn rhan o'r ymrafael. Ambell waith, nodir eu henwau bedydd ond bryd arall defnyddir llys enw, fel 'Marchlew' am fachgen a oedd yn fedrus ar gefn ceffyl (CA XXVI):

Bu gwir mal y meud e gatlew.
ny deliis meirch neb marchlew

(*CA*, XXVIA, ll. 300-1)

[Gwir y dywedodd Cadlew / Ni ddaliodd meirch neb Marchlew.]

Tybed ai enw bedydd neu ddisgrifiad o'i allu oedd yr un a ddefnyddid am y bachgen a glodforwyd am drin cledd a chyllell yn fedrus (CA XCVIII):

heinim i guaiu ae yscuit
nae gledyf nae gyllell
no neim ab nuithon
gur a uei well.

(*CA*, XCVIII, ll. 1205-8)

[Nid oedd neb yn well am drin cleddyf a chyllell na Heinyf mab Nwythion.]

Does dim sôn am filwyr o Ddyfed ym myddin y Gododdin ond y mae caer a enwid 'Castell Heinyf' ar arfordir Sir Benfro.

Fel yn llawer o'r hen ganu, yr oedd gormodiaith yn rhan o'r drefn, fel yn y disgrifiad o'r gŵr a oedd wedi tywallt gwaed cymesur â'r gwin a yfid mewn tair neu bedair blynedd (CA XX):

pan esgynnei baub ti disgynnvt
cuei gwin gwaet meirw meint a wanut.
Teir blyned a phedeir tutet

(*CA*, XXB, ll. 229-31)

[Pan oedd pawb yn ffoi yr oeddet ti yn ymosod / Pe buasai
gwaed dy elynion yn win / Fe fyddai yna ddigon i bara am dair
neu bedair blynedd.]

Cwestiwn sy'n dal yn destun dadl yw faint o filwyr oedd yn y fyddin a
deithiodd i Gatraeth? Y mae 'trychant' y gerdd yn nifer fach, ond y
mae hefyd gyfeiriadau ymffrostgar sy'n chwyddo'r niferoedd i filoedd.
Yn ôl rhai, menter gwbl anghyfrifol oedd cyrch mor bell i'r de yn
erbyn lluoedd nerthol, ond fe ellid cynnig esboniad llai beirniadol. Fel
arfer, gornestau byr oedd brwydrau'r cyfnod, ond gwyddys fod yr
ymrafael yng Nghatraeth wedi para am ddyddiau. Yr ateb tebygol yw
bod cwrs y frwydr wedi newid wedi i arweinyddion Deira ddenu rhai
o filwyr Bernicia i achub y gaer. Dyna, o bosib, sy'n gyfrifol am y
disgrifiadau o lwyddiant cynnar yn erbyn milwyr a oedd yn ymladd ar
draed cyn i'r niferoedd eu llethu. Yn y diwedd, ni ellid gwneud dim
ond talu teyrnged i'r dewrion a chofio'r mamau a'r gwragedd oedd yn
galaru (CA LVIII):

Kywyrein ketwyr kyuaruuant.
y gyt en vn vryt yt gyrchassant.
byrr eu hoedyl. hir eu hoet ar eu carant.
seith gymeint o loegrwys a ladassant.
o gvyryssed gwraged gwyth a wnaethant.
llawer mam ae deigyr ar y hamrant.

(*CA*, LVIII, ll. 668-73)

[Y rhyfelwyr a gododd yn un llu / I ymosod gydag un dyhead /
Byr oedd eu bywyd / Hir y bydd eu câr yn galaru / Lladdasant
saith gymaint o Saeson / Wedi'r ymgyrch yr oedd sawl gwraig yn
weddw / Sawl mam â dagrau ar ei hamrannau.]

Gobaith mawr Aneirin oedd y byddai stori Catraeth yn cael ei hadrodd am genedlaethau. Rhyfedd meddwl ei bod wedi aros yn y cof am fil a mwy o flynyddoedd!

Trosglwyddo'r Hengerdd i Gymru

Gan mai dim ond copïau diweddar o waith Taliesin ac Aneirin sydd wedi goroesi, anodd dweud sut y cyrhaeddodd y cerddi dir Cymru. Fel arfer, honnir bod y cerddi wedi eu cadw ar y cof am ganrifoedd lawer, ond awgryma gwaith diweddar bod copïau ysgrifenedig ar gael yn gynnar iawn.

Y mae mwy o ddirgelwch yn perthyn i gefndir Llyfr Taliesin na Llyfr Aneirin ond nid yw'r llwybr tua'r gorffennol yn gwbl dywyll. Casgliad amryfal o hen lawysgrifau yw Llyfr Taliesin a dim ond cyfran fach o'r cynnwys sy'n perthyn i'r Hen Ogledd. Gwaith beirdd anhysbys yw llawer o'r cerddi ac y mae darnau sy'n clymu chwedlau gorllewin Cymru gyda thraddodiad 'Arthuraidd' yr Oesoedd Canol. Credir bod y gyfrol bresennol wedi ei llunio gan ysgrifydd o Forgannwg ar ddechrau'r bedwaredd ganrif ar ddeg, ond yr oedd Ifor Williams yn mynnu bod darnau wedi eu codi o lawysgrif a luniwyd rhwng 900 a 950 OC. Un gerdd ddadlennol yw'r un a adnabyddir fel 'Armes Prydein Vawr'. Sonnir mwy am y gerdd hon yn y bennod nesaf lle nodir ei bod wedi ei llunio i hybu cynghrair rhwng y Cymry a'r Llychlynwyr cyn brwydr Brunanburh. Darn arall sy'n taflu golau newydd ar darddiad tebygol Llyfr Taliesin yw'r gerdd 'Edmyg Dinbych' gan ei bod yn cynnwys disgrifiad o hen lyfrgell yn Ninbych-y-pysgod. Yn ôl Charles-Edwards cyfansoddwyd y gerdd yn ne Sir Benfro rhwng 815 ac 870 yn farwnad i Bleiddudd brenin Dyfed. Gwelir o'r llinellau agoriadol bod y gerdd wedi ei chyflwyno i gynulleidfa yn ardal Dinbych-y-pysgod ar drothwy Gŵyl y Calan. Yn y gerdd, gwelwn y bardd yn canmol rhinweddau'r brenin cyn mynd ymlaen i sôn am y casgliad o ysgrifau a gedwid yn ei lys:

Ysgrifen Brydain bryder bryffwn
Yn yd wna tonnau eu hamgyffrwn.
Perheid hyd bell y gell a dreiddiwn!

[Roedd ysgrifeniadau Prydain yn brif wrthrych gofal / lle y gwna'r môr ei dwrw./ Boed i'r gell lle'r ymwelwn bara'n hir!]

Tybed a oedd yna gopïau o waith Taliesin neu hyd yn oed gerddi Llywarch Hen yn y casgliad? Os felly, dyna lanw cryn dipyn o'r agendor rhwng y cyfansoddi cynnar a'r copïau canoloesol. Ni wyddys pryd y collwyd llyfrgell Dinbych-y-pysgod, ond y mae'n debyg mai ymosodiadau'r Llychlynwyr oedd yn gyfrifol am ei thranc. Mewn rhan arall o'r gerdd, y mae'r bardd yn diolch bod y Nos Galan honno yn ddigon garw i gadw'r môr-ladron o'r tir:

Ys gnawn gorun beirdd uch medd lestri.
Dyddfydd gwaneg... dyfrys iddi,
Adawynt ywerlas o glas Ffichti.

Cyfeiriad at Bictiaid yr Alban (y Ffichti) a geir yn y llinell olaf ond rhaid cynnig mai camgymeriad oedd hyn ar ddiwedd y nawfed ganrif. Gwyddys bod Llychlynnwr o'r enw Hubba wedi glanio yn Aberdaugleddau yn 877 OC a bod mintai arall wedi ymosod ar gadeirlan Tyddewi tua'r un cyfnod. Rhaid tybio mai diddordeb beirdd Cymru yn yr hen ganu a'u cadwodd yn fyw am ganrifoedd, am eu bod yn gwerthfawrogi eu gwead. Ceir disgrifiad llawnach o gryfder y traddodiad barddol yng nghyflwyniad Gwyn Thomas i'w gyfieithiad cyfoes o'r Gododdin. Sylwodd fod yna gyfeiriad yn Llyfr Aneirin at ornestau lle roedd y beirdd yn cystadlu i gofio'r hen gerddi. Diddorol felly nodi, er byrred y canu, fod yna fwy o bwyntiau i'w hennill wrth adrodd gwaith Taliesin na gwaith Aneirin!

Yn ffodus, yr ydym ar dir sicrach wrth olrhain tarddiad Llyfr Aneirin gan fod yna ddau gopi ar gael. Trwy gymharu testun y ddwy lawysgrif a nodi'r gwahaniaethau, gellir dysgu mwy am eu tarddiad a'u taith o'r Hen Ogledd i Gymru. Fel arfer, cyfeirir at y ddau gopi fel Copi A a Chopi B a bernir bod y ddau wedi eu creu yn Ystrad Clud yn ystod y seithfed ganrif.[41] Credir mai oddi ar y cof y casglwyd y defnydd gwreiddiol a bod y copïau wedi cyrraedd Cymru ar hyd llwybrau gwahanol. Gwelir o'r orgraff mai Copi B yw'r hynaf, gan ei fod yn cynnwys mwy o eiriau o Hen Gymraeg. Diddorol sylwi felly

181

mai Copi B yw'r mwyaf cyfan gan fod cyfran sylweddol o'r awdlau yn y llall ar goll. Lle y gellir cymharu'r ddwy lawysgrif adran wrth adran, syndod yw gweld nad oes yna wahaniaethau mawr yn y testun. Serch hynny, ceir enghreifftiau o gamsillafu ac ambell fan lle mae'r copïwyr wedi camddeall yr ystyr. Er enghraifft, mewn un awdl newidiwyd y gair *esgynnai* (enciliad) i *disgynnai* (ymosodiad) ac mewn un arall newidiwyd *thechud* (hen air am encilio) i *phechud*, arwydd, o bosib, fod y copïwr yn fynach.

O safbwynt hanesyddol, yr awdlau yng Nghopi B yw'r pwysicaf ond y mae'r datgan yng Nghopi A yn fwy tebyg i'n hiaith ni. Un ychwanegiad pwysig i'r ddwy ddogfen yw'r darn a adnabyddir fel 'Pennill Ystrad Carron'. Gan nad oes gan y pennill unrhyw gysylltiad â'r Gododdin, barnwyd ei fod wedi ei gopïo ar gam i ofod yn y memrwn. Yn y pennill, sonnir am frwydr rhwng gwŷr Ystrad Clud a Dyfnwal Frych, brenin Gwyddelig o'r Alban. Gan fod y frwydr hon wedi digwydd yn y flwyddyn 642 OC rhaid cynnig mai yn Ystrad Clud yr ychwanegwyd y pennill. Tybed ai ffoadur o'r Gododdin oedd yn gyfrifol am y copi gan fod y ddinas honno wedi syrthio tua 638 OC? Wedi'r ychwanegiad, cludwyd y copi i Wynedd cyn i'r testun gael ei gopïo a'i ailgopïo yno. Diddorol nodi hefyd fod y pennill wedi aros ar ben y tudalen yng Nghopi B ond yng Nghopi A yr oedd wedi ei symud i gorff y testun.

Credir fod y llawysgrif a adwaenir fel Copi A wedi ei throsglwyddo i Gymru bron i ddwy ganrif wedi Copi B, a hynny o law copïwr o Ardal y Llynnoedd. Y rheswm dros gynnig damcaniaeth o'r fath yw'r gerdd fach a gopïwyd ar gam i ofod ar waelod y memrwn. Enw'r gerdd yw 'Pais Dinogad', ac ynddi fe geir disgrifiad byw o dad plentyn bach yn hela. Myn rhai mai hwiangerdd a gyfansoddwyd gan fardd i fam y plentyn yw'r darn, ond myn eraill mai'r fam ei hun oedd awdur y gân. Mae'n amlwg o gynnwys y gerdd bod yr hyn a ddisgrifir yn perthyn i gyfnod cynnar iawn. Y mae'r math o fywyd a ddisgrifir yn gydnaws â'r Oes Haearn ac yn dyst sicr o hen gof:

> pan elei dy dat ty e vynyd.
> dydygei ef penn ywrch penn gwythwch penn hyd.
> penn grugyar vreith o venyd.
> penn pysc o rayadyr derwennyd.

Y 'Lodore Falls' ger Derwentwater. Tynnwyd y llun ar ddiwrnod sych o haf.

[Pan aeth dy dad i'r mynydd / Daliodd un iwrch, un hwch wyllt ac un hydd / Un rugiar fraith ar y mynydd / Un pysgodyn o raeadr Derwennydd.]

O safbwynt y tarddiad, y llinell allweddol yw'r un lle enwir yr afon lle byddai'r tad yn pysgota. Y mae mwy nag un afon 'Derwent' ym Mhrydain, ond yr unig un sy'n rhedeg trwy dir mynyddig yw'r un sy'n llifo trwy ddyffryn Borrowdale i lyn Derwentwater. Ond nid y brif afon yw testun y gerdd ond un o'r rhaeadrau sy'n ymuno â'r llif ar gyrion tref fodern Keswick. Rhaeadr enwocaf y dyffryn yw'r un a adnabyddir fel y 'Lodore Falls' lle codwyd gwesty wrth droed y ceunant yn oes Fictoria. Hyd y gwn i, does neb wedi cynnig esboniad Cymraeg i'r enw ond y mae ateb credadwy. Yng ngogledd Sir Benfro, ceir dwy fferm a enwir yn 'Lodor Fawr' a 'Lodor Fach' ac, yn ôl yr hynafiaethydd B. G. Charles, ffurf dreuliedig o 'gelod', y gair Cymraeg am 'leech', a gedwir yn yr enw. Hawdd gweld felly sut y trodd 'Gelod' yn 'Lodor' a diddorol sylwi fod y terfyniad '-or' yn gyffredin yn enwau nentydd y fro. Elfen arall sy'n arwydd o ddylanwad y Gymbrieg yw'r ffordd y cyfeirir at un anifail. Yn y Gymbrieg, credir fod yr arfer o ddefnyddio'r gair 'penn' i ddynodi un anifail yn nodweddiadol o'r iaith. Yn ôl Ifor Williams, cedwid yr un arfer yn y Llydaweg, arwydd nad oedd ieithoedd Cymreig y gorllewin wedi ymddieithrio rhyw lawer tan ddiwedd y seithfed ganrif. Yn ôl pob tebyg, esblygiad digon araf oedd i dafodieithoedd y gorllewin ond, wrth i deyrnasoedd Cymreig yr Hen Ogledd grebachu, gwanhau wnaeth y cyswllt diwylliannol hefyd.

Ffynonellau

1   Ifor Williams, *Canu Taliesin* (Caerdydd: Gwasg Prifysgol Cymru, 1960), t. 115
2   Ifor Williams, *Canu Aneirin* (Caerdydd: Gwasg Prifysgol Cymru, 1961), t. 418
3   Ifor Williams, *Canu Llywarch Hen* (Caerdydd: Gwasg Prifysgol Cymru, 1935), t. 266
4   Gwyn Thomas, *Y Traddodiad Barddol* (Caerdydd: Gwasg Prifysgol Cymru, 1976), t. 240
5   A. O. H. Jarman a G. R. Hughes, *A Guide to Welsh Literature Volume 1* (Caerdydd: University of Wales Press, 1992), t. 302
6   Michael Winterbottom, Cyfieithiad o waith Gildas *De Excidio et Conquestu Britanniae* (Chichester: Phillimore, 1978), t. 162
7   John Morris, Cyfieithiad o *Historia Brittonum* 'Nennius' (Chichester: Phillimore, 1980), t. 100
8   Michael Swanton, Cyfieithiad o *The Anglo-Saxon Chronicles* (Llundain: Phoenix, 2000), t. 364
9   Kenneth Jackson, *Language and History in Early Britain* (Caeredin: Edinburgh University Press, 1953), t. 752
10 Thomas M. Charles-Edwards, *Wales and the Britons: 350-1064* (Rhydychen: Oxford University Press, 2013), t. 795
11 Leslie Alcock, *Arthur's Britain* (Llundain: Penguin Books, 2001), t. 437
12 Mike Ashley, *King Arthur: The Man and the Legend Revealed* (Llundain: Constable and Robinson, 2010), t. 362
13 Rachel Bromwich, A. O. H. Jarman a B. F. Roberts (goln), *The Arthur of the Welsh* (Caerdydd: University of Wales Press, 1991), t. 310
14 Emily E. Forster, 'Palaeoecology of human impact in Northwest England during the early medieval period: investigating 'cultural decline' in the Dark Ages'. University of Southampton, Doctoral Thesis, 2010), t. 378
15 M. G. Thomas, M. P. H. Stumpf a H. Härke, 'Evidence for an apartheid-like social structure in early Anglo-Saxon England' yn *Proceedings of the Royal Society (B)*, 273, (2006), tt. 2651-7
16 Michael E. Weale, D. A. Weiss, R. F. Jager, N. Bradman a M. G. Thomas, 'Y Chromosome Evidence for Anglo-Saxon Mass Migration' yn *Molecular Biology and Evolution*, 19, (2002) tt. 1008-21
17 Walter Bodmer, *The Book of Man: The Human Genome Project and the Quest to Discover our Genetic History* (Llundain: Abacus, 1995), t. 368
18 Leslie Alcock, *By South Cadbury is that Camelot...Excavations at South Cadbury Castle 1966-70* (Llundain: Thames and Hudson, 1972), t. 224
19 David N. Dumville, 'The Historical Value of the *'Historia Brittonum*', yn 'Arthurian Literature', gol. Richard Barber (Woodbridge, 1986), 6, tt. 1-29

20 Nora K. Chadwick, *Celtic Britain* (Llundain: Thames and Hudson, 1963), t. 238

21 K. Fitzpatrick-Mathews, 'The Arthurian Battle-List of the *'Historia Brittonum'*. (www. Scribd.com/doc/195467232, 2010)

22 Paul M. Remfry, *Annales Cambriae: A Translation*, (Efrog Newydd: Shanel Cooper-Sykes Media Publishing, New York, 2007). t. 335

23 Alistair Moffat, *Arthur and the Lost Kingdoms* (Llundain: Phoenix, 2000), t. 282

24 Sieffre o Fynwy a Lewis Thorpe, *The History of the Kings of Britain* (Llundain: Penguin Classics, 1973), t. 384

25 Patrick Sims-Williams, 'The early Welsh Arthurian poems' yn *The Arthur of the Welsh* (gol. Rachel Bromwich, A. O. H. Jarman a Brynley F. Roberts), (Caerdydd: University of Wales Press, 1991), t 310

26 Jenny Rowland, *Early Welsh Saga Poetry: A Study and Edition of the Englynion* (Caergrawnt: Brewer, 1990), t. 698

27 John T. Koch, 'The Place of 'Y Gododdin' in the History of Scotland' yn *Celtic Connections: Proceedings of the 10th International Congress of Celtic Studies* (East Linton: Tuckwell Press, 1999), tt. 199-210

28 John T. Koch, *The 'Gododdin' of Aneirin: Text and Context from Dark-Age North Britain* (Caerdydd: University of Wales Press, 1997), t. 262

29 Kenneth Jackson, *The Gododdin: The Oldest Scottish Poem* (Caeredin: University Press, 1969), t. 178

30 A. O. H. Jarman, *Aneirin – Y Gododdin* (Llandysul: Gwasg Gomer, 1998), t. 205

31 Gwyn Thomas, *Gododdin: The Earliest British Literature* (Llandysul: Gwasg Gomer, 2012), t. 143

32 Anthony Conran, *Welsh Verse* (Pen-y-Bont ar Ogwr: Seren, 1992), t. 355

33 Emyr Humphreys, *The Taliesin Tradition* (Pen-y-Bont ar Ogwr: Seren, 2000), t. 248

34 Michael McCarthy, 'Rheged: an Early Historic Kingdom near the Solway' yn *Proceedings of the Society of Antiquaries of Scotland*, 132, (2002), tt. 357-81

35 Michael McCarthy, 'The Kingdom of Rheged: A Landscape Perspective'. yn *Northern History*, 48 (2011), tt. 9-22

36 Tim Clarkson, *The Men of the North: The Britons of Southern Scotland* (Caeredin: Birlinn, 2010), t. 230

37 William G. Collingwood, 'Report on an Exploration of the Romano-British Settlement at Ewe Close, Crosby Ravensworth' yn *Transactions of the Cumberland and Westmorland Antiquarian and Archaeological Society*, 8, (1908), tt. 355- 68

38 William G. Collingwood, 'Report on a further exploration of the Romano-British Settlement at Ewe Close, Crosby Ravensworth' yn *Transactions of the Cumberland and Westmorland Antiquarian and Archaeological Society*, 9, (1909), tt. 295-309

39 Robert G. Collingwood, 'Prehistoric settlements near Crosby Ravensworth' yn *Transactions of the Cumberland and Westmorland Antiquarian and Archaeological Society*, 33, (1933), tt. 201-26

40 Brian Hope-Taylor, 'Balbridie and Doon Hill', *Current Archaeology*, 72, (1980), tt. 18-19

Ystrad Clud a dyfodiad y Llychlynwyr

Heno mae'r gwynt yn fonllef
Ni fentra'r Northmyn erchyll
Ar draws yr holl donnau gwyllt

Hen femrwn Gwyddelig

Cyfnod o wrthgilio oedd y seithfed ganrif i Gymry'r Hen Ogledd wrth i'r Saeson oresgyn teyrnasoedd y dwyrain o un i un. Yn y gorllewin, yr oedd Rheged o dan warchae ond gwelwyd adfywiad yn y nawfed ganrif wrth i Ystrad Clud ymestyn ei ffiniau tua'r de. Olynydd teyrnas Alclud oedd Ystrad Clud ac yr oedd ei gwreiddiau yn ymestyn yn ôl i'r Oes Haearn. Goresgyniad Northymbria gan y Daniaid yn 867 OC oedd yn bennaf gyfrifol am yr ymestyniad, ond ni ddylid anghofio bod ei harweinwyr wedi trefnu cytundebau doeth gyda'r Gwyddyl, y Pictiaid a'r Llychlynwyr. Yn sicr, ni ellir adrodd hanes y rhanbarth heb sôn am ddylanwad y Norwyaid a oedd wedi ymgartrefu yn Iwerddon yn y nawfed ganrif, cyn ymfudo i Ardal y Llynnoedd yn y ddegfed. Ystrad Clud oedd yn rheoli hen wlad Urien ar y pryd a, hyd y gellir barnu, yr oeddynt ar delerau da gyda'r mewnfudwyr. Yn 937 OC llwyddodd y Norwyaid i oresgyn y Daniaid o'r gogledd-ddwyrain i sefydlu gweinyddiaeth fyrhoedlog a oedd yn ymestyn o Ddulyn i ddinas Efrog. Am gyfnod, yr oedd yna obaith y gellid ffurfio cynghrair rhyngwladol i erlid y Saeson yn ôl dros y môr, ond nid felly bu. Dyma oedd cefndir y gerdd frudiol 'Armes Prydein' a'r frwydr drychinebus a ymladdwyd yn Brunanburh. Wedi'r gyflafan collodd brenhinoedd Ystrad Clud eu gafael ar gyfran sylweddol o'r wlad yn y de-orllewin ond ni ddiflanasant yn llwyr o lwyfan hanes nes dyfodiad y Normaniaid.

Yn y bennod hon, cynigir arolwg o ddyddiau olaf Cymry'r Hen Ogledd o oresgyniad y Gododdin hyd ddyfodiad y Normaniaid yn 1066 OC. Darlun digon unochrog o hanes y rhanbarth a geir yn ein llyfrau hanes gan eu bod yn talu gormod o sylw i gofnodion diffygiol Beda. Prin iawn yw'r cyfeiriadau at y gyfathrach a welwyd rhwng y Cymry a'r Norwyaid ac fe ddarlunnir Northymbria fel teyrnas unedig a oedd yn ymestyn o fôr i fôr. Prin y cyfaddefir fod brenhinoedd Bernicia a Deira yn hynod o gecrus ac mai gafael gwan oedd ganddynt ar y tir tua'r gorllewin. Anghofir hefyd fod Cadwallon o Wynedd wedi rheoli darn sylweddol o'r rhanbarth ar y cyd gyda Phenda o Mercia am gyfnod byr a bod cysylltiad agos rhwng rheolwyr Rheged a Northymbria.

Fy mhrif ffynonellau wrth lunio'r bennod oedd cyfrol Norman Davies, *The Isles*,[1] cyfrol Tim Clarkson, *The Men of the North*,[2] cyfrol Gwyn Jones, *A History of the Vikings*,[3] cyfrol Stephen Harding, *Viking Mersey: Scandinavian Wirral, West Lancashire and Chester*,[4] cyfrol Christopher Snyder, *The Britons*,[5] cyfrol Charles-Edwards, *Wales and the Britons: 350-1064*,[6] cyfrol James Fraser, *From Caledonia to Pictland: Scotland to 795*,[7] cyfrol Frank Stenton, *Anglo-Saxon England*,[8] a chyfrol Nicholas Higham, *Northumbria: AD 350-1100*.[9] Ychydig iawn o gerddi Cymraeg y cyfnod sydd wedi goroesi ond nododd Gwyn Thomas rai yn *Y Traddodiad Barddol*[10] ac mae yna gasgliad o enghreifftiau perthnasol a droswyd o'r Aeleg yng nghyfrol T. O. Clancy, *The Triumph Tree*.[11]

Tynged y Teyrnasoedd Cymreig

Deifr a Brynaich, dwy deyrnas Gymreig yn y dwyrain, oedd y teyrnasoedd cyntaf i syrthio i'r Saeson cyn newid eu henwau i Deira a Bernicia. Hen wlad y Parisii oedd Deifr a bernir bod ei ffiniau yn ymestyn o lannau Tees yn y gogledd i aber Humber yn y de. Credir mai Saeson o East Anglia a gipiodd Deifr ar ddiwedd y bumed ganrif ond ychydig a wyddys am hanes y goresgyniad. Eu brenin cyntaf oedd Aelle (560-89 OC) ond y mae coeden achau'r teulu yn ddogfen gwbl chwedlonol. Ar un adeg, yr oedd Brynaich yn rhan o'r Gododdin cyn i Goel Hen ad-drefnu ffiniau gweinyddol y gogledd. Yn ôl y traddodiad, hurfilwyr o'r Almaen a ddisodlodd frenin Cymreig olaf y deyrnas cyn denu mwy o'u cydwladwyr o'r Cyfandir. Brenin Seisnig cyntaf Bernicia oedd Ida (547-59 OC) a'i fab, Theoderic, oedd y 'Fflamddwyn' a laddwyd mewn brwydr yn erbyn Owain ap Urien. Yn ôl yr *Historia* Urien oedd arweinydd y gynghrair a drefnwyd i amddiffyn yr Hen Ogledd ar ddiwedd y chweched ganrif ond, fel y nodwyd eisoes, daeth tro ar fyd. Serch hynny, dim ond llain gul ar hyd yr arfordir oedd ym meddiant gwŷr Bernicia pan drefnodd y Gododdin y cyrch ar Gatraeth, felly yr oedd yna obaith y gellid atal y llif. Prif bwrpas y cyrch oedd cipio caer strategol ar lan afon Swale a thrwy hynny osod lletem rhwng Bernicia a Deira. Yn y chweched ganrif, Deira oedd y grym symudol ond wedi i Aethelfrith, ŵyr Ida, esgyn i orsedd Bernicia newidiodd y sefyllfa. Cam cyntaf Aethelfrith oedd ffurfio cynghrair gydag Edwin, brenin Deira, i estyn eu gafael ar dir y Gododdin.

Wedi ennill mwy o dir tua'r gogledd chwalwyd y cytundeb er mwyn rhoi cyfle i Aethelfrith oresgyn Deira a ffurfio teyrnas unedig Northymbria. Aethelfrith oedd y brenin cyntaf i reoli Bernicia a Deira ar y cyd ond yr oedd ei afael ar y deyrnas yn wan. Ni ellir disgwyl llwyddiant pan unir dwy wlad trwy drais, ac wedi'r goresgyniad, bu'n rhaid i deulu brenhinol Deira ddianc o'u gwlad. Am resymau sy'n dal yn aneglur, eu dewis cyntaf oedd llys Cadfan ap Iago yng Ngwynedd ond byr iawn oedd eu cyfnod yno. Cyn hir yr oeddynt wedi symud i Mercia ac yr oedd Edwin wedi priodi merch y brenin. Ymateb Aethelfrith oedd ymosod ar Mercia i gipio mwy o dir ar hyd y ffin. Yn 615 OC trefnwyd cynghrair rhwng Mercia, Gwynedd a Phowys i'w wrthwynebu ond methiant fu'r ymdrech pan drechwyd y fyddin ger dinas Caer. Myn rhai mai ymgais i gosbi'r Cymry am gynnig lloches i Edwin oedd cyrch Aethelfrith ond y canlyniad oedd gwahanu Cymry'r Hen Ogledd oddi wrth eu cymrodyr yn y de. Ni wyddom ni lawer am gwrs y brwydro ond ceir cofnod bod Selyf, mab Cynan Garwyn o Bowys a Chadwal Crysbal o Wynedd wedi eu lladd yn yr ymrafael. Heddiw cofir am yr achlysur, nid yn gymaint am yr hyn a ddigwyddodd ar faes y gad, ond am anfadwaith cyn y gwrthdaro. Yn ôl Beda,[12] lladdodd y Saeson deuddeg cant o fynachod o Fangor-is-y-Coed am eu bod yn gweddïo dros lwyddiant y Cymry. Paganiaid oedd y Saeson yng nghyfnod Aethelfrith felly rhyfedd gweld Cristion fel Beda yn canmol gweithred mor ffiaidd. Rhaid cofio, serch hynny, fod Beda yn hynod o wrth-Gymreig ac yn barod i groesawu unrhyw ddatblygiad oedd yn cynnal ei ragfarn. Mewn un cofnod dadlennol, gwelwn ef yn canmol Aethelfrith fel arweinydd beiddgar gan nodi:

Anrheithiodd ef y Brythoniaid yn fwy na holl arweinyddion y Saeson... Goresgynnodd fwy o dir y Brythoniaid nag un brenin arall, naill ai trwy eu gwneud yn ddeiliaid neu eu gyrru i ffwrdd a phlannu cymunedau Seisnig yn eu lle.

Daeth oes waedlyd Aethelfrith i ben yn 616 OC pan laddwyd ef mewn brwydr yn erbyn brenin o East Anglia. Pwrpas y frwydr oedd gosod Edwin yn ôl ar orsedd Deira, ac yn y cyfnod dilynol, bu'n rhaid i Eanfrith, Oswallt ac Oswiu, meibion Aethelfrith, ffoi i'r Alban am ymgeledd.

Wedi cipio'r goron, yr oedd Edwin yr un mor awyddus â'i ragflaenydd i ymestyn ffiniau'r deyrnas. Er ei fod yn frenin ar Deira a Bernicia, budd Deira oedd ei flaenoriaeth, felly hawdd gweld sut y taniwyd yr hen elyniaeth. Ymddengys hefyd nad oedd ei gyfnod yng Ngwynedd wedi newid dim o'i agwedd at Gymry'r Hen Ogledd gan iddo gipio rhan o Elfed yn 617 OC. Ceredig, mab Gwallawg, oedd y brenin ar y pryd a bu'n rhaid i hwnnw ffoi am loches i'r Gododdin. Serch hynny, gafael gwan oedd gan Northymbria ar y tir a gipiwyd gan na ddisodlwyd y cymunedau Cymreig. Yn yr Oesoedd Canol, disgrifid nifer o bentrefi yn ardal Leeds fel 'in Elmet' a cheir 'Barwick-in-Elmet' a 'Sherburn-in-Elmet' yno o hyd. Arwydd arall o ddylanwad hirhoedlog yw'r enwau sy'n cynnwys yr elfen *ecles* sy'n brin iawn yng ngweddill y wlad. Credir mai cyfeiriad at Dewi, ein nawddsant, a gedwid yn enw Dewsbury ac mai 'caer' yw'r elfen gyntaf yn Carl Wark, bryn heb fod ymhell o'r hen ffin.

Trwy'r holl ymrafael, rhaid synio bod Edwin ar delerau da gyda theulu Urien a'i fod wedi trefnu rhyw fath o gyfamod rhwng y ddwy wlad. Un arwydd o berthynas agos yw'r cofnod a geir yn *Annales Cambriae* a'r *Historia Brittonum* mai Rhun, mab Urien, a fedyddiodd Edwin wedi iddo droi yn Gristion. Ceir mwy o fanylion am yrfa grefyddol Rhun yn yr *Historia* lle dywedir mai *filii urbagen* ('mab Urien) oedd yn gyfrifol am gopïo llawysgrif o waith Sant Garmon.

Anodd dweud faint o ddylanwad a gafodd troedigaeth Edwin ar ei yrfa fel brenin gan ei fod wedi trefnu cyrch ar Wynedd yn fuan wedyn. Yn ystod yr ymosodiad, bu'n rhaid i Gadwallon ddianc i Ynys Seiriol am gyfnod, ond ni fu Edwin yn hir cyn dychwelyd i'r gogledd. Fel ei ragflaenydd, prif nod Edwin oedd cipio mwy o dir oddi wrth y Gododdin yn y gogledd a Mercia yn y de. Y canlyniad oedd gyrru Cadwallon o Wynedd a Phenda o Mercia i freichiau ei gilydd i drefnu cyrch nerthol yn erbyn y teyrn. Yn ôl yr hanes, Cadwallon oedd arweinydd y fenter, ac er fod Penda yn bagan, rhaid derbyn eu bod ar delerau da. Nod Penda oedd atal ymosodiadau Edwin ar Mercia, ond yr oedd gan Cadwallon reswm amgen. Yn ôl y traddodiad yr oedd Cunedda, cadlywydd o'r Gododdin, wedi teithio i Wynedd yn y bumed ganrif i achub y wlad rhag ymosodiadau'r Gwyddyl. Yn awr, yr oedd yna gyfle i gofio'r gymwynas trwy ddanfon byddin o Wynedd i gynnal braich y Gododdin. Ceir blas ar feddylfryd y cyfnod yn y gerdd 'Moliant Cadwallon' a drafodir gan Gwyn Thomas yn y gyfrol *Y Traddodiad Barddol*. Dim ond copi diweddar o'r gerdd sydd ar gael ond, yn ôl Ifor Williams, ceir olion hen ganu yn y testun. Tybir bod y gerdd wedi ei chyfansoddi gan Afan Ferddig, bardd llys Cadwallon, cyn i'r brenin deithio i'r Hen Ogledd. Nid oes sôn am y Gododdin yn y gerdd, ond y mae cyfeiriad at Elfed ac fe ddisgrifir Cadwallon yn etifedd yr Ymerodraeth:

Cadwallon Einiawn arial ymher...
O Gymru dygynnan tân yn nhir Elfed
Bei yd fynt heb lurig wen waedled
Rhag unmab Cadfan, Cymru ddiffret.

[Cadwallon etifedd yr Ymerodraeth / O Gymru i gynnau tân yn nhir Elfed / Heb arfwisg loyw a gwaedlyd / Mab Cadfan yw achubwr Cymru.]

Dyma'r tro cyntaf i'r gair 'Cymru' ymddangos mewn cerdd a cheir awgrym mai cyfeirio at y genedl, nid rhan benodol o'r wlad yr oedd y bardd.

Yn 633 OC lladdwyd Edwin mewn brwydr ar Faes Meigen (Hatfield Chase) ger Doncaster gan esgor ar gyfnod newydd yn hanes yr Hen Ogledd. Ychydig a wyddys am gyfnod Cadwallon yn llywodraethwr yn y gogledd ond y mae'n rhaid bod cymunedau Cymreig yr ardal wedi ei groesawu. Am gyfnod, dewiswyd Eanfrith ac Oswallt, meibion Aethelfrith, gan Gadwallon yn is-reolwyr ond dienyddiwyd Eanfrith wedi iddo drefnu gwrthryfel. Cam nesaf Oswallt oedd codi byddin o Bernicia i ymosod ar Gadwallon ond, yn ôl y cofnodion, nid oedd yna lawer a oedd yn barod i'w gefnogi. Rhaid felly oedd aros hyd 634 OC cyn i Oswallt ddenu digon o ddilynwyr i ymosod ar fyddin Cadwallon tra yr oedd hwnnw yn gwersylla ger Hexham. Yn yr *Annales Cambriae* cyfeirir at y frwydr fel *Bellum Cantscaul* ond, wedi'r frwydr, newidiodd y Saeson yr enw i *Hefenfelth* (Llain y Nefoedd). Lladdwyd Cadwallon yn yr ymrafael ond llwyddodd nifer o'i filwyr i ddianc ac i ymuno â byddin Penda. Wedi'r frwydr, trodd Oswallt ei gamre tua'r gogledd i gipio mwy o dir y Gododdin, ond broliant yw'r syniad ei fod yn ben ar deyrnas unedig. Yn wir, byr iawn oedd ei gyfnod ar orsedd y ddwy deyrnas gan iddo syrthio mewn brwydr yn erbyn gwŷr Mercia ger Croesoswallt yn 642 OC. Yn ôl yr hanes, yr oedd mintai o Bengwern yn rhan o lu Mercia, a'i harweinydd oedd Cynddylan, brawd yr Heledd y sonnir amdani yng nghanu Llywarch Hen. Dyma awgrym bod yr hen gynghrair rhwng Cymry a Mercia wedi parhau er bod y berthynas yn un ansefydlog. Oswiu, brawd Oswallt, a esgynnodd i'r orsedd wedi'r frwydr ac efe, yn anad neb, oedd yn gyfrifol am osod y seiliau i deyrnas unedig Northymbria.

Serch hynny, tasg anodd oedd adfer gwlad ranedig mewn cyfnod pan oedd byddin Penda yn dal i fygwth ei sefydlogrwydd. Ni wyddys faint o Gymry oedd yn ei fyddin erbyn hynny, ond y mae'r ffaith ei fod wedi trefnu cyrch newydd i ddisodli'r Saeson o'r Gododdin yn 655 OC yn ddadlennol. Yng nghofnodion Beda, cyfeirir at y tir a feddiannwyd fel *Giudi*, ystumiad tebygol o 'Iudew', yr hen enw ar y Firth of Forth. Disgrifiad carbwl o'r cyrch a geir yn yr *Historia* ond dywedir fod Penda wedi gofyn am swm mawr o arian o goffrau Oswiu yn dâl am atal ei ymosodiadau. Yn ôl Beda, yr oedd y tâl yn 'gyfanswm difesur o drysorau ag anrhegion' ac yn yr *Historia* cyfeirir at y celc fel 'Dosbarthiad Iudew'. Y mae arwyddocâd milwrol y cyrch yn dal yn destun dadl gan fod rhai yn mynnu na theithiodd Penda yn bell i'r gogledd. Ond nid dyma yw tystiolaeth y disgrifiad a geir yn yr *Historia*, lle nodir fod y trysorau wedi eu cynnig *in manau Pendae* ('yn Manaw i Penda') yn hytrach nag *in manu Pendae* ('i ddwylo Penda'). Fel y nodwyd eisoes, teyrnas fach ar lannau Merin Iddew oedd Manaw Gododdin ond, os oedd Penda wedi cipio Din Eidyn hefyd, y mae'r rheswm am y tâl yn glir. Yn anffodus, byr iawn oedd cyfnod y gorfoleddu gan fod byddin Oswiu wedi dilyn Penda tua'r de a'i ladd cyn iddo groesi'r ffin i Mercia. Honnir mai un rheswm am lwyddiant Oswiu oedd y ffaith bod rhai o'r Cymry ym myddin Penda wedi dychwelyd i'w gwlad wrth nesu at y ffin. Yn ôl y traddodiad, Cadfael ap Cynddelw o Wynedd oedd arweinydd y Cymry a drodd tua'r gorllewin, a dyna paham y cyfeirir ato fel *Catgabail Catguommed* ('Cadfael yr osgöwr Cad') yn yr *Historia*. Dywedir mai ar lan afon 'Winwaed' yr ymladdwyd y frwydr rhwng Penda ac Oswiu. Cock Beck yw'r enw erbyn hyn, felly rhaid gofyn ai atsain o'r 'coch' Cymraeg a gadwyd yn yr enw? Yn yr Oesoedd Canol, yr oedd arwyddocâd y frwydr yn amlwg i awdur *Brut y Tywysogion* pan nododd: 'O hynny allan, collodd y Brytaniaid goron y deyrnas ac enillodd y Saeson hi'. Serch hynny, yr oedd cyfraniad y Cymry i hanes yr Hen Ogledd ymhell o fod ar ben. Yr oedd teyrnas Rheged yn dal heb ei threisio ac, yn y gogledd, yr oedd Alclud ar gychwyn ar gyfnod anturus yn ei hanes.

Ychydig a wyddys am hanes Rheged yn ail hanner y seithfed ganrif ond credir fod plant Urien wedi arwyddo rhyw fath o gytundeb gyda'r brenin Oswallt. Un arwydd o berthynas agos yw'r briodas a drefnwyd rhwng Oswiu, brawd Oswallt, a merch o deulu brenhinol Rheged. Rhianfellt oedd enw'r ferch a'i thad oedd Royth, un o wyrion llai amlwg Urien. Prin iawn yw'r cyfeiriadau at y briodas; disgrifir hi fel *Rieinmelth filia Royth filii Run* yn yr *Historia* ond nid oes gair amdani yng nghofnodion Beda. Da gweld felly bod dogfen hanesyddol yn Eglwys Gadeiriol Durham sy'n cadarnhau bod brenhines o'r enw *Raegnmaeld* wedi teyrnasu yn Northymbria. Cyn marwolaeth

Oswallt, nid oedd gweld Cymraes yn aelod o deulu brenhinol Northymbria yn ofid mawr, ond newidiodd y sefyllfa wedi i Oswiu esgyn i'r orsedd. Ni wyddys beth oedd tynged Rhianfellt, ond wedi etifeddu'r goron bu'n rhaid i Oswiu briodi Saesnes o Gaint yn 642 OC. Erbyn hyn, yr oedd ganddo fab o'r enw Alchfrith ac un arall a elwid Aldfrith. Cytuna pawb mai Rhianfellt oedd mam Alchfrith ond honnir mai tywysoges o Iwerddon oedd mam yr ail blentyn. Yn ôl yr hanesydd James Fraser, stori ffug yw hon, ond fe sonnir fwy am y ddadl yn y bennod ar hanes yr Eglwys Fore. Ar y llaw arall, does dim amheuaeth mai'r Saesnes oedd mam y trydydd mab, Ecgfrith, a anwyd oddeutu 645 OC.

Erbyn canol y ganrif y cwestiwn mawr oedd pwy oedd i ddilyn Oswiu yn frenin Northymbria? Y dewis amlwg oedd Alchfrith y mab hynaf ond, am resymau sy'n bell o fod yn glir, yr oedd y berthynas rhwng y tad a'r mab wedi dirywio. Myn rhai mai dadl grefyddol oedd y tu ôl i'r rhwyg ond y mae'n fwy tebyg fod Alchfrith yn amharod i dderbyn agwedd drahaus ei dad at deulu ei fam. Gwyddys bod Oswiu wedi ymosod ar Reged yn y cyfnod dan sylw, ond ni wyddys a oedd hyn cyn neu wedi i Alchfrith wrthryfela yn erbyn ei dad. Wedi'r ffrae, alltudiwyd Alchfrith i ardal bellennig o'r deyrnas ac y mae'r ffaith na ddewiswyd Aldfrith, yr ail fab, yn olynydd yn arwydd fod y rhwyg yn y teulu wedi parhau. Pan fu farw Oswiu yn 670 OC y trydydd mab, Ecgfrith, a etifeddodd y goron ac y mae'n ddadlennol fod Aldfrith wedi encilio i ynys Iona yn fuan wedi'r coroni. Dyna ddigwyddiad sy'n cynnal y syniad fod Aldfrith yn fab i Rhianfellt a hefyd yn methu cyd-dynnu gyda brawd o gefndir gwahanol. Sonnir mwy am yrfa grefyddol Aldfrith yn y bennod ar hanes yr Eglwys Geltaidd. Digon am y tro yw nodi ei fod yn fachgen galluog gyda diddordebau academig iawn.

Wedi i Ecgfrith esgyn i'r orsedd gwelwyd newid mawr yn hanes Northymbria ac ni fu'n hir cyn trefnu brwydrau yn erbyn ei gymdogion. Rheged oedd y cyntaf i ddioddef wrth iddo ddwyn darn sylweddol o dde-ddwyrain y wlad. Wedi ennill tir, ei gynllun arferol oedd trosglwyddo'r ardal i ofal eglwys Northymbria, ffordd effeithiol o danseilio diwylliant ac atal iaith fel y gwyddom ni yng Nghymru! Dyna yn sicr oedd tynged de Rheged gan fod yna gofnod bod y tir o amgylch

Cartmel yng ngofal yr eglwys Seisnig erbyn 677 OC. Ceir blas o agwedd Ecgfrith at ei ddeiliaid newydd yn y cymal sy'n datgan fod y tir wedi ei drosglwyddo 'ynghyd â'r holl Frythoniaid sydd yn byw yno' (*omnes Brittanos cum eo*). Awgrymir bod rhai o drigolion y de yn gaethweision erbyn hyn ond y mae lle i gredu bod y sefyllfa yn well yn y tir a gipiwyd ymhellach tua'r gogledd. Pan ymwelodd Sant Cuthbert â Chaerliwelydd yn 685 OC dywedir bod swyddog a elwid y *Praepositus Civitatis* wedi ei dywys o amgylch y ddinas lle yr oedd yna ffynnon o'r cyfnod Rhufeinig yn dal i redeg. Rhaid tybio mai'r cof am y chwalfa a ddilynodd cyrchoedd Ecgfrith oedd cefndir y gerdd bruddglwyfus, 'Diffaith Aelwyd Rheged', a gedwir yng nghanu Llywarch Hen. Dyma dri phennill i gyfleu naws y gerdd a'r hiraeth am yr hyn a fu:

> Yr aelwyt honn, neus cud glessin.
> Ym myw Owein ac Elphin,
> Berwassei y pheir breiddin.
>
> (*CLlH*, t. 18)

[Yr aelwyd hon glaswellt a'i cuddia / Pan oedd Owein ac Elphin yn fyw / Yr oedd y pair yn llawn ysbail]

> Yr aelwyt honn, neus cud kein vieri.
> Coet kyneuawc oed idi.
> Gordyfnassei Reget rodi.
>
> (*CLlH*, t. 18)

[Yr aelwyd hon lle tyf mieri / Yr oedd coed yn ffaglu / A phob croeso ar aelwyd Rheged.]

> Yr aelwyt honn, neus clad kywen,
> Nys eidigauei anghen
> Ym myw Owein ac Uryen.
>
> (*CLlH*, t. 19)

[Yr aelwyd hon lle crafai'r ieir / Ni ddioddefodd neb angen / Tra yr oedd Owein ac Urien yn fyw.]

Yn ffodus, daeth cyfnod trahaus Ecgfrith i ben pan laddwyd ef mewn brwydr yn erbyn Pictiaid yr Alban yn 685 OC. Sonnir mwy am y frwydr hon yn yr adran nesaf lle nodir mai mab brenin Alclud oedd pensaer y fuddugoliaeth honno.

Aldfrith, y mab a wrthodwyd, a esgynnodd i'r orsedd wedi marwolaeth Ecgfrith a buan y gwelwyd ei fod yn ŵr o feddylfryd gwahanol. Diwinydd wrth reddf oedd Aldfrith, nid rhyfelwr, ac y mae hyd yn oed yn bosib ei fod wedi dysgu peth Cymraeg wrth draed ei fam. Yn sicr yr oedd yn rhugl yn y Wyddeleg ac yn ddigon hirben i gael ei gyfarch yn *sapiens* (y doeth) gan ei gyd-fyfyrwyr. Yn ystod ei gyfnod ar Iona yr oedd wedi cyhoeddi nifer o gyfrolau crefyddol ac nid anghofiodd ei wreiddiau Celtaidd wedi esgyn i'r orsedd. Yn ystod ei deyrnasiad ef tyfodd y deyrnas i fod yn un o ganolfannau addysgiadol pwysicaf Prydain. Darllen oedd ei brif ddiddordeb a dywedir ei fod, ar amrantiad, wedi cyfnewid darn sylweddol o dir am un gyfrol ar gosmoleg. Sonnir mwy am ei gyfraniad i ddatblygiad yr eglwys yn Northymbria yn y bennod nesaf. Ni ellir ond dyfalu bod sefyllfa Cymry Northymbria wedi gwella yn ystod ei deyrnasiad a bod ei gymdogion yn Rheged hefyd wedi cael cyfle i ymgryfhau. Does dim amheuaeth mai Aldfrith oedd brenin mwyaf effeithiol Northymbria, ond nid oedd Beda yn barod iawn i ganu ei glod. Mewn teyrnged dros ysgwydd, sylwodd fod Aldfrith wedi 'adfer ei wlad ddrylliedig' ond nid heb ychwanegu bod hynny 'rhwng ffiniau mwy cul'.

Teyrnas Alclud

Erbyn diwedd y seithfed ganrif, Alclud oedd yr unig deyrnas Gymreig ar ôl yn yr Hen Ogledd ac fe ellir olrhain gwreiddiau'r deyrnas i'r tir a oedd ym meddiant y Damnonii yn yr Oes Haearn. Gwelir adlais o enw'r llwyth mewn enwau fel Cardowan a Dowanhill, maestrefi sydd bellach yn rhan o Glasgow. Yn ôl Charles-Edwards, y Frythoneg oedd iaith y rhan hon o'r wlad trwy gydol y cyfnod Rhufeinig gan mai gwan iawn oedd dylanwad y fyddin. Erbyn canol y seithfed ganrif yr oedd y deyrnas wedi colli peth o'r tir tua'r dwyrain i wŷr Bernicia, felly calon y deyrnas oedd y tir o amgylch afon Clud. Anodd dweud ble roedd ffiniau'r deyrnas ond credir bod ei thir yn ymestyn cyn belled ag

Aeron (Aire) yn y de a Loch Lomond yn y gogledd. Ym mhen uchaf Loch Lomond y mae craig a elwir *Clach nam Breatann* (Craig y Brythoniaid) – cyfeiriad, mae'n debyg, at ffin ogleddol y deyrnas. Camp fawr Alclud oedd goroesi mewn cyfnod ansicr iawn trwy lunio cytundebau doeth gyda'i chymdogion. Yn y gorllewin, ei chymdogion oedd y Gwyddyl a oedd newydd gyrraedd y wlad o Iwerddon. Yn y gogledd, ei chymdogion oedd y Pictiaid, cenedl baganaidd a oedd yn siarad iaith debyg i'r Frythoneg.

Cadarnle Alclud oedd y gaer a godwyd ar y graig uwchben tref fodern Dumbarton. Ystumiad o *Dun Breattain*, Caer y Brythoniaid yn yr Aeleg, yw Dumbarton ac ystyr Alclud oedd 'Uchel fan y Clud'. Adeilad o'r Oesoedd Canol sydd ar ben y graig erbyn hyn, ond pan gloddiwyd y safle beth amser yn ôl, daethpwyd o hyd i adeiladau o'r chweched ganrif. Gwelwyd o'r creiriau a ddatgelwyd fod Alclud wedi bod yn rhan o rwydwaith fasnachol oedd yn ymestyn cyn belled â'r Môr Canoldir. Yr oedd yna wydrau o Gâl, *amphorae* o Sbaen ac offer i lunio tlysau cain o aur ac arian. Gellir dysgu mwy am hanes y deyrnas trwy astudio achau ei brenhinoedd ond rhaid gochel rhag derbyn fod pob enw a gofnodir yn ddilys. Y rhestr fwyaf dibynadwy yw'r un a gyhoeddwyd gan MacQuarrie yn 1998[13] ac fe geir rhagor o fanylion yng nghyfrol James Fraser. Y darn mwyaf dadlennol o'r goeden achau yw'r un sy'n dechrau gyda *Coroticus* (Ceredig y traddodiad Cymraeg) ac yn gorffen gyda meibion Beli. O safbwynt

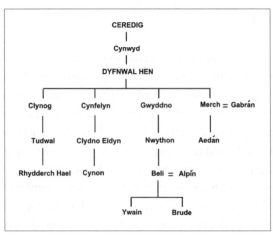

Rhan o goeden achau teulu brenhinol Alclud.

hanesyddol, y cymeriad allweddol yw Dyfnwal Hen gan ei fod yn gyn-dad i gymaint o arweinwyr yr Hen Ogledd. Credir mai Rhydderch ap Tudwal oedd brenin Alclud ar ddechrau'r seithfed ganrif, gŵr a adwaenir fel Rhydderch Hael yn y traddodiad Cymraeg. Yn ôl yr *Historia*, yr oedd Rhydderch yn aelod o gynghrair olaf Urien, arwydd bod Alclud ar delerau da gyda'i chymdogion tua'r de. Ond nid disgynyddion Rhydderch a gafodd y dylanwad mwyaf ar hanes yr Hen Ogledd ond Ywain (Owain) a Brude (Briddei), meibion Beli. Owain oedd yn gyfrifol am newid cwrs hanes trwy atal y Gwyddel Dyfnwal Frych rhag cipio tir yn y canoldir. Camp Briddei oedd cael ei dderbyn yn frenin ar y Pictiaid cyn arwain byddin yn erbyn Saeson Northymbria. Yr oedd gan y Pictiaid ddull hynod iawn o drefnu olyniaeth gan mai anaml y gwelid mab yn dilyn tad. Y drefn arferol oedd dewis olynydd o deulu'r fam ac fe allai hwnnw fod yn frawd, mab a hyd yn oed yn dad ar adegau. Prif bwrpas y trefniant oedd hybu cydweithrediad rhwng llwythau'r ucheldir ac atal un teulu rhag cymryd y blaen. Y mae'r ffaith fod y Pictiaid yn barod i dderbyn brenin o genedl arall yn fesur o'u goddefgarwch, ond yr oedd hefyd yn fodd i gryfhau sefyllfa amddiffynnol y wlad.

Alclud a'r Gwyddelod

Ymestyniad o deyrnas *Dál Riata* yng ngogledd Iwerddon oedd gwladfa'r Gwyddyl yn yr Alban. Cadarnle'r wladfa oedd caer Dunadd yn Argyll ac ystyr *Ar Gael* oedd 'Tir Dwyreiniol y Gwyddyl'. Yn y chweched ganrif, eu harweinydd oedd Áedán mac Gabráin ond credir bod y llwyth wedi croesi'r culfor o ogledd Iwerddon ymhell cyn hyn. Tiriogaeth Aedán oedd penrhyn Kintyre (Pen Tir y traddodiad Cymraeg) ac yr oedd yna lwyth arall o Wyddelod yn byw yn ardal Cowan. Wedi ennill brwydr Teloch yn 578 OC, unodd Áedán y ddau lwyth i osod y sail ar gyfer teyrnas unedig. Ychydig a wyddys am hanes Áedán ond y mae traddodiad bod gan ei fam wreiddiau Cymreig. Gwyddys ei fod wedi dewis 'Artúr' yn enw un o'i feibion, ac fel y nodwyd yn barod, yr oedd mab arall wedi priodi merch Dyfnwal Hen. Ar y cychwyn, credir bod Cymry Alclud a Gwyddelod *Dál Riata* ar delerau da, ond surodd y berthynas yn nyddiau olaf Aedán. Yr oedd yna fintai o Alclud yn rhan o fyddin Aedán pan geisiodd wrthdroi lluoedd Bernicia yn 603 OC, ond methiant fu'r ymgyrch honno. Yn ddiweddarach, ceir cofnod fod y Gwyddelod wedi cipio darn o Fanaw Gododdin, ond y Pictiaid oedd yn rheoli'r ardal ar y pryd. Yn y chweched ganrif yr oedd Urien hefyd wedi ymosod ar yr ardal, ac yn ôl yr hyn a nodwyd yn un o gerddi Taliesin, yr oedd wedi gwneud hyn i ddwyn gwartheg. Anodd dweud faint o wir sydd yn yr honiad fod Áedán wedi cipio caer *Din Breattain* ond y mae lle i gredu ei fod wedi bygwth. Perthnasol felly sylwi bod cyfeiriad at Áedán fel 'Aedan Bradawg' (Aedan y Bradwr) yn yr *Annales Cambriae*[14] ac yn un o'r Trioedd sonnir amdano fel 'un o brif ysbeilwyr Prydain'. Diddorol hefyd nodi bod mwy o sôn am Áedán mewn dogfennau Cymreig nag un Gwyddel arall, ond rhaid cynnig mai chwedloniaeth yw'r stori am ei gyfathrach â Brychan, brenin Brycheiniog.

Wedi marwolaeth Áedán yn 608 OC, ei fab Eochaid a ddringodd i'r orsedd a cheir cofnod ei fod ef a'i frawd, Artúr, wedi eu lladd yn fuan wedyn. Y nesaf i esgyn i orsedd *Dál Riata* oedd mab Eochaid *Domnall Brecc*, Dyfnwal Frych y traddodiad Cymraeg. Does dim amheuaeth nad oedd Dyfnwal yn arweinydd uchelgeisiol, ond nid oedd wedi etifeddu gallu milwrol na doniau diplomyddol yr hen Áedán. Yn ôl yr hanes, collodd gyfres o frwydrau yn yr Alban ac yn Iwerddon er iddo alw yn gyson am gymorth oddi wrth gymdogion. Yn 637 OC credir bod mintai o wŷr meirch o Alclud wedi ei ganlyn i Iwerddon i gefnogi brwydr brenin Wlster yn erbyn uwch-frenin Iwerddon. Ymladdwyd y frwydr ger pentref *Maigh Rath* (Moira) yn swydd Down, lle lladdwyd y mwyafrif o'r fyddin. Pan adeiladwyd rheilffordd heibio i'r pentref yn y bedwaredd ganrif ar bymtheg, daethpwyd ar draws gweddillion miloedd o filwyr ac esgyrn cannoedd o feirch. Os gwir y dyfalu bod llawer o'r gwŷr meirch yn deillio o Alclud, does dim syndod na pharhaodd y gynghrair rhwng Dyfnwal a Chymry'r ardal yn hir.

Cam nesaf Dyfnwal oedd ceisio ennill y blaen ar deyrnas Alclud trwy gipio mwy o dir yng nghanolbarth yr Alban. Erbyn canol y seithfed ganrif yr oedd gafael gwŷr Bernicia ar y rhan hon o'r wlad yn wan, ac wedi marwolaeth Oswallt, yr oedd y Cymry a'r Pictiaid yn awyddus i lanw'r agendor. Credir mai ymgais i atal y Cymry a'r

Afon Carron ger Larbert

Pictiaid rhag ffurfio cynghrair i oresgyn y tir oedd y cyrch a drefnwyd ar draws ucheldir yr Alban ar ddiwedd 642 OC. Yr oedd croesi'r ucheldir gyda byddin fawr yn dasg anodd ar unrhyw adeg, ond yr oedd ceisio gwneud hyn yn y gaeaf yn syniad hynod o ffôl. Ceir cofnod o ganlyniad y fenter mewn dogfen a luniwyd yn Iwerddon lle dywedir fod *'hoan'* (Owain), 'Brenin y Brythoniaid', wedi trechu *'domnall brecc'* (Dyfnwal Frych) mewn lle a enwid *'sraith cairuin'* (Strathcarron). Dyma gefndir y gerdd a gopïwyd ar gam i dudalen o'r Gododdin ac a adnabyddir bellach fel 'Pennill Strathcarron'. Gellir creu darlun clir o'r hyn a ddigwyddodd trwy ddarllen y gerdd ac edrych ar fap i weld natur y wlad a groeswyd gan Ddyfnwal.

I gyrraedd Strathcarron o benrhyn Pentir (*Ceann Tir*) yr oedd yn rhaid croesi cadwyn o fynyddoedd cyn disgyn i'r iseldir ger tref fodern Stirling. Mae'n rhaid fod byddin Dyfnwal wedi treulio wythnos neu ragor ar y daith tra'n cario llwyth o wair a blawd i fwydo'r ceffylau. Yn y cyfamser, yr oedd gan Owain ddigon o amser i arwain ei fyddin yn hamddenol ar hyd yr hen ffordd Rufeinig a oedd yn croesi'r iseldir yng nghysgod Mur Antwn. Rhaid cynnig o'r *'sraith'* a welir yn yr enw fod y ddwy fyddin wedi cwrdd rywle yn y dyffryn sy'n rhedeg rhwng Denny a Falkirk. Lleoliad tebygol y frwydr yw'r ddôl ger pentref Larbert lle yr oedd yna bont yn croesi afon Carron. Ni wyddys ai Dyfnwal neu Owain oedd y cyntaf i groesi'r afon, ond wedi taith mor hir yr oedd y canlyniad yn anochel i'r Gwyddelod.

Dim ond darn bach o'r stori a adroddir yn 'Pennill Strathcarron' felly ni ellir ond dychmygu faint o hanes dilys a gollwyd. Anodd dweud pam y disgrifiwyd byddin Alclud fel 'Gwŷr Nwython' yn hytrach na 'Gwŷr Owain' os nad oedd y bardd yn awyddus i dalu teyrnged i'w hynafiaid. Dyma'r diweddariad a gyhoeddwyd gan Gwyn Thomas[10] ac y mae'r disgrifiad o'r brain yn bwydo ar gyrff y meirw yn nodweddiadol o'r hen ganu:

> Gweleis y dull o benn tir adoyn.
> aberth am goelkerth a disgynnyn.
> gweleis oed kenevin ar dref redegein.
> a gwyr nwython ry gollessyn.
> gweleis gwyr dullyawr gan awr adevyn
> aphenn dyvnwal a breych brein ae cnoyn.

> [Gwelais y fintai o Ben Tir yn dod / A ffaglau tân i gynnal y frwydr / Gwelais wŷr trefnus yn ymateb yn gyflym / A gwŷr Nwython a ymgodasant / Gwelais ymgyrch ar doriad dydd / A phen Dyfnwal Frych a fwytawyd gan frain.]

Dyna ddiwedd gyrfa un o frenhinoedd mwyaf aflwyddiannus *Dál Riata* ac y mae arwyddion bod Owain wedi meddiannu cyfran sylweddol o Fanaw Gododdin wedi'r frwydr. I deyrnas Alclud, yr oedd y fuddugoliaeth yn bwysig am ddau reswm. Yn y lle cyntaf yr oedd yn brawf o fedr ei byddin ac yn yr ail yr oedd wedi gosod y seiliau i gynghrair cwbl newydd yn y gogledd. Wedi brwydr Strathcarron, machludodd haul y Gwyddyl am gyfnod i roi cyfle i'r Cymry a'r Pictiaid lanw'r bwlch strategol.

Alclud a'r Pictiaid

Yn y cyfnod ôl-Rufeinig, nid oedd y Brythoniaid a'r Pictiaid ar delerau da, ond ymddengys fod y sefyllfa wedi gwella erbyn dechrau'r seithfed ganrif. Ers tro byd, honnwyd nad oedd iaith y Pictiaid yn perthyn i'r teulu Indo-Ewropeaidd ond gwyddys erbyn hyn ei bod yn debyg iawn i'r Frythoneg. Yn wir, credir bod y ddwy iaith mor debyg fel nad oedd rhaid wrth gyfieithydd i gyfathrebu. Yn Oes y Seintiau, yr oedd rhaid i'r saint Gwyddelig drefnu cyfieithydd ar eu teithiau cenhadu ond deellir fod Cyndeyrn yn lledu ei neges heb fawr o drafferth. Dyna paham y mae enwau tebyg i eiriau Cymraeg i'w gweld ar hyd a lled yr Alban, a pham fod rhai enwau 'Pictaidd' yn ymestyn ymhell i'r de. Un elfen a gysylltir â'r Bicteg yw'r *Pit* a welir mewn enwau fel Pitlochry a Pitsligo. Yn ôl arbenigwyr, elfen i ddynodi darn o dir oedd *pit*, disgrifiad tebyg i 'peth' neu 'parth' yn y Gymraeg. Ar sail enwau lleoedd, bernir mai *dal* oedd gair y Pictiaid am ddôl, *preas* eu gair am brysgoed a *Penhaefal* oedd enw'r pentref a godwyd ar derfyn Mur Antwn. Enw dadlennol arall yw Strathpeffer, tref i'r gogledd o Inverness. Credir mai ystyr tebyg i'r 'pefr' Cymraeg oedd i ail elfen yr enw, disgrifiad da o'r afon loyw sy'n llifo trwy'r dyffryn.

Does dim syndod felly fod y ddwy genedl wedi trefnu cyfres o ymgyrchoedd ar y cyd a bod tipyn o ymbriodi rhwng y teuluoedd brenhinol. O safbwynt hanesyddol, y briodas bwysicaf oedd yr un a drefnwyd rhwng Beli fab Nwython a thywysoges o deulu'r mac Alpín ar ddechrau'r seithfed ganrif. Myn rhai nad hi oedd mam Owain, y cyntaf anedig, ond does dim amheuaeth mai hi oedd mam Briddei, y brawd a etifeddodd goron y Pictiaid. Y mae arbenigwyr yn dal i drafod arwyddocâd dull y Pictiaid o drefnu olyniaeth trwy gyfrwng y fam. Ni wyddys ai hyn oedd y patrwm bob amser, ond yn sicr, dyma'r unig ffordd y gallai mab Beli fod wedi cyrraedd y brig. Un rheswm am ddewis Cymro o'r gorllewin yn arweinydd oedd y ffaith fod gwŷr Alclud yn ymladdwyr da. Ni chyfaddefir hyn yn llyfrau hanes y Saeson ond yr oedd yr Albanwr James Fraser yn ddigon parod i gydnabod eu cryfder milwrol:

It is difficult to ignore the evidence that the dominant military power in Atlantic Scotland in the 670's and 680's was a British one, Alclud being foremost among the suspects. If this kingdom had been stripped of interests in Strathearne and Manau by the Bernicians in the middle decades of the century, such a burst of activity in Atlantic Scotland could be seen as reflecting a major realignment of interests.

Yr enghraifft orau o'r cydweithrediad hwn yw'r frwydr a drefnwyd gan gynghrair o Gymry a Phictiaid yn 685 OC i wrthdroi ymdrech Ecgfrith i ledu ffiniau Northymbria yn y gogledd-ddwyrain. Wedi esgyn i'r orsedd yr oedd Ecgfrith wedi cipio darn sylweddol o'r tir ar hyd y ffin, ond yr oedd mentro i berfeddion yr Alban yn fenter anystyriol. Arweinydd y fyddin a'i trechodd oedd Briddei, brenin Cymreig y Pictiaid. Milwyr traed o ucheldir yr Alban oedd asgwrn cefn y fyddin ond yr oedd yna hefyd wŷr meirch o Alclud. Y mae'n amlwg o hanes y frwydr fod Briddei yn gadlywydd medrus gan ei fod wedi llunio cynllun cyfrwys i ddifetha byddin Northymbria.

Enw'r Saeson ar y frwydr oedd 'The Battle of Dun Nechtain' ond yn yr *Historia* cyfeirir ati fel 'Gweith Linn Garan'. Ni ellir bod yn hollol siŵr ble yr ymladdwyd y frwydr, ond yr ateb tebygol yw'r tir gwlyb wrth ymyl Loch Insh ger Aviemore. Llyn cymharol fas yw Loch Insh ac felly yn safle delfrydol i'r deryn â'r coesau hir bysgota ar hyd y lan. Diddorol felly gweld fod y cynllun a fabwysiadwyd gan Briddei yn debyg iawn i'r un a ddilynwyd gan Napoleon yn Awstria, ganrifoedd yn ddiweddarach. Ei gam cyntaf oedd gosod mintai o wŷr traed ar y tir gwlyb wrth ymyl y llyn i ddenu'r Saeson i fan ansefydlog. Wedi ysgarmes fer, trodd y fintai i 'ffoi' gyda gwŷr Northymbria yn dynn ar ei ôl. Ond, heb yn wybod i Ecgfrith, yr oedd Briddei wedi cuddio gweddill y fyddin ar y bryn uwchben a, chyn hir, yr oedd yna gawod o waywffyn yn disgyn ar y milwyr ger y llyn. Suddodd llawer i laid y gors cyn i wŷr meirch Alclud ddisgyn o'r bryn i'w difrodi yn y dull traddodiadol.

Yn ôl yr Albanwyr, carreg i goffáu'r frwydr yw'r un a godwyd ym mynwent eglwys Aberlemno ger Brechin. Yn y cerflun, y Saeson yw'r gwŷr a'r helmau dur (y *spanglehelm*) a cheir llun o frân yn pigo pen milwr ar waelod y gofeb. Dyna oedd diwedd ymosodiadau haerllug Northymbria ar yr Alban ac, yn fuan wedyn, cyfansoddwyd cerdd mewn Gaeleg i gofio camp Briddei. Dyma gyfieithiad o gychwyn y gerdd o drosiad gan Thomas Owen Clancy.

Heddiw mae Briddei yn ymladd
I ennill tiroedd ei gyndadau.

Trwy ras Mab Duw yn unig
Y gellir disgwyl llwyddiant.

Cytuna pawb fod brwydr Dun Nechtain wedi newid cwrs hanes ond ychydig sy'n barod i gydnabod mai bachgen o Alclud oedd pensaer y fuddugoliaeth. Yng ngolwg Beda, yr oedd brwydr Dun Nechtain yn ergyd drom i Northymbria ac nid yw'n celu'r ffaith fod y Saeson wedi colli cryn dipyn o dir wedi hyn:

> O hyn ymlaen chwalwyd gobeithion a nerth teyrnas y Saeson gan wamalu cyn syrthio yn is ac yn is. Adfeddiannodd y Pictiaid y tir a gipiwyd gan y Saeson, ac fe enillodd y Gwyddyl a oedd wedi ymsefydlu ym Mhrydain, a chyfran o'r Brythoniaid, eu rhyddid hefyd. Yn y cyfnod hwn lladdwyd rhai o'r Saeson a oedd yn nhir y Pictiaid, caethiwyd eraill a bu'n rhaid i'r gweddill ffoi.

Ni ellir dirnad o'r cofnod faint o dir a enillwyd gan Gymry'r gorllewin, ond gwyddys fod y Pictiaid wedi adfeddiannu pob modfedd o'r tir a gollwyd yn y dwyrain. O hyn ymlaen, yr oedd Manaw Gododdin yn rhan o diriogaeth Briddei a bu rhaid i fynaich Seisnig Abercorn ger Caeredin ffoi o afael ei fyddin. Ond, yn ôl James Fraser, camp fwyaf Briddei oedd uno Pictiaid y de a Phictiaid y gogledd yn un genedl gan osod y seiliau i wlad gwbl newydd. Cwestiwn mwy anodd ei ateb yw beth oedd dylanwad y frwydr ar hanes Alclud a thrigolion yr hen Reged? Gwyddys nad ymestynnodd Alclud ei ffiniau ymhell tua'r de hyd ganol y nawfed ganrif, felly rhaid cynnig mai trigolion gogledd Rheged oedd y Brythoniaid y cyfeirir atynt yn y cofnod. Ond nid dyna yw barn Tim Clarkson, awdur sy'n gyndyn i gydnabod unrhyw ffyniant Cymreig yn y gogledd. Yn ei farn ef, 'nid oedd yna ddihangfa i diroedd Urien' ond ni chynigir dim i gynnal y ddamcaniaeth. Y mae'r un mor amharod i gydnabod y cydweithrediad a welwyd rhwng y Cymry a'r Pictiaid heb sôn am y cysylltiadau teuluol. Mewn un man, aeth mor bell â chynnig nad oedd Briddei erioed wedi cwrdd â'i dad a'i fod wedi ei fagu gan deulu ei fam. Ond nid dyna yw neges y farwnad yn yr iaith Aeleg a luniwyd i Briddei gan fardd llys oddeutu

704 OC. Teitl y gerdd yw 'Marwnad Briddei Mab Beli' a dyma gyfieithiad o'r ail bennill o gyfrol Thomas Clancy, *The Triumph Tree*:

> Gŵr a ddyrchafodd deyrnas,
> Yn gorwedd yn dawel mewn deri.
> Dyna oedd diwedd distaw,
> Mab *Dun Breattain* draw.

Yn ôl Clancy, 'it is the unique witness to the fact that Bruide was the son of Beli of Dumbarton', ond yn ôl haneswyr Seisnig, ni ddylid ymddiried mewn cerdd o unrhyw fath!

Dyfodiad y Llychlynwyr

Ar ddiwedd yr wythfed ganrif gwelwyd datblygiad newydd ar gyfandir Ewrop wrth i dair carfan o Lychlynwyr ymosod ar ei harfordir. Hwylio i fyny afonydd y Baltig wnaeth y rhai a gychwynnodd o Sweden, ond trodd Llychlynwyr Norwy a Denmarc i gyfeiriad Prydain ac Iwerddon. Yn y bennod hon, cyfeiriaf atynt fel y 'Norwyaid' a'r 'Daniaid' er mwyn osgoi disgrifiadau camarweiniol fel yr 'Hiberno-Norse' a'r 'Anglo-Danes'. Nid yw disgrifiadau o'r fath yn gywir, gan fod rhai wedi hwylio i Brydain yn syth o Norwy, ac nid oedd gan y Saeson fawr o ddylanwad yn y rhan o Loegr a oresgynnwyd gan y Daniaid. Ni fu Cymry'r gorllewin erioed ar delerau da gyda'r Daniaid ond yr oedd eu cymrodyr yn yr Hen Ogledd yn byw yn ddigon cytûn gyda'r Norwyaid a gyrhaeddodd yr ardal. Cyn treiddio i gymhlethdodau hanesyddol y cyfnod, rhaid sôn ychydig am natur y gymdeithas Lychlynnaidd a hanes eu gwladychiad dros ddwyrain a gorllewin Prydain.

Cefndir cymdeithasol y Llychlynwyr

Ansawdd y tir a gerwinder yr hinsawdd oedd yn bennaf cyfrifol am natur y gymdeithas a ddatblygodd yng ngogledd Ewrop yn yr wythfed ganrif. Yn Norwy, yr oedd codiad yn lefel y môr wedi creu gwlad fynyddig gyda *fjords* hir yn rhannu'r tir. Yn Nenmarc, yr oedd ansawdd y tir yn well, ond gwaith peryglus oedd cludo nwyddau o ynys i ynys yn ystod y gaeaf. Does dim rhyfedd felly fod Llychlynwyr pob ardal wedi mabwysiadu ffordd hunangynhaliol o fyw ac wedi datblygu meddylfryd hynod o annibynnol. O ganlyniad, yr oedd cymunedau'r gogledd yn fwy arloesol ac yn llai hierarchaidd na dim a welwyd yng ngorllewin Ewrop. Penaethiaid teuluol, yr *jarls*, oedd eu harweinyddion ac nid oedd ganddynt fawr o olwg ar y brenhinoedd a osodwyd i'w rheoli. Fel yn y gwledydd Celtaidd, yr oedd yna barch mawr i'r beirdd (y *skaldi*), ac yr oedd yna le amlwg i chwedloniaeth yn eu bywyd. I'r dosbarth rhydd, y *karls*, y perthynai'r mwyafrif o'r gymdeithas ac yr oedd gan y gweithiwr cyffredin yr un urddas â'r ffermwr cyfoethog. Yn wahanol i'w cymdogion yn yr Almaen, yr oedd gan eu gwragedd hefyd statws uchel. Hwy oedd yn gyfrifol am drefnu'r gwaith ar y fferm pan oedd eu gwŷr ar y môr ac yr oedd ganddynt yr un hawl i eiddo. Gwehilion y gymdeithas oedd y *thralls*, y caethion a gedwid i wneud y gwaith caled. Drwgweithredwyr oedd y *thralls* ar y cychwyn, ond wedi trefnu mwy o ymgyrchoedd ysbeilio, dygwyd caethion o wledydd tramor.

Credir mai un rheswm am y cynnydd sydyn a welwyd yn y cyrchoedd ysbeilio oedd prinder tir yn y gogledd, ond yr oedd yna hefyd gymhellion cymdeithasol. Dyna, yn sicr, oedd y rheswm dros wladychiad Gwlad yr Iâ gan y Norwyaid, lle nodwyd eu bod wedi dianc 'rhag awdurdod brenhinoedd a dihirod'! Wrth gwrs, yr oedd yr awch am antur hefyd yn rhan o'r stori fel y gwelwn o ddisgrifiad blwyddyn lwyddiannus ym mywyd Svein Asleifarson, ffermwr o Wlad yr Iâ:

> Yn y gwanwyn yr oedd yna ddigon i'w wneud ar y fferm gan fod rhaid hau llwyth o had. Wedi gorffen hau, âi'r ffermwr i ffwrdd am gyfnod i ysbeilio ynysoedd yr Alban neu arfordir Iwerddon ar siwrne a alwai yn 'Daith y Gwanwyn'. Rhaid oedd dychwelyd cyn diwedd yr haf i droi at waith y cynhaeaf, ond wedyn gellid trefnu siwrne arall o ysbeilio a alwai yn 'Daith yr Hydref'.

Rheswm arall am y cynnydd sydyn yn y cyrchoedd ysbeilio oedd datblygiad technoleg newydd: y llong hir. Ers canrifoedd, yr oedd y

Ail-gread o un o longau hir y Llychlynwyr

Llychlynwyr wedi adeiladu llongau cryf i fasnachu ar hyd yr arfordir, ond yr oedd y llongau hir a luniwyd ar droad yr wythfed ganrif o wneuthuriad cwbl wahanol. Yn wir, nid gormod fyddai cynnig fod y llongau hyn yn gampweithiau morwrol a drawsnewidiodd bywyd y gogleddwyr. Yn eu dydd, yr oedd eu cynllun mor syfrdanol ag awyren Concorde ein dyddiau ni ac yn asiad tebyg o ffurf a phwrpas. Gwyddom hyn o'r gweddillion a godwyd o waelod y môr a'r copïau a luniwyd gan haneswyr mewn dull traddodiadol. Yn y llun uchod o long hir a grewyd yn Norwy, y mae'r hwyl fawr yn llipa wrth i'r rhwyfwyr dywys y llong heibio i gysgod penrhyn. Yr hwyl a ddefnyddid i symud y llong ar y môr ond rhaid oedd wrth rwyfau i lanio ar draeth. Cyfrinach y llong hir oedd cryfder ei phlisgyn a'i hyblygrwydd mewn tywydd garw. Lluniwyd y cilbren o ddarn cadarn o dderw a gosodwyd pren pîn ystwyth i gario'r hwyl. Llywiwyd y llong gan rwyf hir (y *styra*), a dyna yw tarddiad y gair morwrol 'starboard'. Ni werthfawrogwyd rhagoriaethau'r cynllun yn llawn nes i ŵr o'r enw Magnus Andersen hwylio copi o long hir ar draws Môr Iwerydd yn 1893. Synnodd weld y gallai un dyn drin y *styra* yn rhwydd ac yr oedd y gêr a ddyfeisiwyd i godi'r hwyl yr un mor effeithiol. Yr oedd hyd yn oed y ffordd y trefnwyd y rhwyfau yn torri tir newydd gan fod yna ddorau wedi eu trefnu yn ochr y llong i sicrhau bod y rhwyfau yn taro'r dŵr ar well ongl. Gwyddys o'r hanesion a adroddir yn sagâu Gwlad yr Iâ fod y Llychlynwyr yn forwyr medrus a'u bod wedi hwylio i fannau anghysbell iawn. Dywedir y gallent ddarllen y môr fel llyfr trwy sylwi ar liw'r dŵr a symudiadau'r adar. Ar ddyddiau heulog, defnyddient ddeial haul i ddilyn llwybr y llong, a phan oedd yr haul dan gwmwl, dilynent ei olau gwan trwy gyfrwng *sólarsteinn*, carreg led-dryloyw.

Er eu bod mor awyddus i adael eu gwlad, yr oeddynt yn parchu diwylliant y gogledd ac yn dal i gredu yn y duwiau paganaidd a oedd wedi bod yn ganllaw i'w hil. Prif dduw'r hen grefydd oedd *Odin* ac yr oedd ganddo wraig o'r enw *Freyja* a mab o'r enw *Thor*. Duw rhyfel oedd *Odin* gyda'r gallu i ragweld y dyfodol ac fe edrychid ar ei wraig fel duwies cariad a ffrwythlondeb. Duw'r taranau, tebyg i *Taranis* y Celtiaid, oedd eu mab *Thor* ac yr oedd gan hwnnw forthwyl mawr i ddychryn ei elynion. Yr oedd cymeriad y duw *Loki* yn fwy amwys, ambell waith yn ffrind i'r duwiau ond bryd arall yn cynllwynio yn eu herbyn. Yn y chwedl a luniwyd i esbonio ei natur, dywedwyd bod y duwiau wedi rhoi terfyn ar ei gampau trwy glymu sarff o amgylch ei gorff. Lluniwyd chwedlau yr un mor ddychmygus i esbonio strwythur y byd naturiol a'r bydysawd. Darluniwyd y byd fel disg anferth ac yr oedd yna fôr llydan i wahanu'r byd hwn oddi wrth wlad y cewri. Yng nghanol y byd yr oedd yna goeden hudol yn tyfu a elwid *Yggdrasil*. Yn ôl y chwedl, dim ond tri gwreiddyn oedd gan y goeden: un yn ymestyn i wlad y duwiau, yr ail i wlad y cewri a'r trydydd i wlad y meirw.

Fel yn y byd Celtaidd, yr oedd gan y bardd, neu'r *skald*, le pwysig yn y gymdeithas. Efe oedd yn gyfrifol am gofio hanes yr hil, rhagweld y dyfodol a chanu clodydd yr *jarls*. Yr oedd cynnyrch y *skaldi* bron mor gymhleth â gwaith y Cynfeirdd gan fod rhaid iddynt ddilyn nifer o reolau mydryddol. Fel yn y gynghanedd, yr oedd sŵn y geiriau mor bwysig â'u sylwedd ac yr oedd dyfalu yn rhan hanfodol o gynhysgaeth pob bardd. Mewn un gerdd, disgrifiwyd y bedd fel 'yr harbwr carreg' ac, mewn un arall, cyfeiriwyd at y llaw chwith fel 'eisteddfa'r gwalch'. Dyma ddarn o gerdd a gyfansoddwyd gan Egil Skallagrimsson, *skald* o Wlad yr Iâ, i ddisgrifio mordaith a drefnwyd i Brydain i ganlyn brenin o Norwy. Ar ddechrau'r gerdd, ceir disgrifiad byw o'r siwrnai cyn datgan mai prif bwrpas y fordaith oedd canu clod ei arglwydd:

Vestr fórk of ver.
en ek Viðoris ber
munstrandar mar,
svá's mitt of far;
drók eik a flot
við isa brot,
hlóðk marðar hlut
mins knarrar skut.

[I'r gorllewin dros y môr yr af / Yn llawn o fedd hudol Odin / Fy
ngorchwyl oedd torri'r iâ / Cyn llusgo'r llong i'r lli / A'i llanw â
llwyth o fawl.]

Sylwer ar y cyflythrennu grymus a'r odli fesul cwpled. Yn ôl hen
chwedl, yr oedd *Odin* wedi etifeddu'r grefft o farddoni trwy yfed
dogn o fedd hudol, ac yr oedd y *skald* yn awyddus i brofi fod ei
ymdrechion ef yn perthyn i'r un traddodiad. Y mae'r darlun a gynigir
o'r llong yn hwylio gyda'i 'llwyth o fawl' yn un trawiadol ac yn ein
hatgoffa o bwysigrwydd mawl yn ein traddodiad barddol ni.

Ymgyrchoedd cynnar y Norwyaid

Gwŷr Norwy oedd y cyntaf i drefnu ymgyrch ysbeilio ar Brydain a
hynny ar Ynys Metcawd yn 793 OC. Ceir disgrifiad o'r ymosodiad
mewn llythyr a ddanfonwyd gan Alcuin, llys-gennad yn llys
Siarlemaen, at gyfaill a oedd yn esgob yn Northymbria:

> Ni welwyd y fath anrhaith erioed ym Mhrydain o law cenedl
> baganaidd.... Golchwyd eglwys Sant Cuthbert gan waed offeiriaid
> Duw cyn llygru addurniadau safle mwyaf sanctaidd Prydain.

Diddorol sylwi fod arddull y llythyr yn debyg iawn i'r un a
fabwysiadwyd gan Gildas i ddisgrifio ymosodiadau'r Saeson, ond y
tro hwn hwy, nid y Cymry, oedd yn dioddef. Fel Gildas, edrychai
Alcuin ar gyrchoedd y 'barbariaid' fel cosb am ddirywiad moesol, ac
mewn un rhan o'r llythyr, ceryddir clerigwyr Northymbria am

'ymfalchïo mewn dillad moethus' a 'llygru eu hymadroddion gan fedd-dod'. Yn ôl ymchwiliadau diweddar, credir nad oedd ymosodiad y Norwyaid ar Ynys Metcawd mor waedlyd ag yr honnwyd yn y llythyr. Yn ôl yr archaeolegwyr, dim ond y fynachlog a anrheithiwyd yn ystod y cyrch, nid y tai a'r gweithdai cyfagos. Y flwyddyn ganlynol, trefnwyd cyrch tebyg ar abaty Jarrow ymhellach tua'r de, ond wedi hyn, trodd y Norwyaid eu llongau hir i gyfeiriad ynysoedd yr Alban ac arfordir Iwerddon.

Tasg hawdd oedd hwylio o Norwy i Shetland ac Ynysoedd Erch cyn troi tua'r de wedi cyrraedd penrhyn Cape Wrath. Ystumiad o'r gair 'hvarf' mewn Hen Norseg yw 'wrath' ac ystyr y gair oedd 'trobwynt'. Yr ymosodiad cyntaf i'w gofnodi yn Iwerddon oedd y cyrch ar Ynys Rathlin yn 795 OC. Yn 807 OC yr oedd eu llongau hir wedi cyrraedd Galway ac erbyn 824 OC yr oeddynt wedi mentro cyn belled ag ynys unig Skellig Mhichil. Ar y cychwyn, dim ond mynachlogydd ar yr arfordir a anrheithiwyd, ond gydag amser, ymosodwyd ar fwy o sefydliadau yn y canoldir trwy hwylio ar hyd yr afonydd. O dipyn i beth, trodd yr ymosodiadau yn wladychiad wrth iddynt ddechrau ffermio, agor canolfannau masnach, a phriodi merched lleol. Erbyn canol yr wythfed ganrif yr oedd yna rwydwaith o'r *longphorts* hyn wedi eu hagor ar draws y wlad. Cyfuniad o'r *'long'* Gwyddelig a'r *'porth'* Lladinaidd oedd yr enw er nad oedd rhai yn fwy nag angorfa i long a chlos ar lan yr afon. Adeiladwyd y *longphort* cyntaf yn Nulyn tua 841 OC ond ymhen degawd yr oedd mwy wedi agor yn y de-orllewin. Dyna oedd sylfaen Wexford (*Veigsfjördur*), Wicklow (*Vikingalo*) a Limerick (*Hlymekur*) ond cadwodd Dublin yr enw Gwyddelig (*Dubh Linn*) am Bwll Du. Erbyn hanner olaf y ganrif yr oedd Dulyn yn un o borthladdoedd pwysicaf y Llychlynwyr yn y gorllewin. Dengys ymchwiliadau archaeolegol fod y dref yn mewnforio ac yn allforio cynnyrch o bob rhan o Ewrop. Yr oedd yna strydoedd o dai pren tebyg i'r rhai a godwyd yn Norwy ynghyd ag ystordai eang. Gwelwyd o'r creiriau a ddaeth i'r golwg bod crefftwyr Dulyn yn arbennig o fedrus ac yn creu tlysau o aur ac arian wedi eu haddurno ag ambr a cherrig gwerthfawr. Prif allforion y porthladd oedd grawn a chŵn hela, ond yr oedd yna hefyd gaethion o bob gradd a chefndir. Gwerthid y caethion cyffredin i brynwyr o gyn belled â'r

Môr Canoldir ond cedwid rhai o uchel ach i'w pridwerthu yn Iwerddon.

Yn ei gaer ar *Dun Breattain* gwyliai Arthgal ap Dyfnwal, brenin Alclud, ffyniant masnachol Dulyn gyda chryn bryder. Gwyddai fod y Norwyaid yn awyddus i ymestyn eu gafael tua'r gorllewin ac yn barod i rwystro ei longau rhag hwylio. Yn 870 OC gwireddwyd yr hunllef pan hwyliodd fflyd o longau hir i fyny afon Clud i osod y gaer dan warchae. Trefnwyr y cyrch oedd Olaf ac Ifar o deulu brenhinol Norwy. Yr oedd Olaf wedi ei eni yn Nulyn ond yr oedd Ifar yn hanu o Ddenmarc. Er bod digon o fwyd yn y gaer i wrthsefyll gwarchae hir, bu'n rhaid i'r Cymry ildio pan redodd y ffynnon yn sych. Wedi goresgyn y gaer, treuliodd Olaf ac Ifar flwyddyn gyfan yn ysbeilio'r ardal cyn dychwelyd i Ddulyn gyda llu o garcharorion. Y brenin Arthgal oedd un o'r carcharorion ac, os credir y stori, cadwyd ef yn fyw am ddwy flynedd yn wystl cyn ei ladd mewn amgylchiadau ansicr. Yn ôl rhai, Causantín mac Cináeda, brenin y Pictiaid, oedd yn gyfrifol am drefnu'r anfadwaith, cynnig amheus gan fod ei chwaer yn briod â Rhun, mab Arthgal. Erbyn hyn yr oedd ganddynt fab o'r enw Eochaid ond dim ond plentyn oedd hwnnw pan laddwyd ei dad-cu. Ar ben hyn, nid yw'r ffaith fod Causantín wedi caniatáu i Rhun esgyn i orsedd Alclud wedi marwolaeth ei dad yn awgrymu cynllwyn etifeddol. Dyna hefyd yw tystiolaeth yr hyn a ddigwyddodd wedi i Causantín a Rhun farw mewn brwydrau yn erbyn y Llychlynwyr tua 876 OC. Am gyfnod, Áed (brawd Causantín) oedd brenin y ddwy wlad cyn i Eochaid esgyn i'r orsedd yn frenin y Pictiaid a'r Cymry. Dyma ddarn o hanes sy'n dal yn destun dadl, gan fod y manylion am yr hyn a ddigwyddodd yn brin. Yn sicr, yr oedd gan Eochaid hawl i deyrnas Alclud trwy gyfrwng ei dad, a hawl i deyrnas y Pictiaid trwy gyfrwng ei fam. Syndod felly gweld bod rhai wedi ceiso cymylu'r drafodaeth trwy honni nad chwaer Causantín oedd mam Eochaid! Ond nid dyna yw tystiolaeth 'Proffwydoliaeth Berchan', dogfen frudiol a luniwyd yn yr unfed ganrif ar ddeg.[15] Yn y ddogfen, disgrifir Eochaid fel *an Britt a Cluaide mac mna o Dhun Guaire* ('Brython o'r Clud a mab merch o *Dun Guaire*'). Amhosib derbyn y cynnig mai lleoliad yn Iwerddon oedd y *Dun Guaire* hwn gan fod yna ddwy gaer yn dwyn yr un enw yn agos i Alclud a hynny yng ngwlad y mac Alpín!

Gan fod Eochaid yn rhy ifanc i etifeddu'r goron, rhaid oedd dewis gŵr hŷn i'w gynorthwyo. Dyma sy'n gyfrifol am ddryswch pellach, gan mai ychydig iawn a wyddys am gefndir Giric, y gŵr a ddewiswyd yn ddirprwy. Yn ôl rhai, yr oedd yn ffrind agos i deulu Alclud, ond myn eraill ei fod yn dwyllwr o gefndir ansicr. Mewn un ddogfen, cyfeirir ato yn *alumnos* (hyfforddwr) ac mewn un arall fel *ordinator* (trefnydd). Er yr holl baratoi, byr iawn oedd cyfnod Eochaid yn frenin ar y ddwy deyrnas gan fod Domnall, mab Causantín, wedi cipio gorsedd y Pictiaid yn 889 OC. Y Domnall hwn oedd y cyntaf i alw ei hun yn *Ri Alban* ('Brenin yr Alban') yn hytrach na'r hen ddisgrifiad *Rex Pictorum* ('Brenin y Pictiaid'). Tua'r un cyfnod, symudwyd canolfan lywodraethol Alclud o *Dun Breattain* i bentref Govan ar lannau deheuol afon Clud. Tarddiad tebygol yr enw yw 'Gof Fan' gan mai *Baile a' Ghobhainn* ('Tref y Gof') oedd enw'r Gwyddyl ar y safle. Pentref di-nod oedd Govan yn y nawfed ganrif, ond erbyn y ddegfed, yr oedd yn ganolfan lywodraethol o bwys. O safbwynt hanesyddol, yr oedd symud y ganolfan yn ddatblygiad pwysig gan ei bod ymhellach i'r de ac yn nes at yr ardal a gipiwyd wedi brwydr Dun Nechtain. Tua'r un cyfnod newidiwyd enw'r deyrnas i 'Ystrad Clud', ac wedi i'r Daniaid oresgyn cyfran sylweddol o Loegr, ni fu'r deyrnas yn hir cyn ymestyn ei ffiniau ymhell tua'r de.

Goresgyniad Northymbria gan y Daniaid

Wedi marwolaeth Aldfrith yn 705 OC, syrthiodd Northymbria i gyfnod newydd o gweryla breninlinol. Osred, mab Aldfrith, a esgynnodd i'r orsedd yn 705 OC ond fe'i lladdwyd yn 716 OC mewn amgylchiadau annelwig. Rhwng 716 ac 812 OC, dilynwyd ef gan bymtheg o frenhinoedd aflwyddiannus. Yn ôl y cofnodion, lladdwyd tri ac fe alltudiwyd wyth o'r gweddill. Yr hen gweryl rhwng teuluoedd brenhinol Bernicia a Deira oedd yn gyfrifol am y cweryla, ond daeth y llanast i ben yn 867 OC pan gipiwyd y deyrnas gan 'Fyddin Fawr' y Daniaid. Yn wahanol i'r Norwyaid, yr oedd gan y Daniaid fyddin gref a oedd wedi achosi dychryn ar hyd a lled Ewrop. Yn 865 OC, yr oedd cnewyllyn y fyddin wedi glanio yn East Anglia ac wedi hawlio tâl mewn ceffylau cyn cynnig cyfnod o heddwch. Ymladd ar draed oedd arfer y Daniaid, ond wedi cael digon o geffylau gallent symud mor gyflym dros y tir ag ar y môr. Halfdan, mab i'r Ragnar Lodbrok chwedlonol, oedd llywydd y fyddin ac erbyn 866 OC yr oedd ei lu wedi cipio dinas Efrog. Gan fod arweinwyr Bernicia a Deira yn dal i ymgecru methiant fu'r ymgais i'w hatal, ac erbyn 867 OC, yr oedd y deyrnas gyfan yn nwylo'r Daniaid.

Wedi'r goresgyniad, ymfudodd rhagor o Ddaniaid i'r ardal i sefydlu gwladfa ac i ddechrau ar y gwaith o drin tir. Ceir cyfeiriad at lwyddiant cymdeithasol y goresgynwyr yng Nghronicl yr Eingl-Sacsoniaid lle nodir bod Halfdan 'wedi cychwyn ar y gwaith o aredig y tir i gynnal ei ddilynwyr'. Y fyddin oedd yn bennaf gyfrifol am ddosbarthu'r tir, felly rhaid tybio fod cymrodyr Halfdan wedi etifeddu nifer o ystadau mawr. I lawer, gan gynnwys gweddillion y gymuned Gymreig, yr oedd y newid yn ddatblygiad i'w groesawu. Fel y nodwyd eisoes, yr oedd gan y gweithiwr cyffredin statws uwch yn y byd Llychlynnaidd ac fe delid mwy o sylw i anghenion y gwragedd. Does dim tystiolaeth bod Halfdan wedi croesi'r Penwynion i Reged ond y mae cofnod ei fod wedi trefnu cyrch aflwyddiannus ar Ystrad Clud. Yn 877 OC, teithiodd i Iwerddon i geisio disodli'r Norwyaid o borthladd Dulyn, ond cyn cyrraedd y ddinas, lladdwyd ef mewn brwydr yn Strangford Loch.

Wedi marwolaeth Halfdan, dychwelodd y 'Fyddin Fawr' i dde Lloegr o dan lywyddiaeth ei gymrawd Guthrum. Yr oedd y Daniaid wedi cipio'r rhan fwyaf o Mercia erbyn 874 OC felly dim ond Wessex, teyrnas Alfred, oedd ar ôl yn nwylo'r Saeson. Yn 878 OC, ymosododd Guthrum ar lys Alfred yn Chippenham yn ystod y nos a bu'n rhaid i hwnnw ffoi i ganol cors yng Ngwlad yr Haf. Dyma darddiad y stori am Alfred yn llosgi'r teisennau tra yn cuddio mewn bwthyn tlawd ond mae'n debyg mai tipyn o ramant yw'r stori hon. Am gyfnod, yr oedd tynged cenedl y Saeson yn hongian ar edau frau, ond o dipyn i beth, trodd y llif yn erbyn y Daniaid. Un elfen bwysig yn llwyddiant Alfred oedd y caerau a godwyd ar hyd ffin Wessex. Datblygiad pwysig arall oedd ei ddull newydd o drefnu byddin a chynnal ysbryd y milwyr. Yn yr hen ddull, disgwylid i bob taeog ddilyn ei arglwydd i faes y gad, ond gwelodd Alfred mai gwell oedd gadael rhai ar ôl i drin y tir. Ym mis Mai 878 OC enillodd Alfred ei frwydr gyntaf ger Edington yn Swydd

Wiltshire a'r flwyddyn ddilynol llwyddodd i gipio Llundain. Y canlyniad oedd galw cadoediad cyn mynd ati i drefnu ffin bendant rhwng gwlad y Daniaid yn y gogledd a gwlad y Saeson yn y de. Bathwyd y term *Dena lagu* i ddisgrifio gwlad y Daniaid ond fe drodd hwnnw yn 'Danelaw' gyda threigl amser. I'r de o'r ffin, llwyddodd Alfred osod y seiliau i wlad gwbl Seisnig, ond yn y gogledd-orllewin, gwŷr Ystrad Clud oedd yn llywodraethu. Dyma paham na sonnir fawr ddim am hanes yr ardal yng Nghronicl yr Eingl-Sacsoniaid nac, yn anffodus, yn y mwyafrif o lyfrau ar hanes Prydain.

I bob pwrpas, rhan o'r Cyfandir ym Mhrydain oedd y Danelaw a gwŷr o Ddenmarc oedd yn rheoli'r wlad. Hen Norseg oedd yr iaith swyddogol, ond gan ei bod yn debyg i'r Sacsoneg nid oedd cyfathrebu yn dasg anodd i ddeiliaid cefn gwlad. Heddiw, does dim llawer yn sylweddoli fod cymaint o eiriau o'r Hen Norseg wedi aros yn y Saesneg. Dyma yw tarddiad geiriau cyffredin fel 'knife' a 'window', geiriau disgrifiadol fel 'bleak a 'happy' a geiriau cyfreithiol fel 'husband' a 'loan'. Diddorol hefyd nodi mai'r Daniaid oedd y cyntaf i benodi rheithgor mewn llys ac yr oedd y ffordd y rhannent y tir yn wahanol i arfer y Saeson. Gwelir olion o'r hen drefn yn y 'Ridings' a ddefnyddid hyd yn ddiweddar yn Swydd Efrog gan mai ystyr *thrithjungr* oedd rhywbeth wedi ei rannu yn dri.

Yng ngogledd Lloegr, calon y Danelaw oedd hen deyrnas Deira fel y tystia'r enwau o'r cyfnod sydd wedi goroesi. Heddiw, ceir dros ddau gant o enwau yn Swydd Efrog sydd wedi cadw'r terfyniad -*by* (am dref) a chant a hanner yn cynnwys y terfyniad –*thorp* (am drefgordd). Prif ddinas y rhanbarth oedd Efrog neu *Jorvik* yn yr iaith newydd. Er bod *Jorvik* yn bell o'r môr, gellid symud nwyddau yn rhwydd o aber Humber ar hyd afon Ouse i ganol y ddinas. Yn y ddegfed ganrif, yr oedd *Jorvik* yn un o borthladdoedd prysuraf y gogledd yn mewnforio defnydd crai ac yn allforio gwaith llaw i wledydd ar draws Ewrop. Ym 1976 daethpwyd o hyd i weddillion yr hen borthladd wrth godi canolfan siopa newydd ar ddarn o dir ger yr afon. Synnwyd yr archaeolegwyr gan ansawdd y creiriau a ddatgelwyd gan nad oeddent wedi pydru yn y pridd gwlyb. Yr oedd yna esgidiau lledr mewn cyflwr da, dillad o wlân a hyd yn oed sidan coeth o'r dwyrain pell. Gwelwyd o natur y creiriau fod y ddinas hefyd yn ganolfan i ystod eang o grefftwyr. Credir mai yn *Jorvik* y cynhyrchwyd yr arian bath cyntaf ers dyddiau'r Rhufeiniaid ac yr oedd gwaith y bathwyr o safon uchel.

Wedi cloddio ymhellach, gwelwyd bod rhwydwaith o strydoedd cul ar lan yr afon yn llawn o siopau a gweithdai. Yr oedd gwneuthuriad yr adeiladau yn dilyn patrwm tebyg i'r un a welir yn Sgandinafia gyda'r gweithdai a'r siopau ar lefel y stryd a'r ystafelloedd byw uwchben. Ar un adeg, bernid mai yng nghyfnod y Daniaid y codwyd y mwyafrif o'r tai, ond dengys ymchwiliadau diweddar bod cyfran sylweddol o'r ddinas yn perthyn i'r cyfnod pan oedd yn nwylo'r Norwyaid. Dyma'r cyfnod pan oedd *Jorvik* yn rhan o weinyddiaeth a oedd yn cynnwys Iwerddon, Ynys Môn, penrhyn Cilgwri, swydd Gaerhirfryn ac Ystrad Clud. Heddiw, ceir amgueddfa ar safle'r hen borthladd lle gellir gweld ailgread o'r strydoedd cul. Yn yr amgueddfa, y mae casgliad o gribau'r cyfnod a diddorol nodi eu bod i gyd wedi eu haddurno yn y dull Scandinafaidd.

Casgliad o gribau o'r arddangosfa

Y fytholeg am deyrnas unedig 'Northumbria'

Cyn mynd ymlaen i sôn am ymestyniad teyrnas Ystrad Clud yn y nawfed ganrif rhaid esbonio pam fod cymaint o hanes y rhan hon o Brydain wedi mynd yn angof. Y prif reswm yw'r myth a grewyd am deyrnas unedig 'Northumbria', teyrnas a oedd, yn ôl rhai, yn ymestyn 'o fôr i fôr'. Beda a osododd y seiliau i'r myth, ond ers hynny, y mae digon o haneswyr wedi dilyn yr un trywydd. Perthnasol nodi felly mai teyrnas ranedig oedd Northymbria am ganrifoedd lawer ac mai byr iawn oedd y cyfnod unedig. Y mae haneswyr yn hoff o ddisgrifio Cymru fel clytwaith o deyrnasoedd cynhenllyd heb gydnabod bod yr un peth yn wir am Loegr am gyfnod hir.

Teyrnasoedd a grewyd ar sail dwy deyrnas Gymreig oedd Deira a Bernicia, ond gan fod yna dyndra parhaus rhwng teuluoedd brenhinol y rhanbarth, byr iawn oedd y cyfnodau o heddwch. Enw a fathwyd i ddisgrifio deiliaid Bernicia oedd *Northan hymbra* a brenin o'r deyrnas honno oedd rheolwr cyntaf Northymbria. Disgynyddion i'r un teulu oedd grym symudol y rhanbarth am gyfnod hir ond nid oedd gwŷr Deira yn barod i ildio. O'r ugain a mwy o frenhinoedd a goronwyd rhwng 500 a 654 OC, dim ond chwech oedd yn perthyn i deulu brenhinol Deira. Yn wir ni welwyd fawr o gynnydd nes i Aethelfrith esgyn i'r orsedd yn 593 OC. Aethelfrith oedd y brenin cyntaf i reoli'r ddwy deyrnas ar y cyd, ond pan fu farw yn 616 OC, cipiwyd y goron gan Edwin o Deira. Cyfnod digon ansefydlog oedd cyfnod Edwin fel brenin gan fod Cadwallon o Wynedd a Phenda o Mercia wedi cipio cyfran sylweddol o'i wlad. Yng nghyfnod Cadwallon, rhaid tybio bod sefyllfa Cymry niferus yr ardal wedi gwella ac y mae lle i gredu fod y syniad o adfer 'Ynys Prydain' yn dal yn fyw. Pan laddwyd Penda, olynydd Cadwallon, yn 655 OC, daeth tro ar fyd, ond fe gadwodd arweinwyr Rheged y fflam ynghyn yn y gorllewin. Hyd y gellir barnu, yr oeddynt hwy ar delerau da gyda'u cymdogion tua'r dwyrain, ond anodd dweud beth oedd sail y berthynas newydd. Cyfnod tywyllaf Cymry'r gorllewin oedd cyfnod Ecgfrith yn frenin, ond cwta bymtheg mlynedd oedd ei deyrnasiad ef. Ni wyddys faint o dir a enillwyd gan y Cymry wedi marwolaeth Ecgfrith, ond rhaid derbyn bod eu sefyllfa wedi gwella wedi i Aldfrith esgyn i'r orsedd yn 685 OC. Heddiw edrychir ar Aldfrith fel brenin mwyaf goleuedig Northymbria, ond prin iawn yw'r haneswyr sy'n barod i gydnabod ei fod ef hefyd yn fab i Rhianfellt. Wedi teyrnasiad Aldfrith llithrodd y deyrnas i gyfnod newydd o gecru breninlinol cyn i'r Daniaid gipio'r wlad yn 867 OC. Am ganrif a mwy wedi hyn Llychlynwyr gydag enwau fel Eric, Ragnall a Sigtrygg oedd rheolwyr y deyrnas, felly rhyfedd gweld bod yr haneswyr mor barod i dderbyn parhad 'Northumbria' fel teyrnas.

Yn 1985, cyhoeddodd Gwyn Williams gyfrol ogleisiol yn dwyn y teitl *When was Wales?*. Yn y gyfrol, cynigir mai creadigaeth hanner ddychmygol yw'r Genedl Gymreig gan ein bod wedi byw mor hir o dan ormes tywysogion cecrus. Yn 1993, cyhoeddodd yr hanesydd Nicholas Higham gyfrol yn dwyn y teitl *The Kingdom of Northumbria: AD 350-1100*. Syndod felly gweld ei fod yn dechrau'r stori yng nghyfnod y Rhufeiniaid cyn gorffen yn nyddiau'r Normaniaid. Yn y cyfamser, yr oedd yna stori dra gwahanol i'w hadrodd yn y gorllewin lle gwelwyd cyfathrach newydd rhwng y Cymry, y Gwyddyl, y Norwyaid a brenhinoedd yr Alban. Cyn mynd ymlaen i adrodd peth o hanes y cyfnod teg felly yw gofyn: 'When was Northumbria?'

Ymestyniad Ystrad Clud

Wedi symud ei chanolfan lywodraethol o *Dun Breattain* i Govan y mae'n amlwg fod teyrnas Ystrad Clud wedi ffynnu. Ychydig iawn a wyddys am ei hadferiad, ond y mae'r cerrig nadd a gedwir yn eglwys Govan yn dyst i'w llwyddiant. Prif nodwedd y pentref oedd Doomster Hill, y twmpath pridd a godwyd ar lan yr afon. Enw o'r Oesoedd Canol yw Doomster Hill ac ystyr 'doom' y pryd hwnnw oedd 'deddf'. Credir bod gan weinyddwyr Ystrad Clud ganolfan lywodraethol ar ben y twmpath a llys barn i gynnal deddfau'r wlad. Yn wir, ceir tystiolaeth fod y safle wedi bod yn ganolfan lywodraethol am gyfnod wedi i'r drefn Gymreig ddod i ben. Yng nghyfnod Ystrad Clud, yr oedd eglwys y pentref yn sefyll ar lan yr afon, ond adeilad mwy diweddar yw'r un sydd wedi goroesi. Yn y nawdegau, daethpwyd o hyd i weddillion ffordd yn rhedeg o'r twmpath at ddrws yr eglwys ac fe brofwyd trwy fesuriadau ymbelydrol fod y cerrig wedi eu gosod rywbryd rhwng 734 ac 892 OC. Prin iawn yw olion archaeolegol y cyfnod, ond gwyddys fod gan frenhinoedd Ystrad Clud lys ar draws yr afon yn Partick. *Pàrtaig* yw enw'r ardal mewn Gaeleg, ond amhosib dirnad ai o'r 'perth' Cymraeg neu o air tebyg mewn Picteg y tarddodd yr enw.

Henebion enwocaf Ystrad Clud yw'r cerrig nadd a gedwir yn hen eglwys Govan. Am ganrifoedd, yr oeddynt yn gorwedd yn y fynwent lle erydwyd cryn dipyn o'u harysgrif gan y glaw. Yn anffodus, collwyd rhai o'r cerrig yn y saithdegau pan ddymchwelwyd rhan o waith adeiladu llongau Harland and Wolff. Yr oedd yna 45 o gerrig yn y casgliad gwreiddiol ond malwyd 16 cyn i neb sylweddoli eu bod mewn perygl. Heddiw, cedwir y mwyafrif yn amgueddfa yr eglwys ond rhaid dibynnu ar wirfoddolwyr i gadw'r drws ar agor. Yn yr amgueddfa, y mae paneli i esbonio mai teyrnas Gymreig oedd Ystrad Clud, ond rhyfedd gweld mai fel 'Viking-Age Treasures' y disgrifir y cerrig ar wefan y BBC! Yr heneb fwyaf trawiadol yw'r sarcoffagws carreg sy'n dyddio o'r nawfed ganrif. Credir mai Causantín, mab Ceanáid mac Alpin, oedd y gŵr a gladdwyd yn y gist, gan fod hwnnw wedi ei ladd mewn brwydr tua 876 OC. Myn rhai mai Causantín yw'r gŵr a bortreadir ar y gist yn marchogaeth ceffyl a chledd wrth ei wregys. Cynigia'r anifeiliaid a welir yn yr un cerfiad fod Causantín ar ei ffordd i hela ac y mae paneli gerllaw sy'n llawn o blethwaith Celtaidd. Rhaid teithio i abaty Paisley cyn gweld carreg nadd fwyaf y deyrnas – darn o dywodfaen coch a adnabyddir fel Croes Barochan. Credir fod y groes wedi ei naddu rywbryd rhwng 800 a 900 OC ac y mae yn enghraifft dda o waith cerfwyr y deyrnas. Y mae pen y groes yn dilyn y patrwm

Y marchog ar y sarcoffagws

217

Celtaidd sy'n nodweddiadol o'r gorllewin ond nid yw ystyr y cerfiadau yn glir. Ymysg y delweddau, ceir llun o farchog gyda gwaywffon a gosgordd yn chwythu cyrn. Cyn ei symud i'r abaty yr oedd y groes yn sefyll wrth ymyl yr hen ffordd a oedd yn rhedeg ar hyd afon Clud i gyfeiriad caer *Dun Breattain*. Am ganrifoedd ni thalwyd fawr o sylw i gyfnod Cymreig yr Alban ond, wedi i'r Alban ennill cyfran o hunanlywodraeth, y mae'r sefyllfa wedi gwella. Heddiw, y mae cynlluniau ar y gweill i archwilio mwy o safleoedd y cyfnod ac i adrodd stori'r Alban mewn ffordd fwy cytbwys. Un arbenigwr sydd wedi hybu'r cynllun yw Dauvit Broun, hanesydd o Brifysgol Glasgow. Y mae ei adroddiad '*The Welsh identity of the kingdom of Strathclyde*'[16] yn gyfraniad pwysig ac yn agoriad llygad i'r rhai sy'n honni mai diflannu wnaeth Cymry'r Hen Ogledd wedi dyddiau Rheged.

Ychydig a wyddys am ymestyniad Ystrad Clud, ond rhaid cynnig bod goresgyniad Northymbria gan y Daniaid wedi bod yn gymorth mawr i'r fenter. Gwelir y cyfeiriad cyntaf at y deyrnas mewn dogfen a ddyddiwyd i 872 OC a gwyddys bod y weinyddiaeth wedi para hyd o leiaf yr unfed ganrif ar ddeg. Fel arfer, honnir na ledodd dylanwad y deyrnas yn bell i'r de, ond nid dyna yw tystiolaeth enwau Cymreig Ardal y Llynnoedd. Ar un adeg, cyfrifid ymestyniad Ystrad Clud tua'r de fel digwyddiad ymylol, ond gellir cynnig darlun amgenach erbyn hyn. Yn ôl Frank Stenton ymatebiad i wladychiad y gogledd-orllewin gan y Norwyaid oedd y fenter, ond digwyddiad a ddilynodd yr ymestyniad oedd hwn:

> It is highly probable that the confusion into which their coming had thrown north-western England was increased by the invasion of this country from Strathclyde. The whole plain around the Solway Firth had formed part of the Northumbrian kingdom until its destruction by the Danes.

Yn sicr, nid dyna yw'r darlun a geir o weld mai gwan iawn oedd gafael Northymbria ar y tir i'r gorllewin o'r Penwynion trwy gydol y nawfed ganrif. Dim ond yn yr ardaloedd a lyncwyd gan Ecgfrith ar ddiwedd y seithfed ganrif y gwelwyd newid mawr, a hynny am gyfnod byr. Byr hefyd oedd cyfnod eglwys Northymbria yn y gorllewin a'i phrif waith yn ystod y cyfnod oedd casglu trethi. Y cyntaf i gynnig darlun amgen o ymestyniad Ystrad Clud oedd Phythian-Adams yn ei gyfrol *Land of the Cumbrians*.[17] Yn y cyflwyniad, nododd ei fod yn hen bryd i haneswyr ailedrych ar hanes y cyfnod a thalu mwy o sylw i gyfraniad y Cymry:

> This work is then one of revisionism; revisionism in the face of my own previous thinking as much as an attempt to revise the thinking of others. What is at issue here, after all, is nothing less than an understanding of how, and to what extent, early British identity was absorbed into an 'English' identity.

Byrdwn ei ddadansoddiad oedd mai menter ar y cyd gydag arweinyddion Rheged oedd ymestyniad Ystrad Clud tua'r de, a hynny cyn i'r Norwyaid gyrraedd yr ardal o Ddulyn. Yr oedd hefyd o'r farn fod tipyn o'r hen drefn Gymreig wedi goroesi, ac mai methiant oedd ymdrechion eglwys Northymbria i ddifetha iaith a diwylliant yr ardal. Dyna hefyd oedd barn Fiona Edwards mewn erthygl ddiddorol ar 'The expansion of the kingdom of Strathclyde'.[18] Yn ei thyb hi, nid digwyddiad sydyn oedd ymestyniad Ystrad Clud, ond canlyniad cyfnod hir o gyfathrach gydag arweinwyr lleol. Cynigir darlun o broses lle llofnodwyd nifer o gytundebau annibynnol cyn llunio un weinyddiaeth ganolog. Mewn sefyllfa o'r fath, anodd dirnad faint o hen ddeiliaid Urien a gadwodd afael ar eu hiaith. Yn ôl pob tebyg, yr oedd llawer o gyfoethogion yr ardal wedi troi i'r Saesneg, ond gallwn fod yn hyderus mai'r Gymraeg oedd iaith cefn gwlad. Cyn diwedd y cyfnod, ceir tystiolaeth fod rhai o ystadau pellennig y de wedi eu trosglwyddo i ofal y Norwyaid, yn rhannol am eu bod wedi dirywio yn nwylo eglwys Northymbria. Dyna, mae'n debyg, a ddigwyddodd i'r tir ar gyrion pentrefi fel Irton a Santon, ond fe sonnir mwy am hyn yn y bennod ar yr Eglwys Geltaidd.

Y Norwyaid yn y gogledd-orllewin

I haneswyr Seisnig, yr unig ddigwyddiad o bwys yn y ddegfed ganrif oedd ymdrechion Alfred i adennill canolbarth Lloegr oddi wrth y

Daniaid. Ychydig o sylw a roddir i hanes y gogledd-orllewin nac i'r gynghrair strategol a ffurfiwyd rhwng Cymry Ystrad Clud, y Gwyddyl, y Norwyaid ac arweinwyr de'r Alban. Un rheswm am y diffyg sylw yw'r ffaith na soniwyd fawr ddim am hanes y rhanbarth yng Nghronicl yr Eingl-Sacsoniaid. Ni roddir yr un pwys ar y cofnodion a gedwid yng Nghymru ac Iwerddon na hyd yn oed yn sagâu dadlennol Gwlad yr Iâ. I Gymry Ystrad Clud, yr oedd gwladychiad Ardal y Llynnoedd gan finteioedd o Norwyaid o Iwerddon yn ddigwyddiad cynhaliol. Yn y lle cyntaf yr oedd yn fodd i adfer darnau pellennig o'r wlad ac yn cryfhau'r hen gyfathrach a fu rhyngddynt a'r Gwyddyl. Am gyfnod, yr oedd Ystrad Clud yn rhan o gyfundrefn filwrol a oedd yn ymestyn o Ddulyn yn y gorllewin i *Jorvik* yn y dwyrain, heb sôn am dde'r Alban ac Ynysoedd Heledd. Y cyflwyniad gorau i hanes Norwyaid y gogledd-orllewin yw cyfrol Stephen Harding, *Viking Mersey, Scandinavian Wirral, West Lancashire and Cheshire*. Yn y gyfrol, ceir cyfuniad o dystiolaeth ieithyddol a hanesyddol i brofi bod gwladychiad penrhyn Cilgwri gan y Norwyaid ar droad y ddegfed ganrif wedi agor y drws i gyfnod newydd yn hanes gogledd-orllewin Prydain.

Wedi'r cyrch ar *Dun Breattain* yr oedd y berthynas rhwng y Cymry a Norwyaid Iwerddon wedi gwella, yn enwedig wedi i Olaf ddychwelyd i Norwy. Pan fu farw Ifar yn 873 OC disgrifiwyd ef fel y *Rex normannorum totius Hibernae et Britanniae* ('Brenin holl Northmyn Iwerddon a Phrydain') arwydd o ddylanwad pellgyrhaeddol ei deyrnas. Yn 902 OC, goresgynnwyd porthladd Dulyn gan gynghrair o frenhinoedd Gwyddelig a bu'n rhaid i rai o'r Norwyaid ffoi dros y môr am ymgeledd. Arweinydd y ffoaduriaid oedd Ingimund (Igmund y traddodiad Cymreig) ac fe geir disgrifiad bratiog o'r ymfudo mewn dogfen a adnabyddir fel y *Three Fragments*.[19] Yn ôl yr hanes, yr oeddynt wedi ceiso lloches ar Ynys Môn ar y cychwyn cyn i Anarawd ap Rhodri eu gyrru ymhellach tua'r dwyrain. Wedi cyrraedd penrhyn Cilgwri, cawsant ganiatâd i aros ar ddarn o dir ger y môr gan frenhines Mercia ond ni fuont yn hir cyn aflonyddu. Yn y *Three Fragments* ceir disgrifiad o'u hymosodiadau ar ddinas Caer ac ymdrechion ofer y Saeson i'w hatal. Cyn hir, yr oeddynt wedi ymgartrefu yn y ddinas ac wedi ennill parch trwy droi yn fasnachwyr llwyddiannus. Erbyn 910 OC, y Norwyaid oedd yn gyfrifol am redeg bathdai'r ddinas a cheir tystiolaeth eu bod wedi bathu arian ar gyfer coffrau Hywel Dda.

Ar ddechrau'r ddegfed ganrif, cadarnle'r Norwyaid yn y gogledd-orllewin oedd penrhyn Cilgwri ac y mae trwch o enwau Llychlynnaidd yno o hyd. Meols yw enw'r porthladd ar ben y penrhyn ac ystyr *melr* mewn Hen Norseg oedd 'twyn'. Enw dadlennol arall yw Raby, pentref yng nghanol y penrhyn ddeuddeng milltir tua'r de. Ystyr *Ra-by* oedd 'pentref y ffin' felly rhaid tybio mai dyma oedd ffin ddeheuol y wladfa am gyfnod. Fel ym mhob cymuned Lychlynnaidd, yr oedd y *Ting-völlr* ('Maes yr Ymgynnull') yn sefydliad pwysig, felly nid syndod gweld fod yna bentref a'r enw Thingwall yno o hyd. Gydag amser, sefydlwyd cymunedau tebyg ar hyd yr arfordir o lannau Merswy i aber afon Lune. Y mae llu o enwau Llychlynnaidd i'w gweld yn yr ardal o hyd yn dyst i ymlediad cyflym y Norwyaid. Un enghraifft dda yw Tranmere (*Trani-melr* – 'Twyn y Creÿr') ac un arall yw Litherland (*Hlidarland* – 'Tir ar oledd'). Gan fod llawer o'r mewnfudwyr yn medru'r Wyddeleg, nid syndod gweld bod ambell enw o'r iaith honno wedi aros hefyd . Enw gwreiddiol Noctorum, pentref ger Penbedw, oedd *Cnocc Tirim* ('Bryn Sych') a tharddiad Liscard yn Wallasey oedd *Lios na Carraige* ('Llys ar y Graig').

I Eilert Ekwall, ieithydd o Sweden, y mae'r diolch am esbonio ystyr llawer o'r enwau Llychlynnaidd.[20] Ar yr arfordir, ceir Aigburth (*Eikiberg* – 'Bryn Derwen'), Toxteth (*Toki-stöö* – 'Glanfa Toki') ac Ainsdale (*Einnulfdalr* – 'Dyffryn Einulf'). Ymhellach o'r môr, gwelir enwau disgrifiadol fel Burscough (*Burhskógr* – 'Caer y Coed') a hyd yn oed un Cunscough (*Koningskógr* – 'Coed y Brenin'). Mewn enwau o'r fath y mae'r elfen benodol o hyd yn dilyn yr elfen gyffredin. Bathodd Ekwall y term 'inversion compounds' i ddisgrifio'r arfer ac yr oedd ganddo ddiddordeb mawr yn eu dosbarthiad. Sylwodd bod enwau o'r fath yn gyffredin yn ne swydd Gaerhirfryn, yn brin yn y gogledd cyn cynyddu wedi cyrraedd Ardal y Llynnoedd. Ni fedrodd esbonio'r patrwm, ond yr ateb tebygol yw mai Norwyaid Iwerddon oedd yn gyfrifol am 'inversion compounds' y de tra yr oedd yna nifer o enghreifftiau Cymreig yn Ardal y Llynnoedd.

Y Norwyaid yn Ardal y Llynnoedd

Yr oedd cymunedau ynysig o Lychlynwyr wedi ymgartrefu ar arfordir Ardal y Llynnoedd ers degawdau ond ni chyrhaeddodd trwch o fewnfudwyr y fro tan ail ddegawd y ddegfed ganrif. Erbyn hyn, yr oedd 'Oes Aur' Northymbria ar ben ac y mae tystiolaeth balaeolimnegol fod cyflwr peth o'r tir a feddiannwyd ganddynt yn wael. Gellir adnabod yr ardaloedd lle yr oedd nifer o Saeson wedi ymgartrefu trwy edrych ar ddosbarthiad enwau. Ychydig iawn o enwau Seisnig sydd i'w gweld yn y canolbarth ond y mae nifer i'w gweld ar iseldir y de ac ambell i fan ar yr arfordir. Arfer cyffredin y Saeson oedd codi eu pentrefi ar y tir gorau, ond anheddau ar dir ymylol oedd y rhai a godwyd gan y Norwyaid. Gwyddom hyn o'r enwau a ddewiswyd i'w disgrifio gan fod y terfyniad 'thwaite' yn elfen gyffredin. Ystumiad o –*tveit* yw 'thwaite', disgrifiad o bentref a godwyd ar lannerch mewn coedwig. Gan fod cymaint o enwau Cymreig wedi aros ar yr ucheldir, ymddengys nad oedd y Norwyaid wedi ceisio eu disodli. Yr unig eithriad i'r arfer o ymsefydlu ar dir ymylol oedd yr ystadau a feddiannwyd yn y de-orllewin, hen eiddo eglwys Northymbria. Cadarnle'r Norwyaid yn Ardal y Llynnoedd oedd yr ardal yn y de-orllewin sydd bellach yn rhan o fwrdeistref Copeland. Ystyr *kaupaland* mewn Hen Norseg oedd 'y tir a brynwyd' felly rhaid cynnig eu bod wedi prynu'r tir, nid ei ddwyn fel y gwnâi'r Saeson. Un dyffryn pellennig a wladychwyd gan y Norwyaid oedd Wasdale wrth droed Scafell. Ystyr *ska fjell* oedd y 'mynydd moel' a hawdd gweld sut yr oedd y dyffryn yn gartref delfrydol i unrhyw un a oedd yn gyfarwydd â gwlad y *fjords* yn Norwy.

Heddiw, y mae trigolion Ardal y Llynnoedd yn ymfalchïo yn eu cysylltiad Llychlynnaidd, ond ychydig iawn sydd wedi ei wneud i warchod gweddillion y cyfnod. Y mae'r mwyafrif ar wasgar yn amgueddfeydd bach yr ardal a chyfran sylweddol yng ngofal eglwysi cefn gwlad. Yr olion mwyaf cyffredin yw'r cerrig nadd a gasglwyd o feddrodau'r cyfnod ond ceir ambell gelc a gladdwyd ar frys. Diddorol nodi mai dim ond pymtheg celc o'r cyfnod sydd wedi dod i'r golwg ym Mhrydain gyda chwech yn deillio o ogledd-orllewin Lloegr.

Y trysor enwocaf yw'r un a ddaeth i'r golwg yn Silverdale, pentref ar ymylon Ardal y Llynnoedd yn 2012. Ymddengys o natur y safle bod y trysor wedi ei gladdu mewn tipyn o frys ar ddiwedd y nawfed ganrif. Yr oedd hyn cyn i'r ffoaduriaid o Iwerddon gyrraedd yr ardal ac fe welwyd o'r cynnwys fod y trysor yn gynnyrch degawdau o ysbeilio. Yr oedd yna arian bath o'r Danelaw, torchau arian o'r Cyfandir, a thlysau cain o wledydd mor bell â Rwsia ac Arabia. Y darn mwyaf gwerthfawr oedd y gwregys a oedd wedi ei lunio yn hynod o gelfydd o ddarnau a ysbeiliwyd o sawl gwlad. Natur dra gwahanol oedd i'r darnau a ddarganfuwyd mewn cae ger Penrith rhwng 1785 a 1989. Dyddiwyd y trysor i'r cyfnod oddeutu 930 OC pan oedd yna dipyn o gyfathrach rhwng Cymry'r ardal, Norwyaid Dulyn a brenhinoedd yr Alban. Y darnau mwyaf trawiadol oedd y clasbiau ar ffurf ysgallen, y math o dlws a ddefnyddid i glymu clogyn ym Mhrydain ers oes y Rhufeiniaid. Symbol Albanaidd yw'r ysgallen, ac yn y cyfnod dan sylw yr oedd hefyd yn arwydd o dras uchel. Barnwyd o'u gwneuthuriad bod y tlysau wedi eu llunio yn Iwerddon a'u bod, yn ôl pob tebyg, wedi eu cynnig yn anrheg i frenin o'r Alban. Dyma oedd cyfnod y gynghrair a ffurfiwyd rhwng y Cymry, y Norwyaid, y Gwyddyl a'r Albanwyr i ymosod ar wlad y Saeson, felly rhaid synied fod y tlysau yn rhan o'r paratoadau hyn.

Darlun o gymdeithas yn cefnu ar hen ffordd o fyw a geir yn y delweddau a gerfiwyd ar gerrig nadd y cyfnod. Paganiaid oedd y Norwyaid cyntaf i gyrraedd Ardal y Llynnoedd ond, wedi treulio cyfnod yn Iwerddon, yr oedd llawer wedi derbyn y ffydd Gristnogol. Sonnir mwy am dröedigaeth y Norwyaid yn y bennod ar yr Eglwys Fore; mwy diddorol o safbwynt diwylliannol yw gweld sut yr addaswyd hen ddelweddau i ddibenion y grefydd newydd. Carreg nadd 'baganaidd' enwocaf yr ardal yw'r 'Diafol

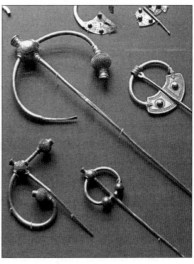

Tlysau ar ffurf ysgall

Y cerflun o'r goeden hudol 'Yggdrasil' yn Muncaster. Y mae'r groes Geltaidd yn perthyn i garreg arall.

Rhwym' a gedwir yn eglwys Sant Steffan yn Kirkby Stephen. Dyddiwyd y cerflun i'r cyfnod oddeutu 850 a'r gwrthrych yw'r duw paganaidd *Loki*. Yn y chwedl a luniwyd i esbonio ei natur, defnyddiwyd sarff i rwystro'i gampau, ond yn y cerflun cadwyn fawr yw'r rhwymyn. Enghraifft arall o garreg gynnar yw'r golofn sy'n sefyll ym mynwent eglwys Sant Mihangel ym Muncaster. Delwedd o'r goeden hudol *Yggdrasil* a dorrwyd ar ei hwyneb, ond credir mai darn o groes Gristnogol oedd yr heneb. Cerflun sy'n dangos sut yr addaswyd chwedlau paganaidd i hybu'r grefydd newydd yw'r 'Garreg Bysgota' a gedwir yn eglwys y Santes Fair yn Gosforth. Diben y cerflun oedd cynnig gwers grefyddol a barnwyd ei bod unwaith wedi bod yn rhan o ffrîs addysgiadol. Y ddau gymeriad yn y cwch yw'r duw *Thor* a'r cawr *Hymer* ac y mae llun o'r sarff hudol *Iormungand* ar waelod y môr. Moeswers yw'r stori i ddangos bod y da o hyd yn trechu'r drwg gan fod *Thor* wedi taflu ei forthwyl mawr i gyfeiriad y sarff wenwynig. Y mae'r garreg nadd a gedwir yng nghyntedd eglwys Sant Ioan yn Beckermet yn dilyn patrwm mwy traddodiadol gan fod y groes yn dilyn y patrwm cylchog sy'n nodweddiadol o eglwysi'r gorllewin. Y tu mewn i'r eglwys, ceir gweddillion sawl croes o'r un cyfnod ac y maent i gyd wedi eu haddurno â phatrymau Celtaidd.

Trist nodi mai ychydig iawn o waith archaeolegol sydd wedi ei wneud hyd yn hyn i ddatgelu hanes y Norwyaid yn Ardal y

Llynnoedd. Ni ddaethpwyd ar draws claddfa o'r cyfnod hyd 2004 a gŵr yn gweithio ar ei liwt ei hun oedd yn gyfrifol am y darganfyddiad hwnnw. Dyddiwyd y beddau i'r ddegfed ganrif ac yr oedd y ffaith fod y cyrff yn wynebu'r dwyrain yn dyst bod y fynwent yn un Gristnogol. Diddorol gweld felly bod darnau personol wrth ymyl pob corff a bod un gŵr wedi ei gladdu gyda chledd mawr wrth ei ystlys. Yr unig heneb o'r cyfnod sy'n agored i'r cyhoedd yw gweddillion y *Ting-völlr* ('Maes yr Ymgynnull') wrth ymyl fferm yn Little Langdale. Dim ond darn o'r twmpath sydd ar ôl erbyn hyn ond mae'r lleoliad yn arwyddocaol, gan ei fod yn sefyll wrth ymyl hen ffordd Rufeinig. Ystyr llythrennol *Ting-völlr* yw 'pob

Y garreg bysgota

peth' a dyma yw tarddiad Tynwald, senedd Ynys Manaw. Man cyfarfod oedd y *Ting-völlr* lle yr oedd gan bawb hawl i draethu barn. Mae'n rhaid bod mwy nag un *Ting-völlr* yn Ardal y Llynnoedd ond dim ond y twmpath hwn sydd wedi derbyn sylw. Hawdd dychmygu trigolion y dyffryn yn ymgynnull o amgylch y twmpath i ethol eu harweinyddion a datrys problemau'r dydd.

Gan fod gweddillion archaeolegol o'r cyfnod mor brin, rhaid troi at weddillion mwy amwys, fel dosbarthiad eu haneddau a'r hyn a wyddys am ddiwylliant, i flasu naws y cyfnod. Yn y byd modern, y mae tuedd i ffurfio 'getos' gyda phob cenedl yn byw ar wahân ond ymddengys nad oedd hyn yn wir yng nghyfnod y Norwyaid. Heddiw, y mae gan y mwyafrif o bentrefi'r canoldir enwau sy'n seiliedig ar Hen Norseg, ond y mae digon o enwau Cymreig wedi goroesi i gymharu dosbarthiad y ddwy gymuned. Roedd yna fwy o Gymry nag o Lychlynwyr yn byw ar yr ucheldir, ond yn y

Senedd y Norwyaid, y 'Ting-völlr' yn Little Langdale

dyffrynnoedd yr oedd yna deuluoedd Cymreig a Llychlynnaidd yn rhannu'r un tir.

Dyna hefyd yw tystiolaeth y ddogfen hanesyddol a luniwyd ar ddiwedd y ddeuddegfed ganrif, lle disgrifir trigolion Cumbria fel: *divers tribus diversorum nationum.* Mewn sefyllfa o'r fath rhaid tybio mai'r Saeson oedd yr unig gymuned uniaith gan fod y mwyafrif o'r gweddill yn arfer mwy nag un iaith. Wedi treulio cyfnod yn Iwerddon yr oedd llawer o'r Llychlynwyr yn medru'r Wyddeleg ac fe geir yr argraff fod gan rai grap ar y Gymraeg. Dyna yn sicr, yw awgrym yr enwau dwyieithog a welir o dro i dro, gan fod elfennau o'r ddwy iaith wedi eu cyfuno i ffurfio enwau synhwyrol. Arfer cyffredin y Saeson oedd ailadrodd elfen nas deallwyd mewn atodiad Saesneg, ond nid dyna oedd dull y Norwyaid. Un enghraifft o enw dwyieithog yw Blennerhassett, cyfuniad o'r 'blaen' Cymreig a'r *heysaetre* Llychlynnaidd i gyfleu'r syniad o 'blaen hafod y gwair'. Gwelir yr un patrwm yn enw Tarnmonath Fell ger Brampton lle gwelir cyfuniad *tjarn*, gair y Llychlynwyr am lyn bach a'r *monath* ('mynydd') Cymreig. Enw sy'n cynnig bod gan y Norwyaid ryw ymwybyddiaeth o hanes yn ogystal ag iaith yr ardal yw'r un a fathwyd am y dyffryn sy'n hollti'r ucheldir rhwng Penrith a Keswick. Dyma'r dyffryn a gysylltir â'r sant Cyndeyrn ac enw'r afon sy'n llifo trwy'r cwm yw Glenderamackin ('Glyn Dŵr y Mochyn'). Enw hoffus Cyndeyrn oedd 'Mungo' felly diddorol sylwi mai enw'r Norwyaid ar y dyffryn oedd *Mung Gris Dal*. Ystyr *Gris Dal* mewn Hen Norseg oedd 'Glyn y Mochyn', felly y mae'n rhaid eu bod wedi clywed rhywbeth am y sant, ac yn deall ystyr enw'r afon.

Peth peryglus yw sôn am 'nodwedd' unrhyw genedl ond ni ellir peidio â sylwi bod gan y Cymry a'r Norwyaid feddylfryd a diddordebau digon tebyg. Nid oedd trahauster yn rhan amlwg o gymeriad y naill na'r llall er eu bod yn barod i foli glewion eu cenedl. Anodd dweud faint o ymbriodi a welwyd rhwng y ddwy gymuned, ond gwyddys o fesuriadau genynnol fod rhai o'r Norwyaid a ymfudodd o'r ardal i Wlad yr Iâ wedi priodi merched lleol cyn hwylio. Peth arall oedd yn uno'r ddwy genedl oedd eu hoffter o chwedlau dyfeisgar a cherddi soniarus. Gellir blasu peth o naws y diwylliant Llychlynnaidd trwy ddarllen cyfieithiadau o chwedlau Gwlad yr Iâ a'r cerddi a luniwyd gan y *skaldi*. Fel yn y Mabinogi, y mae darnau o hanes dilys ynghudd yn y sagâu ac y maent hefyd yn gyflwyniad hygyrch i feddylfryd y cyfnod. Byd dychmygol yw byd y mwyafrif o'r sagâu ond y mae yna hefyd storïau am gymeriadau a digwyddiadau hanesyddol. Y mae hyd yn oed yr enwau a ddewiswyd am eu harwyr yn dyst o ddyfeisgarwch y storïwyr: enwau fel *Thorfinn Karlsefni* ('Torffin Defnydd Dyn'), *Króka-Refs* ('Cadno Cyfrwys') a'r ferch enwog *Audr Djúpúöga* ('Aud y Meddwl Dwfn'). Y mae'r storïau a adroddir am *Audr* yn profi bod gan y merched statws uchel yn y gymdeithas. Gweddw brenin o Iwerddon oedd *Audr* a dywedir ei bod wedi adeiladu llong a'i chuddio mewn coedwig cyn hwylio i Ynysoedd Erch ar ei ffordd i Wlad yr Iâ. Ond nid y chwedlau arwrol yw'r unig ganllaw i gymeriad y genedl ond hefyd y cynghorion a drosglwyddwyd ar ffurf diarhebion. Dyma gyfran fach o gyfrol Gwyn Jones, *A History of the Vikings*, i ddangos nad anwariaid oedd cymdogion newydd Cymry Ardal y Llynnoedd:

- 'Y baich gorau i'w gario yw synnwyr cyffredin a'r baich gwaethaf, gormod o ddiod.'

- 'Bydd yn ffrind da, dyro anrheg am anrheg ac ateb gwên â gwên.'
- 'Pan oeddwn yn ifanc, collais y ffordd, ond daeth tro ar fyd pan ddeuthum o hyd i gymrawd.'
- 'Na fernwch ddydd cyn ei ddarfod, iâ cyn ei groesi, na chwrw cyn ei yfed.'
- 'Cyfeillgarwch yw llawenydd pob dyn.'

Cytundeb Pont Eamont, 'Armes Prydein' a Brwydr Brunanburh

Wedi trefnu ffin bendant rhwng tir y Saeson a thir y Daniaid, nod Alfred oedd amddiffyn ei wlad cyn mentro i dir y Daniaid. Gwnaeth hyn trwy osod caerau ar hyd y ffin, agor ffyrdd newydd a threfnu cytundebau gyda'i gymdogion. Yn 886 OC llwyddodd i gipio dinas Llundain cyn trefnu ymgyrch nerthol i'r de-orllewin. Trwy gydol y cyfnod cafodd gefnogaeth ddi-ildio brenhinoedd de Cymru a oedd hefyd yn ymwelwyr cyson â'i lys. Yn 885 OC llwyddodd i ddenu Asser, mynach o Dyddewi, yn ymgynghorwr, ac oni bai amdano ef, ni fyddai wedi ennill parch haneswyr. Asser oedd awdur y cofiant gwenieithus a gyhoeddwyd ar deyrnasiad Alfred yn 893 OC ac a fu'n fodd i'w ddyrchafu'n arwr mawr. Mae'n bwysig nodi, felly, mai dim ond gosod seiliau adferiad Lloegr a wnaeth Alfred, nid ei hachub fel yr honnwyd gan lawer. Pan fu farw yn 899 OC, yr oedd y rhan fwyaf o Loegr yn nwylo'r Daniaid ac ni lwyddodd ei fab Edward i ymestyn ffiniau ei deyrnas yn bell.

Y trobwynt yn hanes y Daniaid oedd yr ymgecru a welwyd yn y gogledd ar droad y ddegfed ganrif. Craidd y gynnen oedd y dasg o ddewis olynydd i frenin hynod o lwyddiannus, ac fe gafodd yr holl anghytuno effaith andwyol ar sefydlogrwydd y deyrnas. Diddorol nodi nad y Saeson oedd y cyntaf i elwa o'r gynnen ond, yn hytrach, y Norwyaid a oedd newydd gyrraedd Ardal y Llynnoedd o'r gorllewin. Nid oedd y Daniaid a'r Norwyaid erioed wedi bod ar delerau da, ac ar ôl i'r Norwyaid wladychu cryn dipyn o'r wlad yn y gogledd-orllewin, yr oeddynt yn awyddus i ledu eu dylanwad. Yr esgus am y cyrch i gyfeiriad dinas *Jorvik* oedd y ffaith fod brenhinoedd Denmarc a Norwy yn perthyn, ac felly yn rhannu'r hawl i ddewis brenin.

Arweinydd y fenter oedd Rognvald, ŵyr yr hen Ifar, ac erbyn 919 OC yr oedd dinas *Jorvik* yn ddiogel yn ei ddwylo. Am gyfnod byr, disgrifiwyd Rognvald yn 'arglwydd holl Lychlynwyr y gogledd', ond bu farw yn sydyn yn 921 OC a bu raid i Sihtric, ei gefnder, gymryd ei le. Ar y pryd, ni allai Edward (mab Alfred) wneud dim ond gwylio'r datblygiad gan nad oedd yn ddigon cryf i herio'r drefn newydd. Yn 924 OC, lladdwyd Edward mewn brwydr ar gyrion Caer lle y dywedir fod yna filwyr o Gymry yn rhan o fyddin Mercia. Mab Edward, Athelstan, a etifeddodd y goron, digwyddiad a oedd i drawsnewid holl hanes Prydain. Yn annhebyg i'w dad, yr oedd gan Athelstan y gallu i uno cenedl ac i greu byddin a allai ddarostwng pob gelyn. Fel y sylwodd John Davies yn ei gyfrol *Hanes Cymru*:[21]

> *Conquistadores* yn adfer eu gwlad i'w hil a'u cred a greodd deyrnas y Saeson, profiad a feithrinodd ysbryd ymerodrol ynddynt, fel y gwnaeth mewn amgylchiadau nid cwbl annhebyg ymhlith gwŷr Castil ganrifoedd yn ddiweddarach.

Yr oedd Athelstan, nid yn unig yn filwr glew, ond yn ddiplomydd cyfrwys, felly ei gam nesaf oedd trefnu i'w chwaer briodi Sihtric, brenin *Jorvik*. Yn anffodus, nid oedd y cynllun yn llwyddiant gan fod Sihtric wedi marw yn 927 OC gan adael mab bach o'r enw Olaf ar ei ôl. Nid syndod felly bod Athelstan wedi manteisio ar y cyfle i danseilio teyrnas y Norwyaid cyn iddynt ddewis brenin newydd. Gan fod mab Sihtric mor ifanc, esgynnodd ei gefnder, Guthfrith, i'r orsedd ond nid oedd pawb yn cefnogi'r dewis. Cam nesaf Athelstan oedd ennill cefnogaeth carfan o bwysigion *Jorvik* i ddisodli Guthfrith cyn cynnig ei hun yn 'amddiffynydd' tros dro. Trwy gyfuniad o drais a chynllwynio, llwyddodd Athelstan i gipio coron y deyrnas cyn cyhoeddi ei hun yn frenin ar Loegr gyfan. Wedi'r goresgyniad, bu'n rhaid i Olaf a Guthrum ffoi i Iwerddon, ond ni fuont yn hir cyn trefnu cyrch i adennill eu gwlad. Yn ôl yr hanes, arhosodd Olaf yn Nulyn, ond teithiodd Guthrum i'r Alban i drefnu cynghrair strategol i ddisodli Athelstan. Dyna, yn fras, oedd y cefndir i'r cyfarfod a drefnwyd ar gyrion Penrith yn 927 OC lle arwyddwyd cytundeb a oedd i arwain, yn y man, at frwydr dyngedfennol Brunanburh.

Athelstan a drefnodd y cyfarfod mewn ymgais i ddarbwyllo brenin Ystrad Clud a brenhinoedd yr Alban na ddylent estyn unrhyw gymorth i Guthrum. Ni ellir deall pwrpas y cytundeb heb nodi bod ystyriaethau strategol brenhinoedd yr Hen Ogledd yn gwbl wahanol i'r rhai a oedd yn corddi brenhinoedd Cymru. Ers degawdau, yr oedd Hywel Dda o'r Deheubarth a Morgan o Went yn gefnogwyr selog i'r Saeson ac yn fwy na pharod i gynnal eu hymgyrch yn erbyn y Daniaid. Yr oedd agwedd Anrawd ap Rhodri o Wynedd yn fwy amwys gan ei fod yn arddel perthynas agos gyda'r Gwyddyl a'r Norwyaid a oedd wedi ymgartrefu ym Môn. Yn yr Alban, yr oedd agwedd eu brenhinoedd at y Norwyaid yn newid o gyfnod i gyfnod, ond erbyn hyn yr oeddynt yn barod i gyfamodi. Diddorol felly sylwi mai'r unig frenin Celtaidd i gynnig cefnogaeth ddiamod i Guthrum oedd Owain o Ystrad Clud. Yr oedd Owain wedi elwa o ymyrraeth y Norwyaid yn y gogledd-orllewin ers degawdau, ac yr oedd hefyd ar delerau da gyda Guthrum a'i deulu yn Nulyn. Heddiw, cyfeirir at y cytundeb a lofnodwyd yn 927 OC fel 'Cyfamod Pont Eamont' er mai mewn mynachdy ar lan afon Dacre ('Deigr') y cynhaliwyd y cyfarfod. Pentref tua phum milltir i'r gorllewin o Penrith yw Dacre, neu *Dacore* fel y disgrifir y lle yng nghofnodion Beda. Prif lofnodwyr y cyfamod oedd Owain o Ystrad Clud a Causantín o'r Alban, ond yr oedd yna hefyd frenin o Gymru a ddisgrifir fel 'Hywel'. Yn ôl pob tebyg, cynrychiolydd o Wynedd oedd yr Hywel hwn a'r unig beth a wyddys amdano oedd ei fod o statws is na'r brenhinoedd eraill. Arfer cyffredin Athelstan oedd dosbarthu brenhinoedd Prydain i wahanol raddau yn ôl maint eu bygythiad. Diddorol felly gweld fod Owain o Ystrad Clud a Causantín o'r Alban yn perthyn i'r radd uchaf, o leiaf yn y cyfnod dan sylw. Y cymal allweddol yn y cytundeb yw'r un lle gelwir ar y llofnodwyr i 'ymwrthod â phob eilunaddoliaeth'. Gan fod Owain a Causantín yn Gristnogion, rhaid tybio mai cic i gyfeiriad eu cymrawd o Ddulyn oedd y cymal. Llofnodwyd y ddogfen heb un anhawster, ond chwalwyd y cytundeb yn 934 OC wedi i Athelstan ymosod yn ddirybudd ar Ystrad Clud. Canlyniad y brad oedd i frenhinoedd y gogledd lunio cynghrair newydd i ddisodli Athelstan a darostwng ei deyrnas drahaus. Bu farw Guthrum cyn gwireddu'r freuddwyd, ond erbyn hyn yr oedd Olaf, mab Sihtric, yn ddigon hen i gymryd ei le. Yn ernes o'r berthynas newydd, trefnwyd i Olaf briodi merch Causantín, ac yng Nghymru, lluniwyd y gerdd 'Armes Prydein' yn y gobaith y gellid denu mwy o frenhinoedd y gorllewin i'r gynghrair.

Pentref tawel yw Dacre erbyn hyn ond ceir olion beddau o'r ddegfed ganrif ym mynwent yr eglwys a chyfres o gerfluniau a ddisgrifir fel 'eirth' gerllaw. Heneb hynotaf y safle yw'r garreg nadd a gedwir yn yr eglwys. Yn ôl Carruthers,[22] cerflun i goffáu Cytundeb Pont Eamont yw'r

Eglwys Dacre gydag un o'r eirth cerrig

garreg, gan ei bod yn dangos dau ddyn yn ysgwyd llaw. Ond nid dyna yw barn yr arbenigwyr, ac erbyn hyn, gwyddys mai pwrpas y garreg oedd darlunio dwy stori o'r Beibl. Yn ôl y dadansoddiad newydd, Jacob ac Eisac yw'r gwŷr sy'n ysgwyd llaw ac oen yr aberth yw'r anifail sy'n gorwedd wrth eu traed. Dyluniad o Adda ac Efa yng Ngardd Eden yw'r llun arall ar y garreg lle gwelir dau berson yn sefyll o flaen coeden sy'n llawn afalau.

Cerdd ddarogan yw 'Armes Prydain' a'i phrif bwrpas oedd cymell Cymry'r gorllewin i ymuno â'u cymrodyr yn yr Hen Ogledd mewn cynghrair i yrru'r Saeson yn ôl tros y môr. Ers degawdau, y mae beirniaid llenyddol wedi trafod dyddiad tebygol y gerdd ond heb ddod i

Y garreg nadd

ganlyniad terfynol. Yr oedd Ifor Williams[23] o'r farn ei bod wedi ei llunio oddeutu 930 OC, ond mewn arolwg diweddar, cynigiodd Helen Fulton[24] ystod eang o ddyddiadau. Aeth rhai arbenigwyr mor bell â chynnig mai marwnad i Hywel Dda oedd y gerdd, ond nid yw syniad o'r fath yn un synhwyrol. Ceir dadansoddiad mwy treiddgar o gefndir a chynnwys y gerdd yng nghyfrol Thomas Charles-Edwards, *Wales and the Britons*. Yno cynigir fod y gerdd wedi ei llunio i ddenu mwy o Gymry i gynnal cynghrair Olaf, felly rhaid amseru'r gerdd i'r cyfnod rhwng 934 a 937 OC pan oedd y paratoadau yn eu hanterth. Anodd gweld sut y gellir dewis cyfnod cynharach, ac erbyn 937 OC yr oedd gobeithion cymunedau'r gogledd-orllewin ar drai. Fel y sylwodd Charles-Edwards, dyma'r unig gyfnod pryd yr oedd arweinwyr Ystrad Clud a'r Alban mewn cytgord a phryd yr oedd yna hefyd rywfaint o obaith y gellid denu rhagor o Gymry i'r gad. Gwyddys o gofnodion hanesyddol bod Athelstan newydd hawlio trethi afresymol o uchel ar ddeiliaid Morgan yng Ngwent a Hywel yn y Deheubarth, a hwy oedd y 'gwŷr deau' a nodwyd yn y gerdd. Yn ôl yr hanes, gofynnwyd iddynt gyfrannu ugain pwys o aur, tri chan pwys o arian, pum mil ar hugain o wartheg, cnud o gŵn hela a chasgliad o weilch, a hynny mewn un flwyddyn! I lawer yng Nghymru, yr oedd agwedd daeogaidd Morgan a Hywel i'r Saeson hefyd yn fater cywilyddus, does dim rhyfedd felly fod yna ysbryd gwrthryfelgar yn y tir. Mewn cyferbyniad, gallai Owain o Ystrad Clud ymfalchïo yn ei allu diplomyddol a'r berthynas glòs a oedd bellach yn bod rhwng Cymry'r Hen Ogledd, y Norwyaid, y Gwyddyl a brenhinoedd yr Alban.

Cerdd i gyffroi'r synhwyrau oedd 'Armes Prydein', ac yn gynnar iawn gwelwn y bardd yn danod camweddau'r Saeson. Am ganrifoedd, yr oedd y syniad o Unbennaeth Prydain wedi cynhyrfu'r gwaed, felly dyfais effeithiol oedd atgoffa Cymry'r am y cam oesol:

Pan brynasant Daned trwy ffled calledd
Gan Hors a Hengys, oedd ing eu rhysedd.
Eu cynnydd bu i wrthym yn anfonedd.

[Pan brynasant Thanet trwy dwyll cyfrwys / Gyda Hors a

232

Hengist, prin oedd eu rhwysg / Enillasant ein tir mewn dull diurddas.]

Ond gobaith y bardd oedd gweld Cymry'r gorllewin a Chymry'r gogledd yn uno i adfer eu gwlad ac adennill coron Prydain:

Achymot kymry agwyr dulyn.
Gwydyl iwerdon mon aphrydin.
Cornyw achludwys eu kynnwys genhyn

[Cyfoded y Cymry a gwŷr Dulyn / Gwyddyl Iwerddon, Môn a'r Alban / A bydd gwŷr Cernyw a gwŷr Ystrad Clud yn rhan o'r ymgyrch].

Y mae'r ffordd y disgrifir y gynghrair yn y gerdd hefyd yn ddadlennol, gan fod y bardd yn gwahaniaethu rhwng cymrodyr o'r un gwaed ac estroniaid. Felly, cyfeirir at wŷr Cernyw ac Ystrad Clud fel 'cynnwys', hen ddisgrifiad oedd yn cydnabod eu hawl ar orsedd Prydain. Ar y llaw arall, disgrifir y Norwyaid a'r Gwyddyl fel 'cymod', cydnabyddiaeth o hen elyniaeth. Diddorol hefyd nodi mai *Cludwys* (pobl Clud) oedd deiliaid Owain ac nad y *Cumbras* fel y disgrifir hwy yn yr un cyfnod gan y Saeson. Wrth gwrs, fel ym mhob canu darogan, yr oedd yna elfen amlwg o eithafiaeth. Gelwid ar arwyr o'r gorffennol fel Cynan, Cadwaladr a Myrddin i gynnal braich y Cymry ac addawyd y byddent yn ymladd o dan faner eu nawddsant Dewi! Arwr o Lydaw oedd Cynan, ac er nad oedd yna obaith y gallent ymuno â'r fenter, doeth oedd cydnabod y berthynas. Cymeriad o Wynedd oedd Cadwaladr, symbyliad i'r deyrnas honno ddihuno o'i thrwmgwsg. Neges i ddeiliaid Morgan a Hywel yw'r cymal sy'n cyfeirio at drethi Athelstan, ond ceir hefyd falchder yng ngallu milwrol y genedl:

Cymry cyneirchiaid - enaid ddichwant,
Gwyr deau eu trethau a amygant.
Llym, llifaid llafnawr - llwyr y lladdant;
Ni bydd i feddyg mwyn o'r a wanant.

[Gosgorddion o Gymry yn ddibris o'u bywyd. / Gwŷr y deau a gymerant afael yn eu trethi. / Gwaywffyn miniog wedi eu hogi – yn llwyr y trawant, / Ni fydd elw i feddyg o'r hyn a wnant.]

Cerdd i gymell yw 'Armes Prydein' ond y mae hefyd elfen sy'n perthyn i hen draddodiad. Trwy gydol y gerdd, y mae atgasedd at y Saeson yn byrlymu trwy'r testun ac y mae arddull y bardd yn un gyhyrog a chignoeth. Fel y sylwodd Gwyn Thomas, y mae'r bardd yn cael pleser wrth ddisgrifio'r hyn y dymunai ei weld yn digwydd i'w elynion – enghraifft gynnar iawn o ysbryd cenedlaethol. Prif amcan y gerdd oedd atgoffa'r genedl ei bod yn hen bryd dial ar y Saeson a chynnig fod y gynghrair arfaethedig yn gymesur â'r gwaith. Y mae'r geiriau a ddefnyddir i ddisgrifio archollion y gelyn yn arbennig o erchyll, ond y mae hefyd elfen o gydymdeimlad gyda theuluoedd y lladdedig:

Dychyrchwynt gyfarth, mal arth o fynydd,
I dalu gwyniaith gwaed eu hennydd,
Adfi peleidral dyfal, dillydd
Ni arbedwy car gorff ei gilydd
Adfi pen gaflaw heb ymennydd
Adfi gwragedd gweddw a meirch gweilydd
Adfi obain uthyr rhag rhuthyr cedwyr.

[Brysiwn i'r frwydr fel arth o fynydd / I dalu'r pwyth am waed ein hynafiaid / Bydd llif di-baid o ergydion gwaywffyn / Nid arbeda câr gorff ei wrthwynebydd, / Bydd pen holltedig heb ymennydd / Bydd gwragedd gweddw a cheffylau heb farchogion, / Bydd llefain ofnadwy o flaen rhuthr rhyfelwyr.]

Syndod hefyd gweld fod yna elfen o frawdoliaeth ryngwladol yn perthyn i'r canu a bod ymdeimlad o berthyn i fyd Celtaidd. Go brin y gellid gwireddu dyheadau'r bardd, ond y mae'r weledigaeth yn un syfrdanol:

Dysgogan derwyddon maint a dderfydd:
O Fynaw hyd Lydaw yn eu llaw yd fydd,

O Ddyfed hyd Daned wy bieufydd,
O Wawl hyd Weryd hyd eu hebyr.
Lledawd eu pennaeth tros Erechwydd.
Ator ar gynhon Saeson ni bydd.

[Proffwyda'r derwyddon y cyfan a ddigwydd / Bydd o Fanaw i
Lydaw yn ein llaw ni / Ni fydd pia'r tir o Ddyfed hyd Thanet / O
Fur Hadrian hyd aberoedd y de / Lleda ein harglwyddiaeth dros
Erechwydd / Ni fydd dychwel i lwythau'r Saeson.]

Dengys y cyfeiriad at Daned (Thanet) fod bradwriaeth Gwrtheyrn yn
dal yn y cof, ac y mae'r cyfeiriad at Erechwydd yn profi bod yr awdur
yn gyfarwydd â cherdd enwog Taliesin i Urien Rheged.

Er yr holl ddarogan, nid felly y bu. Ni wyrodd brenhinoedd y de o'u
hymlyniad taeogaidd i Athelstan ac, am y tro, nid oedd Gwynedd yn
barod i sefyll yn y bwlch. Yn y diwedd, yr unig frenin Cymreig i
ymuno â'r gynghrair oedd Owain o Ystrad Clud, ond yr oedd yna
gynrychiolaeth gref o'r Alban a chyfraniad teilwng o Ynysoedd
Heledd. Brwydr gyntaf y gynghrair oedd yr un a ymladdwyd yn
Northymbria ar ddiwedd haf 937 OC. Cyrch brysiog i dir y gelyn
oedd hwnnw, ond nod Olaf oedd glanio byddin gref ar arfordir y
gorllewin. Ni ellir bod yn siŵr ble yr ymladdwyd y frwydr, ond y mae'r
dystiolaeth o blaid Bromborough ar benrhyn Cilgwri yn gryf. Yn y
llyfrau hanes cyfeiriwyd at y gyflafan fel brwydr Brunanburh, ond nid
yr enw yw'r unig dystiolaeth o leoliad tebygol y frwydr. Cilgwri oedd
cadarnle'r Norwyaid yn y gogledd-orllewin ac yr oedd yn ddolen
gyswllt bwysig rhwng Dulyn a dinas *Jorvik*. Y mae'r safle a gysylltir â'r
frwydr yn gorwedd ar ochr ddwyreiniol y penrhyn ac felly yn lle
cysgodol i lanio byddin o'r môr. Fel y nododd yr hanesydd John
McNeal Dodgson:[25]

In no other locality does the context of geography, politics and
place names accord so well with the few facts we possess
concerning the contest.

Yn ôl Nicholas Higham,[26] aber afon Ribble oedd man cyfarfod y llynges cyn hwylio tua'r de, ond credir bod Owain a'i fyddin wedi teithio ar draws y tir. Ni wyddys lle yn union yr oedd maes y gyflafan ond y mae Stephen Harding o'r farn mai bryn o'r enw 'Red Hill', rhwng Storeton a Bebington oedd y lleoliad mwyaf tebygol. Ceir traddodiad lleol fod yr enw yn gyfeiriad at y gwaed a gollwyd, ond rhaid nodi hefyd mai tywodfaen coch yw'r cerrig sy'n britho'r bryn! Er yr holl baratoi, llanast oedd y frwydr i gynghrair Olaf; diwedd creulon i'r freuddwyd o 'Unbennaeth Prydain'. Yn ôl Cronicl yr Eingl-Sacsoniaid, lladdwyd pump o frenhinoedd yn yr ornest, ac yn y gerdd a gyfansoddwyd i ddathlu'r fuddugoliaeth, dywedir fod y tir wedi troi'n ddu gan waed. Wedi'r gyflafan, credir bod Olaf wedi ffoi i gyfeiriad Dulyn a bod Causantín wedi dychwelyd i'r Alban, ond does dim sôn am dynged Owain. Y gyfrol fwyaf awdurdodol ar arwyddocâd hanesyddol y frwydr yw cyfrol Michael Livingston, *The Battle of Brunanburh: A Casebook*.[27] Yn y gyfrol ceir cyfieithiadau o bob dogfen berthnasol a dadansoddiad trylwyr o'u cynnwys. Yn ôl yr awdur:

> ...it would be no small stretch to consider the battle the moment when Englishness came of age. The men who fought and died on the field forged a political map of the future that remains with us today.

Y Cyfnod Olaf

Calonogol felly yw nodi nad dyna oedd diwedd Ystrad Clud na dylanwad ei theulu brenhinol ar hanes yr Hen Ogledd. Anodd dweud a ddychwelodd Owain i'w wlad, ond gwyddys fod ei fab, Dyfnwal, wedi esgyn i'r orsedd yn fuan wedyn. Ar ôl ffoi i Ddulyn dechreuodd Olaf y gwaith o ailadeiladu'r gynghrair, ac os credir y cofnodion, yr oedd Gwynedd yn rhan o'r gynghrair newydd. Bu farw Athelstan yn 939 OC gan agor cyfnod o ansicrwydd mawr yn hanes y gogledd. Erbyn diwedd y flwyddyn, yr oedd Olaf wedi adennill ei deyrnas ac yn eistedd yn fuddugoliaethus ar orsedd *Jorvik*.

Ychydig iawn a wyddys am hanes Ystrad Clud yn y cyfnod dilynol, ond y mae cyfeiriad dadlennol mewn buchedd a luniwyd yn Ffrainc tua 971 OC. Gwrthrych y fuchedd oedd sant o'r enw Catroe a oedd, yn ôl pob tebyg, yn perthyn i deulu brenhinol Ystrad Clud. Yn y fuchedd, dywedir ei fod wedi ymweld â llys Dyfnwal yng nghwmni Causantín, brenin yr Alban, cyn i aelod o'r llys ei dywys i gyfeiriad Penrith. Yno dywedir ei fod wedi croesi'r ffin i dir y Norwyaid, awgrym fod yr hen berthynas strategol yn dal yn fyw.

Byr iawn oedd cyfnod Olaf yn frenin 'holl Lychlynwyr y gorllewin' gan iddo farw yn sydyn yn 941 OC a rhoi cyfle i Edmwnd, brenin y Saeson, gipio dinas *Jorvik*. Efallai mai llwyddiant ysgubol Edmwnd yn y gogledd oedd yn gyfrifol am y dirywiad a welwyd yn y berthynas rhwng arweinwyr Ystrad Clud a brenin newydd yr Alban. Yr oedd Causantín wedi marw yn 943 OC ac ymddengys bod ei olynydd, Máel Coluim, yn awyddus i ddilyn llwybr llai bygythiol i'r Saeson. Myn rhai ei fod yn eiddigeddus o ddylanwad rhyngwladol Ystrad Clud, ond y mae yn fwy tebyg mai nerth milwrol Edmwnd oedd y tu ôl i'r simsanu. O ganlyniad, safodd o'r neilltu pan ymosododd Edmwnd ar Ystrad Clud yn 945 OC, ond wedi'r gyflafan yr oedd yn ddigon parod i gynnig ei hun yn rhyw fath o asiant i Edmwnd. Yn ôl *Brut y Tywysogion*, yr oedd ymosodiad Edmwnd ar Ystrad Clud yn un waedlyd iawn ac y mae cofnod bod ei fyddin wedi lladd 'pawb a ddaeth i'w herbyn'. Brwydr allweddol yr ymgyrch oedd yr un a drefnwyd ar y bwlch uwchben Grasmere lle bu'n rhaid i Dyfnwal ildio. Dywedir bod milwyr Edmwnd wedi dallu dau o feibion Dyfnwal cyn y frwydr, ond llwyddodd y brenin ei hun i ddianc o faes y gad. Wedi'r frwydr, trosglwyddwyd Ystrad Clud i ofal Máel Coluim ar yr amod ei fod yn cynnal holl amcanion Edmwnd. Y gair a ddefnyddid i ddisgrifio swydd newydd Máel Coluim oedd *midwyrhta* ('cyd-weithiwr'), awgrym ei fod yn fwy o was nag o frenin annibynnol. Yn 946 OC llofruddiwyd Edmwnd mewn gwasanaeth eglwysig yn Swydd Gaerloyw ac ni fu Dyfnwal yn hir cyn adfeddiannu cyfran sylweddol o'i hen deyrnas.

Wedi cyfnod o gecru breninlinol esgynnodd Edgar, mab Edmwnd, i'r orsedd i ddechrau ar y gwaith o adfer gwlad a oedd mewn cyflwr bregus. Fel arfer, cyfeirir at Edgar fel 'Edgar yr Heddychwr' am ei fod yn fwy parod i gymodi yn hytrach nag ymosod ar ei gymdogion. Yn 973 OC, trefnodd Edgar gyfarfod pwysig yng Nghaer i roi sêl bendith ar ei statws yn uwch-frenin 'holl frenhinoedd y gogledd'. Ceir disgrifiadau manwl o'r cyfarfod mewn dogfennau a luniwyd gan John of Worcester a William of Malmesbury yn yr unfed ganrif ar ddeg. Yn ôl John, yr oedd yna wyth brenin yn y cyfarfod, ond dim ond chwech a enwir gan William. Yn ôl pob tebyg, statws yr is-frenhinoedd oedd yn gyfrifol am y gwahaniaeth, a does dim amheuaeth nad oedd presenoldeb y ddirprwyaeth o Ystrad Clud yn allweddol. Yn ôl y rhestr, y brenhinoedd pwysicaf oedd Cinaed mac Máel Coluim o'r Alban a Máel Coluim ap Dyfnwal o Ystrad Clud. Yn ôl y cofnodion, yr oedd yr hen Ddyfnwal yno hefyd i gynnig cyngor i'w fab a oedd newydd etifeddu'r goron. Diddorol gweld mai'r gair *alii* a ddefnyddiwyd i ddisgrifio'r brenhinoedd is-raddol ac yn eu plith yr oedd Iago ab Idwal o Wynedd a'i nai Hywel ap Ieuaf. Dyna arwydd bod Edgar yn parchu gwŷr Ystrad Clud, nid yn unig am eu gallu milwrol, ond am eu perthynas strategol gyda'r Norwyaid. Yn wir, y mae awgrym ei fod yn ofni bod cynghrair newydd ar y gweill gan fod yna gyfeiriad at *eac Straecled Wealas cynig and ealla Straecled Wealas* ('brenin Cymry Ystrad Clud a phawb yn Ystrad Clud') yn y ddogfen a lofnodwyd. Perthnasol hefyd nodi ei fod yn dewis cyfeirio at Gymry'r gogledd fel *Straecled Wealas* yn hytrach na *Cumbrensis* fel y gwnaed mewn nifer o ddogfennau wedi hyn. Awgryma'r ffordd y dewisodd Edgar orffen y cyfarfod ei fod hefyd yn ofni ailadrodd brwydr Brunanburh. Ar y diwrnod olaf, teithiodd y cwmni i aber afon

Brenhinoedd y gogledd yn rhwyfo'r Brenin Edgar ar afon Dyfrdwy yn 973

Dyfrdwy lle trefnwyd i'r brenhinoedd gwadd rwyfo cwch gydag Edgar wrth y llyw. Y mae'r disgrifiad a geir o'r fordaith yn un digon diniwed, ond rhaid tybio bod yna is-destun i'r achlysur:

Gyda hwy ar ddiwrnod arbennig byrddiodd [Edgar] sgiff ac wedi eu gosod i rwyfo llywiodd y cwch yn fedrus ar hyd afon Dyfrdwy...

Tybed ai damwain oedd y ffaith fod afon Dyfrdwy yn llifo heibio i benrhyn Cilgwri a bod crib Red Hill yn ymsythu trwy'r tes yn y gogledd-ddwyrain?

Wedi marwolaeth Edgar yn 975 OC, cyfnod ansicr iawn oedd y degawd nesaf yn hanes Lloegr. Llofruddiwyd Edward, mab hynaf Edgar, ymhen tair blynedd o etifeddu'r goron ac nid oedd teyrnasiad Aethelred, ei hanner brawd, yn llwyddiant mawr. Cofir am Aethelred am ei fodlonrwydd i dalu pridwerth i'r Daniaid a oedd yn ymosod ar Loegr. Fel 'Aethelred the Unready' y sonnir amdano yn y llyfrau hanes, ond dylid cofio mai ystyr *unraed* oedd 'ymgynghorwr gwael' nid amddiffynwr sâl. Trwy gydol ei deyrnasiad yr oedd Ystrad Clud ar delerau da gyda'r Norwyaid ac yn cynnig rhwydd hynt i'w llongau masnach. Credir mai ymgais i chwalu'r drefn hon oedd yr ymosodiad a drefnodd Aethelred ar y gogledd-orllewin yn 1000 OC. Yn ôl Cronicl yr Eingl-Sacsoniaid: 'Yn y flwyddyn hon teithiodd y brenin i wlad y Cumbri ag fe anrheithiodd bron y cyfan ohoni.' Y cymal allweddol yn y disgrifiad yw 'bron y cyfan' gan fod Owain, mab Dyfnwal, yn ddiogel ar ei orsedd ac yn trefnu ymgyrchoedd ar y cyd gyda brenin yr Alban, Máel Coluim II.

Yn ôl yr *Annales Cambriae*, bu farw'r Owain hwn yn 1015 OC ond credir bod mab o'r un enw wedi cymryd ei le. Dyma'r brenin a adwaenir fel Owain Foel (*Calvus*), awgrym ei fod mewn oedran teg cyn etifeddu'r goron. Ychydig iawn sy'n hysbys amdano, ond y mae cofnod ei fod wedi ymuno â byddin Máel Coluim i guro'r Saeson mewn brwydr ar lannau afon Tweed yn 1018 OC. Dyma'r ornest a adwaenir fel brwydr Carham a oedd, yn ôl haneswyr o'r Alban, yn drobwynt pwysig yn hanes eu cenedl. Wedi'r frwydr, collodd y Saeson eu gafael ar Lothian ('Lleiddion') a chyfran sylweddol o hen wlad y

Gododdin. Ni wyddys beth oedd tynged Owain, ond credir fod ei ddisgynyddion wedi cadw gafael ar deyrnas fach yn y gorllewin am ddegawd a mwy wedi hyn.

I bob pwrpas, Aethelred oedd brenin Saesnig olaf y cyfnod gan mai brenhinoedd o Sgandinafia oedd rheolwyr Lloegr dros y deugain mlynedd dilynol. Yr enwocaf o'r llinach Sgandinafaidd oedd Knútr, 'Canute' y traddodiad Saesneg. Rhwng 1016 a 1035 OC yr oedd yn ben ar ymerodraeth a oedd yn ymestyn o Loegr trwy Ddenmarc i Norwy a Sweden, ond prin yw'r cyfeiriadau at ei orchestion yn ein llyfrau hanes. Heddiw, cofir amdano fel y brenin a geisiodd atal llanw'r môr, ond stori gamarweiniol a chwbl ddilornus yw hon. Yn ôl haneswyr llai pleidiol, Knútr oedd un o frenhinoedd mwyaf llwyddiannus Prydain gan ei fod yn ddeddfwr doeth ac yn noddwr hael i'r eglwys. O safbwynt yr Hen Ogledd, ei gyfraniad mawr oedd gosod gŵr o'r enw Siward yn Iarll ar Northymbria rywbryd rhwng 1023 a 1033 OC. Gŵr o dras Lychlynnaidd oedd Siward ond yr oedd ganddo hefyd gysylltiadau teuluol gyda'r Normaniaid. Disgynyddion i Lychlynwyr a oedd wedi gwladychu darn o ogledd Ffrainc yn y ddegfed ganrif oedd y Normaniaid a 'Sigurd' oedd enw Siward mewn Hen Norseg. Erbyn teyrnasiad Knútr yr oedd Siward yn ŵr dylanwadol a'i weithred allweddol oedd disodli Mac Bethad o orsedd yr Alban yn 1054 OC. Y mae'r hyn a ddigwyddodd wedyn yn dal yn destun dadl ond, os credir y cofnodion, gosododd Sigurd fachgen a ddisgrifid fel *Malcolmum, regis Cumbrorum filium* ('Máel Coluim, mab brenin y Cumbri') yn frenin ar yr Alban. Yn ôl rhai, Albanwr oedd y 'Máel Coluim' hwn ond ceir tystiolaeth i gynnal y syniad ei fod yn fab i Owain Foel. Anodd dweud beth oedd canlyniad y penderfyniad annisgwyl, ond myn rhai fod y bachgen yn dal ar ei orsedd pan laniodd Gwilym Goncwerwr yn ne Lloegr yn 1066 OC. Cwestiwn poblogaidd i blant ysgol yw 'Beth oedd arwyddocad 1066 yn hanes Prydain Fawr?' Ni ddylid disgwyl marciau llawn trwy ateb 'Dyma pryd y collodd brenin Cymreig olaf yr Hen Ogledd afael ar ei deyrnas'!

Tasg anoddach yw cynnig dyddiad pendant i ddiffoddiad Ystrad Clud gan fod Dauvit Broun o'r farn bod dylanwad y teulu brenhinol wedi para hyd y ddeuddegfed ganrif. Yn ôl pob tebyg, yr oeddynt wedi colli gafael ar eu gwlad erbyn hyn ac yn llywodraethu fel is-frenhinoedd i frenin yr Alban. Dyna, yn sicr, yw tystiolaeth 'Gwrit Gospatric', dogfen a ddanfonwyd gan uchelwr o'r gogledd-ddwyrain at ei gyfeillion yn Ardal y Llynnoedd tua chanol yr unfed ganrif ar ddeg:

> Danfona Gospatric ei gyfarchion cynhesaf i'w holl *wassenas* ac i bob dyn rhydd a dreng sy'n trigo yn y tiroedd a oedd unwaith yn rhan o Cumbria ac i'm holl deulu.

Ni ellir bod yn siwr pwy oedd y Gospatric hwn ond yr oedd wedi etifeddu darn sylweddol o dir yn ne-orllewin Cumbria. Bernir o'i enw ('Gwas Padrig') fod y teulu o darddiad Cymreig ac y mae hyd yn oed yn bosib ei fod yn deall rhywfaint o'r iaith. Gair a fenthycwyd o'r Gymbrieg oedd *wassenas* ac, yn y cyfnod hwn, defnyddid yr enw i ddisgrifio cynorthwywr gweinyddol, nid gwas cyffredin. Y mae'r cyfeiriad 'i bob dyn rhydd a dreng' hefyd yn ddadlennol. Gair o'r Hen Norseg oedd *drengr* ('dreng') a ddefnyddid, fel arfer, i ddisgrifio dyn rhydd a oedd yn dal yn ddyledus i'w arglwydd. Cymal pwysicaf y llythyr yw'r un lle cyfeirir at y tiroedd 'a oedd unwaith yn rhan o Cumbria'. Dyma gadarnhad fod y deyrnas newydd ddarfod ond y cwestiwn llosg yw pryd y cyfansoddwyd y llythyr? Hyd yn ddiweddar honnwyd ei fod yn perthyn i'r cyfnod rhwng 1038 a 1055 OC ond y mae Phythian-Adams o'r farn ei fod wedi ei ddanfon ddegawd neu fwy wedi hyn. Amhosib dweud faint o ddylanwad oedd gan y Cymry yng ngweinyddiaeth yr ardal wedi i Máel Coluim III esgyn i orsedd yr Alban yn 1070 OC ond yr oedd yna uchelwyr dylanwadol yn y wlad. Am gyfnod, adnabyddid yr ardal fel *An Deas Ûr* ('Y De Newydd') ac ni chollodd yr Albanwyr eu gafael ar y wlad i'r de o Gaerliwelydd nes i'r Normaniaid symud y ffin tua'r gogledd yn 1092 OC.

Yn y bennod olaf, soniaf fwy am hanes yr ardal yn y cyfnod Normanaidd a'r dirywiad a welwyd yn y wlad wedi i Edward I esgyn i'r orsedd. Yn wir, gellir dadlau mai cyflwr ansefydlog y wlad i'r de o'r ffin gyda'r Alban yn y cyfnod dilynol sy'n bennaf cyfrifol am gadw cymaint o waddol y cyfnod Cymreig. Gwaddol amlycaf y Cymry yw'r enwau sy'n britho'r tir, ond dengys mesuriadau genynnol mai Cymry yw trwch y boblogaeth o hyd. Cyn troi at waddol y cyfnod Cymreig, rhaid sôn yn fras am ddylanwad yr Eglwys Fore yn yr Hen Ogledd. Plannwyd gwreiddiau'r ffydd yn yr ardal yn Oes y Rhufeiniaid, ac yn y canrifoedd dilynol, yr 'Eglwys Geltaidd' oedd y noddfa rhag trahauster y drefn ganolog.

Ffynonellau

1   Norman Davies, *The Isles: A History* (Llundain: Macmillan, 1999), t. 1222
2   Tim Clarkson, *The Men of the North: The Britons of Southern Scotland* (Caeredin: Birlinn, 2010), t. 230
3   Gwyn Jones, *A History of the Vikings* (Rhydychen: Oxford University Press, 1984), t. 504
4   Stephen Harding, *Viking Mersey: Scandinavian Wirral, West Lancashire and Chester* (Birkenhead: Countyvise Limited, 2002), t. 240
5   Christopher A. Snyder, *The Britons* (Rhydychen: Blackwell, 2003), t. 331
6   Thomas M. Charles-Edwards, *Wales and the Britons: 350-1064* (Rhydychen: Oxford University Press, 2013), t. 795
7   James E. Fraser, *From Caledonia to Pictland: Scotland to 795* (Caeredin: Edinburgh University Press, 2009), t. 436
8   Frank M. Stenton, *Anglo-Saxon England* (Rhydychen: Clarendon Press, 1971), t. 765
9   Nicholas J. Higham, *The Kingdom of Northumbria: AD 350-1100* (Stroud, Swydd Caerloyw: Alan Sutton Publishing Limited, 1993), t. 296
10 Gwyn Thomas, *Y Traddodiad Barddol* (Caerdydd: Gwasg Prifysgol Cymru, 1976), t. 240
11 Thomas Owen Clancy, *The Triumph Tree: Scotland's Earliest Poetry AD 550-1350* (Caeredin: Canongate Classics, 1998), t. 374
12 Bede, *Ecclesiastical History of the English People*, cyfieithiwyd gan Leo Sherley-Price, diwygiwyd gan R. E. Latham (Llundain: Penguin Books, 1990), t. 397
13 Alan MacQuarrie, *The Kings of Strathclyde, c. 400-1018* yn (goln) Alexander Grant a Keith J. Stringer, *Medieval Scotland: Crown, Lordship and Community* (Caeredin, 1998), tt. 1-19
14 John Morris, *Nennius British History and the Welsh Annals* (Llundain: Philimore, 1980), t. 100
15 Benjamin T. Hudson, *Prophecy of Berchán* (Portsmouth, New Hampshire: Greenwood Publishing Group, 1996), t. 271
16 Dauvit Broun, 'The Welsh identity of the kingdom of Strathclyde c. 900-c. 1200' yn *Innes Review*, 55 (2004), tt. 111-80
17 Charles Phythian-Adams, *Land of the Cumbrians: A Study in British Provinicial Origins, AD 400-1120* (Caerlŷr: Scolar Press, 1996), t. 207
18 Fiona Edmonds, 'The expansion of the kingdom of Strathclyde'. *Early Mediaeval Europe*, 23 (2015), tt. 43-66
19 John O'Donovan, *Annals of Ireland Three Fragments* (Dulyn: Irish Archaeological and Celtic Society, 1860, t. 276
20 Eilert Ekwall, *The place-names of Lancashire* (Manceinion: The University Press, 1922), t. 265
21 John Davies, *Hanes Cymru* (Llundain: Penguin Books, 1992), t. 710
22 F. J. Carruthers, *People Called Cumbri* (Llundain: Robert Hale, 1979), t. 208

23 Ifor Williams, *Armes Prydein* (Caerdydd: Gwasg Prifysgol Cymru, 1999), t. 123

24 Helen Fulton, 'Tenth-century Wales and Armes Prydein', *Trafodion Anrhydeddus Gymdeithas y Cymmrodorion, Cyfres Newydd*, 7, (2001), tt. 5-18

25 John McNeal Dodgson, 'The Background of Brunanburh'. *Saga-Book of the Viking Society*, 14, (1957), tt. 303-31

26 Nicholas J. Higham, 'The Context of Brunanburh' yn (goln) A. R. Rumble ac A. D. Mills, *Names, Places and People* (Stamford: Paul Watkins, 1997), tt. 144-56

27 Michael Livingston, *The Battle of Brunanburh: A Casebook* (Lerpwl: Liverpool University Press, 2011), t. 458

Yr Eglwys Fore

Ar ei wedd mae ôl breuddwyd
Yn y llais mae'r pellter llwyd

Gerallt Lloyd Owen

Daeth Cristnogaeth i Brydain yn sgil goresgyniad y wlad gan y Rhufeiniaid, ond prin iawn yw'r cyfeiriadau at yr Eglwys Fore yn yr Hen Ogledd. Yn Ardal y Llynnoedd y mae miloedd yn ymweld ag eglwys Sant Oswallt yn Grasmere bob blwyddyn i weld bedd y bardd William Wordsworth. Yn y llyfryn a drefnwyd i'w croesawu, darllenir:

> Christianity was brought to Grasmere in the 7th century by Oswald, King of Northumbria...Oswald and Aiden converted not just Northumbria but also all the kingdoms of which Oswald became overlord which included all of modern Cumbria.

Does dim sôn mai mynaich Gwyddelig o Iona oedd yn gyfrifol am droedigaeth Saeson Northymbria nac ychwaith mai Brython o ardal Caerliwelydd oedd Padrig, nawddsant y Gwyddyl. Yn y bennod hon, cyflwynaf amlinelliad o hanes yr eglwys yn yr Hen Ogledd o'r cyfnod Rhufeinig hyd ddyddiau Ystrad Clud, gan dalu sylw arbennig i gangen Gymreig yr Eglwys Geltaidd.

Fy mhrif ffynonellau wrth lunio'r bennod oedd cyfrol Nora Chadwick, *The Age of Saints in the Early Celtic Church*,[1] cyfrol Charles Thomas, *The Early Christian Archaeology of Northern Britain*,[2] cyfrol E. G. Bowen, *Saints, Seaways and Settlements*,[3] cyfrol T. M. Charles-Edwards, *Wales and the Britons: 350-1064*,[4] cyfrol James Fraser, *From Caledonia to Pictland*[5] a chyfieithiad o *Historia Ecclesiatica gentis Anglorum* Beda.[6] O bryd i'w gilydd, porwyd ym mucheddau'r saint ac yr oedd cyfrol Elizabeth Rees, *Celtic Saints, Passionate Wanderers*[7] yn llawn straeon difyr am seintiau cynnar y gorllewin. Er mwyn hwylustod, rhennir stori'r Eglwys Fore i bum cyfnod:

1. Y cyfnod rhwng 200 a 410 OC pryd yr oedd yr eglwys ym Mhrydain o dan oruchwyliaeth yr Ymerodraeth Rufeinig.
2. Y cyfnod rhwng 410 a 550 OC pryd y llwyddwyd i gadw'r ffydd yn fyw yn y gorllewin a'r gogledd wedi i'r Saeson oresgyn y de.
3. Y cyfnod rhwng 550 a 634 OC pryd yr atgyfnerthwyd yr eglwys ym Mhrydain o dan ddylanwad y traddodiad mynachaidd.
4. Y cyfnod rhwng 634 ac 866 OC pryd y crebachodd yr Eglwys Geltaidd o dan ddylanwad Synod Whitby.
5. Y cyfnod rhwng 866 a 1070 OC pryd y gwelwyd adfywiad o'r eglwys yn y gogledd-orllewin o dan ddylanwad ymestyniad Ystrad Clud a mewnlifiad y Norwyaid o Iwerddon.

Eglwys yr Ymerodraeth (200-410 OC)

O daleithiau dwyreiniol yr Ymerodraeth y lledodd y ffydd Gristnogol yn y ganrif wedi geni Crist. Os credir cofnodion Tertullian, Cristion o ogledd Affrica, yr oedd y ffydd wedi cyrraedd Prydain mor gynnar â 200 OC er mai prin oedd ei dilynwyr. Mewn tai preifat y cynhaliwyd yr oedfaon cyntaf gan fod yr awdurdodau yn ddrwgdybus o grefyddau lleiafrifol. Ar y cyfan, yr oedd yr Ymerodraeth yn hynod o oddefgar o ddaliadau crefyddol, ond disgwylid i bob dinesydd dalu teyrnged i'r Ymerawdwr. Ar y cychwyn, dinasoedd mawr y de oedd cadarnleoedd y ffydd, ond gan fod yna ddilynwyr yn y fyddin, ni fu'n hir cyn lledu i'r Hen Ogledd. Un crair sy'n profi fod y ffydd wedi cyrraedd yr ardal cyn diwedd yr ail ganrif yw'r pos geiriol a ddarganfuwyd mewn sbwriel *vicus* ym Manceinion. Cyfres o lythrennau ar ddarn o *amphorae* oedd y pos ond, trwy ei ad-drefnu gellid datgelu'r gair PATERNOSTER ('Ein Tad') a'r llythrennau Groegaidd *alpha* ac *omega*. Ceir cadarnhad o ymlediad y ffydd i Ardal y Llynnoedd hefyd mewn arysgrif a dorrwyd ar garreg fedd yng Nghaerliwelydd. Enw'r ymadawedig oedd Flavius Antigonus Papias a'r cymal allweddol oedd y gosodiad ei fod wedi byw am drigain mlynedd 'mwy neu lai'. Yr oedd cyfeirio at oed dyn mewn dull amhenodol yn arfer cyffredin yn yr Eglwys Fore ac yn ffordd o ddangos nad oedd ein cyfnod yn y byd hwn o bwys.

Wedi tröedigaeth yr Ymerawdwr Cystennin yn 314 OC mabwysiadwyd Cristnogaeth yn grefydd swyddogol yr Ymerodraeth a gwelwyd cynnydd mawr. Yr oedd bod yn Gristion bellach yn fantais, a chyn hir, mabwysiadwyd delweddau crefyddol i addurno *villae* moethus y cyfoethogion. Un enghraifft o addurn Cristnogol yw'r pen clasurol a'r *Chi-Rho* a ddatguddiwyd pan gloddiwyd llawr *villa* yn Swydd Dorset. Cyfuniad o'r llythrennau cyntaf yn enw Crist yn yr iaith Roegaidd oedd y *Chi-Rho* a chredir mai Cystennin oedd y cyntaf i hyrwyddo'r symbol. Gan fod yr Hen Ogledd yn ardal filwrol, nid oedd yna lawer o adeiladau moethus yn yr ardal, ond daethpwyd o hyd i ffurf syml o'r *Chi-Rho* mewn baddondy yng ngwersyll Catraeth.

Mosaic yn cynnwys y Chi Rho

Fel ar y Cyfandir, strwythur esgobol oedd i'r eglwys ymerodrol ym Mhrydain ac yr oedd ffiniau'r esgobaethau yn cyfateb yn fras i raniadau gweinyddol y wlad. Pan drefnwyd Cyngor Eglwysig yn Arles yn 314 OC, yr oedd yna bum cynrychiolydd o Brydain: esgobion o Efrog, Llundain a Lincoln a henuriaid o ddwy ardal arall. Nid enwid yr ardaloedd hyn, ond yn ôl Charles Thomas, henuriad o Gaerliwelydd oedd un o'r cwmni. Yn y bedwaredd ganrif ad-drefnwyd ffiniau gweinyddol Prydain i greu pedair esgobaeth yn y gogledd. Dyma'r drefn oedd yn bod pan sefydlwyd teyrnasoedd

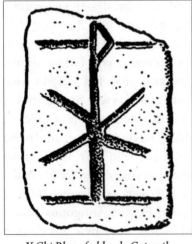

Y Chi Rho o faddondy Catraeth

Cymreig yr Hen Ogledd felly y mae yn dra thebyg fod yna esgobion yn y Gododdin, Alclud, Rheged ac Elfed.

Sant enwocaf yr Hen Ogledd yn y cyfnod cynnar oedd Ninian, neu Nynia fel y cyfeirir ato mewn hen ddogfen. Credir mai *Ninniau oedd ffurf Frythonig yr enw ac y mae cyfeiriad at *Uinniau* mewn buchedd a gyhoeddwyd mewn Gwyddeleg. Yr unig gofnod sydd gennym o fywyd a gwaith y sant yw'r un a welir yn *Historia Ecclesiastica* Beda. Whithorn, pentref ar arfordir yr Alban, oedd canolfan Ninian, ond fe allai hefyd fod yn un o esgobion cyntaf Rheged. Yn y cyfnod ôl-Rufeinig, Caerliwelydd oedd yr unig ddinas o bwys yn yr ardal a rhaid cofio y gellid ei chyrraedd yn hawdd o Whithorn drwy hwylio ar hyd yr arfordir. Fel y gwyddys, yr oedd Beda yn hynod o wrth-Gymreig felly syndod gweld bod ei deyrnged i Ninian yn un hael:

Un o esgobion mwyaf parchus a sanctaidd cenedl y Brythoniaid a addysgwyd yn y ffydd ac yn nirgelwch y gwirionedd ar sawl ymweliad â Rhufain. Bellach mae'r eglwys a gysegrodd i enw Sant Martyn yng ngofal cenedl y Saeson. Heddiw adnabyddir y safle, rhan o deyrnas Bernicia, fel y 'Tŷ Gwyn' am fod yr eglwys a godwyd yno wedi ei hadeiladu o gerrig mewn dull nad oedd yn gyffredin ymysg y Brythoniaid.

Un esboniad o hynawsedd Beda yw'r ffaith fod y cofnod wedi ei lunio ar droad y seithfed ganrif pan oedd eglwys Northymbria yn awyddus i ledu ei dylanwad yn y gorllewin. Diddorol hefyd nodi ei fod mor barod i gydnabod dylanwad yr eglwys yng Ngâl, er ei fod yn awyddus i nodi mai gwŷr Bernicia oedd yn gwarchod y safle erbyn hyn. Yn y bedwaredd ganrif, sant enwocaf Gâl oedd Sant Martyn a oedd, yn ôl y traddodiad, yn gyfaill mynwesol i Macsen Wledig a'i wraig Elen. Yn sicr yr oedd mynachlog Sant Martyn yn Trèves yn ganolfan Gristnogol o bwys a dywedir bod Elen wedi dychwelyd i Gymru yn 388 i agor sefydliad tebyg.

Candida Casa ('Y Tŷ Gwyn') oedd enw Beda ar fynachlog Ninian a chyfieithiad uniongyrchol o'r Lladin oedd y *Hwit Aern* Saesneg cyn iddo newid i'r 'Whithorn' fodern. Credir mai cyfeiriad at adeiladwaith yr eglwys a godwyd ar y safle oedd *Candida Casa*. Fel y nododd Beda,

247

arfer y Brythoniaid oedd codi anheddau syml o goed a gwiail, ond ymddengys fod mynachlog Ninian yn adeilad o gerrig wedi eu gwyngalchu. Pan gloddiwyd y safle beth amser yn ôl, daethpwyd o hyd i weddillion adeilad o'r bumed ganrif ac yr oedd yna ôl gwyngalch ar rai o'r meini. Tystia'r creiriau a gloddiwyd o'r safle fod Whithorn unwaith yn rhan o rwydwaith masnachol a oedd yn ymestyn mor bell â'r Môr Canoldir. Erbyn y seithfed ganrif yr oedd hen eglwys Ninian yn ddigon enwog i ddenu llu o bererinion o Brydain a thu hwnt. Un atynfa oedd yr ogof ar draeth Physgill lle y dywedwyd bod Ninian yn arfer encilio i fyfyrio. Ar ddechrau'r ugeinfed ganrif yr oedd yna gasgliad o groesau nadd yn yr ogof, ond symudwyd y cyfan i amgueddfa gyfagos pan welwyd bod y cerfiadau yn malurio.

Cyfraniad mawr Ninian i dwf yr eglwys oedd ei waith cenhadol ymysg y Pictiaid, ond yr unig fuchedd i oroesi yw'r un a luniwyd gan fynach o Abaty Rievaulx yn Swydd Efrog yn 1165 OC. Yn ôl John MacQueen,[8] y mae'r fuchedd yn seiliedig ar ddogfen a luniwyd yn Whithorn rhwng 550 a 650 OC, ond nid yw pawb yn cytuno â'r ddamcaniaeth hon. Un cymal diddorol yw'r un lle nodir nad oedd Tudwal, brenin Alclud, yn awyddus i weld Ninian yn cenhadu ymysg y Pictiaid. Ei brif gŵyn oedd nad oeddent yn perthyn i'r byd Rhufeinig ac felly nid yn hyddysg yn y clasuron. Serch hynny, y mae'r ffaith fod Ninian yn medru pregethu yn eu gwlad heb gymorth cyfieithydd yn profi bod y Frythoneg a'r Bicteg yn ieithoedd digon tebyg ar y pryd.

Ond nid Pictiaid y gogledd oedd unig gynulleidfa Ninian gan fod yna hanes amdano yn cenhadu ymhellach tua'r de. Heddiw, y mae sawl eglwys yn Ardal y Llynnoedd yn dwyn ei enw, er mai ychydig iawn sydd ag olion o'r cyfnod cynnar. Un safle a gysylltir â'i enw yw eglwys Ninekirks ar lan afon Eamont, ger Penrith, sy'n agos at gaer Rufeinig *Brocavum*. Codwyd *Brocavum* i warchod y ffordd tua'r gogledd, felly hawdd dychmygu'r sant yn dilyn y ffordd tua'r de cyn codi eglwys ar lan yr afon. Does neb wedi archwilio safle'r gaer hyd yn hyn, ond pan gladdwyd pibell nwy gerllaw yn 2008 daethpwyd ar draws olion *vicus* a allai fod o gryn faint.

Adeilad o'r ail ganrif ar bymtheg yw'r eglwys sy'n sefyll ar y safle heddiw ond y mae olion adeiladau crwn ar y ddôl islaw. Erbyn hyn, dim ond chwedlau lleol sy'n cadw'r cof am Ninian yn fyw, ond y mae lleoliad yr eglwys wrth ymyl canolfan lywodraethol yn dilyn patrwm sy'n gyffredin yng Nghymru. Yn ei gyfrol *People called Cumbri*[9] trefnodd F. J. Carruthers bennod gyfan ar fywyd a gwaith Ninian. Yn anffodus, y mae ganddo duedd i ramanteiddio ac i gredu tystiolaeth dogfennau digon anwadal. Yn y gyfrol, y mae llun o ffynnon ger Loweswater a enwir yn 'Ffynnon Ninian' ac fe sonnir am un arall a oedd wedi ei chysegru i'r sant ar gyrion Caerliwelydd. Yn ôl Carruthers, yr oedd Ninian yn hoff o encilio i ogof ar draws yr afon o eglwys Ninekirks i weddïo. Gyferbyn gwelir llun o un o'r ogofâu hyn, ac y mae rhagor ar y grib uwchben yr afon mewn man a enwir *Isis Parlis*.

Yr ogof yn y clogwyn a saif ar draws yr afon o eglwys Ninekirks ger Penrith

Cristion yn perthyn i draddodiad gwahanol iawn oedd Pelagius, gŵr a anwyd yn ardal Caerliwelydd oddeutu 354 OC. Ei enw bedydd oedd 'Morcant' ond, wedi symud i Rufain, mabwysiadodd ffurf Roegaidd o'r enw. Dywedir fod Pelagius yn ddiwinydd galluog ac yn rhugl mewn sawl iaith ar wahân i Roeg a Lladin. Tra roedd yn Rhufain, ei brif waith oedd darlithio, ac fe gyhoeddodd gyfres o lyfrau ar destunau diwinyddol, fel y *Commentarii in epistolas S Pauli* ('Esboniad ar Epistolau Sant Paul'). Serch hynny, cyfrifid ef yn ŵr peryglus am ei fod yn hyrwyddo syniadau radical iawn am natur dyn a threfn cymdeithas. Yn wahanol i'r mwyafrif o'i gyd-glerigwyr, nid oedd yn credu mewn achubiaeth trwy ffydd ac yr oedd o'r farn fod gan bawb ewyllys rhydd. Er ei fod yn byw bywyd syml, cyhuddwyd ef o bob math o ormodedd mewn iaith a oedd yn ymylu ar fod yn hiliol. Yn ôl un beirniad yr oedd yn:

Ŵr cnawdol, gydag ystlysau cyhyrog fel mabolgampwr, yn or-dew ac yn gwingo o dan bwysau uwd Albanaidd (Scottorum pultibus praepravatus).

Rheswm arall am y feirniadaeth lem oedd y ffaith fod syniadau cymdeithasol Pelagius wedi lledu ar draws y byd Celtaidd. Gwyddys bod ei gyfrol *De libero arbitrio* ('Ar Rydd Ewyllys') yn boblogaidd iawn ym Mhrydain, ac yr oedd ganddo hefyd gefnogwyr brwd yn yr Eidal, ac yng Ngâl. Un cefnogwr selog oedd y mynach a adwaenid fel 'Y Brython o Sisili' ac, yn ôl John Morris,[10] yr oedd syniadau'r mynach hwnnw ymhell i'r chwith o Pelagius. Dyma paham y myn rhai mai Pelagius oedd 'tad sosialaeth' ond does dim ond rhaid darllen y Bregeth ar y Mynydd cyn gweld ei fod mewn cwmni da! Ni wyddys pryd y bu farw Pelagius ond arhosodd ei ddysgeidiaeth yn hir i ofidio arweinwyr yr eglwys yn y gorllewin. Mewn llythyr a ddanfonwyd o Gâl tua 429 OC dywedir bod mab i esgob o'r wlad yn 'llygru eglwysi Prydain' trwy bregethu Pelagiaeth. Yn 430 OC dilynwyr Pelagius oedd yn gyfrifol am guro'r Saeson ym mrwydr Maes Garmon lle y dywedir eu bod wedi cario'r dydd trwy weiddi 'Haleliwia'. Deallwn hefyd fod Dewi yn feirniadol o'i waith ond nid oedd mor elyniaethus â mawrion yr eglwys ganolog. Heddiw, cyfaddefir nad oedd syniadau Pelagius mor chwyldroadol â hynny, ond y mae ei statws fel rebel wedi parhau. Ym 1951 cyhoeddodd John Cowper Powys nofel o dan y teitl *Porius* sy'n cynnwys ymdriniaeth â syniadau cymdeithasol Pelagius. Tua'r un cyfnod, cyhoeddodd gasgliad o draethodau ar fywyd a gwaith yr ysgolhaig o dan y teitl gogleisiol *Obstinate Cymric*.[11]

Yr eglwys ôl-Rufeinig (410-550 OC)

Yn nyddiau olaf yr Ymerodraeth gwelwyd dirywiad mawr yng nghyflwr yr eglwys ar draws Ewrop wrth i'r weinyddiaeth ganolog ddadfeilio. Ym Mhrydain, ciliodd nifer o deuluoedd dylanwadol o'r dinasoedd i'r wlad i osgoi'r trethi ac i fyw bywyd llai uchelgeisiol. Erbyn hyn, yr oedd atyniad y bywyd trefol wedi pylu gan fod llai o arian ar gael i gynnal cyfleusterau cyhoeddus. Wedi i'r fyddin ganolog adael yn 410 OC gwaethygodd y sefyllfa wrth i'r Saeson gipio mwy a mwy o dir yn y de. Dyma pryd y cawn gipolwg ar gyflwr truenus y wlad yng nghofnodion enwog Gildas, y *De Excidio et Conquestu Britanniae*.[12] Clywn am drefi yn cael eu difrodi gan yr ymosodwyr, a'r clerigwyr a'u cynulleidfaoedd yn cael eu lladd. Yn ffodus, yr oedd yr Hen Ogledd yn ddigon pell o'r gyflafan a cheir tystiolaeth fod rhai Cristnogion o'r de wedi ffoi tua'r gogledd am ymgeledd. Yn yr Hen Ogledd, llwyddodd gweddillion y fyddin i gadw rhyw lun o drefn amddiffynnol er bod y tâl o goffrau'r Ymerodraeth wedi darfod. Yn ôl pob tebyg, dyma pryd y codwyd yr eglwysi a welir y tu mewn i furiau rhai o gaerau Rhufeinig yr ardal. Gwyddys bod gweddillion eglwys o'r cyfnod yn Bewcastle, Stanwix a Moresby ac yn Lancaster, lle codwyd caer newydd i amddiffyn yr arfordir. Yn ne-orllewin Lloegr, gwyddys bod rhai ffoaduriaid wedi cyrraedd y rhanbarth o Gâl gan fod yna fosaics a delweddau Cristnogol i'w gweld mewn *villae* a godwyd mewn cyfnod diweddar.

Y dystiolaeth sicraf o oroesiad cymuned o Gristnogion yn y cyfnod ôl-Rufeinig yw gweddillion yr hen eglwys, a'r arysgrif a welir ar eu cerrig nadd. Arwydd dadlennol arall yw'r symbolau Cristnogol a welir ar y cafnau plwm a ddefnyddid i ddal dŵr. Y mae gan lawer o'r cafnau wasgnod o'r *Chi-Rho* ar eu hwyneb, a chan eu bod yn drwm, rhaid derbyn nad oeddynt wedi eu cludo yn bell. Yn eu cyfrol *An Atlas of Roman Britain*[13] cyflwynodd Barri Jones a David Mattingly fap i ddangos dosbarthiad hen olion Cristnogol. Erbyn 500 OC yr oedd y Saeson wedi goresgyn cryn dipyn o'r de-orllewin felly nid yw'n syndod gweld bod olion yr eglwys wedi diflannu'n llwyr o'r ardaloedd hyn. Arwydd arall o hen ganolfan Gristnogol yw'r elfen *eccles* mewn enw lle. Yng Nghymru, y mae'r rhagddodiad 'llan' wedi disodli enwau o'r fath ond y mae pymtheg *eccles* wedi aros yn yr Hen Ogledd.

Y mae'r dasg o ddehongli'r arysgrif a dorrwyd ar gerrig nadd y cyfnod yn faes dyrys gan fod yna wahaniaethau sylweddol yn eu harddull. Yn y gogledd, Lladin oedd iaith pob arysgrif, ond yn y gorllewin gwelwyd cyfuniad o'r Lladin ac Ogam, gwyddor a oedd newydd gyrraedd Prydain o Iwerddon. Yn ei gyfrol *Wales and the Britons* y mae gan Charles-Edwards bennod hir i drafod dosbarthiad y cerrig a'r gwahaniaethau. Nododd bod dirywiad yn ansawdd y cerfio gyda threigl amser ond yr oedd Lladin y testun yn dal o safon uchel. Un newid cyffredin oedd y math o lythrennau a ddewiswyd gan y naddwr. Dim ond prif lythrennau oedd ar y cerrig cynnar ond wedyn gwelwyd mwy o lythrennau bach. Beddfeini yw'r mwyafrif o'r cerrig a oroesodd, ond y mae hefyd gerrig a godwyd i nodi ffin weinyddol neu berchnogaeth tir. Yn y cyfnod ôl-Rufeinig, ymddengys fod defnyddio Lladin ar garreg fedd yn arwydd o statws ac yn ffordd o arddel elfen o *romanitas* mewn cymdeithas a oedd yn prysur ddadfeilio.

Does dim lle i drafod arwyddocâd diwylliannol y cerrig mewn pennod fel hon, ond y mae'n werth cyfeirio at yr arysgrif a dorrwyd ar ddau feddfaen o'r Hen Ogledd. Y gyntaf yw'r garreg sy'n dal i sefyll

Carreg Latinus, Whithorn

yn Whithorn, canolfan dybiedig Ninian. Deellir o'r arysgrif bod y garreg wedi ei chodi i gofio gŵr o'r enw Latinus a'i ferch fach bedair oed. Dyddiwyd y garreg i ganol y bumed ganrif ac yr oedd y geiriau a dorrwyd ar ei hwyneb yn ddigon i brofi bod y teulu yn Gristnogion:

> Clodforwn di Arglwydd! Latinus disgynnydd i Barravados, 35 oed a'i ferch 4 oed a osododd yr arwydd hwn.

Enw Lladin oedd Latinus ond yr oedd ei dad Barravados wedi cadw enw Brythonig. Tystia'r cyfarchiad agoriadol fod Latinus yn Gristion ond nid yn rhy selog i nodi ei oedran ar y garreg. Credir bod y garreg a welir yng nghladdfa Kirkmadrine yn perthyn i gyfnod diweddarach gan fod yna lun o groes ar ffurf *Chi Rho* ar ei hwyneb. Ffurf wallus o HIC IACIT ('Yma Gorwedd') yw'r HICIACENT, arwydd, o bosib, nad oedd y cerfiwr yn rhugl yn yr iaith. Fel arfer, codid cerrig o'r fath i gofio un person, ond yn Kirkmadrine nid un enw sydd ar y garreg, ond cyfeiriad at dri offeiriad. Dyna arwydd fod yna eglwys lewyrchus yn bod mewn ardal ddigon diarffordd er bod y safle yn agos at Whithorn ac at gaer *Alauna* yn Maryport. Yn y cyfnod Rhufeinig yr oedd *Alauna* yn un o ganolfannau masnach pwysicaf y Rhufeiniaid yng ngwlad y Carvetii ac yn mewnforio nwyddau o borthladdoedd ar draws yr Ymerodraeth. Enw duwies Geltaidd oedd *Alauna* ond gwyddys o ddarganfyddiadau diweddar mai Cristnogion oedd trigolion y *vicus* yn y bumed ganrif.

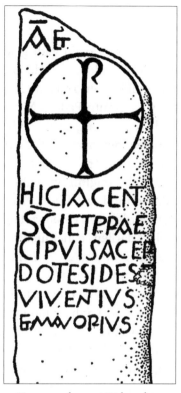

Y garreg o fynwent Kirkmadrine

Yn y bedwaredd ganrif ar bymtheg, daethpwyd ar draws pentwr o allorau paganaidd a oedd wedi eu claddu mewn twll yng nghanol y gaer. Yn 1900, agorodd John Senhouse, aelod o deulu bonedd lleol, amgueddfa i arddangos yr allorau a llwyth o greiriau o'r un cyfnod. Yr oedd dod o hyd i gynifer o allorau mewn un twll yn awgrymu bod trigolion y *vicus* wedi profi tröedigaeth sydyn. Cafwyd cadarnhad o afael y ffydd ar drigolion *Alauna* pan ddaethpwyd o hyd i fynwent y *vicus* a threfnu prosiect i archwilio'r beddau. Archaeolegwyr o Brifysgol Newcastle oedd yn gyfrifol am y gwaith, ac yn 2012, daethpwyd o hyd i gasgliad o feddau o'r bumed ganrif a fyddai'n trawsnewid ein dealltwriaeth o ddylanwad cynnar y ffydd yn yr Hen Ogledd. Deallwyd o batrwm y claddu fod y meirw yn Gristnogion gan fod y cyrff i gyd yn wynebu'r dwyrain. Wedi trefnu cyfres o fesuriadau, sylweddolwyd hefyd fod y beddau yn perthyn i fwy nag un cyfnod. Dyma gadarnhad fod trigolion *Alauna* wedi cadw'r ffydd am ganrif a mwy wedi diwedd yr Ymerodraeth. Nid rhyfedd felly oedd darganfod bod sant enwocaf y cyfnod yn hanu o Gaerliwelydd a bod lle i gredu bod gan ei deulu stad ar yr arfordir heb fod ymhell o'r gaer.

Enw'r sant oedd Padrig, ac er ei fod wedi treulio y rhan fwyaf o'i oes yn Iwerddon, yr oedd ei deulu yn hanu o ardal Caerliwelydd. Yn wahanol i lawer o'r saint Celtaidd, gellir cynnig darlun hynod lawn o fywyd a gwaith Padrig. Nid oes dim o'i law wedi goroesi ond credir bod y copïau a gadwyd o'i lythyron yn debyg iawn i'r gwreiddiol. Y ddogfen bwysicaf yw'r *Conffesio* (Cyffes), llythyr sy'n disgrifio ei fywyd cynnar, ei waith cenhadol yn Iwerddon a'i frwydrau gyda phwysigion yr eglwys ym Mhrydain. Y mae'r llythyr a ddanfonodd at filwyr *Coroticus*, arweinydd Alclud, hefyd o ddiddordeb, gan ei fod yn tanlinellu cysylltiad Padrig â'r Hen Ogledd. Gellir darllen cyfieithiadau o'r ddau lythyr yng nghyfrol Philip Freeman, *St Patrick of Ireland*,[14] a gweld adluniau o'r ysgrifau ar y wefan confessio.ie.

Yn y *Conffesio*, cyfeiria Padrig at gefndir ei deulu, ei gyfnod yn gaethwas a'i ymdrechion cynnar yn genhadwr. Deallwn o'r cychwyn fod Padrig yn aelod o deulu breintiedig o'r Hen Ogledd a bod ei dad (*Calpornius*) yn ddiacon a'i dadcu (*Potitus*) yn offeiriad. Nid oedd ymgymryd â swyddi o'r fath o hyd yn arwydd o dduwioldeb gan fod gan weinyddwyr yr eglwys yn y byd Rhufeinig freintiau cymdeithasol. Ni wyddys ble yn yr Hen Ogledd y ganwyd Padrig, ond ymddengys bod gan ei deulu dŷ mewn dinas a stad wrth ymyl y môr. Cyfeiria Padrig at ei dref enedigol fel *Bannaventa Berniae*, ond nid oes yna gofnod o'r enw mewn unrhyw ddogfen o'r cyfnod. Yn ôl rhai, camsillafiad o *Glannoventa* yw'r enw, ond yr oedd y porthladd hwnnw ar arfordir deheuol Ardal y Llynnoedd ac felly yn bell o Gaerliwelydd. Cynnig mwy credadwy yw *vicus* Birdoswald ym mhen gorllewinol Mur Hadrian. *Banna* oedd hen enw'r safle ac y mae'n agos i Gaerliwelydd ac yn gymharol agos i'r môr.

Plentyn ysgol oedd Padrig pan gipiwyd ef gan fôr-ladron a'i ddwyn i Iwerddon pan oedd ar ymweliad â stad y teulu ger y môr. Yr oedd cyrchoedd o'r fath yn gyffredin ar y pryd ac yn fodd i gynnal marchnad ffyniannus mewn caethion. Yn ôl yr hanes, gwerthwyd Padrig i ffermwr o orllewin Iwerddon lle bu'n rhaid iddo warchod defaid ar yr ucheldir am gyfnod hir. Yn y byd Celtaidd, yr oedd gwarchod gwartheg yn waith safonol, ond swydd i wehilion cymdeithas oedd bugeilio defaid. I un a oedd yn anghyfarwydd â gwaith caled, mae'n rhaid bod y profiad wedi bod yn un dirdynnol. Serch hynny, deallwn fod Padrig wedi profi rhyw fath o dröedigaeth ysbrydol ac wedi ymserchu yn y wlad a'i phobl:

> Yma yn Iwerddon yr agorodd Duw fy nghalon – er bod y sylweddoliad braidd yn hwyr – deuthum i adnabod fy ngwendidau a chynnig fy holl galon i fy Arglwydd a'm Duw.

Wedi byw yn eu mysg am gyfnod, mae'n rhaid bod Padrig yn rhugl mewn Gwyddeleg, tasg gymharol hawdd i un a fedrai'r Frythoneg. Deallwn o'r *Confessio* mai dyna oedd iaith y teulu a bod Padrig yn dal i ymboeni bod safon ei Ladin yn wael:

> Yr own i wedi bwriadu sgrifennu'r llythyr hwn beth amser yn ôl, ond gohiriais y gwaith gan fy mod yn ofni y byddai'r bobl yn chwerthin ar fy mhen. Chi'n gweld, ni chefais i'r un cyfle addysgol â'm cyfoedion. Yn wahanol iddyn nhw, ni chefais y fraint o astudio'r clasuron flwyddyn ar ôl blwyddyn. Doedd dim rhaid iddyn nhw ddysgu iaith newydd, dim ond sgleinio eu Lladin nes ei bod bron yn berffaith. Rydw i'n sgrifennu Lladin fel iaith estron o hyd.

Yn y drefn Rufeinig, yr oedd plant y pwysigion yn dysgu darllen ac ysgrifennu Lladin yn gynnar iawn ond ni thrwythid hwy yn y clasuron nes cyrraedd eu harddegau.

Wedi treulio chwe blynedd yn y gorllewin, teithiodd Padrig i ddwyrain y wlad i chwilio am long a allai ei gario i Brydain. Menter beryglus i gaethwas oedd ffoi, ond y mae'n rhaid bod Padrig yn ddigon cyfrwys i osgoi unrhyw ddrwgdybiaeth. Wedi cyrraedd arfordir dwyreiniol Iwerddon, cafodd swydd yn forwr ar long a oedd ar fin hwylio i Brydain. Cŵn hela oedd rhan o'r cargo, a chan nad oedd Padrig yn forwr, rhaid tybio bod y ffaith ei fod yn arfer trin cŵn wedi bod yn fodd iddo ennill ei le. Yn y *Conffesio*, disgrifir y fordaith fel un hir a thrafferthus, ond ni wyddys ble y glaniodd y llong. Ceir

Y beddrodau a dorrwyd yn y graig ger Eglwys Sant Padrig yn Heysham

traddodiad fod Padrig wedi glanio ar arfordir Swydd Gaerhirfryn yn agos i borthladd modern Heysham. Yn yr wythfed ganrif, codwyd eglwys a gysegrwyd i'w enw ar gyrion y traeth ac y mae adfeilion eglwys o'r chweched ganrif gerllaw. Olion mwyaf trawiadol y safle yw'r beddau a dorrwyd yn y graig ac y mae twll i ddal croes o bren wrth ben bob bedd.

Wedi dychwelyd i'w hen ardal, treuliodd Padrig beth amser gyda'i deulu cyn hiraethu am Iwerddon a pharatoi i ddychwelyd yn genhadwr. Cred rhai ei fod wedi gwneud hyn wedi marwolaeth ei dad ac wedi iddo etifeddu swm sylweddol o arian. Ni wyddys faint o gefnogaeth a gafodd gan yr eglwys ym Mhrydain, ond ymddengys nad oedd ei ffordd o drefnu'r genhadaeth yn plesio pawb. Yr oedd Padrig yn Rhufeiniwr i'r carn ond gwyddai na ellid sefydlu esgobaethau mewn gwlad fel Iwerddon lle roedd bywyd cefn gwlad yn dal yn gyntefig. Dull Padrig o genhadu oedd ennill cefnogaeth pwysigion pob ardal cyn sefydlu eglwys ar sail eu nodded. I hybu trefniadau o'r fath rhaid oedd cynnig anrhegion i'w ddilynwyr yn y modd traddodiadol. Arfer a arweiniodd at gyhuddiadau o lwgrwobrwyo gan rai o bwysigion yr eglwys oedd yn eiddigeddus o'i lwyddiant.

Gellir dysgu mwy am berthynas Padrig a'r eglwys ganolog o'r llythyr a ddanfonodd at filwyr *Coroticus*, brenin Alclud (Ceredig y traddodiad Cymreig) wedi cychwyn ei genhadaeth. Cylchlythyr at arweinwyr yr eglwys ym Mhrydain oedd y ddogfen i achwyn bod y brenin wedi danfon mintai o filwyr i Iwerddon i hel caethweision. Yn waeth na dim, yr oedd wedi gwneud hyn ar Sul y Pasg ac wedi cipio rhai a oedd yn aelodau o eglwys Padrig. Dengys cynnwys y llythyr ddicter y sant at ei gydwladwyr, 'Cristnogion' a oedd yn barod i droi at arfer paganaidd. Fel cyn-gaethwas, gallai Padrig uniaethu â'r trueiniaid a gipiwyd yn Iwerddon, felly nid syndod gweld ei fod mor feirniadol o weithred ffiaidd:

Mae eich dwylo yn diferu â gwaed y Cristnogion diniwed a laddwyd. Y Cristnogion y bûm yn eu meithrin a'u harwain at Dduw. Yr oedd rhai a gipiwyd yn eu gynau gwynion gan eu bod newydd eu bedyddio, ac yr oedd arogl olew'r eneiniad ar y pennau a chwalwyd gan eich cleddyfau!

Ond yr ergyd lymaf oedd ei gyfarchiad agoriadol:

Fel y gwelwch, ni chyfeiriais atoch fel 'fy nghyd Rufeinwyr' – na – mae eich troseddau wedi eich gwneud yn ddinasyddion i Uffern.

Yn y cyfnod ôl-Rufeinig yr oedd cyhuddiad o'r fath yn ergyd i'r galon, gan fod holl Frythoniaid Prydain yn ymfalchïo yn eu cefndir clasurol. Yr oedd y ffaith fod yr ymosodwyr yn hanu o ardal ei febyd yn peri mwy o boen gan fod Padrig, yn ôl pob tebyg, mewn cysylltiad cyson gyda theulu a ffrindiau.

Heddiw, dim ond chwedlau sydd ar ôl i gysylltu Padrig ag Ardal y Llynnoedd, ond y mae lle i gredu ei fod wedi dysgu'r grefft o genhadu yn ei dyffrynnoedd. Prin iawn yw'r eglwysi sy'n dwyn ei enw, ond y mae un yn Patterdale, un yn Preston Patrick, ac un arall yn Bampton. O'r tair, eglwys Sant Padrig yn Patterdale yw'r un â'r cysylltiad mwyaf credadwy â'i ddyddiau cynnar yn genhadwr. Yn ôl un traddodiad lleol, arferai Padrig drefnu cyfarfodydd bedydd ar lan llyn Ullswater lle yr oedd yna bistyll yn llifo o'r graig. Yn Oes Fictoria codwyd adeilad carreg dros y pistyll i'w ddiogelu, ac erbyn hyn, y mae'r heneb yn sefyll wrth ymyl ffordd brysur. Lle arall a gysylltir â Padrig yw Aspatria, pentref rhwng Maryport a Wigton. Dywedir fod yr enw yn gyfuniad o enw'r sant a gair y Llychlynwyr am onnen a, hyd yn ddiweddar, yr oedd yna onnen fawr yn tyfu yn y fynwent. Yn ôl y chwedl, yr oedd hi wedi tyfu o ffon a blannodd Padrig yn y ddaear ond rhaid nodi fod yna chwedlau tebyg wedi eu llunio am nifer o seintiau Celtaidd.

Yr Eglwys Geltaidd (550–634 OC)

Y mae llwyth o lyfrau wedi eu cyhoeddi ar yr 'Eglwys Geltaidd' er nad oedd yna sefydliad o'r fath yn bod. Eglwys yn perthyn i ran arbennig o Ewrop mewn cyfnod arbennig oedd yr 'Eglwys Geltaidd', nid sefydliad annibynnol. Yn y bennod hon, defnyddiaf yr enw i ddisgrifio'r eglwys yn Iwerddon, yr Alban a gorllewin Prydain cyn i ddylanwad yr eglwys Seisnig ledu yn y seithfed ganrif. Nodweddion amlycaf yr Eglwys Geltaidd oedd ei natur cymdeithasol, ei cheidwadaeth a'i pharch at ddysg ac athroniaeth. Cymeriad annibynnol cymunedau gwasgaredig y gorllewin oedd yn rhannol gyfrifol am ei meddylfryd, ond yr oedd yna hefyd ddylanwadau allanol. I flasu naws y traddodiad ni ellir gwneud gwell nag adrodd hanes yr Eglwys Fore yn Iwerddon a'r newidiadau a welwyd ym Mhrydain wrth i'r hen drefn Rufeinig ddadfeilio.

Y ffynnon ar lannau Ullswater lle dywedir bod Padrig wedi bedyddio ffyddloniaid

Yn y bumed ganrif, strwythur esgobol oedd i'r eglwys ym Mhrydain, ond wedi diffoddiad yr Ymerodraeth, gwelwyd cynnydd yn y traddodiad mynachaidd. Ceir cyfeiriad at fynachlogydd yn *De Excidio* Gildas ac, os credir tystiolaeth Columbanus, yr oedd Gildas yn awdurdod ar y drefn fynachaidd. Ar y cyfandir, prif ddehonglwr y drefn newydd oedd Sant Martyn o Tours, gŵr a oedd wedi troi yn heddychwr yn dilyn cyfnod yn y fyddin. Myn rhai mai ymateb i gwymp yr Ymerodraeth yr oedd y mudiad mynachaidd gan ei fod yn cynnig cyfle i encilio o'r byd materol a oedd yn prysur ddadfeilio. Rhyfedd, felly, gweld mai yn Iwerddon, gwlad ar ymylon yr Ymerodraeth, y gwelwyd y cynnydd mwyaf yn y drefn fynachaidd a'r awydd i ledu'r traddodiad i Ewrop. Fel y sylwodd aml hanesydd, y mae gan Iwerddon y ddawn o amsugno dylanwadau o amryfal ffynonellau cyn eu hallforio i'r byd mewn gwedd newydd. Dyna a ddigwyddodd yn hanes y ffydd Gristnogol, lle llwyddwyd i addasu traddodiadau o dri chyfeiriad:

- O'r Hen Ogledd o dan ddylanwad Padrig a Palladius.
- O Gâl a de Cymru o dan ddylanwad saint fel Illtud a Dewi.
- O'r Dwyrain Canol o dan ddylanwad yr Eglwys Uniongred.

Y cyflwyniad gorau i'r dylanwadau amryfal hyn yw cyfrol E. G. Bowen, *Saints, Seaways and Settlements*. Yn y gyfrol, awgrymir y gellir gweld ôl y tri thraddodiad yn yr enwau a gadwyd ar eglwysi Iwerddon, a'r chwedlau a adroddir ar lafar gwlad. Nid damwain, felly, yw'r ffaith fod nifer o eglwysi yn y gogledd-ddwyrain wedi eu cysegru i Padrig, gan mai yno yr oedd maes ei lafur. Yn y canoldir, y mae dylanwad Palladius, sant o Lydaw, yn fwy amlwg, gan ei fod wedi dechrau ei genhadaeth yno wedi croesi'r môr o Gymru. Yn ôl dogfen a gedwir yn yr Eidal, ardal Wiclow oedd maes llafur Palladius a oedd wedi dechrau ei genhadaeth cyn i Padrig deithio i'r gogledd. Ar ddiwedd ei oes, dywedir bod Palladius wedi gorfod ffoi i'r Alban am ei fod wedi digio'r brenin a cheir traddodiad ei fod wedi ei gladdu yn Auchenblae, pentref ger Aberdeen. Canoldir Iwerddon oedd maes llafur llawer o'r cenhadon Cymreig a dywedir bod Dewi yn ymwelydd cyson. Addysgwyd nifer o saint y cyfnod yn Llanilltud Fawr ac yr oedd yna nifer o Wyddelod yn cenhadu yng ngogledd Sir Benfro. Y mae dylanwad yr Eglwys Uniongred ar ddatblygiad mynachaeth yn Iwerddon yn llai amlwg, ond y mae nifer o gysylltiadau dadlennol. Un gwaddol awgrymog yw dosbarthiad yr eglwysi lle gwelir yr elfen *diseart* yn eu henw. Ystyr *diseart* oedd 'diffeithwch' ac fe ddefnyddid yr enw i ddisgrifio sefydliad a oedd wedi encilio o olwg y byd. Yn Iwerddon, y mae trwch y *disearts* i'w gweld yn ne'r ynys, maes llafur mynaich o'r Eglwys Uniongred. Y mae dau 'Diserth' yng Nghymru hefyd, arwydd o hen gysylltiad gydag eglwys Iwerddon. *Diseart* mwyaf anghysbell Iwerddon yw'r celloedd a godwyd ar Skellig Michael, craig sy'n sefyll yng nghanol y môr tuag wyth milltir o arfordir Cerri. Yng Nghymru, yr oedd yna gymunedau tebyg yn byw ar Ynys Enlli, Ynys Bŷr ac Ynys Dewi a rhai ynysoedd llai hysbys. Yn Ardal y Llynnoedd, ynysoedd bach y llynnoedd a ddenodd y mynachod ac yr oedd yna gell sant ar ynys Sant Herbert, Derwentwater.

Yn 2006, cafwyd golwg newydd ar y gyfathrach a fu rhwng yr Eglwys Geltaidd a'r eglwys yn y Dwyrain Canol pan ddaethpwyd ar draws cyfrol o salmau mewn cors yn Tipperary. Peiriant torri mawn a ddatgelodd y trysor, ac erbyn hyn, y mae'r 'Faddan More Psalter' yng ngofal yr Amgueddfa Genedlaethol yn Nulyn. Bernid fod y mynach a luniodd y gyfrol yn aelod o fynachlog yn Iwerddon, ond yr oedd ei arddull yn debyg i ysgrifwyr Gâl. Yr oedd y patrymau a ddewiswyd i addurno'r gyfrol mewn cyflwr arbennig o dda, ond bu'n rhaid trin y tudalennau yn ofalus cyn gweld y cynnwys. Ond nid y cynnwys oedd y darganfyddiad mwyaf cyffrous, ond y defnydd a osodwyd o dan ledr y clawr i gryfhau'r meingefn. Yn Iwerddon yr arfer cyffredin oedd defnyddio darnau tenau o bren, ond stribedi o bapurfrwyn (*papyrus*) oedd o dan glawr y 'Faddan More Psalter'. Dyma adnodd cwbl estron i Iwerddon, felly rhaid derbyn bod y clawr, os nad y cynnwys, wedi ei lunio yn y Dwyrain Canol. Yn y cyfnod dan sylw, yr oedd cenhadon yr Eglwys Uniongred mewn cysylltiad agos â Choptiaid yr Aifft, felly rhaid cynnig fod y clawr wedi cyrraedd Iwerddon yn sgil y gyfathrach honno.

Wedi talu cymaint o sylw i'r eglwys yn Iwerddon rhaid sôn am ddylanwad pellgyrhaeddol ei chenhadon, nid yn unig ym Mhrydain, ond ar draws cyfandir Ewrop. Yn ei chyfrol ddadlennol, *The Age of the Saints in the Early Celtic Church*, cynigiodd Norah Chadwick bod croesi o'r bumed i'r chweched ganrif yn Iwerddon fel symud o'r byd modern i fyd Tadau'r Diffeithwch! O dipyn i beth, collwyd pob golwg ar yr hen drefn Rufeinig a mabwysiadwyd trefn fynachaidd a oedd yn gydnaws â hanes y Gwyddyl a'r Cymry. Serch hynny, yr oedd yna fân wahaniaethau rhwng traddodiadau'r gangen Wyddelig a'r gangen Gymreig o'r Eglwys Geltaidd. Yn Iwerddon, cadwodd y mynachod eu diddordeb yn chwedlau'r hen fyd, ond ymddengys fod eu cymrodyr yng Nghymru yn fwy parod i angofio'r gwaddol 'paganaidd'. Oni bai am gopïwyr Iwerddon, fe fyddai trysorau fel y *Táin Bó Cúailnge*, wedi mynd ar goll heb sôn am liaws o hen gerddi. Yng Nghymru, yr oedd dylanwad y byd clasurol yn dal yn fyw ac yr oedd yna duedd i hepgor yr hen draddodiad. Gwelwyd yr un duedd yn eu hagwedd at swyddogaeth y bardd gan fod y beirdd Gwyddelig yn fwy parod i daro tant ysgafn neu delynegol. Dyma gyfieithiad o gerdd a gyfansoddwyd gan fynach o Iwerddon i'w gath ar gychwyn y nawfed ganrif. 'Pangur Bán' ('Pangwr Wen') oedd enw'r gath ac y mae ynddi drosiad hynod o effeithiol:

> Mae gennyf i a'm cath Pangur
> Ddiddordebau tebyg iawn.
> Ei hoffter ef yw dal y llyg
> I mi dal syniad yw y ddawn.

Nid oedd gwahaniaethau o'r fath o bwys mawr i fywyd yr eglwys, ond yr oedd agwedd betrusgar y Cymry at ledu'r ffydd i dir y Saeson yn ddatblygiad tyngedfennol. Ceir digon o dystiolaeth i brofi bod y cenhadon a hwyliodd o Iwerddon i Brydain yn awyddus i bregethu'r ffydd i bawb. Am resymau digon amlwg nid oedd hyn yn wir am y cenhadon Cymreig, er eu bod yn ddigon parod i genhadu ar gyfandir Ewrop. I gyfleu peth o naws y gangen Wyddelig a'r gangen Gymreig o'r Eglwys Geltaidd priodol felly yw adrodd hanes dau sant o'r Hen Ogledd i amlygu bydolwg y ddwy garfan.

Sant enwocaf y gangen Wyddelig o'r Eglwys Geltaidd ym Mhrydain oedd Colum Cille (521-597 OC), gŵr o Ddonegal a ffodd i'r Alban rhag llid uwch-frenin Iwerddon. Colum oedd yn gyfrifol am sefydlu'r fynachlog enwog ar ynys Iona, sefydliad a fu'n fodd i ledu'r ffydd i Saeson y gogledd-ddwyrain. Ei olynydd ar ynys Iona, Adomnán, oedd awdur buchedd Colum felly gallwn fod yn hyderus fod yna dipyn o hanes dilys yn y ddogfen. Yn y fuchedd, sonnir am allu Colum fel diplomydd mewn cyfnod ansicr iawn yn hanes yr Hen Ogledd. Yn y chweched ganrif, gwladfa fach oedd teyrnas y Gwyddelod yn y gorllewin, ond yr oedd y brenin Conall yn awyddus i ledu ei ddylanwad. Cadarnle'r deyrnas oedd *Dún Ard* ('Dunadd'), hen gaer o'r Oes Haearn a safai ar fryn serth ger pentref Kilmartin yn Argyll. Dengys y llun tros y dudalen adfeilion un o'r muriau a godwyd

Caer Dunadd, cadarnle Gwyddyl Dál Riata

yng nghyfnod y Gwyddyl i amddiffyn y copa. Fel y gwelir, yr oedd y safle yn lle defrydol i gadw golwg ar y wlad ac yr oedd yn ddigon agos i'r môr i'w gyflenwi yn rhwydd o Iwerddon. Dywedir fod y ffynnon a suddwyd o'r copa yn ddigon dwfn i wrthsefyll gwarchae hir ac yr oedd yna ddigon o le i gorlannu diadell o ddefaid y tu mewn i'r muriau. Yn ôl yr hanes, darn o dir i'r de o *Dún Ard* oedd arhosfan cyntaf Colum cyn llunio'r cynllun o agor mynachlog ar ynys Iona. Ei gam cyntaf oedd teithio i *Dún Ard* i ofyn am ganiatâd Conall i genhadu ar yr ynys. Yno, dysgodd bod yr ynys yn rhan o wlad y Pictiaid, felly rhaid oedd teithio mor bell ag Inverness i drafod y cynllun gyda Bridei, brenin y Pictaid. Yn y fuchedd, ceir disgrifiad manwl o'i daith tua'r gogledd, lle dywedir fod Colum wedi hwylio ar hyd Loch Ness mewn *curagh*. Ar y ffordd, glaniodd ar aber afon Ness ger Drumnadrochit lle yr oedd yna anifail mawr wedi lladd nofiwr mentrus. Dyma'r disgrifiad cyntaf o anghenfil Loch Ness, er nad oedd yr anifail a ddisgrifir o faint mawr. Yn ôl y fuchedd, gyrrodd Colum y bwystfil yn ôl i ddyfnderoedd y llyn trwy ymgroesi a chynnig gweddi, thema gyffredin ym mucheddau'r saint ar hyd yr oesoedd!

Yn ôl rhai, pagan oedd Bridei brenin y Pictiaid, ond yr oedd yn ddigon doeth i gydsynio â chynllun Colum. Gydag amser, tyfodd mynachlog Iona i fod yn un o ganolfannau addysgol pwysicaf yr Eglwys Geltaidd. Lluniwyd cannoedd o ddogfennau crefyddol yn ysgrifdy'r fynachlog a dywedir bod Colum ei hun yn treulio oriau lawer yn copïo. Dywedir mai Colum oedd awdur y llawysgrif hynaf ym meddiant Academi Frenhinol Dulyn a dylid cofio mai *Doire Colmcille* oedd enw gwreiddiol Derry. Ond yr oedd Colum yn llawer mwy na chofnodydd gan ei fod yn arweinydd ysbrydoledig ac yn ddiplomydd cyfrwys. Yn ystod ei oes hir llwyddodd i ddatrys sawl anghydfod yn yr Hen Ogledd ac yr oedd o hyd yn barod i groesawu ymwelwyr i'w fynachlog a chynnig lloches i ffoaduriaid. Treuliodd Oswallt ac Aldfrith o Northymbria gyfnod o alltudiaeth ar Iona, ac yr oedd yna hefyd ymwelwyr cyson o wlad y Pictiaid. Hyd y gellir barnu, yr oedd y berthynas rhwng y gangen Gymreig a'r gangen Wyddelig o'r Eglwys Geltaidd yn un radlon iawn yn oes Colum. Ar ddiwedd ei oes, dywedir ei fod wedi teithio i Glasgow i weld Cyndeyrn, sant enwocaf y Cymry a oedd hefyd o dras pendefigaidd. Yn ôl yr hanes, mabwysiadodd Cyndeyrn yr enw *Kilmacolm* ('Cell Colum') i ddisgrifio'r fan lle cyfarfu'r ddau, fel arwydd o barch i'w gymrawd. Bu farw Colum wrth ei ddesg ar noswyl y Sulgwyn yn 597 OC cyn iddo orffen ysgrif ar ddarn o femrwn. Ganrif yn ddiweddarach casglwyd rhai o'i esgyrn a'u gosod mewn creirgell wedi ei haddurno â chopr ac arian. Heddiw mae Creirgell Monymusk yn un o drysorau mawr yr Alban a dywedir bod byddin Robert y Briws wedi cludo'r crair i faes y gad cyn buddugoliaeth Bannockburn.

Y mae i'r sant Cyndeyrn (527-612 OC) le pwysig yn hanes yr Hen Ogledd fel aelod o gangen Gymreig yr Eglwys Geltaidd ac fel disgynnydd i deulu brenhinol Rheged. Yn anffodus, yr unig fuchedd i oroesi yw'r un a luniwyd gan y mynach Normanaidd, Jocelyn o Furness (bl. 1175-1214). Yn ôl Jocelyn, seiliwyd y fuchedd ar gofnod cynnar mewn 'iaith farbaraidd', felly rhaid cynnig mai'r Gymraeg oedd yr iaith honno! Gellir darllen cyfieithiad o'r fuchedd ar y we (Fordham.edu/halsall/basis/Jocelyn) ac y mae crynodeb defnyddiol yng nghyfrol A. Macquarie, *The Saints of Scotland: Essays in Scottish Church History A.D. 450-1093*.[15] Yn ei gyflwyniad i'r fuchedd, esboniodd Jocelyn pam yr oedd wedi mynd ynghyd â'r gwaith. Er ei fod yn feirniadol o iaith y Cymry, diddorol gweld ei fod yn awyddus i gyhoeddi cyfrol a allai:

> Flasu gyda halen Rhufeinig yr hyn a gynhyrchwyd gan y barbariaid. Ceisiais wisgo ei fywyd, os nad â sidan wedi ei addurno ag aur, gyda lliain dilychwin.

Yn y fuchedd, honnir mai plentyn siawns i Owain ap Urien oedd Cyndeyrn a bod ei fam (Teneu) yn ferch i Loth, brenin Lleuddiawn. Deallwn hefyd fod y tad wedi ceisio lladd y ferch feichiog trwy ei thaflu o ben clogwyn uchel. Credir mai Trapraine Law, lleoliad hen gaer y Selgovae i'r de o Gaeredin, oedd y clogwyn y cyfeirir ato. Methiant fu ei ymdrech wedi i angel gwarchodol achub y ferch, ond wedyn ceisiwyd cael gwared ohoni trwy ei gwthio i'r môr mewn cwrwgl. Unwaith eto achubwyd ei bywyd wrth i'r gwynt droi i gyfeiriad y tir. Yn ôl y stori, glaniodd y cwrwgl ar draeth ger Culross lle yr oedd yna fynachlog yng ngofal gŵr o'r enw Servanus. Dyna lle y ganwyd y baban a'i enwi yn *Cunotegernos*, cyfuniad o *cuno-* (bytheiad) a *-tegernos* (teyrn), dau air Brythonig a ddefnyddid yn aml yn enwau pendefigion y cyfnod.

Yn ôl y fuchedd, tyfodd Cyndeyrn i fod yn ddisgybl ffyddlon i Servanus ac, yn ddiweddarach, fe fathwyd y llysenw *Mungo* ('mwyn') i ddisgrifio ei gymeriad rhadlon. Pan fu farw Servanus yr oedd Cyndeyrn yn genhadwr profiadol, felly nid syndod gweld ei fod wedi ymfudo o'i fro enedigol i sefydlu mynachlog ar aber afon Clud. Deallwn fod y sefydliad newydd yn sefyll mewn pant gwyrdd (y *glas ceu*) a dyna yw tarddiad 'Glasgow', enw'r ddinas a dyfodd o amgylch y fynachlog. Yn ôl yr hanes, cyfnod byr oedd cyfnod cyntaf Cyndeyrn yn y Glas Ceu gan fod Morcant, brenin Alclud, wedi ei wahardd rhag pregethu. Dyma'r cyfnod pryd y trodd Cyndeyrn ei gamre i gyfeiriad Rheged, gwlad ei gyndeidiau, cyn treulio cyfnod estynedig yn cenhadu yng Nghymru. Ychydig iawn a wyddys am deithiau cenhadol Cyndeyrn yn Ardal y Llynnoedd ond ceir traddodiad ei fod wedi pregethu yn ardal Derwentwater ac wedi codi croes ar gyrion pentref a adwaenir bellach fel Crosthwaite. Honnir hefyd ei fod wedi ymweld ag eglwys hynafol Aspatria cyn hwylio i Gymru o un o borthladdoedd y gorllewin. Wedi glanio rhywle yng ngogledd Cymru dywedir ei fod wedi teithio tua'r de er mwyn treulio cyfnod gyda Dewi yng Nglyn Rhosyn. Gwir neu beidio, y mae'r darlun a gynigir o Gyndeyrn yn cofleidio'r sant wedi cyrraedd Dyfed yn un annwyl iawn:

> Yr oedd yr esgob sanctaidd Dewi yn falch o'i gweld ac fe gofleidiasant ei gilydd ysgwydd wrth ysgwydd. Ac felly treuliodd meibion y gogoniant gyfnod yn cyd-fyw, mewn ufudd-dod i Drefnydd yr Holl Fyd fel dwy lusern yn tywynnu o flaen yr Arglwydd.

Wedi gadael Glyn Rhosyn, adroddir hanes Cyndeyrn yn arwain llu o ddilynwyr i ogledd Cymru i godi mynachlog newydd. Ceir disgrifiad manwl ohonynt yn chwilio am le addas gyda chymorth hwch, cyn codi cyfres o adeiladau syml ar lan afon a mynd ati i drin y tir. Yn y fuchedd, dywedir eu bod wedi codi'r fynachlog ar lan afon *Elu* ('Elwy') yn agos i'r fan lle yr adeiladwyd cadeirlan Llanelwy yn y drydedd ganrif ar ddeg. Asaph, disgybl i Gyndeyrn oedd yn gyfrifol am drefnu'r gwaith, a phan ddaeth yr alwad i ddychwelyd i'r Alban, dewiswyd Asaph yn ben ar fynachlog Llanelwy. Yn ôl yr hanes, Rhydderch Hael oedd wedi gwahodd Cyndeyrn i ddychwelyd a hynny yn fuan wedi iddo etifeddu gorsedd Alclud. Yn y fuchedd, dywedir fod angel wedi ymddangos o flaen Cyndeyrn yn ei ystafell i ymbil arno i dderbyn gwahoddiad Rhydderch gyda'r geiriau:

> Dychwel i'th eglwys yng Nglasgow gan mai yn y lle hwnnw y dyrchefir dy genedl i lwyddiant ymysg y dewisedig trwy gefnogaeth yr Arglwydd.

Yn y fuchedd, dywedir fod Cyndeyrn wedi dychwelyd i Alclud gyda 'chwe chant chwe deg a phump o ddilynwyr' gan adael trichant ar ôl yn Llanelwy. Heddiw y mae cadeirlan Glasgow yn falch i gydnabod ei gwreiddiau Cymreig ond does dim sôn am y sant yng nghofnodion Beda.

Bu farw Cyndeyrn yn hen ŵr yn y flwyddyn 614 OC ac, fel y mwyafrif o saint y cyfnod, lluniwyd chwedlau lliwgar amdano. Y

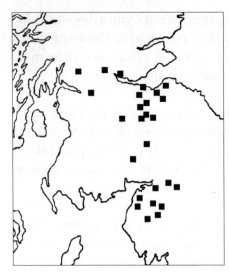

Yr eglwysi a gysegrwyd i Gyndeyrn yn ne'r Alban ac Ardal y Llynnoedd

chwedlau a arhosodd yn y cof yw'r rhai a adroddir am y deryn, y goeden, y gloch a'r pysgodyn. Dyma'r delweddau a ddarlunnir ar arfbais dinas Glasgow hyd heddiw ac fe luniwyd rhigwm syml i gofio'r pedair gwyrth:

Here is the bird that never flew.
Here is the tree that never grew.
Here is the bell that never rang.
Here is the fish that never swam.

Robin goch, a adferwyd gan Gyndeyrn pan oedd yn blentyn yw'r deryn, symbol o'r brigau gwlyb a ddefnyddiwyd gan y sant i gynnau tân gwyrthiol yw'r goeden ac yr oedd y gloch yn rhan o gyfarpar pob cenhadwr teithiol. Y mae'r stori am y pysgodyn yn fwy cymhleth ac, o bosib, wedi ei benthyca o ogledd Cymru. Yn y chwedl, dywedir fod *Languoreth* ('Llangworeth'), gwraig Rhydderch Hael, wedi colli modrwy, anffawd a roddodd gyfle i'w gŵr ei chyhuddo o fod yn anffyddlon. Mewn gwirionedd, Rhydderch oedd wedi taflu'r fodrwy i afon Clud am ei fod yn awyddus i ganlyn merch arall. Wedi clywed yr hanes, gyrrodd Cyndeyrn ei was i bysgota yn yr afon lle daliwyd pysgodyn mawr. Wedi agor y pysgodyn gwelwyd fod yr anifail wedi llyncu'r fodrwy a daeth diwedd i'r cynllwynio. Adroddir stori debyg am ymgais Maelgwn Gwynedd i dwyllo ei wraig, ond y tro hwnnw, Asaph a gyflawnodd y wyrth.

Er bod y chwedlau a adroddir am Cyndeyrn yn rhai digon ffansïol gallwn fod yn hyderus fod yna ddarnau o hanes dilys yn y fuchedd. Y cyntaf i weld y gyfatebiaeth rhwng teithiau chwedlonol Cyndeyrn â'r eglwysi sy'n dwyn ei enw oedd yr ieithydd Kenneth Jackson[16] ac y mae crynodeb o'i sylwadau yng nghyfrol E. G. Bowen. Dengys y map uchod ddosbarthiad yr eglwysi a gysegrwyd i Gyndeyrn yn yr Hen

Eglwys Cyndeyrn yn Mungrisdale

Ogledd. Y mae deg yn ardal Lleuddiawn, tair rhwng Caeredin a Glasgow, pedair ar y ffordd tua'r de a naw yn Ardal y Llynnoedd. Yn ôl buchedd Jocelyn, cyfnod byr oedd cyfnod Cyndeyrn yn Rheged, ond mae'r cof amdano yn yr ardal yn dal yn gryf. Un safle a gysylltir â Chyndeyrn yw'r eglwys fach a godwyd yn nyffryn diarffordd Mungrisdale. Y mae cyfeiriad amlwg at y sant yn enw'r dyffryn gan mai *Mungo* oedd ei enw anwes ac ystyr *Gris Dal* yn iaith y Llychlynwyr yw 'Cwm y Mochyn'. Adeilad o'r ddeunawfed ganrif yw'r eglwys sydd ar y safle heddiw, ond y mae naws hynafol i'r lle ac adfeilion hen adeilad gerllaw. Un nodwedd annisgwyl o'r eglwys yw'r ffenestr o wydr clir a drefnwyd tu ôl i'r allor. Ffordd hwylus i'r bugeiliaid gadw golwg ar eu preiddiau yn ystod pregeth sych. Cynllun modern sydd i'r faner a saif yn y gornel ond y mae'n cynnwys delweddau o'r deryn, y goeden, y gloch a'r pysgodyn sy'n rhan o chwedloniaeth y sant.

Rhaid teithio ymhellach trwy'r bryniau cyn dod o hyd i'r ffynnon lle, yn ôl y traddodiad, yr arferai Cyndeyrn fedyddio trigolion yr ardal. Saif y ffynnon y tu ôl i'r eglwys a gysegrwyd i'r sant yng nghanol pentref Caldbeck. Yn ôl F. J. Carruthers, y mae'r traddodiad o fedyddio plant yn y ffynnon wedi para hyd heddiw gyda'r gynulleidfa

267

yn gwylio'r ddefod o'r bont sy'n croesi'r afon. Yn yr Oesoedd Canol yr oedd Calbeck yn arhosfan bwysig i deithwyr gan fod yna hosbis i gynnig lloches gerllaw. Adeilad o'r ddeuddegfed ganrif yw'r eglwys bresennol, ond credir ei bod yn sefyll ar safle mynachlog o'r chweched ganrif.

Eglwys Northymbria (634–866 OC)

Paganiaid oedd y Saeson a oresgynnodd dde Prydain yn y bumed ganrif ac araf iawn oeddynt i dderbyn Cristnogaeth. Yn 596 OC danfonodd y Pab Gregory Awstin Sant o Gaergaint 'i bregethu i genedl y Saeson' ond gwrthododd Ethelbert, brenin Caint, roi'r gorau i'w hen ddaliadau. Yn y seithfed ganrif, cafwyd mwy o lwyddiant, ond rhaid oedd danfon rhagor o genhadon o Rufain i ymestyn dylanwad y ffydd yn y de. Yn yr Hen Ogledd, yr oedd yr eglwys mewn gwell cyflwr gan fod mynachod o'r gwledydd Celtaidd yn teithio'r ardal i genhadu. Yn ôl yr *Historia*, Rhun, mab Urien, oedd yn gyfrifol am fedyddio Edwin brenin Deira, er nad oedd Beda yn barod i gydnabod hyn. Mae'n rhaid hefyd fod yr eglwys yn y gogledd wedi ei hatgyfnerthu yng nghyfnod Cadwallon, er bod Beda yn condemnio hwnnw fel arweinydd mwyaf barbaraidd y cyfnod.

Yn 633 OC, lladdwyd Penda ym mrwydr 'Maes y Nefoedd' gan roi cyfle i Oswallt, mab yr hen Aethelfrith, esgyn i orsedd Bernicia. Gan fod Oswallt wedi treulio cyfnod o alltudiaeth ar ynys Iona yr oedd yn awyddus i weld mynachod o'r traddodiad Gwyddelig yn cenhadu yn ei deyrnas. Y cenhadwr cyntaf i gyrraedd Bernicia oedd gŵr o'r enw Colman, ond ni chafodd hwnnw fawr o lwyddiant wedi achwyn bod y Saeson yn 'genedl ystyfnig a barbaraidd'. Y cennad nesaf oedd Aidán, olynydd Colum, a oedd wedi dysgu'r grefft o genhadu o dan oruchwyliaeth Sant Senán yn Iwerddon. Yr oedd Aidán yn llawer mwy pwyllog na Cholman ac yn fwy parod i ddiddyfnu'r Saeson oddi ar eu hymlyniad wrth y duwiau paganaidd. Gan nad oedd yn medru'r Saesneg, ei broblem fawr oedd cyfathrebu, ac ar y cychwyn, bu'n rhaid i Oswallt ei ddilyn ar ei deithiau pregethu i gyfieithu. Yn ôl Beda, yr oedd y brenin yn gyfieithydd amyneddgar ac yn awyddus i ddysgu mwy am y ffydd:

Yr oedd Oswallt o hyd yn gwrando yn astud ac yn ddiymhongar ar gynghorion yr esgob. Gan nad oedd yr esgob yn deall fawr o Saesneg, pleser oedd gweld y brenin ei hun yn cyfieithu wrth i Aidán bregethu'r gair.

Pan laddwyd Oswallt ym mrwydr Maes Cogwy, ei frawd Oswiu a etifeddodd y goron. Yr oedd hwnnw hefyd wedi treulio peth amser ar ynys Iona lle yr oedd wedi dysgu'r Wyddeleg a'i drwytho yn arferion y gangen Wyddelig o'r Eglwys Geltaidd. Serch hynny, rhaid cynnig ei fod hefyd wedi dysgu rhywfaint am draddodiadau'r gangen Gymreig gan fod ei wraig, Rhianfellt, yn wyres i Urien. Yr oedd mab cyntaf Oswiu a Rhianfellt (Alchfrith) tua deuddeg oed pan esgynnodd y tad i'r orsedd, felly rhaid barnu bod rhywfaint o Gymraeg i'w glywed yn y llys. Ni wyddys beth oedd tynged Rhianfellt ond, erbyn 644 OC, yr oedd Oswiu wedi priodi Eanfled, merch yr hen frenin Edwin o Deira. Ers i'w thad gael ei ddisodli, yr oedd Eanfled wedi byw yng Nghaint, ac felly yn perthyn i gangen Seisnig yr eglwys. O ganlyniad, yr oedd yn awyddus i wahodd mynachod o'r traddodiad hwnnw i genhadu yn y gogledd, a chyn hir, yr oedd wedi penodi mynach o'r de i ddysgu ei llysfab Alchfrith. Enw'r mynach oedd Wilfrid, aelod o deulu cyfoethog o Deira a oedd wedi treulio y rhan fwyaf o'i oes yn y de. Yr oedd Wilfrid yn fachgen talentog ond, yn anffodus, yr oedd mor falch â phaun gydag agwedd drahaus ac uchel ael. Roedd hyn yn ddylanwad anffodus mewn cymuned 'ryngwladol' a oedd hefyd yn hynod oddefol. O dipyn i beth, llwyddodd i droi Alchfrith yn erbyn ei dad a'i ddarbwyllo i newid defodau'r eglwys a chael gwared o'r mynachod a oedd yn dilyn y drefn Wyddelig. Myn rhai mai dylanwad Wilfrid oedd yn gyfrifol am benderfyniad Oswiu i drefnu Synod Whitby ond yr oedd yna hefyd gymhellion gweinyddol. Cyfarfod i bontio'r agendor rhwng arferion yr Eglwys Geltaidd a gofynion yr eglwys Seisnig oedd Synod Whitby. Ddegawdau ynghynt yr oedd Awstin Sant wedi ceisio gwrthdroi dylanwad yr Eglwys Geltaidd heb fawr o lwyddiant, ond erbyn hyn, yr oedd y dylanwadau Seisnig wedi cryfhau.

Cynhaliwyd y cyfarfod ym mynachlog *Streanaeschalch* ('Bae'r Goelcerth'), sefydliad a oedd yng ngofal yr Abades Hilda, cyfnither i Oswiu. Credir mai mynachlog hynafol Whitby oedd lleoliad y cyfarfod, ond myn eraill mai pentref Strensall ger dinas Efrog oedd safle'r ddadl hanesyddol. Cadwyd dau gofnod o'r synod, un ym muchedd Wilfrid a'r llall yn *Historia Ecclesiastica* Beda. Y cofnod llawnaf yw'r un a geir yng ngwaith Beda, ond rhaid cofio ei fod ef yn hynod o wrth-Gymreig! Prif bwnc y synod oedd y dull o ddewis dyddiad y Pasg, ond yr oedd yna hefyd ddadleuon am arferion cymdeithasol yr Eglwys Geltaidd. Arfer yr Eglwys Geltaidd, fel yr Eglwys Uniongred, oedd dathlu'r Pasg ar Ddydd y Bara Croyw. Yr eglwys ganolog yn Rhufain a newidiodd y drefn er mwy'n gwahanu'r dathliad oddi wrth ŵyl yr Iddewon. Mabwysiadwyd dulliau seryddol i gyfiawnhau'r newid, ac erbyn y seithfed ganrif, yr oedd yna wythnos o wahaniaeth rhwng y Pasg newydd a'r hen ddyddiad. I deulu brenhinol Northymbria yr oedd y gwahaniaeth yn un anffodus, gan fod Oswiu yn dathlu'r atgyfodiad tra oedd ei wraig yn ymprydio! Ond nid dyddiad y Pasg oedd unig faen tramgwydd yr Eglwys Geltaidd, gan fod yna achwyniad bod y mynaich yn eillio'u pen mewn ffordd anweddus a bod gan y merched ormod o lais. Ni chyfeiriwyd at y gwahaniaethau hyn yn y cofnod o Synod Whitby ond yr oeddynt yn gyhuddiadau cyffredin oedd yn cuddio elfen o hiliaeth.

Oswiu ei hun a lywiodd y drafodaeth trwy alw ar gynrychiolwyr o'r ddwy gangen i draethu barn. Agorwyd y ddadl ar ran yr Eglwys Geltaidd gan Colmán, esgob Ynys Metcawd, a oedd hefyd yn un o ddisgyblion Aidán:

> Y mae ein ffordd ni o ddathlu'r Pasg yn dilyn y drefn a hybwyd gan fy mlaenoriaid, y rhai a'm hetholodd yn esgob; a gwyddom fod ein holl ragflaenwyr, gwŷr duwiol, wedi dilyn yr un traddodiad. Rhag i neb gondemnio a gwrthod y dulliau hyn fel ffordd anghywir, rhaid cofio eu bod yn tarddu o arfer yr efengylwr bendigaid Sant Ioan, disgybl a oedd yn annwyl iawn i'n Harglwydd a'r holl eglwysi cynnar.

Wilfrid a atebodd ar ran yr eglwys Seisnig ac fe wnaeth hyn gyda chefnogaeth Eanfled a'i llysfab Alchfrith. Yr oedd ei araith ef yn fwy ymfflamychol ac fe aeth cyn belled â honni mai'r Eglwys

Geltaidd oedd yr unig eglwys i gadw at yr hen arfer o ddathlu'r Pasg:

> Y mae ein ffordd ni o ddathlu'r Pasg yn cyfateb i'r rhai a welir yn
> Rhufain, maes llafur yr Apostolion bendigaid Pedr a Phaul, y
> man lle dioddefodd y ddau a lleoliad eu beddrod. Pan oeddwn ar
> fy nheithiau pregethu, gwelais fod yr un arfer yn gyffredin ar
> draws yr Eidal a Gâl. Ar ben hyn, gwyddom fod y Pasg yn cael ei
> ddathlu ar yr un diwrnod gan wŷr o sawl gwlad ac iaith yn
> Affrica, Asia, yr Aifft a gwlad Groeg. Yr unig ffyliaid i
> wrthwynebu'r holl fyd yw'r Gwyddyl, a'u cymrodyr mewn
> ystyfnigrwydd – y Pictiaid a'r Brythoniaid.

Cyfleus oedd anghofio bod eglwysi'r Dwyrain Canol wedi cadw at yr
hen arfer, nid yn unig yn yr Aifft, ond yng ngwlad Groeg. Ceisiodd
Colman ateb trwy gyfeirio unwaith eto at arfer Ioan yn y dyddiau
cynnar, ond mynnodd Wilfrid mai arfer tros dro oedd hwn i ddenu
mwy o Iddewon i'r eglwys. Yn ôl Wilfrid, yr unig drefn dderbyniol
oedd yr un a hyrwyddwyd gan Pedr, gan mai ef oedd 'carreg sail' yr
eglwys gyfan. Wedi enwi Pedr, 'ceidwad porth y nefoedd', fel
cyfiawnhad, trodd y ddadl yn erbyn yr Eglwys Geltaidd ac ni fu Oswiu
yn hir cyn cydsynio. Nid syndod felly gweld bod Beda yn ymfalchïo
yn y canlyniad gan gynnig sylwadau a oedd ymhell o fod yn
ddiduedd!:

> Fel arfer y mae'r Brythoniaid, trwy eu hatgasedd cynhenid at y
> Saeson, a thrwy eu hymlyniad wrth hen arfer drygionus, yn
> gwrthwynebu dull yr Eglwys Gatholig o ddyddio'r Pasg. Eto, gan
> fod nerthoedd Duw a nerthoedd dyn yn eu herbyn, ni allant
> ennill y dydd, er eu bod yn rhannol gyfrifol am drefnu eu byd, fe
> fyddant yn y diwedd yn ddarostyngedig i'r Saeson.

Yn ei sylw terfynol, nododd Beda fod 'pawb a oedd yn bresennol' yn
barod i ddilyn argymhelliad yr eglwys ganolog, ond nid oedd hyn yn
wir. Wedi'r synod, ymfudodd cyfran sylweddol o fynachod Gwyddelig
a Seisnig Ynys Metcawd i Iona am nodded, cyn symud ymlaen i
Inishbofin ar arfordir Swydd Mayo. Yn anffodus, ni fu'r fenter yn

llwyddiant gan fod y Gwyddelod a'r Saeson yn gymrodyr digon anesmwyth. Yn y diwedd, bu'n rhaid i'r mwyafrif o'r Saeson symud i'r tir mawr i sefydlu mynachlog a adwaenid yn 'Mayo of the Saxons'.

Yr oedd y cyfnod wedi Synod Whitby yn gyfnod anodd iawn yn hanes y gangen Geltaidd o eglwys Northymbria, ond fe lwyddwyd i adfer peth o'r hen drefn. Sant mwyaf dylanwadol y cyfnod oedd Cuthbert a weithiodd yn ddyfal i bontio'r agendor rhwng yr Eglwys Geltaidd a'r gyfundrefn newydd. Brodor o ardal Dunbar oedd Cuthbert, a chan fod yr ardal honno yn rhan o'r Gododdin pan oedd yn blentyn, rhaid cynnig mai'r Gymraeg oedd iaith y teulu. Ceir cofnod fod gwŷr Bernicia wedi gosod Caeredin dan warchae yn 638 OC, ond ni wyddys faint o'r tir cyfagos oedd yn eu gafael bryd hynny. Pan nad oedd ond pymtheg oed ymunodd Cuthbert â mynachlog Melrose ('Y Rhos Foel') lle yr oedd Eata, un o ddisgyblion Aidán, yn abad. Am weddill ei oes bu'n ymladd yn erbyn gofynion haerllug Wilfrid, ond yr oedd hefyd yn ddigon doeth i sylweddoli fod dyddiau'r hen drefn Geltaidd ar ben. Am gyfnod enciliodd i ynysoedd y Farne i osgoi'r holl gecru ond cytunodd i ddychwelyd er mwyn adfer yr eglwys wedi i Ecgfrith sarnu'r wlad. Ar ddiwedd ei yrfa, Cuthbert oedd yn gyfrifol am leddfu peth o'r anniddigrwydd a ddilynodd Synod Whitby. Dengys hanes gwŷr fel Cuthbert fod naws, os nad defodau, yr Eglwys Geltaidd yn dal yn fyw wedi'r rhwyg, ond nid yw haneswyr eglwys Northymbria yn barod i gydnabod ei gwreiddiau Cymreig.

Un stori o waith Beda sy'n cynnig cipolwg o oroesiad yr hen ddiwylliant yw'r un a adroddir am Caedmon: 'bardd cyntaf y Saeson'. Ystumiad o'r enw Cymreig Cadfan oedd Caedmon, tyst ei fod yntau hefyd yn hanu o deulu Cymraeg. Ni wyddom fawr ddim amdano ar wahân i'r ffaith ei fod o gefndir tlawd a'i fod yn gofalu am y gwartheg yn abaty *Streanaeschalch*. Hilda, cyfnither Oswiu, oedd yr abades ac y mae'n rhaid fod y bachgen wedi symud i'r abaty er mwyn gwasanaethu'r eglwys. Dywedir mai ar ddamwain y sylweddolwyd fod ganddo'r ddawn i gyfansoddi, ac yng nghofnodion Beda, disgrifir y ddawn yn wyrth ddwyfol! Yn ôl Beda, Saesneg oedd unig iaith y bachgen a dywedir ei fod mor swil fel na feiddiai ganu emyn mewn cwmni. Rhyfedd darllen felly fod Caedmon wedi dechrau barddoni wedi i angel ymddangos yn ei ystafell a gofyn iddo lunio emyn ar y testun uchelgeisiol 'Dechreuad y Cread'. Erbyn y bore yr oedd Caedmon wedi gorffen y gwaith, ac wedi i'r Abades Hilda glywed perfformiad o'r gerdd, cafodd wahoddiad i ymuno â'r brodyr. Dyna'r stori a adroddir yn y llyfrau hanes o hyd ac nid oes neb wedi cynnig mai bardd yn y traddodiad Cymreig oedd Cadfan. Yn ôl pob tebyg, unig gamp y bachgen oedd dysgu digon o Saesneg i arfer ei grefft mewn iaith newydd. Dyma ddisgrifiad Beda o dalent Caedmon, disgrifiad sy'n ein hatgoffa o dalent rhai o feirdd y talwrn:

So skillful was he in composing religious and devotional songs that, when any passage of Scripture was explained to him by interpreters, he could quickly turn it into delightful and moving poetry in his own English tongue. These verses of his have stirred the hearts of many folk that, despite the world, aspire to heavenly things. Others have tried to compose religious poems in English, but none could compare with him...

Dim ond un gerdd o waith Caedmon sydd wedi goroesi, ac er na ellir profi dim, y mae'r mydr yn ein hatgoffa o waith y Cynfeirdd:

'Nu sculon herigean heofonfonrices Weard
Meotodes meahte and his modge panc
weorc Wuldor-Faeder swa he wundra gehwes'

[Anrhydeddwn geidwad y nefoedd / gallu'r mesurwr mawr a'i amcan / pensaer dwyfol pob rhyfeddod.]

Yn ôl arbenigwyr ar gerddi cynnar, emyn Caedmon yw'r enghraifft gynharaf o 'Germanic alliterative verse', ac mewn un dadansoddiad, nodwyd mai dyma'r unig gerdd lle gwelir olion pendant bod y cyfan wedi ei gyfansoddi ar lafar.

Yn ôl rhai haneswyr, yr oedd llawer mwy na chymhellion ysbrydol y tu ôl i 'dröedigaeth' Oswiu yn Synod Whitby. Perthynas anesmwyth oedd y berthynas rhwng Bernicia a Deira ar y gorau, ac y mae damcaniaeth mai ymgais i glosio at yr hen elyn oedd y tu ôl i'w gefnogaeth i Wilfrid ac Alchfrith. Rhyfedd felly nodi fod y berthynas rhwng y tad a'i fab hynaf wedi dirywio yn fuan wedi'r cyfarfod. Ni wyddys beth oedd gwraidd y ffrae ond y mae cyfeiriad yng nghofnodion Beda fod Alchfrith wedi arwain gwrthryfel yn erbyn ei dad. Fel darpar olynydd, yr oedd Alchfrith wedi ei benodi yn is-frenin ar Deira, felly y mae'n bosib mai ymgais i gipio coron ei dad cyn dod i oed oedd y gwrthryfel. Ar y llaw arall, gellid cynnig mai cefndir teuluol Alchfrith a'r cof am yr hyn a ddigwyddodd i'w fam oedd sail y cweryl. Myn rhai mai cynllwyn ar y cyd gyda'i berthnasau yn Rheged oedd y gwrthryfel, ond does dim i gynnal damcaniaeth o'r fath. Gwyddys bod Oswiu wedi ymosod ar dde Rheged yn y cyfnod dan sylw ond y mae amgylchiadau'r cyrch yn aneglur. Yn ôl un ddamcaniaeth, ymateb Alchfrith i'r ymosodiad oedd y gwrthryfel, ond fe allai gwŷr Rheged fod wedi dechrau'r anghydfod. Wedi'r gwrthryfel, alltudiwyd Alchfrith i ardal ar gyrion y ffin ac fe benodwyd Ecgfrith, y trydydd mab, yn olynydd. Rhaid gofyn felly pam nad enwebwyd yr ail fab, Aldfrith, gan fod hwnnw yn fachgen arbennig o dalentog. Yr ateb tebygol yw bod hwnnw hefyd yn fab i Rhianfellt ac yn agos iawn i'r brawd a alltudiwyd. Yn 670 OC, bu farw Oswiu gan adael Ecgfrith yn frenin ar Deira a Bernicia. Ymateb Aldfrith oedd gadael y wlad ac encilio i ynys Iona lle y gallai ganlyn ei ddiddordebau mewn llenyddiaeth ac astudiaethau diwinyddol.

O safbwynt datblygiad y wlad, trychineb llwyr oedd cyfnod Ecgfrith yn frenin gan ei fod yn rhyfelwr digyfaddawd. Llysenw Cymreig Ecgfrith oedd *Ailguin* ('Ael Gwyn'); efallai bod ganddo wallt golau, ond yr oedd ei gymeriad yn llawer tywyllach na'i wedd. Ni fu'n hir cyn trefnu cyrchoedd ar ei gymdogion tua'r de, y gorllewin a'r gogledd a gofyn sêl bendith yr eglwys ar yr ymosodiadau. Ei gymrawd yn y fenter oedd Wilfrid, gŵr didostur a oedd yn ddigon parod i droi'r eglwys yn arf gormesol. Yr oedd y cyfuniad o allu milwrol Ecgfrith ac uchelgais Wilfrid yn ddatblygiad peryglus a oedd yn destun pryder i bwysigion yr eglwys. Ceir cipolwg ar drahauster y ddau yn y *Vita Sancti Wilfrithi*, buchedd a luniwyd gan *Eddius Stephanus* ('Steffan o Ripon') rywbryd rhwng 709 a 720 OC. Y mae'r fuchedd yn llawn o gyfeiriadau ffiaidd at yr Eglwys Geltaidd ac, mewn un man, cyhuddir hi o hau 'hadau gwenwynig'. Gwelir o'r hyn a adroddir fod cyfoeth

Wilfrid yn seiliedig ar ysbail ac ymosodiadau ar fynachlogydd a oedd unwaith yn eiddo i'r eglwys honno. Arfer cyffredin Ecgfrith oedd cipio darn o dir trwy ymosodiad sydyn cyn ei gynnig i Wilfrid a'i ffrindiau yn yr eglwys i'w weinyddu. Bernir mai dyna oedd tynged eglwysi Elfed ac fe ddilynwyd yr un patrwm yn ne Ardal y Llynnoedd. Yn y fuchedd, ni chelir dulliau creulon Ecgfrith a Wilfrid o ennill tir ac, mewn un man, cyfeirir at:

> ... yr ardaloedd a wagiwyd gan y clerigwyr Brythonig wrth iddynt ddianc rhag llid y cleddyfau miniog a gludwyd gan filwyr ein cenedl.

Serch hynny, credir bod darn sylweddol o Reged wedi aros yn nwylo'r Cymry a bod cynllun rhyngwladol i atal yr ymosodiadau. Datblygiad arwyddocaol oedd nifer y Cymry o'r ardal a ymfudodd i Iwerddon yng nghyfnod Ecgfrith. Yn ôl un ddamcaniaeth, ffoaduriaid oedd y rhain, ond myn eraill eu bod yn rhan o gynllun i ailgipio'r tir a gollwyd trwy gymorth y Gwyddyl. Ceir cofnod fod Ecgfrith ei hun wedi ymosod ar Iwerddon yn 684 OC, ac anodd esbonio cyrch o'r fath os nad oedd y Gwyddyl yn bygwth ei ddisodli. Daeth oes waedlyd Ecgfrith i ben yn 685 OC pan laddwyd ef ym mrwydr Nechtansmere yn yr Alban. O hynny ymlaen, collodd Northymbria bob gafael ar y tir tua'r gogledd, ac fel y nodwyd eisoes, pensaer y fuddugoliaeth oedd Briddei, brenin y Pictiaid, a oedd yn fab i Beli o Ystrad Clud. Wedi'r frwydr, meddiannwyd cyfran sylweddol o dde'r Alban gan y Pictiaid a bu'n rhaid galw ar Aldfrith i ddychwelyd i Northymbria i adfer y wlad. Yn ôl haneswyr o'r Alban, gwnaeth hyn gyda chefnogaeth y Gwyddyl, y Pictiaid a'r Cymry. Trefniant digon annisgwyl oedd hyn, felly rhaid tybio bod ei gefndir o ran hil a'i gyfraniad diwylliannol wedi iro'r olwynion!

Fel arfer, cyfeirir at gyfnod Aldfrith ar yr orsedd fel cychwyniad 'Oes Aur' Northymbria. Cytuna pawb mai Aldfrith oedd brenin doethaf y deyrnas, yn ffieiddio rhyfel ac yn awyddus i gymodi gyda'i gymdogion. Fel ei dad, yr oedd yn rhugl mewn Gwyddeleg, ac os gwir y dyfaliad mai Rhianfellt oedd ei fam, rhaid bod ganddo rywfaint o Gymraeg. Yn ei gyfnod fel brenin, llwyddodd i leddfu peth o'r tyndra hiliol a chrefyddol a oedd yn bod a throi ynys Metcawd yn ganolfan addysgiadol o bwys rhyngwladol. Heddiw, y mae tuedd i anghofio cyfraniad yr Eglwys Geltaidd i lwyddiant Aldfrith, ond yn ei gyfrol *Anglo-Saxon England*,[17] y mae Frank Stenton yn ddigon parod i gydnabod ei dylanwad diwylliannol:

> Nevertheless, there is no doubt that English scholars of the seventh and eighth centuries were affected by the influence of a curiously involved and artificial Latin style, which early Irish men of letters had developed in their isolation. It is distinguished by constant alliteration, and by a vocabulary of rare and ancient words which are often used to disguise rather than express meaning.

Dyna ddisgrifiad da o draddodiad llenyddol y Cymry yn ogystal â'r Gwyddyl lle yr oedd cyflythrennu a defnydd o hen ymadroddion yn rhan hanfodol o'u cynhysgaeth.

Trysor mawr eglwys Northymbria yw'r gyfrol a adwaenir fel *The Lindisfarne Gospels* ('Efengylau Ynys Metcawd'). Cytuna bron pawb mai ar Ynys Metcawd y lluniwyd y llawysgrifau cyn eu rhwymo mewn clawr o ledr a metel coeth. Credir eu bod wedi eu llunio yng nghyfnod Aldfrith neu, o bosib, yn ail ddegawd yr wythfed ganrif. Y mae disgrifiad manwl o'r gyfrol ar gael ar y wefan bl.uk/collection-items/lindisfarne-gospels ynghyd â chopïau lliwgar o'r tudalennau. Y mae'r arddull yn debyg iawn i'r hyn a welir yn Llyfr Kells y Gwyddyl, ond y mae'r cymeriadau a ddarlunnir yn gwisgo'r math o ddillad a oedd yn nodweddiadol o uchelwyr Seisnig. Yn ôl y rhai sydd wedi astudio patrwm y llythrennu, gwaith un gŵr oedd y gyfrol. Dyna hefyd yw neges y nodyn a ychwanegwyd at y testun lle dywedir mai Ealdred oedd yr awdur sef enw'r gŵr a fu'n esgob ar Ynys Metcawd rhwng 698 a 721 OC. Mewn nodyn arall dywedir mai ei olynydd, Ethilwald, oedd yn gyfrifol am rwymo'r gyfrol a hynny wedi marwolaeth Ealdred. Mae'n rhaid bod cynhyrchu cyfrol o'r fath wedi bod yn waith oes i fynach a oedd yn treulio oriau lawer yn gweddïo a myfyrio. Amcangyfrifwyd fod crwyn trichant o loi wedi eu trin i greu felwm y gyfrol ac yr oedd olion lliwiau prin, fel *lapis lazuli*, yn y darluniau coeth. Yr oedd hyd yn oed y ffordd y cynlluniwyd y tudalennau yn torri tir newydd gan fod yna olion techneg arloesol. Ar gefn y memrwn yr oedd yna amlinelliad mewn 'pensil' cyntefig a marciau i brofi fod yr ysgrifwr wedi defnyddio cwmpas deubig. Dyna awgrym fod yr arlunydd wedi defnyddio desg dryloyw i wneud y gwaith, tebyg i'r rhai a fabwysiadwyd gan Fwslemiaid Sbaen yn yr un cyfnod.

Gwelwyd yr un ceinder yn y croesau cerrig a naddwyd gan seiri maen yr eglwys. Yn ôl Nicholas Higham,[18] crefftwyr Northymbria oedd y cyntaf i godi croesau o'r fath, ond yr oedd yna groesau pren digon tebyg i'w gweld yn y gorllewin. Does dim llawer o'r croesau cerrig hyn wedi goroesi ond gwelir o'r enghreifftiau prin hynny fod cerfwyr y cyfnod yn addasu delweddau a fenthycwyd o sawl traddodiad. Y groes fwyaf cyfan yw'r un a saif y tu mewn i eglwys Ruthwell ger Dumfries. Bernir o'r olion trwsio fod y groes wedi sefyll ymhob tywydd am gyfnod hir, felly anodd dweud faint o gerfiadau oedd ar y groes wreiddiol. Gallwn fod yn fwy ffyddiog yn hynafiaeth y groes a godwyd ym mynwent eglwys Sant Cuthbert yn Bewcastle a'r ffaith fod y cerfiadau yn perthyn i'r wythfed ganrif. Lle digon anghysbell yw Bewcastle erbyn hyn, ond y mae'r groes yn sefyll y tu mewn i furiau caer a oedd o gryn bwys yn oes y Rhufeiniaid. Codwyd y gaer i warchod y ffin rhwng gwlad y Brigantes a gwlad y Carvetii, ffin a oedd, yn ôl pob tebyg, yn dal i wahanu Rheged a Northymbria ar gychwyn yr wythfed ganrif. Bernir, o

Croes Bewcastle

strwythur y groes, ei bod wedi ei chynllunio i ateb sawl pwrpas gan ei bod yn ddeial haul, yn adnodd addysgol ac yn gofeb i deulu brenhinol Northymbria.

Gwelir oddi wrth y llun uchder y groes ac ansawdd y cerfiadau. Fel llawer o groesau'r cyfnod, collwyd y pen yn ystod y Diwygiad Protestannaidd, ond ar wahân i'r difrod hwn, y mae'r heneb mewn cyflwr da. Nodwedd amlycaf y cynllun yw'r ffaith fod y cerfiadau a dorrwyd ar wyneb y groes yn amrywio o ochr i ochr ac wedi eu trefnu fel bod yr haul yn goleuo pob ochr yn ei thro. Yn y bore, wyneb dwyreiniol y groes oedd yn llygad yr haul ac fe allai'r gwylwyr edmygu cerfiad o goeden lawn ffrwythau ac anifeiliaid arni. Erbyn y prynhawn, fe fyddai'r haul yn disgleirio ar wyneb deheuol y groes lle yr oedd yna gerfiad cymhleth o winwydden. Planhigyn estron i ogledd Prydain oedd y winwydden ond fe fyddai'r gwylwyr yn siŵr o gofio'r ddameg am y 'wir winwydden'. Erbyn yr hwyr, fe fyddai'r haul wedi cyrraedd ochr orllewinol y groes lle yr oedd yna gerfluniau o dri gŵr mewn arddull benodol. Bernir mai Ioan Fedyddiwr oedd y gŵr ar ben y golofn a'i fod yn dal delwedd o Grist fel Oen Duw yn ei freichiau. Oddi tano yr oedd yna ddelwedd o Grist yn y diffeithwch gyda chasgliad o anifeiliaid rheibus wrth ei draed. Ond y cerflun mwyaf dadlennol yw'r un a dorrwyd yn is ar y golofn, lle gwelir dyn yn sefyll ac aderyn ar ei fraich. Yn ôl arbenigwyr ar ddelweddau cynnar y ffydd Gristnogol, Ioan y Disgybl Annwyl yw'r gŵr a ddarluniwyd, gan fod yna enghreifftiau tebyg i'w gweld yn y Dwyrain Canol. Yn yr Eglwys Fore, yr oedd Ioan yn symbol o heddwch, ond yn bwysicach fyth, yn ffigwr canolog yn yr Eglwys Geltaidd. Ni wyddys pryd yn union y codwyd croes Bewcastle, ond credir bod yr arysgrif a dorrwyd ar ei hwyneb yn perthyn i droad y seithfed ganrif. Cyn i'r llythrennau erydu cynigiwyd y cyfieithiad canlynol o'r arysgrif:

> Codwyd y golofn fain hon gan Hwetred, Wethger ac Alwfold er cof am y brenin Alchfrith, mab Oswiu. Gweddïwn dros ei enaid a'i bechodau.

Ie, geiriau i gofio Alchfrith, y mab a wrthodwyd, a dorrwyd ar wyneb y garreg, nid arysgrif i gofio trahauster Ecgfrith, ei hanner brawd.

Mewn man arall ar y garreg torrwyd enw dadlennol arall: 'Cyneburh'. Cyneburh oedd gwraig Alchfrith, a cheir cofnod ei bod hithau wedi symud i'r de i agor lleiandy ger Caergrawnt, wedi marwolaeth ei gŵr. Y mae hefyd draddodiad lleol fod Alchfrith wedi treulio cyfnod o alltudiaeth yn ardal Bewcastle. Credir ei fod wedi marw oddeutu 664 OC, ond ni fu farw Cyneburh tan 680 OC. Gan fod Aldfrith wedi esgyn i'r orsedd yn 685 OC rhaid cynnig bod ei henw hi ac enw ei gŵr wedi eu torri ar y golofn yn ystod ei deyrnasiad. Pwy ond Aldfrith a fyddai'n barod i gofio mab Rhianfellt a'i weddw drist? Digon gwir, ni ellir profi bod Alchfrith ac Aldfrith yn frodyr llawn ond dyna esboniad parod am deyrngarwch y brawd iau. Rhyfedd meddwl mai wrth fôn y groes Seisnig hon ym mynwent Bewcastle y down ni agosaf at deulu brenhinol Rheged. Heddiw, y mae miloedd yn tyrru i'r fynwent i ymffrostio yn ysblander teyrnas Northymbria heb unrhyw ymwybyddiaeth o'r cysylltiad Cymreig.

Yr Eglwys yng nghyfnod Ystrad Clud (866–1070 OC)

Y mae hanes yr eglwys yng nghyfnod Ystrad Clud yn ddirgelwch mawr, ond tystia'r cerrig nadd a gedwir yn eglwys Govan fod ei harweinwyr yn Gristnogion selog. Tasg fwy anodd yw dod o hyd i olion tebyg yn Ardal y Llynnoedd, gan fod yna duedd i ddisgrifio cerrig nadd o'r cyfnod fel 'Anglo-Saxon Stones'! Y cyflwyniad mwyaf safonol i gerrig nadd y gogledd yw'r gyfres a gyhoeddwyd gan Brifysgol Durham o dan y teitl *Corpus of Anglo-Saxon Stone Sculpture*. Prif bwrpas y gyfres yw amlygu camp ddiwylliannol yr etholedigion a ddisgrifir yn 'Anglo-Saxon and Pre-Norman English'. Disgrifiad rhyfedd o gofio bod y cerrig yn perthyn i'r cyfnod pan oedd y Daniaid wedi cipio'r gogledd-ddwyrain a Chymry Ystrad Clud yn rheoli'r gogledd-orllewin. Un awdur sydd wedi cynnig darlun mwy cytbwys yw Philip Sidebottom o Brifysgol Sheffield.[19] Yn ei farn ef, y Daniaid oedd yn gyfrifol am godi'r mwyafrif o groesau dwyrain Lloegr ond yn y gorllewin, dylanwad seiri maen Ystrad Clud a Norwyaid Dulyn oedd yn amlwg.

Yn y gyfres o gyfrolau a gyhoeddwyd gan Brifysgol Durham, y mae yn werth darllen sylwadau R. N. Bailey ar gerrig nadd Cumberland a

Westmorland.[20] Y gair allweddol ym mhob disgrifiad yw 'Anglo', ond ar yr un pryd, y mae'n barod i gyfaddef mai cyfran fach o'r cerrig sy'n deillio o gyfnod Northymbria:

> Most of Cumbria's pre-Norman sculpture belongs to the Viking period. There are, at most, 20 fragments of Anglian work from some 20 sites; against this we can cite at least 116 Viking age carvings from 18 sites.

Rhyfedd sylwi felly nad oes yna'r un gydnabyddiaeth o ddylanwad diwylliant gweledol Ystrad Clud. Dim ond pedair croes 'Anglaidd' sydd wedi aros yn Ardal y Llynnoedd, felly syndod oedd darllen:

> The distribution of Anglian crosses serves to emphasize the importance of the region as part of greater Northumbria.

Nawr ac yn y man, fe gyfeirir at 'English Viking-Age Crosses' ac fe ellir blasu peth o benbleth yr arbenigwr pan ddarllenir:

> Perversely, what little information we do possess about Cumbrian administration in the late Saxon period points not to Scandinavian rule but to a Strathclyde British domination of (at least part of) the area.

'Perversely' yn wir, er bod yr ateb mor glir â'r haul ar bost! Ar y llaw arall, rhaid gochel rhag meddwl bod dylanwad Northymbria wedi diflannu yn llwyr o'r gorllewin wedi i'r Daniaid gipio eu tir. Gwyddys bod rhai o bwysigion yr eglwys wedi dychwelyd i Northymbria yn nyddiau cynnar y goresgyniad ond fe arhosodd rhai i warchod eu hystadau yn y gorllewin. Dyna oedd hanes pentrefi fel Santon, Dalton ac Irton a gadwodd enwau Saesneg er ei bod wedi eu lleoli yn yr ardal a oedd bellach yn rhan o Ystrad Clud. Nid rhyfedd gweld felly bod arddull eu seiri maen wedi newid o dan ddylanwad eu cymdogion Celtaidd. Un enghraifft dda o'r croesbeillio yw'r patrymau a dorrwyd ar y groes 'Anglaidd' sy'n sefyll ym mynwent eglwys Sant Paul yn Irton. Dyddiwyd y groes i ganol y nawfed ganrif, ac er bod ei breichiau agored yn dilyn y patrwm 'Anglaidd', y mae plethwaith y goes yn dilyn patrwm a oedd yn gyffredin yn y byd Celtaidd. Nid rhyfedd gweld felly fod yr arbenigwr o Durham yn cael trafferth wrth esbonio tarddiad yr arddull a'i fod heb ddeall y cyswllt hanesyddol:

> The finely detailed surface enrichment and the play of light and shade it produces on this stone can be paralleled in a generalised way throughout the Celtic west, but it is difficult to localize the possible influences on Irton.

Trueni na fuasai wedi teithio i eglwys Govan i weld cynnyrch rhai o seiri maen mwyaf medrus Ystrad Clud! Pan godwyd croes Irton, dim ond cymunedau ynysig o Norwyaid oedd wedi ymgartrefu ar arfordir y gorllewin, ond yr oedd dylanwad Ystrad Clud yn ymestyn ymhell tua'r de.

Paganiaid oedd y Norwyaid a ymgartrefodd yn Iwerddon ar ddechrau'r nawfed ganrif, ond erbyn y ddegfed ganrif yr oedd llawer wedi troi yn Gristnogion. Prin iawn yw'r haneswyr sy'n barod i gydnabod hyn ac y mae'r mwyafrif yn glynu wrth y syniad mai goresgynwyr rheibus oedd y mewnfudwyr. Yn 2012 cyhoeddodd Clare Downham yr erthygl ddadlennol, *Religious and*

Croes Irton

Cultural Boundaries between Vikings and Irish: The Evidence of Conversion.[21] Yn yr erthygl, cyflwynwyd tystiolaeth i brofi bod Norwyaid Dulyn wedi derbyn y ffydd yn llawer cynt nag a ystyrid. Yn ei barn hi, ymgais i barddu'or mewnfudwyr mewn cyfnod diweddarach yw'r cyfeiriadau at eu hymddygiad barbaraidd. Erbyn canol y ddegfed ganrif, does dim amheuaeth fod y mwyafrif wedi cefnu ar yr hen ffordd o fyw i agor cyfnod newydd o ffermio a masnachu. Yn ôl Clare Downham, camliwiwyd hanes Norwyaid Ardal y Llynnoedd gan haneswyr Seisnig am resymau a oedd yn ymylu ar fod yn hiliol. Yn yr ugeinfed ganrif, tyfodd yr arfer o ddisgrifio'r Norwyaid a ymsefydlodd yn Iwerddon ac yn y gogledd-orllewin fel barbariaid rhonc, ac nid oedd eu disgrifiad o'r Gwyddyl yn un adeiladol. Ar y llaw arall, darluniwyd 'Anglo-Danes' y dwyrain yn bobl hynod o dduwiol gan eu bod wedi cael y fraint o ymsefydlu yng ngwlad y Saeson. Yn anffodus, y mae adlais o'r un agwedd yn para o hyd wrth drafod tarddiad cerrig nadd y gorllewin. Ond does dim ond rhaid edrych ar y delweddau a ddewiswyd i'w haddurno i weld eu bod yn gynnyrch cymuned a oedd wedi cofleidio crefydd achubol.

Cyfeiriwyd yn barod at y cerrig nadd a luniwyd i adrodd storïau o'r Beibl, fel 'carreg bysgota' St Bees a'r garreg yn eglwys Dacre. Ond y garreg sy'n dyst i gymhlethdod diwylliannol y dröedigaeth yw'r groes uchel a saif ym mynwent eglwys y Santes Fair yn Gosforth. Yn ôl y

Croes Gosforth

tywyslyfrau, dyma '*Anglo-Saxon Cross*' godidocaf yr ardal, er bod pob elfen o'i chynllun yn perthyn i'r byd Scandinafaidd. Serch hynny, mae pen y groes yn dilyn y patrwm cylchog a oedd hefyd yn nodweddiadol o'r gwledydd Celtaidd. Dyddiwyd y groes i'r cyfnod rhwng 920 a 950 OC pan oedd mwy o Norwyaid wedi ymfudo i'r de-orllewin o Ddulyn. Gosforth oedd calon yr ardal a adwaenir fel Kaupaland ('y tir a brynwyd'), ac y mae mwy o gerrig o'r un cyfnod i'w gweld y tu mewn i'r eglwys. Ar un amser, yr oedd yna groes uchel arall yn y fynwent ond fandaleiddiwyd honno i greu deial haul yn 1789! Y disgrifiad cyntaf o'r groes yw'r un a gyhoeddwyd gan W. S. Calverly a W. G. Collingwood yn 1899,[22] ac ers hynny, y mae'r rhai sy'n ymddiddori mewn chwedloniaeth wedi gweld pob math o negeseuon cudd yn y cerfiadau. Er yr holl ddyfalu, does dim amheuaeth mai pwrpas y groes oedd cyfleu hanfodion y ffydd Gristnogol i gynulleidfa oedd yn caru'r hen storïau. Un ddelwedd bwysig yw'r cerflun o'r croeshoeliad a dorrwyd wrth droed y groes. Fel arfer, darlunnir Crist gyda dau filwr wrth ei draed, ond yn y portread hwn, merch sydd yn ei gysuro. Myn rhai mai Mair Magdalen yw'r ferch wrth droed y groes, ond y mae ei gwallt wedi ei drin mewn ffordd a oedd yn nodweddiadol o Sgandinafia. Thema'r mwyafrif o'r cerfiadau yw'r frwydr oesol rhwng y drwg a'r da. Delweddau o chwedl *Ragnarök* a ddewiswyd i adrodd y stori ac fe ellir dysgu mwy am y chwedl trwy ddarllen y gerdd a adwaenir fel y *Poetic Edda*.[23] Cerdd a luniwyd gan Snorri Sturluson o Wlad yr Iâ yn y drydedd ganrif ar ddeg yw'r *Poetic Edda*, ond bernir bod y cynnwys yn seiliedig ar chwedl a adroddid gan storïwyr am ganrifoedd cyn hynny. Un o'r chwedlau a ddarlunnir ar y groes yw'r un am y duw *Loki*, ei wraig *Sigyn* a'r sarff. Yn y chwedlau, cyfrifid *Loki* yn dduw drygionus, felly rhaid oedd ei rwymo gyda sarff i atal ei gampau. Yn y cerflun, gwelir *Sigyn* yn casglu gwenwyn o enau'r sarff, ond anodd dweud pam fod y marchog a ddarluniwyd uwchben y ddau wedi ei droi wyneb i waered. Yn y cerflun a dorrwyd ar wyneb arall y groes y mae'r gyfeiriadaeth yn fwy amlwg. Darlunnir arwr yn darostwng anghenfil pechod trwy osod ei droed yn ei geg. Yn yr hen chwedl, *Vidar* oedd enw'r arwr a *Fenrir* oedd enw'r bwystfil, felly tasg hawdd oedd ailwampio'r stori i atgoffa'r ffyddloniaid o frwydr Crist yn erbyn Satan.

Gydag amser, trodd delweddau crefyddol y Norwyaid yn llai ffansïol ac fe gynlluniwyd croesau a oedd yn fwy tebyg i groesau Celtaidd y gorllewin. Nodwedd hynod y groes Geltaidd oedd y cylch o amgylch y pen. Yn ôl rhai, dyfais i gryfhau breichiau'r groes oedd y cylch, ond myn eraill ei fod yn atgof o dduw'r haul yn y cyfnod paganaidd. Croes Geltaidd fwyaf cyfan Ardal y Llynnoedd yw'r un a saif y tu mewn i eglwys Cyndeyrn yn Dearham. Rhaid edrych yn ofalus ar y groes i weld dylanwad y Llychlynwyr, ond bernir bod y ffordd y naddwyd bôn y groes yn addasiad o'r goeden hudol *Yggdrasil*. Yn yr hen chwedl yr oedd gan y goeden dri gwraidd: un yng ngwlad y duwiau, un yng ngwlad y meirw a'r olaf yng ngwlad y cewri. Perthnasol nodi felly mai dim ond un gwraidd sydd i'r goeden ar y groes, cydnabyddiaeth nad oes ond un duw. Patrwm arall sy'n nodweddiadol o'r gogledd-orllewin yw'r groes 'Pen Morthwyl' a saif ym mynwent

Y groes 'Pen Morthwyl' o eglwys Sant Mihangel yn Addingham

eglwys Sant Mihangel, Addingham. Symudwyd y groes i'r fynwent o safle hen eglwys a ddinistriwyd gan lif afon Idon. Yn ôl R. N. Bailey, seiri maen Northymbria oedd yn gyfrifol am naddu croesau o'r fath, ond mae patrwm y pen yn fwy tebyg i'r hyn a welir mewn croes Geltaidd. Perthnasol felly yw nodi mai dim ond un groes Pen Morthwyl sydd wedi goroesi y tu draw i'r Penwynion a bod honno'n sefyll ar hen dir Elfed. Ar y llaw arall, y mae nifer o groesau tebyg i'w gweld ar lannau Merin Rheged, a mwy tua'r gogledd mewn mannau fel Drummore, Mochram ac Ynys Ardwall.

O safbwynt hanesyddol,

croes bwysicaf Ardal y Llynnoedd yw'r un a saif ym mynwent eglwys Sant Andreas yn Penrith. Heddiw, adnabyddir y groes fel y 'Giant's Thumb', ond yn y ddeunawfed ganrif, defnyddid y groes fel cyffion i ddal drwgweithredwyr. Does dim rhyfedd felly fod tywodfaen y groes wedi erydu, ond yn ffodus, ceir hen lun i ddangos y manylion a gollwyd. Ar wyneb gorllewinol y groes yr oedd yna lun o'r Crist croeshoeliedig gyda dau filwr yn sefyll wrth ei draed. Anodd dweud pwy oedd y gŵr a ddarluniwyd ar ochr ddwyreiniol y groes ond cynigiwyd ei fod yn bortread o'r ymadawedig. Barnodd W. G. Collingwood[24] fod y groes yn perthyn i hanner cyntaf y ddegfed ganrif, ac mai brenin o Ystrad Clud oedd yn gyfrifol am ei chodi. Yr oedd yna Owain yn frenin ar Ystrad Clud rhwng 920 a 937 OC, felly y mae'n dra thebygol mai ef a gododd y groes er cof am ei dad, Dyfnwal. Olynydd Owain ar yr orsedd oedd ei fab, Dyfnwal arall ond, yn anffodus, dyma'r unig gofeb i deulu brenhinol Ystrad Clud sydd wedi goroesi yn Ardal y Llynnoedd. Dros y canrifoedd, y mae'r glaw wedi erydu'r cerfiadau ond nid yw'r olion wedi diflannu mor llwyr â'r cof am y cyfnod Cymreig.

I haneswyr y cyfnod, y bumed a'r chweched ganrif oedd 'Oes y Seintiau', ond fe barodd dylanwad yr Eglwys Geltaidd yn y gorllewin ymhell wedi hyn. Wedi i'r Norwyaid gyrraedd yr ardal o Iwerddon gwelwyd cynnydd yn y niferoedd a oedd yn parchu seintiau Gwyddelig. Un cwlt a gyrhaeddodd yr ardal gyda'r mewnfudwyr oedd cwlt Brigid (Sant Ffraid), santes enwocaf y Gwyddyl. Yn ôl y traddodiad, yr oedd Brigid yn ferch i frenin Leinster a oedd wedi rhoi ei bryd ar ddilyn bywyd sanctaidd. Hi oedd yn gyfrifol am sefydlu mynachlog Kildare ac yr oedd yn enwog ar draws y wlad am ei haelioni. Yn ôl buchedd a luniwyd yn y seithfed ganrif, yr oedd yn byw mewn cyfnod hynod gyffrous yn hanes Iwerddon. Y mae disgrifiad ohoni yn teithio ar draws y wlad mewn cerbyd, ac yn dilyn ffordd o fyw nid annhebyg i'r un a ddarlunnir yn yr hen chwedlau. Yn wir, myn rhai fod hyd yn oed ei henw yn addasiad o hen gred gan mai *Brigh* oedd enw duwies tân yr hen Geltiaid. Diddorol nodi felly fod rhai o'r defodau a gysylltir â mynachlog Kildare yn ymwneud â thân. Er enghraifft, yn ei ddisgrifiad o daith yn Iwerddon, cyfeiria Gerallt Gymro at griw o ferched yn Kildare yn gwarchod 'tân oesol' mewn

Y cerrig hynafol ym mynwent eglwys Sant Ffraid yn Beckermet. Y mae'r garreg o gyfnod Northymbria yn y blaendir

encilfan. Does dim rhyfedd felly fod cwlt y santes wedi croesi'r môr a bod chwech o eglwysi Ardal y Llynnoedd wedi eu cysegru i'w henw. Fel y gellid disgwyl, mae'r mwyafrif wedi eu codi yn agos i'r môr, fel hen eglwys Beckermet ar gyrion atomfa Sellafield. Adeilad Normanaidd yw'r eglwys bresennol ond dywedir ei bod yn sefyll ar safle sefydliad o'r seithfed ganrif. Ym mynwent yr eglwys, ceir dwy garreg hynafol: un yn perthyn i gyfnod Northymbria a'r llall i gyfnod Ystrad Clud. Bernir bod yr ail garreg yn perthyn i'r nawfed ganrif, ond fe allai fod yn hŷn na hyn. Heddiw, y mae'r geiriau a dorrwyd ar wyneb y garreg wedi erydu, ond yn ôl un cyfieithiad cynnar, codwyd y garreg yn gofeb i esgob o'r Eglwys Geltaidd:

Here enclosed / Tuda bishop / the plague destruction before / the reward of Paradise after.

Gwyddys fod gŵr o'r enw Tuda wedi dilyn Colman yn esgob ar Ynys Metcawd a bod hwnnw wedi marw o'r pla tua 664 OC. O ran ffurf, y mae'r golofn yn dilyn patrwm a oedd yn gyffredin yn y byd clasurol, ond dim ond tair sydd wedi goroesi ym Mhrydain. Codwyd un yn Swydd Derby ar hen dir Elfed yn gofeb i esgob a oedd wedi marw tua 644 OC. Saif yr ail wrth ymyl y ffordd sy'n rhedeg o Langollen i Lanarmon-yn-Iâl yn gofeb i ŵr o'r enw Eliseg. Credir mai camsillafiad o 'Elisedd' yw 'Eliseg' a bod y garreg wedi ei chodi gan Cyngen, brenin Powys, i gofio ei hen-daid Elisedd ap Gwylog. Yr oedd Elisedd wedi ymladd sawl brwydr yn erbyn y Saeson ac yr oedd, yn ôl y traddodiad, yn fab i Gwallawg o Elfed! Yn ôl pob tebyg, ymgais i uniaethu gyda'r hen fyd Rhufeinig oedd colofnau o'r fath. Os felly, rhaid derbyn bod elfen o *romanitas* wedi aros yn y gogledd-orllewin ymhell wedi dyddiau Gwallawg ac Urien.

Traddodiad yn perthyn i'r ddegfed ganrif yw stori Bega, un o saint mwyaf dadleuol cyfnod Ystrad Clud. Stori yn perthyn i'r ardal a wladychwyd gan y Norwyaid yn y ddegfed ganrif yw'r stori, felly syndod oedd gweld ei bod wedi ei thrawsnewid i greu fersiwn Seisnig. Nid oes sicrwydd bod merch o'r enw Bega wedi bod o gwbl, felly camp oedd ail-leoli'r stori yn y seithfed ganrif a throi'r ferch yn lleian yn eglwys Northymbria!

Yn ôl buchedd a luniwyd yn y drydedd ganrif ar ddeg,[25] merch i frenin o Iwerddon oedd Bega a ffodd i Brydain i osgoi priodi tywysog o Norwy. Yn ôl y stori, glaniodd Bega ar draeth ger pentref St Bees, enw a fathwyd yn deyrnged i'r santes. Yn yr Oesoedd Canol, codwyd priordy ar gyrion y pentref, ac erbyn hyn y mae cerflun o Bega o flaen yr adeilad. Cynlluniwyd y cerflun ar droad y mileniwm i ddangos merch yn disgyn o gwch sy'n fwy tebyg i gwrwgl nag i'r *curagh* Gwyddelig. Yn y fuchedd, dywedir bod Bega wedi dechrau cenhadu yn yr ardal, cyn teithio i berfeddion y wlad i sefydlu eglwys newydd. Dyna'r esboniad a gynigir am leoliad yr ail eglwys a gysegrwyd i'w henw ar lan llyn Bassenthwaite, tua deugain milltir i'r gogledd-ddwyrain. Dengys y llun ar dudalen 289 eglwys Sant Bega Bassenthwaite sy'n sefyll wrth

Y cerflun o Bega ger priordy St Bees

ymyl nant sy'n llifo i'r llyn. Adeilad o'r bedwaredd ganrif ar ddeg yw'r eglwys bresennol, ond dywedir bod cerrig o'r ddegfed ganrif yn rhan o'r mur. Yn y ddeunawfed ganrif, codwyd plas moethus gerllaw sydd bellach yn atyniad i dwristiaid. Teulu o'r enw Spedding oedd perchnogion y plas yn oes Fictoria pan oedd beirdd fel William Wordsworth ac Alfred Lord Tennyson yn ymwelwyr cyson. Yn ôl y traddodiad, dyma ble y cyfansoddodd Tennyson y gerdd *Morte d'Arthur* wedi treulio'r prynhawn yn synfyfyrio ger yr eglwys:

King Arthur: there, because his wound was deep
The bold Sir Bedivere uplifted him,
Sir Bedivere, the last of all his knights,
And bore him to a chapel nigh the field.

Heddiw, y mae miloedd yn ymweld â'r 'chapel nigh the field' i ddysgu mwy am fywyd a gwaith Bega. Yn anffodus, y mae'r cefndir hanesyddol a gynigir yn gamarweiniol a'r stori yn ffugwaith llwyr. Yn y fersiwn newydd, honnir mai merch o'r seithfed ganrif oedd Bega a'i bod wedi treulio cyfnod yn lleian yn eglwys Northymbria. Yn rhyfeddach fyth, ailadroddir y stori amdani yn ffoi o Iwerddon o afael y Llychlynwyr, tipyn o gamp o gofio na chyrhaeddodd y Norwyaid yr ynys nes troad y nawfed ganrif. Y mae'n amlwg mai ymgais i Seisnigeiddio hanes Bega yw'r stori a does dim gair i egluro bod yr

288

ardal yn rhan o Ystrad Clud ar y pryd.

Yn 2007, cyhoeddodd Clare Downing ddadansoddiad newydd o draddodiad Bega[26] gan dalu sylw arbennig i'r cyfuniad o elfennau Celtaidd a Sgandinafaidd yn y stori. Yn ei barn hi, cwlt a ledodd o Iwerddon yn y ddegfed ganrif oedd stori Bega, a hynny yn sgil mewnlifiad torfol o Ddulyn. Erbyn hyn, yr oedd cyfran uchel o'r Norwyaid yn Gristnogion ac wedi amsugno pob math o chwedlau o'r traddodiad Gwyddelig. Yr oedd Clare yn barod i gydnabod y gallai'r ferch fod yn gymeriad hanesyddol, ond yr oedd yn gwbl sicr mai

Eglwys Sant Bega ger llyn Bassenthwaite

ychwanegiad diweddar oedd y stori am Bega yn eglwys Northymbria. Mewn sefyllfa mor ansicr, rhaid gofyn a ellir dod o hyd i unrhyw esboniad o leoliad yr ail eglwys a gysegrwyd i'r santes? Ar yr olwg gyntaf, does dim i gysylltu pentref St Bees gyda'r eglwys ar lan y llyn, ond nid oedd hyn yn wir yng nghyfnod Bega. Os derbynnir y stori am ei thaith i berfeddion gwlad, gellir cynnig esboniad digon syml am leoliad yr ail eglwys. Yn y ddegfed ganrif, yr oedd ffyrdd Rhufeinig Ardal y Llynnoedd mewn cyflwr da a'r ffordd hwylusaf i deithio o St Bees i'r canoldir oedd dilyn yr hen ffordd Rufeinig tua'r gogledd. Wedi teithio am dipyn, yr oedd yna gangen yn troi tua'r dwyrain cyn rhedeg heibio i lyn Bassenthwaite i gyfeiriad yr ucheldir. Lle gwell i sefydlu eglwys nag ar lecyn cysgodol wrth droed y bryn lle yr oedd yna dir da i dyfu cnydau? Dyfaliad pur yw'r ddamcaniaeth hon, ond y mae'n esboniad sicrach na'r ffuglen am Sant Bega yn eglwys Northymbria.

Cyn gorffen, perthnasol yw dyfynnu sylw John Todd, arbenigwr ar Bega, a oedd yn barod i gydnabod y cefndir hanesyddol, ond nid heb ddilorni'r cyswllt. Mewn erthygl a gyhoeddwyd yn y *Transactions of the Cumberland and Westmorland Antiquarian and Archaeological Society*[27] nododd:

> One can say simply that most of what is recorded could have happened towards the end of the ninth century and the beginning of the tenth. We must search for the historical St Bega, not in the glorious years of the Northumbrian kingdom, but the dark years of its fall.

Ie, 'dark years of its fall'! Unwaith eto anghofiwyd y cyfan am gyfraniad yr Eglwys Geltaidd i ledaeniad y ffydd a dylanwad y Gwyddyl a'r Cymry ar 'Oes Aur' eglwys Northymbria.

Ffynonellau

1   Nora Chadwick, *The Age of Saints in the Early Celtic Church* (Felinfach: Llanerch, 1960), t. 166

2   Charles Thomas, *The Early Christian Archaeology of North Britain* (Llundain: Oxford University Press, 1971), t. 253

3   E. G. Bowen, *Saints, Seaways and Settlements in the Celtic Lands* (Caerdydd: University of Wales Press, 1977), t. 245

4   Thomas Charles-Edwards, *Wales and the Britons: 350–1064* (Rhydychen: Oxford University Press, 2013), t. 795

5   James Fraser, *From Caledonia to Pictland: Scotland to 795* (Caeredin: Edinburgh University Press, 2009), t. 436

6   Leo Sherley-Price ac R. E. Latham, Cyfieithiad o *Historia ecclesiastica gentis Anglorum* Beda (Llundain: Penguin, 1990), t. 400

7   Elizabeth Rees, *Celtic Saints: Passionate Wanderers* (Efrog Newydd: Thames and Hudson, 2000), t. 208

8   John McQueen, *St Nynia: A Study of Literary and Linguistic Evidence* (Caeredin a Llundain: Oliver and Boyd, 1961), t. 105

9   F.J. Carruthers, *People called Cumbri* (Llundain, Robert Hale. 1979), t. 208

10 John Morris, *The Age of Arthur: A History of the British Isles from 350 to 650* (Llundain: Phoenix, London, 1995), t. 665

11 John Cowper-Powys, *Obstinate Cymric: Essays 1935–1947* (Llundain: Village Press, 1973), t. 188

12 Michael Winterbottom, Cyfieithiad o waith Gildas *De Excidio et Conquestu Britanniae* (Chichester: Philimore, 1978), t. 162

13 Barri Jones a David Mattingly, *An Atlas of Roman Britain* (Rhydychen: Oxbow Books, 1990), t. 341

14 Philip Freeman, *St Patrick of Ireland* (Efrog Newydd: Simon and Schuster, 2004), t. 216

15 Alan Macquarrie, *The Saints of Scotland: Essays in Scottish Church History, AD 450-1093* (Caeredin: John Donaldson, 1997), t. 216

16 Kenneth Jackson, *Language and History in Early Britain* (Caeredin: University Press, 1953), t. 752

17 Frank Stanton, *Anglo-Saxon England* (Rhydychen: Clarendon Press, 1985), t. 730

18 Nicholas Higham, *The Kingdom of Northumbria AD 350–1100* (Stroud: Sutton, 1993), t. 296

19 Philip Sidebottom, 'Note on 'Anglian' Crosses: Monuments that mark out Viking land' yn *British Archaeology*, 23 (1997), t 1.

20 R. N. Bailey, *The Corpus of Anglo Saxon Stone Sculpture: Cumberland, Westmorland and Lancashire-North-of-the-Sands* (Rhydychen: Oxford University Press, 1988), t. 392

21 Clare Downham, 'Religious and Cutural Boundaries between Vikings and Irish: The Evidence of Conversion' yn *The March of the Isles of the Mediaeval West* (Leiden: Brill, 2012), tt. 15-34.

22 W. S. Calverly ac M. A. Collingwood, *Notes on the Early Sculptures, Crosses, Shrines and Monuments of the Present Diocese of Carlisle* (Kendal: Titus Wilson, 1899), t. 319

23 Carolyne Larrington, Cyfieithiad o'r *Poetic Edda* (Rhydychen: Oxford Paperbacks, 2008), t. 343

24 W. G. Collingwood, 'The Giant's Thumb' yn *Transactions of the Cumberland and Westmorland Antiquarian and Archaeological Society* (1919), t. 7

25 James Wilson (gol) '*Vita et Miracula S Bege Virginis in Privincia Northamhimborum*' yn Register Priory of St Bees, (Durham: Surtees Society, 126, 1950), tt. 497–520

26 Clare Downham, 'St Bega – myth, maiden or bracelet? An Insular cult and its origins' yn *Journal of Mediaeval History*, 33 (2007), tt. 33-42

27 John Todd, 'St Bega: Cult, Fact and Legend' yn *Transactions of the Cumberland and Westmorland Antiquarian and Archaeological Society*, 80 (1980), tt. 23-35.

Gweddillion

Bu'r hen iaith ar y bryniau hyn
Yn aflonyddu flynyddoedd

Gerallt Lloyd Owen

Ar ddiwedd chwedl Branwen yn y Mabinogi, clywn am fuddugwyr Iwerddon yn cyrraedd Ynys Gwales i wledda am bedwar ugain mlynedd. Yn y neuadd, yr oedd yna dri drws, dau ar agor ac un ynghau, a'r drws caeedig oedd yr un a wynebai Gernyw. Rhybuddiwyd hwy i beidio ag agor y drws hwnnw, ond yr oedd y demtasiwn yn ormod i un o'r cwmni:

> Agorwyd y drws ac edrych ar Gernyw ac ar Aber Henfelen. A phan edrychodd yr oedd mor hysbys iddynt gynifer y colledion a gollasant erioed.

Teimlad digon tebyg a geir wrth ymchwilio i hanes yr Hen Ogledd a throedio ei thir. Er bod cyfnod Celtaidd yr ardal yn ymestyn dros fil o flynyddoedd, prin iawn yw'r sôn am y cyfnod yng nghyfrolau hanes yr ardal na'r tywyslyfrau. Yn ardal y Preseli, bro fy mebyd, y mae'r ardalwyr yn ymfalchïo yn y cromlechi a'r cerrig nadd hynafol. Yn anffodus, nid yw hyn yn wir am drigolion Ardal y Llynnoedd a thrist nodi bod nifer o henebion pwysig wedi eu chwalu mewn cyfnod diweddar.

Un o'r henebion a gollwyd oedd y ddwy res o feini hir a oedd yn ymestyn am filltir a mwy heibio i bentref Shap i gyfeiriad y bryn a elwir Skellaw Hill ('Bryn y Benglog'). Pan ymwelodd Thomas Pennant â'r pentref yn 1769, yr oedd y mwyafrif o gerrig y cwrsws yn sefyll ac fe geir disgrifiad manwl o'r safle yn y gyfrol a gyhoeddodd am ei daith i'r Alban:[1]

Ar y comin ger y ffordd, tua hanner milltir o'r pentref, y mae casgliad o gylchoedd cerrig, ac wrth ymyl y ffordd, y mae dwy res o gerrig ithfaen enfawr a rhes arall yn torri ar eu traws. Ar un adeg, yr oedd y cwrsws hwn yn ymestyn trwy'r pentref ac y mae rhai o'r trigolion yn cofio'r diwrnod pan chwalwyd y cerrig i drin y tir.

Yr unig ddarlun o'r cwrsws sydd wedi goroesi yw'r un a grewyd gan y Foneddiges Lonsdale yn 1775 ac a gyhoeddwyd yn y *Transactions of the Cumberland and Westmorland Antiquarian and Archaeological Society*[2]. Yn 1846, chwalwyd un o'r cylchoedd cerrig a ddisgrifiwyd gan Pennant pan agorwyd y rheilffordd rhwng Caerhirfryn a Chaerliwelydd. Claddwyd rhan o'r ail gylch dan domen o bridd a cherrig pan adeiladwyd arhosfan newydd i ffatri galch, a hynny yn 1974! Ni wyddys faint o gerrig oedd yn y cylch gwreiddiol ond dim ond chwech sydd ar ôl erbyn hyn.

Gwelir yr un diffyg diddordeb yn hanes yr ardal mewn cyfnodau diweddarach. Yn yr argraffiad diweddaraf o gyfrol Barrie Cunliffe ar hanes Prydain yn ystod yr Oes Haearn,[3] y mae atodiad lle rhestrir safleoedd ymchwil y cyfnod. Yn y rhestr, nodwyd 69 o safleoedd a oedd wedi eu hastudio yng Nghymru, 35 yng Nghernyw a Dyfnaint, 28 yn ne'r Alban ond dim ond 1 yn Ardal y Llynnoedd. Yn yr un modd, ychydig iawn sydd wedi ei wneud i archwilio'r mwyafrif o'r safleoedd a gysylltir â'r cyfnod Rhufeinig, er bod hwnnw wedi para am bron i bedwar can mlynedd. Un eithriad yw'r cloddio diweddar a drefnwyd yn Papcastle, a oedd yn ganolfan i Pabo Post Prydain yn y cyfnod ôl-Rufeinig. Trist hefyd nodi nas ailgydiwyd yng ngwaith arloesol W. G. Collingwood ar Ewe Close, llys tebygol Urien,[4] er ei fod ef o'r farn bod y safle o bwys mawr. Heddiw, y mae'r adfeilion yn gudd o dan domen o bridd, ond fe ellir gweld gweddillion rhai o'r anheddau a ddisgrifiwyd gan ei fab R. G. Collingwood[5] ar y comin gerllaw.

Gan fod olion gweladwy cyfnod Cymreig Ardal y Llynnoedd mor brin, rhaid troi at weddillion llai cyffyrddadwy. Hyd yn ddiweddar, y dystiolaeth sicraf oedd yr enwau sy'n britho'r tir, ond yn 2015, cyhoeddwyd canlyniadau astudiaeth enynnol dreiddgar sy'n profi mai Cymry yw'r mwyafrif o drigolion Cumbria.[6] Fy mhrif ffynonellau wrth lunio'r bennod oedd cyfrol Kenneth Jackson, *Language and History in Early Britain*,[7] cyfrol Charles-Edwards, *Wales and the Britons*,[8] cyfrol William Rollinson, *A History of Cumberland and Westmorland*[9] a chyfrol George MacDonald Fraser, *The Steel Bonnets*.[10] Y cyflwyniad gorau i ystyron enwau lleoedd yw'r cyfrolau a gyhoeddwyd gan Armstrong a'i gydweithwyr yn 1950 a 1952.[11,12,13] Nid yw'r esboniadau a gynigir yng nghyfrol Diana Whaley[14] yr un mor ddibynadwy ond y mae'r defnydd a gyhoeddwyd ar wefan Alan James (www.spns.org.uk) yn ddifyr ac awdurdodol. Dysgwyd mwy am weddillion diwylliannol y Cymry trwy ddarllen cyfrol William Rollinson, *Life and Tradition in the Lake District*[15] a chyfrol William Henderson, *Folk Lore of the Northern Counties of England and the Borders*.[16] Y cyflwyniad mwyaf hygyrch i dafodiaith yr ardal yw cyfrol William Rollinson, *The Cumbrian Dictionary of Dialect, Tradition and Folklore*[17] a cheir hefyd ddarnau perthnasol yng nghyfrol F. J. Carruthers, *People called Cumbri*.[18] Gwendid mawr Carruthers yw cyfeirio at ormod o ddogfennau amheus, dilyn cysylltiadau amwys a gorliwio tipyn ar y stori. Ni ellir gwneud gwell na dechrau gyda stori'r genynnau cyn troi i fyd enwau a chwedlau.

Olion Genynnol teyrnasoedd yr Hen Ogledd

Yr oedd y prosiect 'Pobl Ynysoedd Prydain' (People of the British Isles) o dan arweiniad yr Athro Walter Bodmer yn brosiect uchelgeisiol iawn. Ei nod oedd creu adnodd a fyddai'n gymorth i ymchwilwyr trwy ddatgelu cefndir hiliol pobol o bob rhan o Brydain. Ni chychwynnwyd y gwaith tan 2004. Symbyliad y fenter oedd darlith a draddodwyd er cof am Syr John Rhŷs, y Celtegwr enwog, yn 1992. Adroddiad cyntaf y prosiect oedd yr un a gyflwynwyd ar y dulliau ymchwil[19] ond y cyhoeddiad ysgytwol oedd yr un a gyhoeddwyd gan Stephen Leslie a'i gydweithwyr yn y cylchgrawn *Nature* ym Mawrth 2015. Y mae'r adroddiad hwn ac yn llawn o fanylion technegol, ond gellir darllen crynodeb hygyrch ar y wefan (peopleofthebritishisles.org/n16). Gwelir o'r crynodeb hwnnw bod y prosiect wedi torri tir newydd, nid yn unig yn y dull o gasglu'r data, ond ym manylder y dadansoddiad. Y penderfyniad allweddol oedd trefnu mesuriadau oddi wrth

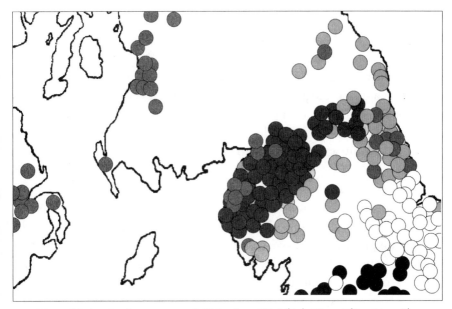

Map o ddosbarthiad genynnau gogledd Prydain, Elfed (du), Rheged (llwyd tywyll), Gwyddelig (llwyd), Saeson Northymbria (llwyd golau), Saeson y de (gwyn).

unigolion a fedrai sicrhau'r ymchwilwyr fod y ddwy ochr o'r teulu wedi byw yn yr un ardal am o leiaf dair cenhedlaeth. Trwy wneud hyn gellid creu darlun o strwythur genynnol Prydain ar ddiwedd y bedwaredd ganrif ar bymtheg, cyfnod pan nad oedd yna lawer o deithio. Penderfyniad pwysig arall oedd canolbwyntio ar ardaloedd gwledig lle roedd y boblogaeth yn fwy sefydlog na'u cymdogion yn y trefi. Manteisiwyd ar gymorth mudiadau fel Sefydliad y Merched ac Undeb Cenedlaethol y Ffermwyr i gasglu'r samplau o bob cwr o'r wlad. Wedi casglu dros 4,000 o samplau, dewiswyd 2,039 o'r ardaloedd mwyaf dadlennol cyn dechrau'r gwaith o gymharu strwythur y genynnau. Gan fod gan bob unigolyn dros 3,000 miliwn o 'lythrennau' DNA yr oedd y dasg o wneud hyn yn un anferth. Llwyddwyd trwy ddefnyddio'r offer mwyaf modern i wneud y mesuriadau â dulliau ystadegol a oedd hefyd yn torri tir newydd. Wedi gorffen y gwaith, gwelwyd y gellid dyrannu poblogaeth Prydain a Gogledd Iwerddon i 17 o glystyrau a chreu 'coeden achau' i amlygu'r berthynas rhwng y clystyrau. Y prif glwstwr oedd yr un a oedd yn cynnwys Saeson y de-ddwyrain lle na welwyd fawr o amrywiaeth.

Mewn cyferbyniad yr oedd y clystyrau a leolwyd yng Nghymru ac yng ngogledd Lloegr yn fwy amrywiol ac yn dilyn patrwm hynod o ddadlennol. Bernid mai'r clystyrau hynaf oedd y rhai a welwyd yng Nghymru lle y gellid dilyn mewnlifiad cynnar y Gwyddyl i ogledd Sir Benfro a de Ceredigion. Ond y patrwm mwyaf syfrdanol oedd yr un a ddatgelwyd yn yr Hen Ogledd lle yr oedd dosbarthiad y genynnau yn dilyn ffiniau teyrnasoedd Cymreig y bumed a'r chweched ganrif. Fel yr esboniwyd yn y crynodeb:

> Several of the other genetic clusters show similar locations to the tribal groupings and kingdoms around the time of the Saxon invasion (from the 5th century), suggesting that these tribes and kingdoms may have maintained a regional identity for many centuries. For example the Cumbrian cluster corresponds well to the kingdom of Rheged, West Yorkshire to the Elmet and Northumbria to the Bernicia.

I lawer o haneswyr Seisnig, teyrnasoedd chwedlonol oedd teyrnasoedd Cymreig yr Hen Ogledd. Tystia dosbarthiad y genynnau y dylid ailedrych ar hanes y rhanbarth yn y cyfnod ôl-Rufeinig a thalu mwy o sylw i hanes teyrnasoedd Cymreig y gogledd-orllewin. Hyd yn hyn does dim llawer wedi mentro i'r maes, ond y mae dadansoddiadau Phythian-Adams[20] a Fiona Edmonds[21] yn cynnig golwg newydd ar dynged Rheged ac ymestyniad Ystrad Clud. Yn ôl Phythian-Adams, ymgyrch ar y cyd gydag arweinwyr Rheged oedd ymestyniad Ystrad Clud tua'r de, nid goresgyniad. Nid yw Fiona Edmonds yn cytuno â'r ddamcaniaeth yn llwyr gan ei bod o'r farn mai ffrwyth cytundebau gyda nifer o benaethiaid annibynnol dros gyfnod hir oedd yr ymestyniad.

Mae astudiaeth o ddosbarthiad genynnau'r Hen Ogledd yn cynnig darlun cwbl newydd o oroesiad y teyrnasoedd Cymreig. Dyma gadarnhad na lethwyd Rheged gan Northymbria ar ddiwedd y seithfed ganrif, er bod ymosodiadau Ecgfrith wedi lladd llawer a gyrru mwy tua'r gorllewin. Diddorol nodi hefyd fod nifer sylweddol o Gymry wedi aros ar dir Bernicia a Deira, gwaddol, yn ôl pob tebyg, o'r gyfathrach agos a welwyd rhyngddynt a gwŷr Northymbria yn amser

Oswallt ac Oswiu. Dyma ardal Caedmon 'bardd cyntaf' y Saeson ac y mae'n amlwg o'r genynnau Cymreig a welir yn swydd Efrog na ddiflannodd Elfed yn llwyr. Darganfyddiad mwyaf syfrdanol yr ymchwil oedd profi mai Cymry, nid Llychlynwyr, oedd y mwyafrif o drigolion Cumbria neu, a bod yn fanwl gywir, hen sir Cumberland ('Gwlad y Cymbri'). Yn anffodus, nid yw patrwm y genynnau yn taflu fawr o olau ar natur y gymdeithas a oedd yn bod yn y ddegfed ganrif wedi i'r Norwyaid gyrraedd yr ardal. Y ffactor sy'n drysu'r dadansoddiad yw'r ffaith nad oedd yna fawr o wahaniaeth rhwng strwythur genynnol Cymry Ystrad Clud, Gwyddyl yr Alban na'r Norwyaid a wladychodd Ardal y Llynnoedd o Iwerddon. Ers canrifoedd yr oedd teuluoedd Cymreig yr Alban wedi priodi Pictiaid o'r gogledd a Gwyddyl o'r gorllewin, felly nid oedd yna batrwm sefydlog i'w genynnau. Amhosib felly penderfynu ai Norwyaid o Iwerddon, Cymry o Ystrad Clud neu Wyddelod o'r Alban oedd yn gyfrifol am y clystyrau Gwyddelig sy'n britho'r wlad. Serch hynny, gellid mentro mai gwaddol y mynachod a ymfudodd o Iona yng nghyfnod Oswiu yw'r clystyrau Gwyddelig a welir yn Northymbria. Yn yr un modd, gellid mentro mai uchelwyr o Ystrad Clud oedd yn bennaf gyfrifol am ddosbarthu'r genynnau Gwyddelig i ogledd Rheged. Awgrym bod damcaniaeth Phythian-Adams yn agos i'w lle ac mai menter ar y cyd oedd yr Ystrad Clud.

Yn yr adran nesaf, dangosaf fod dosbarthiad yr enwau Cymreig sydd wedi goroesi yn Ardal y Llynnoedd yn dilyn patrwm tebyg i'r hyn a welir yn y genynnau. Ychydig iawn o enwau Cymreig sydd wedi goroesi yn Westmorland, y wlad a oresgynnwyd gan Ecgfrith, ond y mae digon yn britho tir Cumberland yn y gogledd-orllewin. Fel arfer honnir nad ymledodd dylanwad Ystrad Clud ymhell tua'r de, ond nid dyna yw tystiolaeth goroesiad yr enwau. Nid damwain yw'r ffaith fod nifer wedi goroesi yn y de-orllewin, cadarnle'r Llychlynwyr a ymfudodd i'r ardal. Yr oedd yr ieithydd Kenneth Jackson o'r farn mai yn sgil ymestyniad Ystrad Clud y lledodd yr enwau hyn tua'r de a dyna yw awgrym y dosbarthiad.

Tystiolaeth yr enwau Cymreig

I drigolion Ardal y Llynnoedd enwau Llychlynnaidd yw pob enw ag iddo olwg estron. Dyna yw tarddiad y mwyafrif o enwau'r ardal, ond ceir hefyd gyfran sylweddol o enwau Cymreig. Cyfeiriaf atynt fel enwau Cymreig, yn hytrach na Chymraeg, am na ellir eu dyddio i gyfnod penodol. Y mae'n amlwg o'u strwythur bod rhai yn deillio o gyfnod y Brythoniaid, rhai i gyfnod Rheged a'r gweddill o gyfnod Ystrad Clud. Gan mai gafael gwan oedd gan deyrnas Northymbria ar yr ardal rhaid awgrymu na chollwyd llawer o'r enwau yn nyddiau tywyll y chweched a'r seithfed ganrif. Heddiw, Cumbria yw'r unig sir yng ngogledd Lloegr lle mae enwau Saesneg yn brin. Enwau Cymreig a Llychlynnaidd sy'n dal i fritho'r ucheldir ac ni welir llawer o enwau Seisnig nes cyrraedd cyrion y sir. Gan fod cymaint o sylw wedi ei dalu i enwau o darddiad Llychlynnaidd, does dim diben ymhelaethu mewn cyfrol fel hon. Digon yw nodi mai dyma yw tarddiad enwau fel 'beck' (*bekkr*) am afon, 'tarn' (*tjärn*) am lyn bach, 'fell' (*fjell*) am fynydd a 'force' (*fors*) am raeadr. Yn wir, credir bod elfennau o'r Hen Norseg wedi aros yn yr ardal yn hir wedi diffoddiad y Gymraeg fel y tystia geiriau tafodieithol fel 'ley' (*ljár*) am bladur, 'skep' (*skeppa*) am fasged, 'haver' (*hafr*) am geirch a 'laik' (*leika*) am chwarae.

Hyd yn hyn, nid oes neb wedi cyhoeddi cyfrol i drafod enwau o darddiad Cymreig ac y mae'r esboniadau a gynigir gan rai 'arbenigwyr' yn wallus. Yn yr atodiad, esboniaf ystyr tua dau gant o enwau Cymreig er bod rhai yn anodd ei gwahanu oddi wrth eiriau tebyg yn yr Aeleg. Yn ei gyfrol *Language and History in Early Britain* dangosodd Kenneth Jackson y gellir mesur dylanwad hanesyddol y Saeson trwy edrych ar y nifer o enwau Celtaidd sydd wedi goroesi. Y mae hyn yn arbennig o wir am hen enwau, fel enwau afonydd, sy'n brin iawn yn y de a'r dwyrain ond yn cynyddu yn raddol wrth symud tua'r gorllewin a'r gogledd. Diddorol nodi felly fod llawer mwy nag enwau afonydd wedi aros yn Ardal y Llynnoedd. Rhestrir bron i ddau gant o'r enwau hyn yn yr Atodiad a diddorol nodi eu bod yn cynnwys 60 o bentrefi, 34 o afonydd, 30 o fryniau a phedwar o lynnoedd. Serch hynny, tasg anodd oedd dirnad ystyr rhai enwau am eu bod wedi eu Seisnigeiddio dros y canrifoedd. Un cymorth mawr oedd y ffaith fod y mwyafrif llethol o hen enwau yn enwau disgrifiadol. Fel yng Nghymru, yr arfer cyffredin oedd dechrau gydag elfen gyffredin, fel 'blaen', cyn ychwanegu terfyniad i gyfeirio at nodwedd arbennig. Y rhagddodiad mwyaf cyffredin yw *Car* ('Caer') ond ceir sawl *Blen* neu *Blin* ('Blaen') yn yr ardal ynghyd ag ambell i *Mel* neu *Meal* ('Moel'). Rhaid bod yn fwy gofalus gyda rhagddodiaid fel *Cum* a *Cumm* gan fod yr ystyr yn amrywio. Ystyr cyffredin *Cum* yw 'dyffryn' ond, ambell waith, defnyddid *Cumm* i ddisgrifio ardal lle yr oedd cymuned o Gymry yn aros yn yr Oesoedd Canol. Nawr ac yn y man, gwelir y rhagddodiad *Ban* neu *Bann* mewn enw ar fynydd neu fryn. Hen enw am gopa oedd *bann*, cyfeiriad at amlinelliad a oedd yn debyg i gorn anifail. Y mae cyfeiriad at 'Ychen Bannog' mewn chwedlau o'r Oesoedd Canol a dyna, wrth gwrs, yw tarddiad 'Bannau Brycheiniog'. Nid oes cyfle i draethu yn hir ar ystyron enwau mewn cyfrol fel hon, ond y mae'n werth trafod rhai i dynnu sylw at y cyfoeth enwol.

Dau bentref ag enwau telynegol yw Blawith ('Blaidd Wŷdd') yn ardal Coniston a Blencogo ('Blaen Cogau') ger Wigton. Naws tra gwahanol sydd i Cardurnock ('Caer Durnog'), pentref ar yr arfordir ger Silloth ac i Red Dial ('Rhyd Dial'), pentref rhwng Cockermouth a Chaerliwelydd. Ystyr 'durnog' oedd man caregog a cheir adfeilion caer o oes y Rhufeiniaid gerllaw. Pentref bach wrth ymyl croesffordd yw 'Red Dial' erbyn hyn ond, yn oes y Rhufeiniaid, yr oedd caer ger y rhyd i amddiffyn y briffordd i Gaerliwelydd.

Ychydig iawn sy'n sylweddoli mai enwau Cymreig sydd i ddau o fynyddoedd enwocaf yr ardal. Credir mai rhywbeth tebyg i 'Moel Felen' oedd yr hen enw ar Helvellyn a gallwn fod yn hyderus mai o'r 'Sgwyddau' Cymreig y tarddodd 'Skidaw'. Elfen gymharol gyffredin yn enwau clogwyni'r ardal yw 'Dow' neu 'Dove'. Yn ôl Diane Whalley, mannau i golomennod glwydo yw'r clogwyni hyn, ond anodd dychmygu unrhyw dderyn yn mentro i le mor oer a gwyntog. Nodwedd amlycaf y clogwyni yw'r ffaith eu bod yn sefyll yng nghysgod yr haul ac felly yn ymddangos yn ddu o bellter. Mwy synhwyrol o lawer yw cynnig mai ystumiad o'r 'du' Cymreig a gedwir yn yr enwau, fel yng Nghlogwyn Du'r Arddu yn Eryri.

Fel yng Nghymru, y mae'r enwau a ddewiswyd am afonydd yr ardal yn ddisgrifiad da o'u cymeriad. Nid syndod felly gweld mai afon yn llifo trwy ddyffryn llydan yw Leven ('Llyfn') na sylwi bod digon o hesg ar lan afon Esk wrth iddi dreiglo i gyfeiriad y môr. Honnir mai o air y Llychlynwyr am 'ewyn' y tarddodd enw afon Lowther ger Penrith. Daeth ateb gwell wedi darllen gwaith Llywarch Hen a gweld mai ystyr 'llawch' yn yr hen ganu oedd 'cynnig moethau'. Disgrifiad da o afon sy'n troelli trwy ddolydd llydan yn un o ddyffrynnoedd mwyaf cynhyrchiol Cumbria.

Yn Ardal y Llynnoedd y mae ugain o lynnoedd mawr yn ymestyn fel edyn olwyn ac ymddengys fod pedwar wedi cadw enwau Cymreig. Cyfeiriad amlwg at y coed deri sy'n tyfu yn y dalgylch yw Derwentwater ac y mae lle i gredu mai cyfeiriad at raeadr ar is-afon o afon Derwent a geir yn yr hwiangerdd 'Pais Dinogad'. O safbwynt amgylcheddol, 'Devoke Water' yw'r enw mwyaf dadlennol gan fod y llyn yn llawn o ddŵr tywyll. 'Du Fach' yw tarddiad tebygol yr enw,

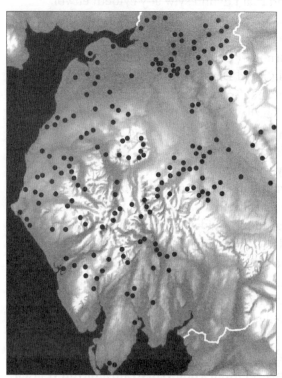

Enwau Cymreig Cumbria

felly rhaid cynnig bod y dŵr wedi troi'n ddu ers glaw mawr yr Oes Efydd. Ar yr olwg gyntaf, nid yw 'Crummock Water' yn enw da am lyn heb dro amlwg yn ei ganol. Serch hynny, fe ddaw'r ystyr yn glir wedi gweld mai dim ond darn o dir isel sy'n gwahanu Crummock Water oddi wrth Buttermere, llyn llai tua'r de. Gwyddys o olion daearyddol mai un llyn mawr oedd yn y dyffryn ar un adeg, ond yn anffodus ni ellir cynig dyddiad pendant i'r ymraniad.

Llyn arall ag enw a all fod o darddiad Cymreig yw Esthwaite Water yn nalgylch Windermere. Fel arfer, honnir fod yr enw yn gyfuniad o *est* a *tveit* mewn Hen Norseg i ddisgrifio llannerch dwyreiniol. Ond wedi twrio tipyn gwelwyd mai 'Estwyth' oedd ffurf gynharaf yr enw, disgrifiad perffaith o'r afon droellog sy'n llifo trwy'r llyn, fel a geir gydag afon Ystwyth yng Ngheredigion.

Dengys y map gyferbyn ddosbarthiad enwau Cymreig Cumbria ac fe gyflwynir esboniad o ystyr tebygol pob enw yn yr Atodiad. Credaf mai dyma'r map cyntaf i ddangos dosbarthiad enwau Cymreig Cumbria er bod cyfeiriadau byr ar y we. Fel y gwelir, y mae trwch yr enwau i'w gweld y tu mewn i fffiniau hen sir Cumberland ac y mae'r patrwm yn debyg iawn i ddosbarthiad y genynnau Cymreig. Prin iawn yw'r enwau Cymreig yn hen sir Westmorland a perthnasol nodi mai ystyr gwreiddiol *West-mor-inga* oedd 'Rhos Orllewinol y Saeson'. Ymddengys o ddosbarthiad yr enwau nad oedd Llychlynwyr y ddegfed ganrif mor awyddus â'r Saeson i newid enwau cynhenid. Digon gwir bod enwau o Hen Norseg i'w gweld ar yr arfordir, ond cadwyd llawer o enwau Cymreig ac fe fathwyd rhai enwau dwyieithog. Syndod hefyd oedd sylwi bod cymaint o enwau Cymreig wedi aros yn yr ardal a brynwyd gan y Llychlynwyr yn y de-orllewin. Er enghraifft, cyfuniad o **barr*, y gair Brythonig am fryn, ac *ey*, gair y Llychlynwyr am ynys, yw'r elfen gyntaf yn Barrow-in-Furnace. Yn ôl un arbenigwr, 'it is likely that the Scandinavian settlers simply accepted *barr-* as a meaningless name'. Casgliad rhyfedd o gofio fod yna air tebyg yn bod mewn Gwyddeleg ac yr oedd y Llychlynwyr yn gyfarwydd â'r iaith honno. Diddorol nodi hefyd mai'r unig ymchwilydd i werthfawrogi cymlethdod ieithyddol de-orllewin Cumbria oedd Heikki Rajala, efrydydd o'r Ffindir. Yn ei draethawd ymchwil[22] sylwodd na chollwyd pob enw Cymreig o ardal a oedd yn ganolfan bwysig i'r Norwyaid. Un enghraifft dda yw pentref Leece ('Llys') ar gyrion Barrow ac un arall yw maestref Roose ('Rhos'). Hyd yn gymharol ddiweddar, pentref yn sefyll yng nghanol rhos diffaith oedd Roose felly yr oedd yr enw yn ddisgrifiad da.

Colli Iaith – Y Gymbrieg

Yn y cyfnod Rhufeinig, y Frythoneg oedd prif iaith Prydain ond siaredid y Bicteg yn ucheldir yr Alban. Yn y bumed ganrif, dieithriodd y tafodieithoedd Brythonig gan esgor ar y Gymbrieg yn y gogledd, y Gymraeg yn y gorllewin a'r Gernyweg yn y de-orllewin. Credir bod y Gymbrieg yn debyg iawn i'r Gymraeg tra roedd y Gernyweg yn debycach i'r Llydaweg. Anodd dweud ble roedd y ffin rhwng y Gymbrieg a'r Gymraeg. Mae'n ddigon posib bod y ddwy iaith yn ymdoddi i'w gilydd. Yn ôl Kenneth Jackson, aber afon Ribble oedd ffin ddeheuol y Gymbrieg, ond does fawr o sail i'r ddamcaniaeth hon. Gan mai'r Gymbrieg oedd iaith Aneirin a Thaliesin rhaid derbyn mai gwaith hawdd oedd cynnig diweddariad o'r cerddi a drosglwyddwyd i Gymraeg Cynnar. Yn anffodus, dim ond tri gair o'r Gymbrieg sydd wedi goroesi a hynny ar ymylon dogfen gyfreithiol o'r ddeuddegfed ganrif. Lladin oedd iaith y ddogfen ond ychwanegwyd y geiriau Cymreig i egluro rhyw bwynt dadleuol. Y tri gair a ddefnyddiwyd oedd: *galnes* (dirwy am ladd), *mercheta* (gwaddol merch) a *kelchyn* (i ddisgrifio taith). Gellir dysgu ychydig am strwythur y Gymbrieg o enwau personau a lleoedd, ond y mae tipyn o ansicrwydd yn perthyn i ddyfaliadau o'r fath. Serch hynny, credir fod y Gymbrieg wedi cadw mwy o hen eiriau a phriod-ddulliau na'r Gymraeg a'i bod hefyd yn debycach i'r Bicteg a siaredid yn y gogledd.

Un ffurf hynafol yn yr iaith oedd y defnydd o'r gair 'penn' wrth gyfeirio at un peth. Felly, yn y gerdd 'Pais Dinogad', cyfeirir at 'penn ywrch, penn gwythwch, pen hyd' wrth ddisgrifio'r anifeiliaid. Arfer hynafol arall oedd cadw'r gytsain *mb* o'r Frythoneg. Yn ôl rhai, dyna yw tarddiad 'Cam Beck', enw'r afon ger Brampton, yn hytrach na chyfuniad mwy diweddar o'r *cam* Cymreig a'r *bekkr* Llychlynnaidd. Gwelir yr un patrwm yn *Cromboc*, ffurf gynnar o 'Crummock', a 'Cumbrae', enw un o ynysoedd yr Alban. Yn ôl Kenneth Jackson, yr oedd yr *mb* wedi troi yn *m* yn y gorllewin erbyn y seithfed ganrif, ond yr oedd o'r farn fod yr *mb* wedi aros yn y gogledd am ganrif arall. Cynigiodd ddamcaniaeth debyg i esbonio'r defnydd o'r *c* a'r *ch* yn y ddwy iaith. Honnir bod y Gymbrieg wedi cadw'r *c* Frythonig, fel yn 'Lannerc', tra yr oedd y Gymraeg wedi mabwysiadu'r *ch*. Ar sail sillafiad hen enwau, mentrwyd bod llesmair (yr arfer o golli sill o ganol gair) yn fwy cyffredin yn y Gymbrieg nag yn y Gymraeg. Dyma sut yr esboniwyd yr enw 'Calder' am 'Caled Ddŵr', ond gwelir yr un arfer yng Nghymru mewn enwau fel 'Dyffryn Cletwr'. Y mae mwy o sail i'r gred fod yna duedd i ddefnyddio'r *e* yn hytrach na'r *a* fel llafariad yn y Gymbrieg. Dyna yw tystiolaeth enwau fel 'Nenthead', pentref wrth droed y Penwynion, lle gwelir *nent* am nant. Enghraifft arall o newid llafariad yw'r arfer o droi *i* yn *e* mewn enwau sy'n cynnwys y gair 'mig'. Hen air am gors oedd 'mig', fel yn y 'Migneint', yr ucheldir gwlyb rhwng Bala a Thrawsfynydd. Nid oes yr un *mig* na *meg* wedi aros yn Ardal y Llynnoedd ond y mae cors a adnabyddir fel 'Meggs Mire' a llyn a elwir 'Megget Water' ymhellach tua'r gogledd. Cwestiwn mwy sylfaenol yw beth oedd natur y fannod yn y Gymbrieg? Yn y Gymraeg, mabwysiadwyd yr 'y' a'r 'yr' mewn cyfnod cynnar, ond y mae lle i feddwl mai *er* oedd y ffurf yn y Gymbrieg.

Damcaniaeth sydd wedi cynhyrfu'r dyfroedd yn ddiweddar yw'r syniad fod y Gymbrieg wedi benthyg llu o eiriau o'r Bicteg. Yn 2013, cyhoeddodd Alan James adroddiad i gynnig mai camgymeriad yw tynnu ffin bendant rhwng y ddwy iaith, yn enwedig yn y cyfnod cynnar.[23] Yn ei farn ef, dylid meddwl am ieithoedd yr Hen Ogledd fel cyfres o dafodieithoedd rhanbarthol a oedd yn ymdoddi i'w gilydd. Lluniodd y ddamcaniaeth yn sgil y ffaith fod yna lu o enwau 'Pictaidd' i'w gweld ymhell tua'r de mewn ardaloedd lle na siaredid dim ond y Frythoneg. Yn wir, aeth mor bell â chynnig mai'r gwahaniaeth mwyaf rhwng y Pictiaid a'r Brythoniaid oedd y ffaith nad oedd y gogleddwyr erioed wedi bod yn rhan o'r Ymerodraeth Rufeinig! Gan na wyddys fawr ddim am strwythur y Bicteg anodd profi damcaniaeth o'r fath, ond y mae'r syniad o raddiant ieithyddol yn cyd-fynd â'r hyn a welir heddiw ar gyfandir Ewrop.

Tranc y Gymbrieg

Ni ellir cynnig dyddiad pendant i ddiflaniad y Gymbrieg ond y mae'n rhaid ei bod wedi darfod fel iaith weinyddol wedi cwymp Ystrad Clud. Yn ôl Charles-Edwards, llwyddiant ysgubol Ystrad Clud oedd yn rhannol gyfrifol am ei thranc. Yn ei ddadansoddiad o hanes yr iaith, cymharodd sefyllfa'r Gymbrieg yn Ardal y Llynnoedd gyda chyflwr y Gymraeg ar hyd y gororau tua'r un cyfnod. Yn y gororau, yr oedd Llywelyn ap Seisyll wedi adennill cryn dipyn o'r tir a gollwyd i'r Saeson, ond yr oedd yr ardal a feddiannwyd eisoes yn gartref i lu o Gymry. Yn Ardal y Llynnoedd, rhaid derbyn bod nifer y siaradwyr Cymraeg wedi gostwng yn ystod yr wythfed a'r nawfed ganrif, felly erbyn y ddegfed, yr oedd yr ardal yn amlieithog. Wrth gwrs, yr oedd digon o Gymry yn byw yn y canoldir, ond yr oedd mwy o Saeson yn y dwyrain a nifer o Norwyaid wedi ymgartrefu yn y de. Wedi treulio cymaint o amser yn Iwerddon yr oedd llawer yn medru Gwyddeleg, a thrwy hyn yn deall yr Aeleg ac ychydig o'r Gymbrieg. Yr unig gymuned i wrthod dysgu unrhyw iaith arall oedd y Saeson, felly'r Gymbrieg oedd yr iaith gyntaf i ddioddef. Yn ôl Kenneth Jackson, ceir tystiolaeth ieithyddol fod y Cymry wedi dysgu Saesneg mor llwyr fel nad oedd raid i'w cymdogion ymdopi ag unrhyw sain 'estron'. Yn wir, ceir yr argraff o sillafiad hen enwau bod yr ardalwyr wedi newid y ffordd yr yngenid y geiriau fel cyfleustra i'r Saeson. Gwelir yr un duedd yn y Gymru fodern lle y cyfeirir at Caernarfon fel 'Cahnavon' pan fydd yna Sais yn y cwmni! Tystiolaeth sicr o wendid ieithyddol y Saeson yw'r ffordd y mabwysiadwyd rhai enwau cynhenid i greu cyfuniad gwirion. Un arfer cyffredin oedd ailadrodd ystyr enw 'estron' mewn ychwanegiad Saesneg. Dyna a ddigwyddodd i Trusmadoor, y bwlch uwch Cockermouth, lle cedwid ystumiad o'r 'drws' Cymraeg, cyn ychwanegu'r 'door' Saesneg. Enghraifft fwy digrif yw Torpenhowe Hill, enw bryn ger llyn Bassenthwaite. '*Tor*' oedd y gair Brythonig am fryn, '*pen*' oedd y cyfieithiad i'r Gymbrieg ac '*haugr*' oedd yr enw mewn Hen Norseg. Nid syndod felly gweld bod y Saeson wedi ychwanegu 'hill' i greu'r enw rhyfeddol: 'Hill Hill Hill Hill'!

Trist meddwl felly fod y Gymbrieg wedi gwanychu mewn cyfnod pan oedd dylanwad Ystrad Clud yn ei hanterth. Yn eu cyfnod hwy y Gymbrieg oedd iaith swyddogol y wlad ond ni sylweddolodd eu harweinwyr na ellid ei gwarchod mewn cymdeithas amlieithog. Yn wir, gellid cynnig mai dewis marw, nid cael ei lladd, a wnaeth yr iaith. Hawdd dychmygu mawrion y deyrnas yn ymgynnull i wrando ar y beirdd yn traethu tra roedd yr iaith yn prysur ddiflannu o gefn gwlad.

Ni wyddys pryd y diflannodd y Gymbrieg yn llwyr, ond credir ei bod wedi troi yn iaith yr ymylon erbyn cychwyn y drydedd ganrif ar ddeg. Am gyfnod, parhaodd yr ymwybyddiaeth o genedligrwydd am fod rheolwyr newydd yr Alban yn awyddus i gydnabod cenedl a oedd yn wrthglawdd rhyngddynt a'r Saeson. Ceir cadarnhad o hyn yn y geiriau a dorrwyd ar sêl Alecsander III pan esgynnodd hwnnw i'r orsedd yn 1249. Er bod yr iaith erbyn hynny yn iaith y lleiafrif, yr oedd yn fwy na pharod i nodi ei fod ef yn *Rex Scotorum et Britannicum* ('Brenin yr Albanwyr a'r Cymry'). Gair arall a ddefnyddid i ddisgrifio Cymry'r Hen Ogledd yn yr Oesoedd Canol oedd 'Bret'. Wedi i Edward I esgyn i orsedd Lloegr yn 1272, gwaethygodd y sefyllfa, a phan oedd ei weinyddiaeth yn ei hanterth, gwaharddwyd pob defnydd o 'gyfreithiau'r Scots a'r Brets'.

Heddiw, y mae tafodiaith hynod yr ardal yn llawn o eiriau a fabwysiadwyd o'r Hen Norseg, ond prin iawn yw'r geiriau a gadwyd o'r hen iaith. Er gwaethaf y golled, y mae rhai wedi gwneud ymdrech i atgyfodi'r iaith ar seiliau digon ansicr. Un sydd wedi dilyn llwybr mwy synhwyrol yw Neil Whalley, ieithydd a sefydlodd y wefan cumbraek.co.uk i adrodd hen hanes yr ardal. Cynllun gwreiddiol Neil oedd creu fersiwn atgyfodedig o'r Gymbrieg, ond buan y sylweddolodd na ellid gwneud dim o'r fath. Yn lle rhoi'r gorau i'r gwaith, aeth ati i lunio iaith 'wneud', *Cumbraek*, er mwyn hybu ddiddordeb yn y cyfnod Cymreig. Mewn e-bost a ddanfonodd ataf fi beth amser yn ôl, eglurodd bwrpas y fenter a natur yr iaith newydd:

> It is a constructed language inspired and founded on Cumbric. I have never intended it to be used and spoken and I certainly don't have any political intentions for it. Though it bears many similarities to Welsh, it is not merely an altered version of that language and has a low mutual intelligibility, comparable to that between Cornish and Breton.

Nid wyf yn ddigon o ieithydd i fynegi barn ar ei ymgais, ond y mae ei wefan yn gyflwyniad defnyddiol i hanes, iaith a diwylliant yr Hen Ogledd. Ar y wefan, ceir 'cyfieithiadau' o destunau cyfarwydd a geiriadur syml: y '*Geryadour Cumbraek*'. Un darn diddorol yw'r cyfieithiad o lyfr plant Beatrix Potter *'Hwedil Pedir er Goningen'* ('The Tale of Peter Rabbit')! Dyma ei gyfieithiad o Weddi'r Arglwydd lle gwelir ei fod wedi dewis 'er' yn hytrach nag 'y' fel y fannod:

Er Pader
An Tat issidh in er Nevedh
Seth bo de anuv
Duvo de diarnas
Gwrelher de vodh
War dhaer mal in er Nev
Rodh du-ni hedhiw an bargh pownidhol
A madhow an dliedow
Mal e madhowen an dliedwir
Nan tuwis du dentot
Ethir gwaret ni a skeler
Is tow er Diarnas
Er cuvoyth ag er gogonyant
In ais aissow
Amen

Adlais o'r Traddodiad Barddol?

Yn ei gyfrol *The Borders*,[24] cynigiodd Alistair Moffat fod un o feirdd Seisnig yr Hen Ogledd yn perthyn i draddodiad y bardd llys Cymreig. Enw'r bardd oedd Thomas Learmonth (bl. c. 1220-98) ond fel *Thomas Rymour de Ercieldoune* ('Tomos y Rhigymwr o Erceldoune') y cofir amdano. Ganwyd Tomos ar lethrau bryniau Eildon ac ymddengys ei fod yn aelod o deulu cefnog. Dywedir fod Tomos wedi etifeddu'r ddawn o farddoni wedi iddo dreulio peth amser mewn ogof o dan y mynydd gyda Brenhines y Tylwyth Teg! Yn 1929 cododd Cymdeithas Lenyddol Melrose gofeb i Tomos, ac yn ôl yr hyn a dorrwyd ar y garreg, ef oedd 'bardd cyntaf yr Alban'. Fel pob bardd o'r cyfnod, yr oedd yn rhaid i Tomos ennill swydd mewn llys i arfer ei grefft. Noddwr Tomos oedd Padrig, Iarll Dunbar, ac yr oedd hwnnw yn ddisgynnydd i Gospatric awdur y 'gwrit' enwog ar ddyddiau olaf 'Cumbria'. Dyna awgrym fod gan y teulu wreiddiau Cymreig, felly nid syndod deall mai un o ddyletswyddau Tomos oedd diddanu'r Iarll trwy lunio cerddi darogan. Ei broffwydoliaeth enwocaf oedd yr un a gyflwynodd i'r teulu ar 19 Mawrth 1286 yn rhagweld bod trychineb fawr ar fin taro'r Alban. Erbyn diwedd y dydd, nid oedd dim o'r fath wedi digwydd felly yr oedd enw da Tomos fel brudiwr yn deilchion. Drannoeth, cyrhaeddodd negesydd o Gaeredin gyda'r newyddion fod y brenin, Alecsander III, wedi marw ar ôl syrthio oddi ar gefn march, digwyddiad tyngedfennol yn hanes y genedl a arweiniodd, yn y man, at ymosodiadau Edward I. Proffwydoliaeth fwy pellgyrhaeddol oedd yr un am yr Alban yn colli ei sofraniaeth. Ar lan afon Tweed y mae pentref a elwir Drumelzier lle, yn ôl y traddodiad, y claddwyd gweddillion y dewin Myrddin. Yn ôl proffwydoliaeth Tomos, fe ddôi dyddiau'r Alban fel cenedl annibynnol i ben pe golchid y bedd gan lif yr afon. Yr oedd gwely'r afon ymhell o droed y bryn ond, yn 1604, llifodd y dŵr dros y bedd ac fe goronwyd Iago VI yn frenin ar yr Alban a Lloegr! Gydag amser, lledodd y storïau am allu brudiol Tomos nes iddo droi yn rhyw fath o 'fab darogan'. Dywedir bod beirdd o'r Alban wedi dyfynnu rhai o'i gerddi i gynnal ymgyrch Montrose yn 1647 ac yr oedd cyfnod pan gyfeirid at ddilynwyr y tywysog Carlo ('Bonnie Prince Charlie') fel 'Plant y Rhigymwr'.

Ni wyddys faint o feirdd Ystrad Clud a gadwodd afael ar eu crefft yn nyddiau olaf y deyrnas, ond ymddengys bod atsain o'r gynghanedd wedi aros wedi i'r iaith ddiflannu. Un darn awgrymog yw'r faled a adwaenir fel 'The Awntyrs off Arthure at the Terne Wathelyne'. Tir sych yw Tarn Waddling erbyn hyn, ond yr oedd llyn bas ar y safle beth amser yn ôl. 'Terwethelan' oedd yr hen enw, ystumiad o 'Dir y Gwyddel Bach', enw tebyg i Dolwyddelan, y pentref rhwng Blaenau Ffestiniog a Betws-y-coed. Sant o Iwerddon oedd y gŵr a goffeir yng Ngwynedd, ond ni ŵyr neb pwy oedd 'Gwyddel Bach' Ardal y Llynnoedd. Credir bod baled Tarn Waddling wedi ei chyfansoddi ar gyfer rhyw briodas bwysig yn y bedwaredd ganrif ar ddeg a hynny ar wŷs Iarlles Westmorland. Y cwpled dadlennol yw'r un lle disgrifir y Brenin Arthur a'i wŷr yn hela ar yr ucheldir:

To fall of the femailes in forest were frydde,
Fayre by the fermesones in frithes and felles.

Y mae'r cyfeiriad at 'Awntyres' yn y teitl yn osodiad awgrymog ond ni all neb edrych ar y gair 'frithes' heb weld y cysylltiad Cymreig. Perthnasol hefyd nodi fod yna ddarn uchel o dir ger Windermere a elwir y 'Frith' (fridd) ac y mae fferm a elwir 'Folds' ar y tir islaw. Yn ôl arbenigwyr, mae mwy o gyflythrennu i'w weld yn y gerdd hon nag mewn unrhyw ddarn arall yn yr iaith Saesneg. Cyd-ddigwyddiad neu dystiolaeth bod adlais o grefft y cynganeddwyr wedi aros yn yr Hen Ogledd?

Colli Urddas

Ni welwyd fawr o newid yn Ardal y Llynnoedd wedi i Gwilym Goncwerwr oresgyn Lloegr gan fod y rhan fwyaf o dirwedd yr hen Ystrad Clud erbyn hynny yn rhan o'r Alban. Yr oedd y Normaniaid wedi goresgyn y Saeson heb ddim trafferth ond wedi mentro i gyfeiriad yr Alban a Chymru trodd y brwydro yn chwerw. Yn 1072 gyrrodd Gwilym ei fyddin mor bell â Chaeredin, ond rhybudd yn unig oedd y cyrch, nid ymgais i oresgyn yr Alban. Dyna hefyd oedd bwriad y cyrch a drefnwyd ar draws de Cymru i Dyddewi yn 1081, ond ni lwyddwyd i ennill fawr o dir wedi'r ymdrech. Camp fawr Gwilym oedd cyhoeddi'r 'Domesday Book', cyfrifiad cyntaf Prydain, yn 1086. Yn Ardal y Llynnoedd dim ond Millom, Whicham, Kirksanton a Bootle, ardaloedd ymhell tua'r de, oedd yn nwylo'r Normaniaid ar y pryd, felly does dim sôn am weddill y wlad. Yn y cyfnod cynnar, prif nod y weinyddiaeth oedd casglu trethi ac arfer cyffredin oedd penodi pendefigion lleol i wneud y gwaith. Ni fu'r cynllun yn llwyddiant ysgubol ar ffiniau'r weinyddiaeth, felly rhaid oedd cipio mwy o dir i drefnu gwrthglawdd rhwng yr ardaloedd ansicr hyn a gweddill y wlad. Yn y bôn, rhyfeloedd i gadw'r Albanwyr a'r Cymry hyd braich oedd brwydrau cynnar y Normaniaid, ond newidiodd y sefyllfa wedi i fab Gwilym, Gwilym Goch, esgyn i'r orsedd.

Yn 1092 gyrrodd Gwilym Goch fyddin gref tua'r gogledd i ymestyn ffiniau ei deyrnas trwy gipio castell Caerliwelydd. Ceir disgrifiad o'r goncwest mewn erthygl gan J. G. Scott sy'n dwyn y teitl *'The Partition of a Kingdom: Strathclyde 1092-1153'*.[25] Yn ôl Scott, disgynyddion i deulu brenhinol Ystrad Clud oedd gweinyddwyr yr ardal ar y pryd ond eu bod hwy wedi etifeddu'r swydd trwy garedigrwydd brenin yr Alban. Wedi cipio'r castell, cam nesaf Gwilym oedd gwahodd llu o fewnfudwyr o'r de i wladychu'r tir oddi amgylch. Yng Nghronicl yr Eingl-Sacsoniaid disgrifir hwy fel 'churlish folk' a'r canlyniad oedd Seisnigeiddio ardal a oedd wedi cadw tipyn o'i chymeriad Cymreig. Rhwng 1094 a 1096 trefnwyd ymgyrchoedd tebyg i ogledd a de Cymru ac fe lwyddwyd i sefydlu nifer o drefedigaethau estron. Methiant fu'r ymgais i ddarostwng Gwynedd ond cododd y Normaniaid gadwyn o gestyll gormesol ar draws de a gorllewin Cymru.

Am gyfnod, cafwyd ysbaid yn y gogledd wrth i Gwilym roi ei fryd ar gefnogi'r Groesgad ac fe benodwyd gŵr o'r enw Ivo Taillebois i reoli'r wlad o amgylch Caerliwelydd. Cyn hir, gwahoddwyd mwy o daeogion o dde Lloegr i fyw yn yr ardal gyda'r canlyniad fod dylanwad y Cymry wedi gwanychu. Dyma'r cyfnod pryd y cyhoeddwyd dogfen yn yr Alban yn rhestru'r tiroedd a oedd yn dal yng ngofal esgobaeth Glasgow. Yn y ddogfen, cyfeirir at y brenin Dafydd fel y *Cumbrensis regionis princeps* ('Tywysog Cumbria') felly mae'n rhaid fod peth o'r tir tua'r de wedi derbyn elfen o hunanlywodraeth.

Er eu trahauster, ni ddylid dibrisio cyfraniad y Normaniaid at lwyddiant economaidd yr Hen Ogledd na'u dylanwad ar ddiwylliant y rhanbarth. Y Normaniaid oedd y cyntaf i weld gwerth y gwlân a gynhyrchid ar y ffriddoedd ac i farchnata'r cynnyrch i wledydd ar draws y Cyfandir. Y mynachlogydd oedd yn bennaf cyfrifol am y fasnach, ac ymddengys mai urdd y Sistersiaid oedd ffermwyr mwyaf llwyddiannus y cyfnod. Ceir cofnod bod Abaty Furness yn cynhyrchu 30 sachaid o wlân bob blwyddyn, ac yr oedd Kendal yn enwog am gynhyrchu brethyn o'r ansawdd gorau. Yr enw swyddogol ar y mynaich a oedd yn gyfrifol am drefnu'r fasnach wlân oedd y *lanificio* ac y mae tystiolaeth fod rhai yn wŷr anonest. Er enghraifft, yr oedd cŵyn bod *lanificio* Abaty Furness yn allforio gwlân i Fflandrys 'trwy ddrws y cefn' heb dalu treth, ond anodd dweud faint o'r elw a rannwyd rhwng ffermwyr yr ardal.

Yn y ddeuddegfed ganrif gallwn fod yn hyderus fod y Gymbrieg yn dal yn fyw, a chan fod rhai o fynachod yr ardal yn Llydawyr, rhaid tybio eu bod yn deall rhywfaint o'r iaith. Yn sicr, yr oedd ganddynt ddiddordeb yn y diwylliant Celtaidd a'r chwedlau a adroddid am Myrddin a'r brenin Arthur. Nid syndod gweld felly fod rhai wedi ymddiddori yn hanes yr Eglwys Geltaidd ac yn y bucheddau a luniwyd i'w saint. Yr athrylith yn y maes oedd Jocelyn, mynach o Abaty Furness, a gyhoeddodd fucheddau Padrig, Cyndeyrn, Waltheof o Montrose ac Elen (mam Cystennin) rhwng 1175 a 1214. Y mae'r ffaith ei fod wedi canolbwyntio ar seintiau o'r gwledydd Celtaidd yn hynod o ddadlennol ac yn awgrymu fod yr hen gysylltiadau rhwng yr Hen Ogledd, Iwerddon a'r Alban yn dal yn fyw. Hyd yn ddiweddar, ni thelid fawr o sylw i gyfraniad y mynach gweithgar ond da gweld bod y sefyllfa wedi newid erbyn hyn. Yn 2010, cyhoeddodd Helen Birkett o Brifysgol Exeter gyfrol swmpus ar fywyd Jocelyn ynghyd ag arolwg trylwyr o'i waith.[26] Yn y gyfrol, cynigir crynodeb o'r cefndir hanesyddol, dadansoddiad o'r bucheddau a nodiadau ar noddwyr y dydd. Yn ôl Helen Birkett, y mae gweithiau Jocelyn o bwys am fod yr awdur yn byw ar y ffin rhwng yr hen fyd Celtaidd a'r byd modern Normanaidd. Yn 2011, trefnodd Clare Downham o Brifysgol Lerpwl gynhadledd ryngwladol i drafod dylanwad Jocelyn ar ddiwylliant yr Oesoedd Canol. Prif nod y gynhadledd oedd trafod ei gyfrolau ar Padrig ac Elen, ond fe geisiwyd hefyd dreiddio i gefndir cymdeithasol yr awdur. Mae'n bwysig cofio bod y wlad i'r gogledd o Abaty Furness yn ardal amlieithog ar y pryd ac y mae lle i gredu bod Jocelyn wedi dysgu mwy nag un iaith Geltaidd. Yn 2013, cyhoeddwyd cyfrol arbennig i grynhoi gwaith y gynhadledd[27] ac y mae prosiect newydd ar fywyd a gwaith Jocelyn ar y gweill.

Yn y cyfnod Normanaidd, nid ardal ymylol oedd Ardal y Llynnoedd, ond dolen mewn rhwydwaith weinyddol a oedd yn ymestyn ar draws gorllewin Prydain. Un canlyniad o'r gyfathrach oedd y cysylltiadau teuluol a ddatblygodd rhwng Gwŷr y Mers a rheolwyr yr Hen Ogledd. Un enghraifft dda oedd hanes y le Flemings, teulu o Fflandrys, a oedd wedi canlyn Gwilym i Loegr. Erbyn yr unfed ganrif ar ddeg, yr oeddynt wedi dringo i swyddi uchel yng Nghymru ac yng ngogledd Lloegr. Gwynedd oedd maenor un gangen o'r teulu ac yr oedd cangen arall yn llywodraethu yn ne-orllewin Cumbria. Y mae cofnod fod gŵr o'r enw Michael le Fleming wedi ei eni yng

Y gofeb i Edward I 'Morthwyl yr Albanwyr'

nghastell Caernarfon (Gwynedd) tua 1085 a bod disgynnydd o'r un enw wedi ei eni yng nghastell Caernarvon (Beckermet) yn 1124. Rhyfedd gweld fod y teulu wedi dewis yr un enw i'w castell yn yr Hen Ogledd ond y mae'n rhaid tybio eu bod yn awyddus i gydnabod y cyswllt. Pentref bach yn agos at atomfa Sellafield yw Beckermet erbyn hyn, ond yn yr Oesoedd Canol, yr oedd mynachlog enwog gerllaw. Dymchwelwyd y castell wedi i'r Le Flemings symud i Coniston yn 1150, gan adael dim ond magwrfa cwningod, y 'Coneygarth Cop', ar eu hôl.

Daeth tro ar fyd pan esgynnodd Edward I i orsedd Lloegr yn 1272 gan fygwth heddwch Cymru a de'r Alban. Y mae hanes ymosodiadau Edward I ar Gymru yn hysbys i bawb, ond rhaid cofio ei fod hefyd wedi ennill yr enw 'Morthwyl yr Albanwyr'. Y mae hanes ei ymgyrchoedd yn yr Hen Ogledd yn rhy gymhleth i'w hadrodd yn gryno, ond dywedir fod ei ymosodiad ar Berwick mor waedlyd â dim a welwyd yng Nghymru. Berwick oedd tref fwyaf yr Alban y pryd hwnnw, ac fe allai fod wedi tyfu yn brifddinas oni bai am ddinistr y Saeson. Yn 1296 gosododd Edward y dref o dan warchae, ac wedi i'r trigolion ildio, lladdwyd wyth mil heb arbed henwyr, gwragedd na phlant. Dyma ddechrau cyfnod arwrol yn hanes yr Alban a adwaenir fel 'Y Brwydrau am Annibyniaeth'. Arwyr mawr y cyfnod oedd

William Wallace (c. 1270-1305) a Robert y Briws (1274-1329), a dylid cofio bod Wallace o dras Cymreig.

Daeth gyrfa greulon Edward i ben yn 1307 pan oedd ar fin arwain ymgyrch arall i dde'r Alban. Er gwaethaf ei gryfder corfforol, nid oedd mewn iechyd da a bu farw o ddisentri cyn croesi'r ffin tra roedd yn gwersylla ger Burgh by Sands. Dygwyd ei gorff i Abaty Westminster i orwedd gyda'r mawrion, ac yn 1685, codwyd cofeb rwysgfawr i nodi'r fan lle bu farw.

Canlyniad yr holl frwydro oedd difetha'r wlad rhwng yr Alban a Lloegr i greu ardal lle nad oedd yna arlliw o gyfraith a threfn. Y disgrifiad gorau o gyflwr yr ardal yn y cyfnod rhwng 1286 a 1603 yw'r un a geir yng nghyfrol Mac Donald Fraser ar reibwyr y ffin:

> What resulted was not only guerrilla warfare but guerrilla living. In times of war the ordinary Borderers, both English and Scottish, became almost nomadic; they learnt to live on the move, to cut crop subsistence to a minimum and rely on the meat they could drive in front of them. All these things they were forced to do while English and Scottish armies marched and burned and plundered what was left of their countryside.

Am dair canrif a mwy yr oedd ardal y ffin yn 'dir neb' rhwng byddinoedd yr Alban a Lloegr. Yr oedd lleoliad y ffin hyd yn oed yn bwnc dadleuol ac yr oedd ardal rhwng Langholm yn y gogledd a Chaerliwelydd yn y de a elwid y 'Debatable Lands'. Dyma gadarnle'r Armstrongs, teulu o reibwyr Albanaidd, ac yr oedd y Grahams, teulu o reibwyr Seisnig, yn tra-arglwyddiaethu yn y wlad tua'r de. Ymgais i oroesi mewn cyfnod anodd oedd ymosodiadau'r rheibwyr ac, yn y diwedd, yr oeddynt yn fwy o ysgarmesoedd teuluol na brwydrau rhwng cenedl a chenedl.

Yr Armstrongs oedd ysbeilwyr mwyaf peryglus y ffin, ac yn eu hanterth, dywedir y gallent alw am gymorth 3,000 o ddynion arfog. Dwyn gwartheg oedd eu prif ddiddanwch ond yr oedd yna hefyd ffordd lai peryglus o ennill pres. Ardal y ffin oedd meithrinfa 'blackmailers' cyntaf Prydain lle gofynnid am dâl i gadw eiddo'n

Y tŵr amddiffynnol a godwyd ar fferm Kentmere Hall ger Kendal

ddiogel. Credir mai o'r gair *bla-ich* ('amddiffyn') a'r gair *mal* ('talu gwrogaeth') mewn Gaeleg y tarddodd yr enw, sydd bellach yn rhan o lafar gwlad. Yn 1530 ceisiodd Iago V, brenin yr Alban, roi terfyn ar yr holl gynnwrf trwy grogi Johnny Armstrong a'i ddilynwyr, ond wedi gwneud hyn fe gollodd barch y wlad.

Ni welwyd fawr o newid wedi i Harri VIII esgyn i'r orsedd gan fod hwnnw'r un mor barod i ddarostwng yr Alban. Yn 1544 trefnodd gyrch tua'r gogledd, ond wedi methu â chipio dinas Caeredin, trodd. at dref Berwick a'i llosgi i'r llawr. Yn oes Elisabeth, esgorwyd ar y syniad o adeiladu mur ar draws y wlad i rwystro ymosodiadau. Dechreuwyd ar y gwaith o godi'r 'Scots' Dike' yn 1552, ond nid oedd gan y trysorlys ddigon o arian i orffen y cynllun uchelgeisiol. Ym mlynyddoedd olaf Elisabeth, gwelwyd mwy o gyrchoedd ar hyd y ffin a dywedir fod dros 5,000 o wartheg wedi eu dwyn o ffermydd gogleddol Cumbria mewn un wythnos gynhyrfus. Erbyn hyn, arweinydd yr Armstrongs oedd gŵr o'r enw Kinmont Willie Armstrong ac y mae'r baledi a gyfansoddwyd i gofio ei gampau yn debyg iawn i'r straeon a adroddir am Twm Sion Cati. Gellir blasu peth o naws y cyfnod yng nghyfrol Alistair Moffat, *The Reivers*.[28] Yng nghefn y llyfr, ceir casgliad o hen faledi, ac yn y faled i Kinmont Willie

Armstrong, disgrifir cynllun yr hen reibiwr i ymosod ar gastell Caerliwelydd:

> I would set that castell in a low,
> And sloken it with English blood!
> There's nevir a man in Cumberland,
> Should ken where Carlisle castell stood.

Cynllun uchelgeisiol i droi'r cloc yn ôl, ond nid felly bu ac, erbyn 1596, yr oedd Willie ei hun yn garcharor yn y castell. Yn ôl yr hanes, trefnwyd cyrch ar y cyd gyda'r rheibwyr Seisnig i'w ollwng yn rhydd. Wedi dringo muriau'r castell a threchu'r ceidwaid, gollyngwyd Willie drwy ffenestr uchel ar raff. Er ei fod dros drigain oed ar y pryd, cyrhaeddodd y llawr yn ddiogel cyn nofio afon Idon i ddianc.

Ni fentrodd rheibwyr y ffin i ucheldir Ardal y Llynnoedd, ond yr oedd ffermdai'r iseldir yn ysglyfaeth barod. Y mae nifer o'r tyrau a godwyd i'w gwrthsefyll i'w gweld o hyd yn dyst i gyfnod tywyll yn hanes yr ardal. Pan godwyd tŵr Kentmere Hall ger Kendal yn y bedwaredd ganrif ar ddeg, nid oedd tir yr ardal yn werth dim oherwydd ymosodiadau cyson. Serch hynny, rhaid cofio bod codi tyrau o'r fath yn arwydd o gyfoeth a myn rhai bod ymosodiadau'r rheibwyr bron ar ben cyn gorffen y gwaith o godi tŵr Kentmere.

Wedi i Iago I esgyn i'r orsedd yn 1603 gwelwyd gostyngiad pellach yn yr ymosodiadau gan fod gan weision y goron well gafael ar y wlad. Rhybuddiwyd teuluoedd y ffin fod y dyddiau anwar ar ben a gosodwyd dyddiad pendant iddynt ildio. Yn ôl yr wŷs a ddanfonwyd o lys y brenin, disgwylid i'r troseddwyr 'ymostwng i'w drugaredd erbyn yr 20fed o Fehefin o dan boen alltudiaeth'. Dyma oedd cychwyn y cyfnod gwaedlyd a adwaenir fel y 'Jethart Justice' pryd y crogwyd llawer cyn profi unrhyw drosedd. Mewn cyfnod byr, crogwyd tua chant a hanner o drigolion y ffin a danfonwyd eraill i Iwerddon i straffaglu byw yn ardal Roscommon. Yn y diwedd, llwyddodd Iago i roi terfyn ar ganrifoedd o gynnwrf a, phan unwyd yr Alban a Lloegr yn 1707, daeth cyfnod rheibwyr y ffin i ben.

Heddiw, cofir am y 'Reivers' yn y baledi a genir yn nhafarndai'r fro ac ym malchder teuluoedd fel yr Armstrongs, y Charltons ('Caer

Leton') a'r Curwens ('Gilwen'). Ar hyd yr oesoedd, cyfrifid gwŷr y ffin yn ymladdwyr diguro ac yr oedd eu gwŷr meirch yn enwog am eu gwrhydri. O bryd i'w gilydd, cyflogwyd hwy fel hurfilwyr i'r goron a dywedir bod Elisabeth I wedi sylwi y gallai Iago VI 'ysgwyd pob gorsedd yn Ewrop gyda deng mil o ddynion tebyg'. Un ffordd o flasu naws yr hen gynnwrf yw ymweld ag un o drefydd y ffin yn ystod y dathliadau a elwir y 'Common Ridings'. Cynhelir y dathliadau yn rheolaidd ym Mehefin neu Awst gan symud o dref i dref ar ddyddiad penodol. Erbyn hyn, y mae un ar ddeg o drefi'r ffin yn dathlu'r traddodiad a'r prif atyniad yw gweld llu o wŷr meirch yn carlamu trwy'r strydoedd.

Gwaddol y cyfnod Cymreig

Gan fod cyn lleied o waith academaidd wedi ei wneud i ddatgelu hanes Cymry'r Hen Ogledd rhaid troi i fyd chwedlau a chof gwerin i chwilio am waddol yr hen fyd. Yn hyn o beth, yr ydym yn ffodus mai gwlad ar y cyrion oedd Ardal y Llynnoedd cyn i'r rheilffordd gyrraedd Windermere yn 1847. Bywyd digon syml oedd bywyd cefn gwlad, ac o ganlyniad, yr oedd y trigolion wedi cadw gafael ar draddodiadau hynafol. Yn y rhan hon o'r gyfrol, cyflwynaf enghreifftiau o weddillion y cyfnod Cymreig gan gynnwys ambell air o'r iaith sydd wedi aros, chwedlau ac ofergoelion.

Olion y Gymbrieg yn y dafodiaith

Y mae gan ffermwyr Ardal y Llynnoedd dafodiaith sy'n annealladwy i ymwelwyr o'r de. Yr elfen amlycaf yw'r geiriau a fenthyciwyd o Hen Norseg, ond y mae hefyd nifer fach o eiriau Cymreig. Yr enghraifft enwocaf yw'r rhifolion a ddefnyddid ar un adeg i gyfrif defaid ac yr oedd trefn debyg i gyfrif y pwythau wrth wau. Yr oedd ffurf y rhifolion yn amrywio o ardal i ardal ac ymddengys bod ynganiad rhai wedi newid trwy eu llafarganu:

1. **Yan**	11. **Yan-a-dick**
2 Tyan	12. Tyan-a-dick
3 Tethera	13. Tethera-a-dick
4. Methera	14. Methera-a-dick
5. **Pimp**	15. **Bumfit**
6. Sethera	16. Yan-a-bumfit
7. Lethera	17. Tyan-a-bumfit
8. Hovera	18. Tethera-a-bumfit
9. Dovera	19. Methera-a-bumfit
10. **Dick**	20. **Giggot**

Fel yn Gymraeg, rhoddid sylw arbenig i'r pump (*pimp*), y deg (*dick*) a'r pymtheg (*bumfit*): arwydd, mae'n debyg, o gyfrif ar fysedd y llaw. Ailddechreuid y cyfrif wedi cyrraedd ugain (*giggot*) ond nid cyn torri marc ar bren neu symud marblen o un boced i'r llall. Does neb yn defnyddio'r dull hwn o gyfrif bellach, ond y mae llawer yn cofio'r rhifolion ac yn eu defnyddio fel enwau ar dai.

Rhaid chwilio yn ddyfal cyn dod o hyd i eiriau Cymreig yn y dafodiaith ond mae yna gyfran fach wedi aros. Diddorol nodi bod y mwyafrif yn gysylltiedig â gwaith ar y fferm, ac yn fwy arbennig, geirfa'r bugeiliaid. Credir mai bugeiliaid yr ardal oedd yr olaf i arfer yr iaith mewn cymuned a oedd yn hynod o glòs a chynhaliol. Fel yng Nghymru, yr oedd cymortha yn rhan bwysig o fywyd cefn gwlad, a hyd yn ddiweddar, yr oedd y diwrnod cneifio yn gyfle gwych i gymdeithasu. Erbyn hyn, ychydig sy'n defnyddio'r hen eiriau tafodieithol nac yn gwybod dim am y cysylltiad Cymreig. Diddorol felly nodi mai *brat* oedd y gair lleol am ffedog sach ac fe defnyddid y ferf *bratting* i ddisgrifio'r arfer o glymu clwt dros ben-ôl mamog i rwystro'r hwrdd. Fel ar ucheldir Cymru, cloddiau cerrig sy'n rhannu caeau, felly nid syndod gweld fod rhai o'r geiriau a ddefnyddir i'w disgrifio yn perthyn i'r hen iaith. *Cams* yw'r gair am y cerrig a osodir ar oledd ar ben y mur, *tarvin* oedd yr enw am glawdd ffin ac fe gyfeirid at y cytundeb a drefnwyd i'w gynnal fel y *dalt*. Cyn dyddiau'r beic pedair olwyn, gwaith caled oedd casglu'r defaid o'r mynydd felly gosodid pentyrrau o gerrig ar hyd y llethrau i hwyluso'r gwaith. Yr hen enw ar yr 'arwyddbyst' hyn oedd stone men, enghraifft arall o ailadrodd enw Cymreig gydag enw Saesneg. Pan ddelai'n amser i ladd yr ŵyn defnyddid *camerel* (cam bren) i ddal y cig a'r hen enw am y ffos a ddefnyddid i waredu carthffosiaeth oedd *pant*. Yr enw tafodieithol am geffyl oedd *capple* a defnyddid *grees* i ddringo ar ei gefn. Y gair i ddisgrifio'r brys a oedd yn gysylltiedig â gwaith ar y ffern oedd *bree*, ond gellid ysgafnhau'r gwaith trwy gyflogi *croot* i wneud y gwaith o amgylch y *garth*. Rhaid oedd dewis yn ofalus cyn penodi gwas llawn amser, a chyngor doeth oedd osgoi *garrack*, bachgen lletchwith a garw.

Prin iawn oedd y cyfle i hamddena yn y cyfnod cyn y Rhyfel Mawr, ond bob hyn a hyn, trefnid 'Merry Neets' yn y ffermdai i groesawu'r cymdogion. Prif ddiddanwch y nosweithiau llawen hyn oedd adrodd storïau, canu, a gwrando ar offerynwyr yn canu'r *croude*. Yn yr haf, yr oedd y 'Shepherds Meets' yn achlysuron pwysig, ac wedi cyfnewid defaid, trefnid chwaraeon traddodiadol fel rasio bytheiaid neu ymaflyd codwm yn y prynhawn. Y mae rheolau'r gamp o ymaflyd codwm yng Nghymbria yn debyg iawn i'r hyn a arferir yng Nghernyw, felly nid syndod gweld mai *janoc* (ystumiad o'r 'iawn' Cymreig) oedd eu gair am chwarae teg. Yn yr hwyr, ceid cyfle i ymweld â'r dafarn i yfed, chwedleua ac i fwyta 'tattie pot', ffurf gynnar o'r 'Shepherd's Pie'. Cyn diwedd y nos fe fyddai'r canu wedi troi'n hwyliog cyn gwahodd rhai o feirdd 'talcen slip' yr ardal ymlaen i ddiddanu'r gynulleidfa. Cerddi yn sôn am droeon trwstan oedd y mwyafrif, a dywedir fod un bardd wedi llwyddo i enwi bron pawb yn yr ystafell cyn tewi!

Darganfyddiad mwy annisgwyl oedd gweld bod nodau clust defaid yr ardal yn debyg iawn i'r rhai a welir yng Nghymru. Yn 2013, cyhoeddais erthygl ar nodau clust Ardal y Llynnoedd yn 'Clebran', papur bro ardal y Preseli. Ymhen tridiau, yr oedd Ieuan James, ffermwr o ardal Crymych wedi cysylltu gyda'r sylw eu bod yn dilyn yr un patrwm â nodau clust y Preseli. Dengys y llun dros y dudalen chwe enghraifft o nodau clust Ardal y Llynnoedd ac y mae enwau Cymraeg i bump o'r toriadau. Yn y Preseli, 'bwlch plyg' yw'r enw ar doriad 1, 'bwlch tri-thoriad' ar doriad 2, 'gwennol' ar doriad 3, 'cwart' ar doriad 4 a 'torri blaen' ar doriad 5. Yn 1911, cyhoeddodd H. D. Rawnsley erthygl ar ddefaid mynydd Ardal y Llynnoedd lle honnwyd mai Llychlynwyr y ddegfed ganrif oedd yn gyfrifol am gyflwyno'r

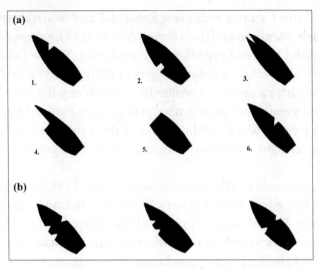

(a) Nodau clust Ardal y Llynnoedd. (b) Nodau clust Sweden

toriadau.[29] Credaf mai camgymeriad yw hyn a bod nodau tebyg wedi eu harfer am ganrifoedd cyn i'r Norwyaid gyrraedd yr ardal. Methais ddod o hyd i enghreifftiau o nodau clust Norwy ond, wedi cysylltu â chydweithiwr o Sweden, gwelais fod eu nodau hwy yn dilyn patrwm gwahanol. Anodd derbyn mai damwain yw'r gyfatebiaeth rhwng nodau clust y ddwy ardal, felly rhaid cynnig eu bod yn dyst i hen arfer. Efallai mai ffermwyr y chweched ganrif oedd y cyntaf i'w mabwysiadu, ond tybed a oeddynt yn bod ers dyddiau yr Oes Haearn?

Yr unig gymuned arall i gadw ambell i air Cymreig oedd y pysgotwyr a oedd yn arfer eu crefft ar lynnoedd yr ardal. Am ganrifoedd, rhennid llyn Windermere yn dair rhan i ddiogelu hawliau'r pysgotwyr. Enwau'r rhaniadau oedd yr 'Upper Cubble', y 'Middle Cubble' a'r 'Lower Cubble' ond anghofiwyd y cyfan am darddiad yr enwau. Yr ateb syml yw mai ystumiad o'r 'ceubal' Cymreig oedd 'cubble'; math o gwch gyda phig uchel tebyg i'r rhai a welir yng Nghernyw hyd heddiw. Enw'r man lle cedwid y cychod oedd y 'geubalfa' a dyna yw tarddiad 'Gabalfa', enw maestref yn ninas Caerdydd. Cyn i'r rheilffordd gyrraedd Caerliwelydd yn 1847, y ffordd hwylusaf i deithio i Ardal y Llynnoedd oedd croesi aber afon Kent yn Arneside. Gan fod cwrs yr afon yn newid yn gyflym, rhaid oedd cyflogi tywysydd i osgoi'r traethau sugn. Gwaith hwnnw oedd archwilio'r aber cyn y daith a gosod brigau yn y tywod i ddynodi llwybr diogel. Brigau'r llawryfen ('laurel') a ddefnyddid fel arfer, ac fe ddisgrifid yr arwyddbyst yn '*brogs*' a'r arfer yn '*brogging* the beach'. Dyma gyfeiriad amlwg at y 'brig' Cymreig, ac y mae tywysydd swyddogol yn dal i weithio ar yr aber o hyd. Enw'r tywysydd presennol yw Cedric Robinson, a'r tâl, o bwrs y frenhines, yw £15 y flwyddyn a'r hawl i fyw yn ddi-log mewn bwthyn ar y lan.

Y Chwedlau

Y mae nifer o chwedlau ac iddynt wreiddiau Cymreig wedi aros yn Ardal y Llynnoedd, er nad oes llawer yn ymwybodol o hyn. Credir bod rhai yn deillio o gyfnod cynnar iawn gan eu bod yn debyg i'r rhai a adroddir ar draws y byd Celtaidd. Y mae gan eraill naws Brydeinig gyda chyfeiriadau nid annhebyg i'r rhai a geir yn y Mabinogi. Yn rhyfedd iawn, nid yw chwedlau am y brenin Arthur yn gyffredin yn yr ardal er bod llawer o'r brwydrau a gysylltir â'r *Dux Bellorum* wedi digwydd yn yr Hen Ogledd. I gyfnod y Normaniaid y perthyn y trwch o'r straeon am Arthur, felly rhaid barnu eu bod yn perthyn i'r un traddodiad â storïau Sieffre o Fynwy. Mae'n bwysig nodi felly mai arwr mawr y chwedlau a gedwid ar gof y werin yw'r gwron a elwir yn 'Ewen' neu 'Hewen'. Anodd dweud os mai Owain ap Urien neu un o Oweniaid Ystrad Clud yw testun y chwedlau ond diddorol gweld bod y cof wedi para am gyfnod hir heb gymorth ysgrifenedig.

Un stori sy'n perthyn i'r traddodiad Celtaidd yw'r un am y ddau bysgodyn sy'n byw yn Bowscale Tarn, llyn bach uwchben dyffryn Mungrisdale. Yn y stori am Culhwch ac Olwen yn y Mabinogi, dywedir fod Culhwch wedi ymuno ag Arthur i chwilio am Fabon mab Modron, baban a ddygwyd o freichiau ei fam. Wedi crwydro'r wlad am gyfnod i holi llu o anifeiliaid, daw cyfle i holi anifail 'hynaf y byd' am hanes y plentyn. 'Eog Llyn Lliw' oedd yr anifail hwnnw ac ystyr 'lliw' yn y cyswllt hwn yw 'disglair' gan fod gan y pysgodyn gennau o arian. Credir mai pwll ar afon Hafren oedd 'Llyn Lliw', ac yn ôl y chwedl, cariodd y pysgodyn mawr Gulhwch ac Arthur ar ei gefn mor bell â Chaerloyw lle cedwid y plentyn yn garcharor. Gwelir cyfeiriad tebyg at bysgodyn, neu yn hytrach, ddau bysgodyn hysbys yn y chwedl a adroddir am Bowcale Tarn. Fel Eog Llyn Lliw, yr oedd y pysgod hyn wedi etifeddu'r ddawn o siarad, ac yr oeddynt yr un mor barod i gynnig cyngor i ymwelwyr. Ceir cyfeiriad at bysgod anfarwol Bowscale Tarn yng ngherdd William Wordsworth 'Feast of Brougham Castle' lle cyfeirir at eu gallu goruwchnaturiol:

> Both the undying fish that swim
> In Bowscale tarn did wait on him;
> The pair were servants of his eye
> In their immortality.

Chwedl debyg i'r rhai a adroddir ar draws y byd Celtaidd yw'r un am y dewin Myrddin yn ffoi i'r goedwig i fyw ymysg yr anifeiliaid. Yn y fersiwn a adroddir yn Ardal y Llynnoedd, dywedir mai bardd llys Gwenddolau ap Ceidio oedd Myrddin a'i fod wedi ffoi i'r goedwig wedi colli ei bwyll ym mrwydr Arfderydd. Brwydr rhwng Gwenddoleu, arweinydd lleol, a Pheredur a Gwrgi o ddinas Efrog oedd y frwydr honno, a myn rhai ei fod hefyd yn wrthdrawiad rhwng y ffydd Gristnogol a'r hen gred baganaidd. Dyma gefndir y cerddi a adwaenir fel yr 'Hoiannau' a'r 'Afallennau' yn Llyfr Du Caerfyrddin, ond anodd dirnad beth yw neges y canu. Serch hynny, dylid nodi bod cyfeiriadau at ŵr doeth yn byw yn y goedwig yn thema gyffredin yn chwedlau'r Celtiaid. Yn Iwerddon sonnir am *Suibhne Geilt* (Sweeney Wyllt) yn byw ar ferw dŵr, ac yn yr Alban yr oedd cymeriad tebyg a enwid *Lailoken*. Yn ei gyfrol ar y gerdd 'Ymddiddan Myrddin a Thaliesin',[30] cynigiodd yr Athro A. O. H Jarman mai *Lailoken* oedd y dyn gwyllt gwreiddiol a bod stori Myrddin yn addasiad o'r chwedl honno. Gwyddom fod y chwedlau am Myrddin fel cymrawd i'r Brenin Arthur yn perthyn i gyfnod diweddarach, felly diddorol gweld bod traddodiad hŷn yn Ardal y Llynnoedd. Pwrpasol nodi hefyd nad oedd gan y Myrddin 'hanesyddol' unrhyw gysylltiad â thref Caerfyrddin. Camddehongli hen enw'r dref sy'n gyfrifol am y dryswch gan mai *Moridunum* ('Caer y Môr') oedd enw'r Rhufeiniaid ar y safle.

Baledi a gedwid ar lafar, yn hytrach na chwedlau clasurol, sy'n gyfrifol am y traddodiad fod yna gysylltiad hanesyddol rhwng dinas

Caerliwelydd a'r Brenin Arthur. Yn ystod teyrnasiad Harri I (1100-35) lledodd y syniad fod gan Arthur lys yn y ddinas a bod cerrig sail y llys yn rhan o'r adeilad a elwid yn *Arthur's burh* ('Caer Arthur'). Yn anffodus, y mae dyddiad y stori yn beryglus o agos i gyfnod Sieffre (1100-55) felly ni ddylid neidio i'r casgliad mai Arthur y Brythoniaid oedd arwr y chwedl. Awdures a gafodd ddylanwad mawr ar ledaeniad y chwedlau Arthuraidd oedd Marie de France, merch o Ffrainc a oedd yn byw yn Lloegr. Hi oedd yn gyfrifol am lunio cyfres o faledi, *lays* yn y traddodiad Llydewig, lle adroddid hanes Arthur a'i ddilynwyr. Yr Arthur canoloesol oedd testun y cerddi ond yr oedd hefyd gyfeiriadau at hen chwedlau Celtaidd. Gwyddys mai o Gymru y lledodd y traddodiad Arthuraidd i Lydaw, ond does dim llawer yn credu bod storïau Sieffre yn seiliedig ar hen ddogfennau yn yr iaith Gymraeg. Serch hynny, rhaid gochel rhag diystyru pob stori a gedwid ar lafar, gan fod rhai o'r baledi a gyfansoddwyd am Arthur yn Ardal y Llynnoedd yn wirioneddol hen. Un faled a anwybyddwyd gan lawer am ei bod yn cynnwys darnau masweddus yw'r gân a elwir 'The Marriage of Sir Gawain'. Yn y faled, sonnir am ferch a oedd wedi ei cham-drin gan uchelwr o gastell 'Tearne Wadlinge' (Tarn Waddling), safle hen lys i'r gogledd o Penrith. Yn y pennill cyntaf, y mae disgrifiad o lys Arthur yng Nghaerliwelydd, ond yng ngweddill y gân, Sir Gawain, nid Arthur, yw'r arwr. Yn y faled, honnir bod Arthur yn ŵr di-asgwrn-cefn a bod Gwenhwyfar yn wraig anffyddlon. Yn ôl F. J. Carruthers, enw arall am Owain ap Urien oedd y 'Gawain' ac y mae mwy o hen faledi lle dyrchefir Owain ar draul Arthur.

Yn anffodus, chwedlau carbwl yw'r storiäu a adroddir am Owain ap Urien gan eu bod yn cynnwys elfen o fwy nag un cyfnod. Yn un chwedl, honnir bod Owain wedi ei gladdu mewn arch aur ar dir hen blas heb fod ymhell o Maryport. 'Ewan Rigg Hall' oedd enw'r plas, a'i berchnogion yn y ddeunawfed ganrif oedd y Curwens, hen deulu o dras Cymreig. Yn y bedwaredd ganrif ar bymtheg, dymchwelwyd y plas i agor rheilffordd ac, yn ystod y cloddio, daethpwyd o hyd i gerrig a oedd wedi eu naddu yn y dull Rhufeinig. Bernid bod y cerrig yn perthyn i hen eglwys, ond wedi colli pob cofnod o'r cloddio, lledodd y si bod arch aur o dan y bryn. Yn ei gyfrol *People called Cumbri*, nododd F. J. Carruthers fod y traddodiad yn dal yn fyw. Yn ôl un hen wraig, yr oedd y gŵr a gladdwyd yn yr arch yn arweinydd enwog ac yr oedd yn falch i dalu teyrnged iddo fel 'weel thowt on in these parts'. Yn 'Englynion y Beddau' dywedir fod Owain wedi ei gladdu ymhell o'i gynefin yn 'Llan Forfael', disgrifiad da o eglwys a godwyd wrth ymyl y môr!

Yn ôl chwedl arall, claddwyd Owain ym mynwent eglwys Sant Andreas yn Penrith lle mae yna gasgliad rhyfedd o hen feini. Enw'r heneb yw'r 'Giant's Grave' ac, er gwaethaf pob tystiolaeth i'r gwrthwyneb, trysorir y cerrig fel beddrod Owain. Yn 1699, yr oedd cynllun i ddymchwel y cerrig, ond wedi protestio mawr, penderfynwyd eu cadw. Yn ôl y gŵr a oedd yn offeiriad yn yr eglwys ar y pryd:

The common vulgar sport is that one Ewen or Owen Caesarius, a very extraordinary person, famous in these parts for hunting

Beddrod honedig Owain ap Urien (Owain Caesarius) ym mynwent eglwys Sant Andreas yn Penrith

and fighting, about fourteen hundred years ago, whom no hand but the hand of death could overcome, lies buried in this place.

Mae'r cyfeiriad at 'Caesarius' yn cynnig fod yr 'Owen' a gofiwyd yn perthyn i gyfnod cynnar iawn. Fel y nodwyd eisoes, yr oedd teulu Urien wedi etifeddu rhai o gyfrifoldebau y *Dux Britanniarum*, a dyma gyfeiriad sy'n cynnal y syniad. Heddiw, gwyddys mai gweddillion o'r ddegfed ganrif yw cerrig y 'Giant's Grave', ac yn 1922 cyhoeddodd W. G. Collingwood adroddiad[31] i esbonio'r dryswch. Ef oedd y cyntaf i weld mai clytwaith o gerrig o fwy nag un cyfnod oedd y beddrod a bod yr 'heneb' wedi ei chodi mewn cyfnod diweddar. Hawdd gweld erbyn hyn mai cerrig 'cefn baedd' o gyfnod y Llychlynwyr oedd y cerrig a osodwyd ar erchwyn y bedd, a gweddillion dwy groes o'r un cyfnod yw'r cerrig hir a osodwyd ar ei ddeupen. Gan fod pen y ddwy groes ar goll, anodd dweud a oeddynt yn dilyn y patrwm Cymreig neu'r patrwm Seisnig. Yn ôl pob tebyg, seiri maen Ystrad Clud oedd yn gyfrifol am lunio'r croesau fel y tystia'r plethwaith Celtaidd a dorrwyd ar eu hwyneb. Tybed ai cerrig o fedd rhyw Owain arall a ddewiswyd i lunio'r 'gofeb'? Dyna yn sicr oedd hanes y garreg hynafol arall, y 'Giant's Thumb', a welir yn yr un fynwent, ond ymddengys bod y cof am Owain ap Urien yn gryfach na'r parch i'w olynwyr.

Y mae'r arfer o gymysgu arwyr o sawl cyfnod yn gyffredin iawn yn chwedloniaeth ein cenedl. Dyna a welir ym Mreuddwyd Rhonabwy, chwedl sy'n wahanol ei naws i'r Pedair Cainc. Yn y Pedair Cainc, fe geir blas o gyfnod cyntefig yn hanes Prydain, ond yr oedd Breuddwyd Rhonabwy yn gynnyrch yr Oesoedd Canol. Un arwydd o ddarddiad diweddar yw'r ffaith fod yna gymaint o ddisgrifiadau cymhleth yn y chwedl na ellid eu cofio heb gopi ysgrifenedig. Dyna hefyd yw goblygiad y cyfarwyddyd a geir ar ddiwedd y chwedl lle honnir bod rhaid ei hadrodd o lyfr rhag i'r cof ballu. Chwedl am y Brenin Arthur yw Breuddwyd Rhonabwy, neu yn hytrach am Rhonabwy, tywysog Powys yn ymddiddan ag Arthur mewn breuddwyd. Trwy lunio'r chwedl ar ffurf breuddwyd llwyddwyd i gyflwyno cymeriadau o sawl cyfnod mewn dull hwylus. Fel arfer, pwrpas chwedlau o'r fath oedd defnyddio breuddwyd i gyfleu rhyw ystyr pwysig, ond ym

Mreuddwyd Rhonabwy y mae'r ystyr yn annelwig. Dyma paham y mae rhai wedi cynnig mai adloniant pur yw'r stori ond y mae elfennau yn y chwedl sy'n awgrymu bod y stori yn perthyn i gyfnod penodol yn hanes yr Hen Ogledd. Yn y rhan agoriadol, ceir disgrifiad o ymweliad Rhonabwy ag uchelwr sydd wedi disgyn yn y byd, cydnabyddiaeth, efallai, o ddirywiad y teyrnasoedd Cymreig. Testun yr ail ran yw'r gwrthdaro a welir rhwng Owain ap Urien ac Arthur tra y mae'r ddau yn chwarae gwyddbwyll. Dim ond mewn breuddwyd y gallai dau gymeriad mor eiconig gwrdd, ond yr hyn sy'n taro'r gwrandawr yw'r cynnwrf meddwl a ddisgrifir. Yn ystod y chwarae, clywn am was yn ymyrryd dro ar ôl tro i rybuddio Owain fod cefnogwyr Arthur yn aflonyddu ar ei frain:

> Y mackwy a dywawt wrth Owein 'Ae o'th anuod di y mae mackwyeit yr amherawdwr un brathu dy vrein, ac yn llad ereill ac yn blinaw ereill? Ac os anuod gennyt, adolwc idaw y gwahard'.

Ateb Arthur yw gofyn i Owain fynd ymlaen â'r chwarae, ond wedi gorffen dwy gêm, cytuna Arthur i dawelu ei gefnogwyr. Y mae arwyddocâd y stori am y brain yn dal yn destun dadl, ond fe allai fod yn gyfeiriad at y cytundeb a drefnwyd rhwng gwŷr Ystrad Clud a'r Norwyaid yn y ddegfed ganrif. Os derbynnir y ddamcaniaeth hon, milwyr Llychlynnaidd oedd 'brain' Owain ac yr oedd Arthur yn symbol o adferiad Ynys Prydain. Y cyntaf i gynnig damcaniaeth o'r fath oedd W. G. Collingwood yn ei ddadansoddiad o arwyddocâd y cerrig a welir ym mynwent eglwys Sant Andreas.[31] Yn y dadansoddiad, aeth mor bell â chynnig bod y chwedl yn ddrych o'r tyndra strategol a welwyd rhwng y Cymry a'r Norwyaid cyn brwydr Brunanburh. Amhosib profi damcaniaeth o'r fath, ond y mae'n werth sylwi bod tebygrwydd rhwng y gwyddbwyll a chwaraeir ym Mreuddwyd Rhonabwy a 'gêm y duwiau' a ddisgrifir yn y *Völuspa*. Cerdd a gyfansoddwyd yng Ngwlad yr Iâ yn y ddegfed ganrif yw'r *Völuspa* lle defnyddir gêm debyg i wyddbwyll i hybu cytundeb ac osgoi rhyfel. Tybed a oedd rhai o gymdogion y Norwyaid ar Ynys Môn neu yn Ystrad Clud wedi clywed y stori am 'gêm y duwiau' ac wedi addasu'r thema i gyswllt newydd?

Chwedl gyda chysylltiad mwy pendant â hanes yr ardal yw'r un a adroddir am frwydr Dyfnwal, mab Owain, yn erbyn y brenin Edmwnd o Loegr yn 945. Yn ôl y chwedl, lladdwyd Dyfnwal yn y frwydr ac fe gladdwyd ei gorff ar y bwlch uwchben pentref Grasmere. Heddiw, cyfeirir at y bwlch fel 'Dunmail Raise' ac y mae pentwr o gerrig yn sefyll rhwng dwy lôn y briffordd i nodi ei fedd. Cyn colli gormod o ddagrau, rhaid ychwanegu mai ffuglen yw'r stori, gan fod Dyfnwal wedi ffoi o faes y gad cyn ailgydio yn awenau Ystrad Clud. Bu fyw am ddeg ar hugain o flynyddoedd wedi hyn cyn marw ar bererindod i Rufain yn 975 OC. Ond, fel yn hanes pob arwr, y mae yn werth diystyru'r gwir i greu stori dda. Yn ôl un estyniad i'r chwedl, dygwyd coron Dyfnwal o faes y gad gan ei filwyr a'i thaflu i ddyfnderoedd Grisdale Tarn. Yn ôl un arall, y mae Dyfnwal a'i filwyr yn dal i gysgu mewn ogof o dan y mynydd, ac fel Arthur ei hun, yn aros am gyfle i achub ei wlad. Yn 1805, cyfansoddodd y bardd William Wordsworth gerdd ('The Waggoner') sy'n cyfeirio at dynged honedig Dyfnwal. Yn y gerdd sonnir am haliwr yn crwydro o dafarn i dafarn cyn cyrraedd y pentwr cerrig ar ben y bwlch:

> They now have reach'd that pile of stones
> Heap'd over brave king Dunmail's bones,
> He who once held supreme command,
> Last king of rocky Cumberland.
> His bones and those of all his power,
> Slain here in a disastrous hour.

Nid Dyfnwal oedd 'the last king of rocky Cumberland' ond beth yw hanes i wrthod llinell gofiadwy gan fardd mor fawr â Wordsworth!

Hen Arferion

Y mae nifer o arferion Celtaidd wedi aros yn Ardal y Llynnoedd, rhai yn deillio o gyfnod cynnar iawn. Tasg anodd felly yw penderfynu faint sydd yn wirioneddol Gymreig a faint sy'n perthyn i draddodiad mwy eang. Yn y cyfnod cynnar, yr oedd y Frythoneg a'r Bicteg yn ieithoedd digon tebyg; gall fod rhai o draddodiadau ucheldir yr Alban felly wedi treiddio ymhell tua'r de.

Un traddodiad a gysylltir â'r gwledydd Celtaidd yw'r gemau peryglus a chwaraeid rhwng timau niferus. Yng Nghymru, yr oedd bando a'r cnapan yn gemau poblogaidd cyn iddynt gael eu gwahardd, ond y mae gêm debyg wedi goroesi yn Ardal y Llynnoedd. Serch hynny, dim ond yn nhref Workington y chwaraeir y gêm a adnabyddir fel 'Uppies and Downies' bellach. Amcan y gêm yw cario pel galed o fur hen blas i harbwr y dref. Am ganrifoedd, brwydr rhwng ffermwyr a morwyr oedd y gêm ond heddiw dewisir y timau mewn ffordd fwy ffurfiol. Diddorol nodi mai teulu o dras Cymreig oedd perchnogion y plas lle chwaraeid y gêm a'r enw ar y maes chwarae oedd y 'cloffocks'. Tybed ai cyfeiriad at gloffni'r rhai a gâi eu hanafu yn y gêm a gedwid yn yr enw gan fod y chwarae yn gwbl ddireol?

Fel yng Nghymru, yr oedd llawer o hen ddefodau yn gysylltiedig ag afiechydon a'r syniad fod pob anhwylder yn arwydd o ddylanwad ysbryd drwg. Un ffordd o gadw ysbrydion drwg draw oedd gosod darn o bapur gyda geiriau hudol yn y tŷ neu yn y beudy. Beth amser yn ôl, daethpwyd o hyd i botel yn cynnwys neges o'r fath mewn hen ffermdy, a'r syndod oedd gweld enw 'Maponus', hen dduw'r Brythoniaid, yn y frawddeg hudol. Arfer cyffredin arall oedd crogi carreg a thwll yn ei chanol yn y stabl neu'r beudy i warchod yr anifeiliaid. Yr enw lleol am ysbryd drwg oedd y 'dobbie', atgof tebygol o'r 'du' Cymreig, felly enw'r garreg hudol oedd y 'dobbie stone'. Mae yna 'dobbie stones' yn crogi yn rhai o feudai'r ardal o hyd am fod y perchnogion yn rhy ofergoelus i'w gwaredu. Ar un fferm ger Kendal dygwyd 'dobbie stone' o'r beudy i'r tŷ yn 1636 ac y mae yno o hyd, rhag ofn! Yn ei gyfrol *Llên Gwerin*, cyfeiria T. Llew Jones at yr un arfer yng Ngheredigion[32] ac fe nododd fod ambell un yn cario un fach yn y boced yn arwydd o lwc. Os nad oedd yna garreg o'r fath wrth law, arferai'r hen bobl ddweud 'carreg a thwll', ffurf Gymreig o 'touch wood' y Sais.

Am ganrifoedd lawer, yr oedd yr arfer o gynnau tân i ddathlu Calan Haf yn gyffredin yn Ardal y Llynnoedd. Yr enw ar y goelcerth oedd y 'Bel-fire', cyfeiriad at *Belinus* duw haul yr hen Geltiaid. Cyn cynnau'r goelcerth, diffoddid pob tân yn y gymdogaeth cyn eu hailgynnau gyda fflam o'r tân mawr. Bechgyn y pentref oedd yn gyfrifol am yr ailgynnau trwy gario darnau o raff wedi eu trwytho â

Pêl y gêm ffyrnig 'Uppies and Downies'

phitsh o dŷ i dŷ. Yr hen enw am y ffaglau hyn oedd 'tanlets', cyfuniad o air Cymreig a bachigyn Seisnig. Defod arall yn ymwneud a thân oedd y 'needfires' a gynheuid i drin gwartheg a'u gwarchod rhag clwy traed a'r genau neu'r *murrain*. Yn y ddefod, arferid cynnau dwy goelcerth fawr o frigau cyn eu llethu â llwyth o ddail gwlyb. Wedyn, gyrrid y gwartheg rhwng y ddwy goelcerth a'u troelli yn y mwg i ddifetha'r ysbryd drwg oedd yn gyfrifol am y clefyd. Y mae cofnod bod tân o'r fath wedi ei gynnau yn Troutbeck ger Windermere mor ddiweddar ag 1851 a bod y ffermwr wedi gyrru ei wraig trwy'r mwg i'w chadw yn iach cyn y tymor wyna!

I'r hen Geltiaid, yr oedd lleoedd gwlyb yn fannau sanctaidd, fel y tystia'r creiriau a daflwyd i lynnoedd fel Llyn Cerrig Bach. Gyda thwf Cristnogaeth, diflannodd y mwyafrif o'r defodau oedd yn ymwneud â dŵr, ond parchuswyd eraill i'w cynnal mewn gwedd newydd. Dyna a ddigwyddodd i rai o ffynhonnau paganaidd Ardal y Llynnoedd, trwy newid eu henw a throi'r ddefod yn ddefod Gristnogol. Un enghraifft yw'r ffynnon a gysylltid â'r dduwies Geltaidd *Alauna* ym mhentref Great Asby. Wedi derbyn y ffydd, newidiwyd yr enw i 'St Helen's Well', felly nid syndod gweld mai eglwys y pentref oedd yn gyfrifol am adnewyddu'r safle yn 2008. Mae'n debyg mai'r syniad bod gan y dŵr rhyw briodoledd iachusol oedd yn gyfrifol am oroesiad Ffynnon

Yr arfer o yrru gwartheg trwy'r mwg i osgoi clwy traed a'r genau

Powdonnet ger Morland er bod y cof am ragoriaethau'r dŵr wedi pallu. Yn y ganrif ddiwethaf dywedir mai hen wraig o'r pentref oedd yn gwarchod y safle, ond y mae'n derbyn mwy o sylw erbyn hyn. Ymddengys o sillafiad yr enw mai 'Pwll Dunawd' oedd yr enw gwreiddiol ond ni wyddys pwy oedd hwnnw. Dunawd oedd enw mab Pabo Post Prydain yn y chweched ganrif ond yr oedd teyrnas Pabo ymhell tua'r gorllewin. Gwyddys o ganu Taliesin fod gan Urien lys ar lannau afon Lyvennet ond gall y ffynnon fod yn llawer hŷn na hyn. Pan ymwelais â'r safle beth amser yn ôl, yr oedd rhywun wedi gosod maen hir gyda'r enw 'Powdonnet' wrth ymyl y ffynnon ac yr oedd tusw o gennin Pedr wrth ei droed.

Erbyn hyn, atyniadau i 'bobl yr ymylon' yw'r defodau a gysylltir â dŵr, ond cyn yr ugeinfed ganrif yr oedd yr arfer o ymweld â'r ffynhonnau i ddathlu Calan Mai yn gyffredin ar draws yr ardal. Un enghraifft o'r dathlu oedd y ddefod a gynhelid yn Penrith ar y Sul agosaf at ŵyl *Beltane* bob blwyddyn. Enw'r ŵyl oedd 'Shaken Bottle Sunday' gan fod yr ardalwyr yn dwyn poteli i'r ffynnon i yfed y dŵr. Ar un amser, gosodid llwyaid o fêl yn y poteli i felysu'r dŵr, ond yn ddiweddarach, defnyddid darn o licris i gynnig blas cyn siglo'r botel yn egnïol. Dyma ddarn o hen rigwm a luniwyd i gofio'r ddefod:

> The wells of rocky Cumberland
> Have each a saint or patron,
> Who holds an annual festival,
> The joy of maid or matron.

And to this day,
as erst they wont,
The youths and maids repair,
To certain wells on certain days,
And hold a revel there,
Of sugar-stick and liquorice,
With water from the spring,
They mix a pleasant beverage,
And May-day carols sing.

Ofergoelion

Rhaid bod yn ofalus cyn derbyn bod unrhyw ofergoel yn hen draddodiad, ond y mae lle i gredu bod cyfran sylweddol o ofergoelion Ardal y Llynnoedd yn deillio o gyfnod cynnar. Heddiw, y mae llawer wedi mynd i ebargofiant, ond nid cyn eu nodi mewn llyfrau fel cyfrol William Rollinson. Er mwyn hwylustod, trafodir yr ofergoelion o dan bedwar pennawd: arwyddion o farwolaeth, ofergoelion claddu, gwrachod a'r tylwyth teg.

Fel yng Nghymru, yr oedd pryder mawr am ddigwyddiadau a gyfrifid yn arwydd o farwolaeth. Ymysg yr arwyddion yr oedd aderyn yn taro yn erbyn ffenestr, ceiliog yn canu yn y nos a chŵn yn udo mewn ffordd arbennig. Arwydd brawychus arall oedd gweld golau yn ymddangos yn ystafell y claf cyn symud i gyfeiriad y fynwent. Yng Nghymru, yr enw ar oleuadau o'r fath oedd y gannwyll gorff, ond y 'belen dân' oedd yr enw yn Ardal y Llynnoedd. Arwydd rhyfeddach fyth oedd gweld angladd rhithiol (y 'toili') yn ymdeithio ar hyd y ffordd. Sonnir am rai a welodd y toili yn Sir Aberteifi yng nghyfrol T. Llew Jones a cheir atgofion tebyg o'r ddrychiolaeth yn Ardal y Llynnoedd. Ofergoel sy'n perthyn i gyfnod cynnar iawn yw'r syniad bod cŵn rhithiol yn crwydro'r awyr i chwilio am eneidiau'r marw. Dyma 'Gŵn Annwn' neu 'Gŵn Bendith y Mamau' y traddodiad Cymreig, ond y 'Gabriel Hounds' oedd eu henw yn Ardal y Llynnoedd.

Ymddengys bod rhai o'r defodau claddu'n deillio o'r byd Celtaidd gan eu bod yn debyg iawn i'r rhai a arferid yng Nghymru. Un ddefod a barhaodd hyd y bedwaredd ganrif ar bymtheg oedd yr arfer o gyflogi 'gwahoddwr' i ddenu pobl i'r angladd. Arfer arall oedd cario'r corff o amgylch yr eglwys gyda chylchrediad yr haul, ac yr oedd defod debyg yn gyffredin yn yr Alban. Yng nghyfrol John Brand nododd Thomas Pennant[33] fod yr un peth yn digwydd yng ngogledd Cymru a'i fod yn tarddu o'r gred Geltaidd yn nuw'r haul. Wedi'r claddu, trefnid pryd o fwyd yn nhŷ'r ymadawedig lle rhennid dogn o fara i bob cymydog. Fel arfer, cyfeirid at y bara fel yr 'arvel bread' ond gwelir 'arthel bread' mewn rhai cofnodion. Yn ôl haneswyr, o *erfi*, gair y Llychlynwyr am 'etifeddiaeth', y tarddodd yr enw, ond rhaid nodi mai anrheg digon pitw oedd clwt o fara! Y mae'n well gen i gredu mai o'r 'arddel' Cymreig y tarddodd yr enw a'i fod yn ffordd o gydnabod dyled y teulu i'w cymdogion.

Y mae'r wrach yn elfen gyffredin yn ofergoelion pob gwlad yn Ewrop ond y mae'r dulliau a ddefnyddid i'w hatal yn amrywio o wlad i wlad. Yn Lloegr, bernid mai'r arf mwyaf nerthol oedd pedol neu ddarn o arlleg, ond yn y gwledydd Celtaidd, y griafolen oedd yr ateb dewisol. Y griafolen oedd un o goed sanctaidd yr hen Geltiaid, efallai am ei bod yn tyfu yn uchel ar y mynydd ac felly yn nes at y duwiau. Yng Nghymru, yr hen arfer oedd plannu criafolen yn agos i'r tŷ i gadw gwrachod draw, ac y mae digon i'w gweld o hyd. Dyna hefyd oedd yr arfer yn Ardal y Llynnoedd, ac os nad oedd yna le i goeden, gosodid darn o'r un pren yn nhwll y clo.

Fel y wrach, yr oedd storïau am y tylwyth teg yn gyffredin ar draws Ewrop ond yr oedd ffurf y bodau bach hefyd yn amrywio o wlad i wlad. Yn Ardal y Llynnoedd, adroddwyd llu o straeon am gampau'r Tylwyth Teg a cheir map ar y we sy'n nodi lleoliad hanner cant o'r chwedlau. Ambell waith yr oedd sôn am gyfathrach garedig ond yr oedd digon o drychinebau. Y mae cofnod yn Whitehaven sy'n honni bod y Tylwyth Teg wedi dychryn deg person hyd farwolaeth a hynny rhwng 1658 a 1662! Rhybuddiwyd trigolion yr ardal na ddylid fyth aflonyddu ar eu cartrefi, ac yr oedd cred gyffredin bod llawer o'r Tylwyth yn byw ymysg gwreiddiau'r ddraenen ddu. Ar un adeg, gwnaed pob ymdrech i ddiogelu'r coed, a hyd heddiw, bernir mai gwaith anlwcus yw casglu blodau'r pren a'u gosod yn y tŷ. Ymysg yr holl straeon brawychus yr oedd hefyd gyfeiriadau at y Tylwyth Teg yn gyfeillion i dlodion y wlad. Y cymeriadau mwyaf annwyl oedd y bodau bach â ddeuai i'r tŷ yn ystod y nos i orffen gwaith y dydd. Yr enw ar y cymwynaswyr hyn oedd yr 'Hobthross', ac yn ôl yr hanes, eu prif nod oedd cadw'r tŷ yn lân. Fel arfer, gadewid ychydig o fwyd a diod ar y pentan i'w cynnal, ond os cynigid tâl mwy sylweddol, yr oeddynt yn siŵr o ddiflannu. Gan fod yna draddodiad tebyg yn Sgandinafia ni ellir bod yn siŵr o ble tarddodd yr ofergoel. Gwyddys bod y traddodiad yn gryf yn swydd Efrog lle cyfeirid at reolwr y dynionach fel 'Robin Goodfellow'. Diddorol felly nodi bod cof am draddodiad tebyg yn Sir Fôn fel y nododd Goronwy Owen yn ei gerdd 'Cywydd y Cynghorfynt':[34]

> Tylwyth teg ar lawr cegin,
> Yn llewa aml westfa win,
> Cael eu rhent ar y Pentan
> A llwyr glod o bai llawr glân.

Cyn rhuthro i'r casgliad bod hyn yn profi cysylltiad Cymreig, rhaid cofio bod cymuned o Norwyaid wedi ymfudo i'r ynys ar ddechrau'r ddegfed ganrif. Hawdd felly ddychmygu'r traddodiad yn lledu ar draws yr ynys, arwydd arall o'r berthynas glòs a ddatblygodd rhwng y ddwy gymuned.

Y Cumbria fodern

Yr oedd agor y rheilffordd i Windermere ym 1847 yn gam tyngedfennol yn hanes Ardal y Llynnoedd. Heidiodd miloedd o drigolion dinasoedd poblog y gogledd-orllewin i'r ardal ac fe godwyd nifer o westai moethus. Y newid mawr nesaf oedd colledion y Rhyfel Mawr ac fe ddanfonwyd nifer o fechgyn o'r ardal i wersyll Cinmel ger Llanelwy. Wedi'r rhyfel, codwyd cyfres o gronfeydd yn yr ardal i gyflenwi dŵr i drigolion a diwydiant Manceinion. Nid oedd yna lawer o wrthwynebiad i'r cynlluniau cyntaf, ond ymladdwyd yn hir i warchod dyffryn Mardale yn ardal Penrith. Yr oedd y cynllun i foddi Mardale wedi bod ar y gweill er 1919, ond fe ohiriwyd y gwaith yn ystod y dirwasgiad cyn ailgydio yn y cynllun ym 1929. Ni ledodd yr hanes am y frwydr i ddiogelu'r dyffryn ymhell, ond yr oedd gwrthsafiad y gymuned leol yn un gadarn. Arweinydd yr ymgyrch oedd ficer y plwyf, Frederick Borham, ac fe adroddir storïau am y plant yn drysu'r tirfesurwyr trwy symud pyst yn nyddiau cynnar y cloddio. Cyn hir, bu'n rhaid danfon milwyr â ffrwydron i ddymchwel rhai o'r ffermdai am fod y muriau cerrig mor gryf. Yr adeilad olaf i syrthio oedd eglwys y plwyf, ond nid cyn codi'r cyrff a'r cerrig o'r fynwent i'w symud i gladdfa Shap. Heddiw, y mae'r cerrig beddau yn sefyll yng nghornel y gladdfa, ond does dim gair i esbonio hanes y diwreiddio!

Dechreuwyd ar y gwaith o adeiladu'r gronfa yn 1934 ac ar 18 Awst 1935, cynhaliwyd y gwasanaeth olaf yn yr eglwys. Yr oedd y gwasanaeth yng ngofal Esgob Caerliwelydd ac Arglwydd Faer Manceinion ond yr oedd yr hen ficer wedi ei wahardd rhag cymryd rhan. Golygfa dristaf y noson oedd ei weld yn ymlwybro trwy'r dorf yn ei lifrai parch i ysgwyd llaw gyda llu o ffrindiau ac aelodau. Canwyd yr emyn 'I will lift up mine eyes unto the hills from whence cometh mine aid' ond, erbyn hyn, yr oedd hi yn rhy hwyr. Heddiw, y mae cronfa ddŵr Haweswater yn mesur dros bedair milltir o hyd a hanner milltir o led, ond does neb yn byw yn y dalgylch mwyach.

Fel yn hanes Cwm Celyn, collwyd llawer mwy na darn o dir pan foddwyd Mardale gan fod yr ardal yn gefn i ddiwylliant y fro. Un o'r

Dyffryn Mardale cyn y boddi

adeiladau a ddymchwelwyd oedd y Dun Bull, y dafarn a oedd unwaith yn ganolfan 'Shepherd's Meet' prysuraf yr ardal. Cyfansoddodd un o feirdd talcen slip y dyffryn gerdd sy'n hiraethu am yr hen ddyddiau. Er bod yr arddull yn ddigon symol, mae'r teimlad yn ddiffuant:

The Dun Bull has gone no more shall we rest there,
Its larders are empty the cupboards are bare.
The rooms where we revelled for ever are lost,
No more shall we feast there recking the cost.
So Mardale, farwell, for those strangers have robbed thee
Of all that was dear to my comrades and me.

Y bygythiad nesaf i fywyd yr ardal oedd y llif o fewnfudwyr a ddilynodd ymestyniad yr M6 yn y saithdegau. Cododd pris y tai a bu rhaid i lawer o blant y fro adael i chwilio am waith. Heddiw mae llawer o bentrefi hynafol yr ardal yn llawn o dai haf a'r hen dafarndai wedi eu troi yn 'bistros' moethus. Nid syndod gweld felly fod yr hen ffordd o fyw yn diflannu a bod ffermwyr yr ardal yn gorfod ymdopi â chwynion am frefiadau'r defaid a thipyn o laid ar y ffordd! Ac eto, er yr holl rwystredigaeth y mae eu hiwmor iach a'u hannibyniaeth barn yn dal yn gryf. Yn 1939, ffurfiwyd y 'Lakeland Dialect Society' i warchod y dafodiaith, ac y mae'n werth ymweld â'i gwefan (lakeland-dialectsociety.org) i glywed yr acen unigryw. Ymysg y fideos a osodwyd ar y we, mae un lle gwelir llywydd y gymdeithas, Ted Relph, yn adrodd y gerdd 'Use it or lose it'. Darn a luniwyd yn y gobaith y byddai'r acen a oedd unwaith mor nodweddiadol o'r ardal yn parhau:

Use it or lose it, that's wat fwoak say,
If yah divvent deuh this, it'll whurrell away.
Use oor mack a tawk, oor Cummerlan crack
Coz yence it hez gone, it'll nivver cum back.
Ah's tellin yah noo, tawk as much as yah can
In oor mack a tawk, it'll keep it gay strang.
Use it gay often – es much es yah leyke
Or it'll just gan away leyke snaw off a deyke.

Yn y dafodiaith, defnyddir y gair 'gay' i ddisgrifio'r cyflwr eithafol ond ychydig iawn o 'oor mack a tawk' a glywir ar strydoedd yr ardal erbyn hyn.

Hen draddodiad sydd wedi ei hadfer, diolch i ymroddiad nifer fach o gefnogwyr, yw'r grefft o adrodd storïau 'celwydd golau'. Anodd dweud o ble tarddodd yr arfer, ond y mae'r arddull yn debyg iawn i'r un a arferid yn ne-orllewin Cymru flynyddoedd yn ôl. Y mae gan T. Llew Jones bennod ar y grefft yn ei gyfrol *Llên Gwerin*, a hanfod storïwr da oedd dychymyg rhemp! Storïwr enwocaf Ardal y Llynnoedd oedd Wil Ritson, ffermwr o ddyffryn Wasdale, a drodd i redeg yr 'Huntsman Inn' cyn diwedd ei oes. Gan fod dyffryn Wasdale yn gyrchfan i nifer o ymwelwyr, yr oedd Wil wrth ei fodd yn tynnu coes ei letywyr. Lledodd ei enw fel adroddwr storïau celwydd golau yn gyflym ar draws yr ardal, yn enwedig wedi clywed bod rhai o'r ymwelwyr yn credu pob gair!

Heddiw, cedwir y cof am Wil yn fyw mewn cystadleuaeth a gynhelir bob blwyddyn i ddewis 'Celwyddgi Mwya'r Byd'. Y mae'r gystadleuaeth yn agored i bawb, ar wahân i wleidyddion a chyfreithwyr, am y rheswm syml eu bod hwy yn gelwyddgwn proffesiynol! Fel arfer, storïwyr lleol sy'n cario'r dydd, ac er bod eu harddull yn edrych yn hamddenol, y mae'r traethu yn gynnyrch ymarfer hir. Beth amser yn ôl, cyfaddefodd un cystadleuydd ei fod wedi ymarfer ei stori dros hanner cant o weithiau cyn mentro i'r llwyfan. Yn 2004 enillydd y gystadleuaeth oedd Mike Naylor, mab fferm o ddyffryn Wasdale, a luniodd stori amserol iawn. Yn ôl Mike, yr oedd BNFL ('Bang! No Folks Left') am foddi'r dyffryn i greu bridfa i bysgod, ac er syndod i bawb, yr oedd y cynllun wedi derbyn sêl bendith DAFTRA a MUFF (y 'Ministry of Underwater Fisheries and Food').

Peth peryglus yw cynnig fod gan unrhyw ardal 'gymeriad' arbennig, ond wedi byw yn Cumbria am ddeugain mlynedd, ni ellir peidio â sylwi bod gwahaniaeth mawr rhwng trigolion dwyrain a gorllewin y sir. Pobol ddigon di-ddweud yw trigolion Westmorland, ond wedi croesi'r ffin i Cumberland hawdd credu eich bod wedi cyrraedd de Cymru. Anodd teithio ymhell trwy 'Wlad y Cumbri' cyn cael eich dal mewn sgwrs fywiog a chlywed hanes y teulu hyd y nawfed ach. Nid yw swildod yn rhan o'u cyfansoddiad, ac y mae'r mwyafrif yn fwy na pharod i roi'r byd yn ei le! Anodd credu bod geneteg yn rhan o'r gyfrinach, felly rhaid tybio bod cenhedlaeth ar ôl cenhedlaeth wedi glynu at hen ffordd o fyw. Ni welir yr un duedd yn nhrefi'r dwyrain, ond y mae tipyn o'r un naws yn aros yng nghefn gwlad. Gan fy mod i yn fab ffarm, cefais groeso parod ar eu haelwydydd a chyfle i werthfawrogi eu hymlyniad wrth eu 'milltir sgwâr'. Fel yng Nghymru, ceir llond tŷ o groeso yn y ffermdai gwasgaredig a bwyd o'r ansawdd gorau. Un ymadrodd cyffredin wrth nesáu at y bwrdd yw 'Reach up!': gwahoddiad i fwyta eich gwala. Efallai bod mwy nag ambell air wedi aros o neuaddau'r hen Reged!

Ffynonellau

1   Thomas Pennant, *A Tour of Scotland in 1769* (Perth: Melven Press, 1979), t. 388
2   Llun o waith y Foneddiges Lonsdale a gyflwynwyd mewn darlith ar gerrig Shap gan lywydd y gymdeithas, *Transactions of the Cumberland and Westmorland Antiquarian and Archaeological Society*, 15 (1897), t. 3
3   Barry Cunliffe, *Iron Age Communities in Britain* (Llundain ac Efrog Newydd: Routledge, pedwerydd argraffiad, 2005), t. 741
4   W. G. Collingwood, 'Report on further exploration of the Romano-British settlement at Ewe Close, Crosby Ravensworth' yn *Transactions of the Cumberland and Westmorland Antiquarian and Archaeological Society*, New Series, 9 (1909), tt. 295-309
5   R. G. Collingwood, 'Prehistoric settlements near Crosby Ravensworth'. *Transactions of the Cumberland and Westmorland Antiquarian and Archaeological Society*, New Series, 33 (1993), tt. 201-7
6   Stephen Leslie (a deunaw awdur arall), 'The fine-scale genetic structure of the British population' yn *Nature*, 519 (2015), tt. 309-14
7   Kenneth Jackson, *Language and History in Early Britain* (Caeredin: University Press, 1953), t. 752
8   Thomas Charles-Edwards, *Wales and the Britons: 350-1064* (Rhydychen: Oxford University Press, 2013), t. 795
9   William Rollinson, *A History of Cumberland and Westmorland* (Llundain a Chichester: Phillimore, 1978), t. 128
10   George MacDonald Fraser, *The Steel Bonnets* (Llundain: Harper Collins, 1995), t. 404
11   A. M. Armstrong, A. Mawer, F. M. Stenton a B. Dickins, *The Place-Names of Cumberland. Part 1: Eskdale, Cumberland and Leath Wards* (Caergrawnt: Cambridge University Press, 1950), t. 258
12   A. M. Armstrong, A. Mawer, F. M. Stanton a Bruce Dickens, *The Place-Names of Cumberland. Part 2: Allerdale below Derwent and Allerdale above Derwent Wards* (Caergrawnt: Cambridge University Press, 1950), t. 457
13   A. M. Armstrong, A. Mawer, F. M. Stenton a B. Dickins, *The Place-Names of Cumberland. Part 3. Introduction* (Caergrawnt: Cambridge University Press, 1952), t. 565

14 Diana Whaley, *A Dictionary of Lake District Place-Names* (Nottingham: English Place-Name Society, University of Nottingham, 2006), t. 423

15 William Rollinson, *Life and Tradition in the Lake District* (Llundain: Dent, 1974), t. 205

16 William Henderson, *Folklore of the Northern Counties of England and the Borders* (Wakefield: E. P. Publishing, 1973), t. 344

17 William Rollinson, *The Cumbrian Dictionary of Dialect, Tradition and Folklore* (Otley: Smith Settle, 1997), t. 197

18 F. J. Carruthers, *People called Cumbri* (Llundain: Robert Hale, 1979), t. 208

19 B. Winney (a thri deg awdur arall), 'People of the British Isles: preliminary analysis of genotypes and surnames in a UK-control population' yn *European Journal of Human Genetics*, 20 (2012), tt. 203-10

20 Charles Phythian-Adams, *Land of the Cumbrians: A Study in British Provinicial Origins, AD 400-1120* (Caerlŷr: Scolar Press, 1996), t. 207

21 Fiona Edmonds, 'The expansion of the kingdom of Strathclyde', *Early Mediaeval Europe*, 23 (2015), tt. 43-66.

22 Heikki Rajala, 'English Placenames', traethawd ymchwil, Prifysgol Nottingham, Innervate, 2 (2009-10), tt. 357-70

23 Alan James, 'P-Celtic in Southern Scotland and Cumbria: A review of the place-name evidence for possible Pictish phonology' yn *The Journal of the Scottish Place Name Society*, 7 (2013), tt. 29-78

24 Alistair Moffat, *The Borders* (Selkirk: Deerpark Press, 2002), t. 468

25 J. G. Scott, 'The Partition of a Kingdom: Strathclyde 1092-1153' yn *Transactions of the Dumfriesshire and Galloway Natural History and Antiquarian Society*, 66 (1997), tt. 37-45

26 Helen Birkett, *The Saints' Lives of Jocelyn of Furness: Hagiography, Patronage and Ecclesiastical Politics* (Martlesham: Boydell and Brewer, 2010), t. 342

27 Clare Downham, *Jocelyn of Furness: Essays from the 2012 Conference* (Stamford: Paul Watkins, 2013), t. 160

28 Alistair Moffat, *The Reivers: The Story of the Border Reivers* (Caeredin: Birlinn, 2008), t. 321

29 Hardwicke D. Rawnsley, 'A crack about Herdwick Sheep' yn: *By Fell and Dale at the English Lakes* (Massachusetts: Hard Press Publishing, 2013), t. 272

30 A. O. H. Jarman, *Ymddiddan Myrddin a Thaliesin* (Caerdydd: Gwasg Prifysgol Cymru, 1986), t. 79

31 W. G. Collingwood, 'The Giant's Grave' yn *Transactions of the Cumberland and Westmorland Antiquarian and Archaeological Society*, 2 (1923), tt. 115-28

32 T Llew Jones, *Llên Gwerin* (Llanrwst: Gwasg Carreg Gwalch, Llyfrau Llafar Gwlad, 2010), t. 248

33 John Brand, *Observations on the Popular Antiquities of Great Britain* (Llundain: Reeves and Turner, 1905), t. 285

34 Goronwy Owen, *Barddoniaeth Goronwy Owen* (Lerpwl: H. Evans a'i feibion, 1924), t. 136

Gweddillion cylch cerrig Shap

Atodiad 1: Enwau o Darddiad Cymreig

Pan aeth Syr Ifor Williams ati i baratoi cyfrol ar enwau lleoedd[1] cofiodd y cyngor a gafodd gan ei hen athro Syr John Morris-Jones: 'fydd 'na neb ond ffyliaid yn treio esbonio enwau lleoedd'. Yn yr atodiad hwn, mentraf ar lwybr mwy peryglus trwy geisio esbonio ystyron rhai o enwau Cymreig Ardal y Llynnoedd. Disgrifir yr enwau fel enwau Cymreig yn hytrach na Chymraeg am fod rhai yn deillio o'r cyfnod Brythonig, rhai o gyfnod Rheged ac eraill o gyfnod Ystrad Clud.

Casglwyd yr enwau o gyfrolau cyhoeddedig[2,3,4,5,6], erthyglau ar y we ac un traethawd ymchwil.[7] Adnodd pwysig arall oedd gwefan Alan James: *Britonnic Language in the Old North* (www.spns.org.uk). Ymchwilydd annibynnol oedd Alan cyn i ddetholiad o'i waith ymddangos ar wefan *Comann Ainmean-Àite na h-Alba* (Cymdeithas Enwau Lleoedd yr Alban). Heddiw, ceir arolwg llawn o'i waith ar y wefan sy'n cynnwys crynodeb defnyddiol o ddarddiad hen enwau Brythonig.

Dim ond enwau o fapiau bras yr Arolwg Ordnans a gynhwysir yn yr atodiad ac fe gyfyngwyd y rhestr i leoliadau y tu mewn i ffiniau'r Cumbria fodern. Pan unwyd Cumberland a Westmorland i ffurfio sir newydd yn 1974, ychwanegwyd darn o Swydd Efrog a pheth o Swydd Gaerhirfryn. Rhaid felly oedd troi at gyfrolau ar ystyron enwau'r siroedd hyn cyn trefnu rhestr gyflawn.

Ffynonellau

1 Ifor Williams, *Enwau Lleoedd* (Lerpwl: Gwasg y Brython, 1945), t. 60
2 W. J. Sedgefield, *The Place-Names of Cumberland and Westmorland* (Manceinion: Manchester University Press, 1915), t. 264
3 A. M Armstrong, A. Mawer, F. M. Stenton a B. Dickins, *The Place-Names of Cumberland. Part 1: Eskdale, Cumberland and Leath Wards* (Caergrawnt: Cambridge University Press, 1950), t. 258
4 A. M. Armstrong, A. Mawer, F. M. Stanton a Bruce Dickens, *The Place-Names of Cumberland. Part 2: Allerdale below Derwent and Allerdale above Derwent Wards* (Caergrawnt: Cambridge University Press, 1950), t. 457
5 A. M. Armstrong, A. Mawer, F. M. Stenton a B. Dickins, *The Place-Names of Cumberland. Part 3. Introduction* (Caergrawnt: Cambridge University Press, 1952), t. 565
6 Diana Whaley, *A Dictionary of Lake District Place-Names* (Nottingham: English Place-Name Society, University of Nottingham, 2006), t. 423
7 Heikki Rajala, 'English Placenames'. Traethawd ymchwil, Prifysgol Nottingham. Innervate, 2 (2009-10), tt. 357-370

Yn y rhestr hon, cyfeirnod yr Arolwg Ordnans yw'r rhif mewn cromfachau ac fe ddynodir enwau o darddiad Brythonig gyda'r symbol *.

Arrad Foot (SD3081): Trefgordd wrth odre bryn ger Ulverston. Mae amlinelliad y bryn yn debyg i swch aradr.

Arlecdon (NY0519): Pentref gerllaw Ennerdale. Cyfuniad o 'ar' a 'llogawd', hen air am ddarn o dir a rannwyd.

Arthuret (NY3768): Enw'r plwyf sy'n cynnwys tref Longtown. Cyfuniad o 'arf' a 'terydd', hen air am 'ffyrnig'. Mae yna gyfeiriad at 'tân teryd' yng nghanu Aneirin. Lleoliad tebygol brwydr Arfderydd lle y dywedir fod y dewin Myrddin wedi colli ei bwyll.

Banna Fell (NY1117): Mynydd i'r gogledd o Ennerdale. Gwelir y rhagddodiad 'Bann' yn enw sawl bryn yn yr ardal. Hen enw am gopa oedd 'ban', cyfeiriad at amlinelliad tebyg i gorn anifail.

Banner Rigg (SD4299): Bryn isel ger Windermere. Cyfuniad tebygol o 'bann' ac ystumiad o *hrygg*, 'cefnen' yn iaith y Llychlynwyr.

Bannerdale (NY4215): Enw dyffryn rhwng Blencathra a Bowscale Fell.

Bannisdale (NY5204): Crib rhwng Longsleddale a Shap Fell. Gan mai 'White Howe' yw'r enw presennol y bryn rhaid cynnig mai o 'ban', i olygu gwyn, y tarddodd yr enw. Ystumiad o *haugr*, gair y Llychlynwyr am fryn, yw 'howe'.

Barrock Fell (NY4744): Bryn ger Hesket-in-the-Forest. Gair Brythonig am gopa oedd *barr ond yr oedd gair tebyg mewn Gwyddeleg.

Barrow-in-Furness (SD2069): Cyfuniad tebygol o'r *barr Brythonig ac *ey*, gair y Llychlynwyr am ynys.

Bassenthwaite (NY2332): Un o lynnoedd mwyaf bas yr ardal. Honnir mai o'r enw Normanaidd 'Bastun' y tarddodd yr enw, ond dylid cofio mai *basso* oedd ffurf Frythonig 'bas'.

Benn (NY3019): Bryn ger Thirlemere. 'Pen' oedd yr hen enw cyn i 'Benn' gyrraedd yr ardal o'r Alban.

Bewcastle (NY5674): Eglwys hynafol a godwyd y tu mewn i furiau hen gaer Rufeinig. 'Buth' oedd y sillafiad gwreiddiol felly rhaid cynnig mai o'r 'buarth' Cymreig y tarddodd yr enw.

Birdoswald (NY6166): Caer ar Fur Hadrian lle mae yna weddillion neuadd o'r cyfnod ôl-Rufeinig. Yr oedd Ifor Williams o'r farn mai 'Bwrdd Oswallt' oedd yr hen enw, ond fe fyddai 'Buarth Oswallt' yn fwy synhwyrol.

Birkby (SD0538): Pentref ger Maryport. *Brethesco* oedd yr hen enw; cyfuniad tebygol o *Breta*, gair y Llychlynwyr am Frython, a *skogr* eu henw am goedwig. Felly, 'Coed y Brython'.

Blawith (SD2988): Pentref i'r de o Coniston. 'Blaidd Wŷdd' yw'r ystyr tebygol.

Blencarn (NY6431): Pentref i'r gorllewin o Penrith. Yr ystyr amlwg yw 'Blaen Carn'.

Blencarn Beck (NY6432): Afon ger pentref Blencarn. *Bekkr* oedd gair y Llychlynwyr am nant.

Blencathra (NY3227): Mynydd rhwng Penrith a Keswick. Yr ystyr tebygol yw 'Blaen Cadair' gan fod gan y mynydd gribau fel breichiau cadair.

Blencogo (NY1947): Pentref ger Wigton. Yr ateb amlwg yw 'Blaen Cogau'.

Blencow (NY4533): Elfen a welir yn enw dau bentref ger Penrith: Great Blencow a Little Blencow. Cyfuniad tebygol o 'blaen' a chywasgiad o *haugr*, gair y Llychlynwyr am fryn.

Bleng (NY0906): Is-afon i afon Irt. 'Bleyngfit' oedd yr hen enw, cyfuniad tebygol o'r 'blaen' Cymreig a *fit*, gair y Llychlynwyr am ddôl.

Blennerhasset (NY1841): Pentref ger Cockermouth. Cyfuniad amlwg o 'blaen' a *heysaetre*, gair y Llychlynwyr am 'hafod y gwair'.

Blindbothel (NY1630): Enw plwyf ger Cockermouth. Cyfuniad tebygol o 'blaen' a 'bod', disgrifiad cyffredin o lys.

Blindcrake (NY1535): Pentref ger Cockermouth. Yr ystyr amlwg yw 'Blaen Craig'. Ffurf gynharach oedd Blencraykmore, cyfuniad o 'blaen', 'craig' a 'mawr'.

Brettargh Holt (SD5086): Enw hen blas ger Sedgewick. Enw a fathwyd yn y cyfnod pryd y defnyddid y rhagddodiad *Brett* i ddisgrifio cymuned ynysig o Gymry.

Brinns (NY5617): Enw fferm ar gyrion Shap. Ffurf dreuliedig o 'bryn'.

Brisco (NY4252): Pentref i'r de o Gaerliwelydd. 'Bretscough' oedd yr hen enw. Ystumiad o *Bret* a *skógr*, ffordd y Llychlynwyr o gyfeirio at 'Goedwig y Brythoniaid'.

Burntippet Moor (NY5658): Credir mai ystumiad o'r 'bryn' Cymreig yw'r 'burn' ond nid yw ystyr yr ail elfen yn glir.

Burtholme Beck (NY5463): Afon ger Mur Hadrian. Ystumiad o 'buarth' yw 'burth' ac ystyr *holme* oedd 'ynys' neu ddarn ynysig o dir yn iaith y Llychlynwyr.

Burthwaite (NY4149): Pentref i'r de o Gaerliwelydd. Cyfuniad tebygol o 'buarth' a *tveit*, gair y Llychlynwyr am 'lannerch'.

Caer Mote (NY2036): Hen gaer Rufeinig ger Cockermouth. Yr ystyr amlwg yw 'Caer y Mollt'. Hen air am hwrdd wedi ei ddisbaddu oedd 'mollt'.

Cairn Beck (NY5054): Afonig ger Cumwhitton. Cyfeiriad tebygol at garn o gerrig.

Calder (NY0707): Afon ger atomfa Sellafield. Enw sy'n cyfeirio at nerth yr afon yn hytrach nag ansawdd y dŵr. Y sillafiad cyntaf oedd *Caldre*, felly 'Caled Ddŵr'.

Caldew (NY3431): Afon yn nyffryn Mungrisdale. Enghraifft arall o enw sy'n cyfeirio at nerth yr afon.

Cam Beck (NY5369): Afon droellog ger Mur Hadrian. Fe allai fod yn gyfuniad o 'cam' a 'beck' ond myn eraill ei fod yn enghraifft hynod o oroesiad y *camboc* Brythonig.

Cam Crag (NY2611): Clogwyn ar oledd yn nyffryn Borrowdale.

Cam Spout Crag (NY2105): Clogwyn ger rhaeadr ar Scafell Pike. 'Spout' yw'r gair lleol am raeadr.

Camerton (NY0431): Pentref ger Workington lle mae dwy afon yn cwrdd. Cyfuniad amlwg o'r 'cymer' Cymreig a'r *'ton'* Seisnig. Y mae yna Bontycymer ar afon Garw ger Pen-y-bont ar Ogwr.

Capplerigg (SD4794): Hen blas yn Kentmere. Gair tafodieithol am geffyl yw 'capple'. Felly 'Crib y Ceffyl'.

Cardew (NY3455): Pentref ger Caerliwelydd. 'Caer Du' yw'r ystyr amlwg.

Cardunneth Pike (NY5551): Bryn ger Caerliwelydd. 'Caer Dunod' yw'r ystyr tebygol. 'Pike' yw'r gair lleol am fynydd serth.

Cardurnock (NY1758): Pentref ger Bowness-on-Solway lle mae yna adfeilion hen gaer. Hen air am fan caregog oedd 'durnog'. Felly 'Caer Garegog'.

Cargo (NY3659): Pentref ar gyrion Caerliwelydd. Carghow oedd yr hen enw. Cyfuniad tebygol o 'caer' a *haugr*, gair y Llychlynwyr am fryn.

Carhullan (NY4918): Pentref ger Bampton. Cyfuniad tebygol o 'caer' a'r enw personol 'Holland'. Prawf fod rhai Saeson wedi aros yn yr ardal wedi i wŷr Ystrad Clud ddisodli penaethiaid Northymbria.

Carlatton (NY5451): Enw plwyf ger Caerliwelydd. Cyfuniad tebygol o 'caer' a 'llydan' ond fe allai 'latton' fod yn enw person.

Carlisle (NY3955): 'Caer Luel' oedd yr hen enw. Cyfeiriad at 'Lugh' neu 'Lleu', un o dduwiau'r hen Geltiaid.

Carnetly (NY3656): Ardal ger Birdoswald. Y sillafiad cyntaf oedd *Carnthelaue*, awgrym mai 'Carn Teilo' oedd yr hen enw.

Carrock Fell (NY3433): Mynydd i'r gorllewin o Penrith lle gwelir adfeilion caer o'r Oes Haearn. Yr ystyr amlwg yw 'Mynydd y Cerrig'.

Carsleddam (NY2527): Mynydd i'r gogledd o Keswick. Nid oes yna olion hen gaer ar y bryn ond dylid cofio bod 'caer' yn ddisgrifiad cyffredin o hen fferm.

Carwinley (NY4072): Pentref ger Longtown. Ystumiad tebygol o 'Caer Gwenddolau' gan fod y pentref yn agos at Arfderydd, safle'r frwydr lle collodd Myrddin ei bwyll.

Castle Carrock (NY5753): Pentref ger Caerliwelydd. *Castelcairoc* oedd yr hen enw, awgrym mai 'caerog' nid 'carreg' yw'r ail elfen.

Castle Hewen (NY4846): Safle hen gastell ger Armathwaite. Yr hen enw oedd 'Castle-Ewaine'. Adroddir sawl chwedl am *Ewaine* neu *Hewen* yn Ardal y Llynnoedd, cyfeiriad tebygol at Owain ap Urien.

Catterlen (NY4633): Pentref ger Penrith. Gan mai *Caderlen* oedd yr hen sillafiad rhaid cynnig mai o 'cadair' y tarddodd yr enw.

Celleron (NY4925): Ardal ger Pooley Bridge. Cyfeiriad tebygol i gell meudwy o'r enw 'Aeron'.

Chalk Beck (NY3447): *Schauke* oedd y sillafiad cyntaf, ystumiad tebygol o **scawaco* yr enw Brythonig am ysgawen.

Cleator (NY0113): Pentref ar lan afon Ehen ac ystumiad tebygol o 'Caled Ddŵr'. Mae yna ddyffryn Cletwr yng Ngheredigion.

Clesketts (NY5858): Trefgordd yn Geltsdale lle mae yna adfeilion hen fynachlog. *Clas* oedd y gair am ganolfan grefyddol a *cett* oedd yr hen air am 'goed'. Felly'r ystyr tebygol yw 'Clas y Coed'.

Cocker (NY1327): Enw'r afon sy'n llifo trwy dref Cockermouth. **kukrā* oedd y gair Brythonig am rywbeth cam.

Cockermouth (NY1230): Tref ar lan afon Cocker.

Cogra Moss (NY0919): Cronfa ddŵr ger Lamplugh. ac enghraifft arall o'r **kukrā* Brythonig. Yr oedd tro amlwg yn y llyn cyn codi'r argae.

Colwith (NY3303): Coedwig ger Little Langdale. Y ffurf gynharaf oedd *Colleth*, cyfeiriad at y coed cyll sy'n tyfu yn y dyffryn.

Coulderton (NX9708): Pentref ger Egremont. Yr hen enw oedd *Culdreton*, awgrym mai 'Cul Dir' oedd yr enw cyn ychwanegu'r *-ton* Seisnig.

Crag (NY1931): Y mae nifer o enwau yn cynnwys y rhagddodiad 'crag' e.e. Crag Hill (NY1920), Crag Wood (SD4485) a Cragg (SD3392). Gan fod y Saeson bellach wedi mabwysiadu'r gair rhaid bod yn ofalus cyn cynnig tarddiad Cymreig.

Crake (SD3182): Enw'r afon sy'n llifo o lyn Coniston. 'Craig' yw'r ystyr tebygol.

Croglin (NY5747): Pentref ger Kirkoswald. Yn y cyfnod cynnar, defnyddid y gair *linn* i ddisgrifio llyn, afon neu gors. Mae yna lyn corsiog (Croglin Water) ar y bryn uwchben y pentref.

Crook Gill (SE1562): Enghraifft arall o'r *kukrā* Brythonig.

Crossgill Pants (NY7235): Bwlch rhwng Round Hill a Cross Fell yn y Penwynion. Hen enw am 'ffos' oedd 'pant' ac fe ddefnyddir y gair o hyd i ddisgrifio twll i ddal carthffosiaeth.

Crummock Water (NY1518): Llyn yn nyffryn Borrowdale. *cromboc* oedd y gair Brythonig am rywbeth 'crymog'. Ar yr olwg gyntaf, nid yw yn ddisgrifiad da gan nad oes yna dro amlwg yn y llyn. Yr ateb i'r pos yw bod Crummock Water a Buttermere unwaith yn un llyn mawr cyn i dirlithriad rannu'r dyffryn.

Culgaith (NY6129): Pentref yn nyffryn afon Idon. Credir mai *Cul Gaidd* ('Cul Goed') oedd yr hen enw.

Cumcatch (NY5461): Dyffryn ger tref Brampton. Ystumiad o'r 'cwm' Cymreig yw'r elfen gyntaf a myn rhai mai o 'cach' y tarddodd yr ail elfen!

Cumcrook (NY5074): Ardal wledig ger Caerliwelydd. Yr ystyr tebygol yw 'Cwm Crug'.

Cumdivock (NY3448): Pentref ger Dalston. Cyfuniad o 'cwm' a *dubacos*, gair Brythonig am ŵr o bryd tywyll.

Cummersdale (NY3953): Pentref ger Caerliwelydd. Cyfuniad tebygol o'r *dal* Llychlynnaidd a *cumm* i ddisgrifio cymuned o Gymry.

Cumrenton (NY3556): Ardal ger Mur Hadrian. Cyfuniad tebygol o'r 'cwm' Cymreig gyda'r enw Seisnig 'Renton'.

Cumrew (NY5550): Pentref ger Caerliwelydd. Yr ystyr tebygol yw 'Cwm Rhiw'.

Cumwhinton (NY4553): Enw pentref sydd bellach yn rhan o Gaerliwelydd. Cyfuniad o'r 'cwm' Cymreig a'r enw Normanaidd 'Quinton'. Prawf bod tipyn o Gymraeg wedi aros yn yr ardal yng nghyfnod y Normaniaid.

Dacre (NY4526): Afon a phentref ger Ullswater. Safle'r fynachlog lle y llofnodwyd Cytundeb Pont Eamont yn y ddegfed ganrif. Ystumiad o'r gair Cymraeg 'deigr' a welir yn enw'r afon.

Dalemain (SD4827): Enw stad o'r ddeuddegfed ganrif ar lannau afon Dacre. Cynigia patrwm a lleoliad y tir mai 'Dôl Main' oedd yr hen enw.

Derwent (NY1832): Enw'r afon sy'n llifo trwy ddyffryn Borrowdale. Cyfeiriad at y coed deri sy'n tyfu ar y llethrau gan mai *derwa* oedd y gair Brythonig am 'dderwen'. Y mae cyfeiriad at heliwr yn dal 'pysc o rayadyr derwennyd' yn yr hwiangerdd 'Pais Dinogad'.

Derwentwater (NY2623): Llyn mawr ar ben afon Derwent.

Desoglin (NY5767): Darn o dir diffaith ger Brampton. Hen air Cymreig am gors oedd *oglen*.

Devoke Water (SD1596): Enw llyn yn y de-orllewin lle mae'r dŵr yn anghyffredin o ddu. Credir mai 'Du Fach' oedd yr hen enw a'i fod yn ddigrifiad o liw'r llyn wedi i law mawr yr Oes Efydd droi'r ucheldir yn fawndir.

Dockray (NY3921): Pentref yn Patterdale. Credir mai o'r 'dagr' Cymreig y tarddodd yr elfen gyntaf.

Dollerline (NY5775): Adfeilion pentref o'r Oesoedd Canol i'r gorllewin o Bewcastle. Rhaid cynnig mai o 'dôl' y tarddodd yr elfen gyntaf, ond gall y 'line' fod yn gyfeiriad at lyn, afon neu gors.

Dollywagon Pike (NY3413): Enw mynydd ar gyrion Helvellyn. Honnwyd bod yr enw yn seiliedig ar y gair Llychlynnaidd am gawr (*dolgr*) a'r ferf codwyd (*veginn*). Does neb wedi cynnig tarddiad Cymreig ond fe fyddai 'Dôl y Weirgen' (tir lle na ellir ond tyfu cnwd gwael o wair) yn ddisgrifiad da o'r tir wrth droed y mynydd.

Dove Crag (NY3710): Y mae'r rhagddodiad 'dove' neu 'dow' yn elfen gyffredin yn enwau clogwyni'r ardal. Yn ôl Diana Whaley, cyfeiriad at y colomennod a oedd yn clwydo ar y creigiau yw'r enwau. Ni sylwodd fod y clogwyni i gyd yn uchel ac yn sefyll yng nghysgod yr haul. Cymharer felly â Chlogwyn Du'r Arddu yn Eryri.

Dow Crag (SD2698): Clogwyn uwchben Coniston sy'n atynfa i ddringwyr. Anodd dychmygu unrhyw 'dove' yn clwydo mewn lle mor noethlwm!

Drumburgh (NY2659): Pentref ger Burgh-by-Sands ar lan Solway. *Drumbouch* oedd yr hen enw felly rhaid cynnig mai 'Drum Bach' oedd yr enw gwreiddiol.

Dubwath (NY1931): Pentref i'r gorllewin o Bassenthwaite. Cyfuniad tebygol o'r 'du' Cymreig a *vath*, gair y Llychlynwyr am ryd. Felly 'Rhyd Ddu'.

Dundraw (NY2149): Pentref ger Wigton. Gan mai *Drumragh* oedd yr hen enw, rhaid cynnig bod yr elfen gyntaf yn seiliedig ar y 'drum' Cymreig. Credir bod yr ail elfen yn ystumiad o *drag*, gair y Llychlynwyr am 'serth'.

Dunmail Raise (NY3211): Enw'r bwlch uwchben Grasmere lle, yn ôl y chwedl, y lladdwyd Dyfnwal, brenin olaf Cumbria.

Dunmallard (NY4624): Enw bryngaer o'r Oes Haearn ger Pooley Bridge. Gall yr enw fod yn gyfuniad o *dīn, męl* ac *ard* yn y Frythoneg i ddisgrifio 'Caer Moel Uchel' neu yn gyfeiriad at hen gyflafan: 'Din Malltod'.

Eaglesfield (NY0928): Pentref ar gyrion Cockermouth. Enghraifft brin o'r gair 'eglwys' yn Cumbria.

Eden (NY7713): Enw'r afon sy'n llifo trwy ddyffryn ffrwythlon cyn cyrraedd Caerliwelydd. Bernir mai o'r *Itunā* Frythonig y tarddodd yr enw ac fe gyfeirir at afon 'Idon' yng nghanu Taliesin.

Ehen (NY0515): Enw'r afon sy'n llifo trwy Ennerdale. *Eghena* oedd yr hen enw, ystymiad o **iegin*, y gair Brythonig am 'oer'.

Ellen (NY2536): Enw'r afon sy'n llifo i'r môr yn Maryport. *Alauna* oedd enw'r Rhufeiniaid ar y dref, cyfeiriad at hen dduwies Geltaidd.

Esk (SD1297): Enw afon sy'n llifo i'r môr yn Ravenglass. Hen enw Celtaidd oedd *Isca* ac **esc* oedd y gair Brythonig am ddŵr.

Eskin (NY1829): Dyffryn corsiog ger Bassenthwaite ac enghraifft arall o'r **esc* Brythonig.

Esthwaite Water (SD3696): Llyn bychan yn nalgylch Windermere. Fel arfer, honnir bod yr enw yn gyfuniad o *austr* a *tveit* yn iaith y Llychlynwyr i gyfleu'r syniad o lannerch ddwyreiniol. Wedi gweld mai *Estwyth* oedd yr hen ffurf, rhaid cynnig mai cyfeiriad at ystwythder yr afon a gedwid yn yr enw. Cymharer ag afon Ystwyth yng Ngheredigion.

Frith Hall (SD1891): Adfail hen blas ger Ulpha. Honnir mai o *fyrhþ*, hen air Saesneg am goedwig, y tarddodd yr enw. Gwell gen i gredu mai ystumiad o'r 'ffridd' Gymreig yw'r elfen gyntaf gan fod yna fferm a elwir 'Folds' yn y dyffryn islaw.

Galava (SD3703): Enw'r gaer Rufeinig a godwyd ar lan afon sy'n llifo i Windermere ger tref Ambleside. Gan fod y Rhufeiniaid mor barod i dderbyn enwau Brythonig, rhaid cynnig bod yr enw yn seiliedig ar ffurf hynafol ac mai rhywbeth tebyg i 'Glan Afon' oedd tarddiad yr enw.

Glannoventa (SD0996): Enw'r porthladd Rhufeinig ger pentref Ravenglass. Cyfuniad tebygol o elfen Frythonig ac elfen Ladinaidd i gyfleu'r syniad o 'farchnad ar y lan'.

Glasson (NY2560): Pentref ar lan Solway sy'n cynnwys y 'glas' Cymreig.

Glassonby Beck (NY5839): Is-afon i Idon ac enghraifft arall o 'glas'.

Gilcrux (NY1138): Pentref ger Aspatria. O 'cil' y tarddodd yr elfen gyntaf ond anodd dweud ai 'Cil Croes' neu 'Cil Crug' oedd yr hen enw.

Gilgarran (NY0323): Pentref ger Workington ac enghraifft arall o 'cil'. Gall yr ail elfen fod yn enw person neu yn gyfeiriad at y deryn â'r coesau hir. Y mae pentref o'r enw 'Cilgerran' yng ngogledd Sir Benfro.

Glaramara (NY2410): Enw mynydd yn nyffryn Borrowdale. Gan mai *Gleuermerghe* oedd yr hen enw rhaid cynnig mai rhywbeth tebyg i 'Glyn y Meirch' oedd yr enw gwreiddiol.

Glencoyne (NY3718): Dyffryn corsiog ger pentref Glenridding. Yr ystyr amlwg yw 'Glyn Cawn'.

Glenderamackin (NY3627): Enw'r afon sy'n llifo trwy ddyffryn Mungrisdale ac ystumiad tebygol o 'Glyn Dŵr y Mochyn'. Enw o iaith y Llychlynwyr yw Mungrisdale, cyfuniad o *Mungo* (enw anwes Cyndeyrn) a *Gris Dal* ('Cwm y Mochyn').

Glendhu Hill (NY5686): Mynydd ar y ffin rhwng Cumbria a Northymbria. Anodd dweud pryd y trodd y 'Glyn Du' Cymreig yn '*Glen Dhu*' yn yr Aeleg.

Glenduratera Beck (NY2926): Afon sy'n tarddu ar lethrau Skiddaw. Yr hen enw oedd *Glenderterrey* felly'r ateb tebygol yw 'Glyn y Dŵr Tirion'.

Glenridding (NY3817): Pentref yn nyffryn Patterdale. *Glenredyn* oedd yr hen enw felly'r ystyr amlwg yw 'Glyn Rhedyn'.

Great Meldrum (NY4122): Enw copa yn nalgylch Ullswater. Y tarddiad amlwg yw 'Moel Drum'.

Greysouthen (NY0729): Pentref ger Workington. *Crayksuthn* oedd yr hen ffurf ac yr oedd *Suthan* yn enw Gwyddelig. Felly'r ystyr tebygol yw 'Craig Suthan'.

Helvellyn (NY3415): Mynydd enwog yn Ardal y Llynnoedd. Credir mai cyfuniad o *hal* (hen air am waun) a 'melyn' a gedwid yn yr enw. Fe fyddai 'Waun Felen' yn ddisgrifiad da o'r tir pori ar gopa llydan.

Hesk Fell (SD1794): Mynydd corsiog ger Devoke Water. Enghraifft bosib o'r 'hesg' Cymreig.

Holme Cultram (NY1750): Enw pentref ger adfeilion hen abaty. Ambell waith defnyddid y gair 'holme' gan y Llychlynwyr i ddisgrifio darn o dir ynysig. Credir bod yr ail elfen yn gyfuniad o 'cul' a 'tir'.

Irt (NY1002): Enw'r afon sy'n llifo o Wastwater. Y tarddiad tebygol yw'r 'ir' Gymreig gan fod yr afon yn troelli trwy ddyffryn ffrwythlon.

Irthing (NY5162): Is-afon i Idon ac enghraifft arall o 'ir'.

Ketland (NY3752): Darn o dir comin ger Warcop. Cyfuniad tebygol o 'coed' a 'glan'. Dyma, yn ôl pob tebyg, oedd maes ymarfer byddin Urien cyn brwydr Argoet Llwyfein.

Kirkcambeck (NY5162): Pentref ger Brampton lle mae yna eglwys wedi ei chysegru i Gyndeyrn. Credir bod yr ail elfen yn seiliedig ar y *cambaco* Brythonig yn hytrach na'r *bekkr* Llychlynnaidd.

Knorren Beck (NY5467): Enw afon yn ardal Brampton. *Cnaveren* oedd yr hen enw, sy'n awgrymu mai rhywbeth tebyg i 'Cnau Fryn' oedd yr hen enw.

Lamplugh (NY0820): Pentref ger Ennerdale. Y mae'r sillafiad cyntaf *Lamplou* yn cynnig mai 'Llan Plwyf' oedd yr hen enw.

Lanercost (NY5664): Pentref lle mae yna adfeilion priordy o'r ddeuddegfed ganrif. 'Llannerch Awst' yw'r ystyr tebygol.

Lanerton (NY3656): 'Llan' arall heb fod ymhell o Lanercost.

Latrigg Fell (NY2825): Bryn isel ger Keswick. Gall yr elfen gyntaf fod yn ystumiad o *leitr*, gair y Gwyddyl am lethr, neu'n enghraifft o'r 'llithrig' Cymreig.

Leece (SD2469): Pentref ger Barrow-in-Furness. Ystumiad tebygol o 'llys'.

Leven (SD3583): Enw'r afon sy'n llifo o Windermere. Cyfeiriad at lyfnder afon sy'n troelli'n dawel tua'r môr.

Linbeck Gill (SD1597): Enw'r nant sy'n llifo o Devoke Water. Yn y Frythoneg defnyddid y gair *linn* am afon, cors neu lyn.

Lingmell Crag (NY2008): Bryn ger Wasdale Head. Cyfuniad o'r 'moel' Cymreig a'r gair tafodieithol am rug ('ling').

Linstock (NY4258): Pentref ger Caerliwelydd ac enghraifft arall o'r *linn* Brythonig.

Lowther (NY5223): Enw'r afon sy'n llifo trwy ddyffryn ffrwythlon ger Penrith. Yn ôl Ifor Williams, hen air am gynnig moethau oedd 'llawch' ac y mae enghraifft yng nghanu Llywarch Hen. Fel arfer, honnir mai o *lauthr*, gair y Llychlynwyr am ewyn, y tarddodd yr enw. Serch hynny, rhaid cynnig bod 'Llawch Ddŵr' yn well disgrifiad o natur yr afon.

Lynedraw (NY2439): Casgliad o dai ar gyrion Ireby ac enghraifft arall o'r *linn* Brythonig.

Lyvennet (NY6022): Enw is-afon i Idon a ffurf dreuliedig o 'Llwyfenyd'. Yn ôl Taliesin yr oedd gan Urien lys ar lannau'r afon.

Marron (NY0724): Enw'r afon sy'n ymuno â Derwent yn Little Clifton. Gan fod yna gyfeiriad at 'Poll Meriaun' mewn hen ddogfen rhaid cynnig bod yr enw yn ystumiad o 'Meirion'.

Maiden Castle (NY4424): Safle caer o'r Oes Haearn ger Ullswater. *Caer Thanock* oedd yr hen enw.

Meal Fell (NY2833): Enw mynydd ger pentref Longlands. Cyfeiriad amlwg at foelni'r mynydd.

Mell Fell (NY3925): Mynydd i'r gogledd o Caldbeck ac enghraifft arall o'r 'moel' Cymreig.

Mellbreak (NY1518): Mynydd ger Crummock Water. Cyfuniad o 'moel' a therfyniad ansicr.

Moor Divock (NY4822): Enw darn o dir corsiog ger Pooley Bridge. Credir mai cyfeiriad at Frython o'r enw 'Dyfog' yw'r ail elfen.

Nannycatch (NY0512): Enw afon a dyffryn ger Cleator Moor. Yn ôl un 'arbenigwr', lle i gadw geifr oedd y dyffryn, ond ni sylwodd fod yna frigiadau o galchfaen yn britho'r tir. Felly yr ystyr amlwg yw 'Nant y Calch'.

Nent (NY7146): Is-afon i Tyne sy'n rhedeg trwy dref Alston. Credir mai *nent* oedd 'nant' yn y Gymbrieg.

Nenthead (NY7843): Pentref ar lethrau'r Penwynion. Yr ystyr amlwg yw 'Pen Nant'.

Newton Arlosh (NY2055): Pentref ger Silloth. *Arlosk* oedd yr hen enw, cyfeiriad at ddarn o dir a losgwyd. Diddorol nodi fod yna gloddfeydd mawn yn yr ardal o hyd.

Old Man of Coniston (SD2797): Mynydd ger Coniston. 'Maen' nid 'dyn' yw ystyr y 'man' a welir yn yr enw.

Papcastle (NY1131): Safle tref Rufeinig ger Cockermouth a chanolfan debygol Pabo Post Prydain. Heddiw, honnir mai o *papi*, gair y Llychlynwyr am feudwy, y tarddodd yr enw am fod y cof am hanes yr ardal yn y cyfnod Cymreig wedi cilio.

Parton (NX9720): Pentref ger Whitehaven. 'Perthan' oedd yr hen enw, bachigyn o'r gair 'perth' Cymreig.

Pelutho (NY1249): Pentref ger Silloth. *Pollathow* oedd yr hen enw, ystumiad amlwg o'r 'pwll' Cymreig.

Pen (NY4718): Bryn ger Carhullan. Gwelir enw tebyg ar fryn ger Duddon Bridge (SD1890) lle newidiwyd y sillafiad i 'Penn'.

Penrith (NY5130): Tref farchnad yn nyffryn Idon. Myn rhai mai o 'Pen Rhyd' y tarddodd yr enw er bod y dref yn bell o lan yr afon. Ateb mwy synhwyrol yw 'Pen Rhudd' gan fod yna ddigon o dywodfaen coch gerllaw.

Penruddock (NY4227): Pentref ger Penrith. 'Pen Rhyd' yw'r ateb tebygol, ond fe allai'r ail elfen fod yn gyfeiriad at berson: Rhydderch.

Petteril (NY4644): Afon sy'n ymuno ag afon Idon ger Caerliwelydd. Credir mai o'r 'pedwar' Cymreig y tarddodd yr enw.

Polternan (NY5662): Yr hen enw am Castlebeck, is-afon i Irthing. Yr ystyr amlwg yw 'Pwll y Nant'.

Poltross Burn (NY6366): Afon sy'n llifo i afon Irthing ger Gilsland. Yr ystyr tebygol yw 'Pwll y Rhos'.

Pow Beck (NX9712): Afon ger St Bees. Cyfuniad o'r 'pwll' Cymreig a'r *bekkr* Llychlynnaidd.

Pow Maugham (NY4651): Is-afon i Idon sy'n llifo trwy bentref Cumwhinton. Y 'pwll' Cymreig yw'r elfen gyntaf a bernir bod yr ail elfen yn ystumiad o 'Meirchiawn'.

Randy Pike (NY3601): Crib isel ar lan llyn Windermere. Cynnig Diana Whaley oedd 'ffurf hoffus o'r enw Randolph'! Ni wyddai mai hen enw Cymreig am gasgliad o dyddynnod oedd 'rhandir'. Yn ôl Ifor Williams, yr oedd pedwar tyddyn mewn rhandir, a phedwar rhandir mewn gafael. Pike yw'r enw lleol am fryn serth.

Red Dial (NY2445): Pentref ger Wigton lle yr oedd caer Rufeinig wrth ymyl rhyd. 'Rhyd Dial' yw'r ystyr tebygol. Ni ellir ond dychmygu beth oedd hanes y dial.

Redmain (NY1333): Pentref ger Cockermouth. *Redeman* oedd yr hen enw felly'r ateb tebygol yw 'Rhyd y Maen'.

Roose (SD2369): Pentref sydd bellach yn rhan o Barrow-in-Furness. Hyd yn gymharol ddiweddar, yr oedd y pentref yn sefyll ar ros agored.

Skiddaw (NY2629): Enw un o fynyddoedd enwocaf yr ardal. Credir mai o'r 'ysgwyddau' Cymraeg y tarddodd yr enw.

Spadeadam (NY6272): Darn o dir diffaith rhwng Caerliwelydd a Hexham sydd bellach yn faes ymarfer i'r RAF. Hen air Cymraeg am y ddraenen wen oedd 'ysbyddaden' ac y mae digon i'w gweld ar y safle o hyd.

Talkin Fell (NY5460): Bryn serth ger Brampton. Ystumiad tebygol o'r 'talcen' Cymraeg. Heddiw cyfeirir at y llyn cyfagos fel Talkin Tarn (NY5459):

Tallentire (NY1135): Pentref ger Cockermouth. *Talghentir* oedd yr hen enw, felly'r ystyr tebygol yw 'Talcen Tir.'

Tarn Wadling (NY4844): Darn o dir ger Caerliwelydd a oedd unwaith yn llyn mawr. *Terwathelan* oedd yr hen enw; ffurf dreuliedig o 'Tir y Gwyddel Bach'. Dyna hefyd oedd tarddiad Dolwyddelan, y pentref rhwng Blaenau Ffestiniog a Betws-y-coed.

Tarnmonath Fell (NY5854): Bryn isel ger Brampton. Enw sy'n cyfuno gair y Llychlynwyr am lyn bach (*tjarn*) â'r 'mynydd' Cymraeg.

Temon (NY6264): Darn o dir ar gyrion Lanercost. *Temmayne* oedd yr hen enw, felly rhaid cynnig mai rhywbeth tebyg i 'Tir Maen' oedd yr hen ystyr.

Torpenhow Hill (NY2039): Bryn ger Bassenthwaite ac enghraifft wych o ailadrodd ystyr. Cyfuniad o'r *torr* Brythonig, y *pen* Cymraeg, yr *haugr* Llychlynnaidd a'r 'hill' Saesneg i greu'r disgrifiad rhyfedd 'Hill Hill Hill Hill'!

Toathmain (NY5316): Enw fferm yn ardal Shap. Credir mai cyfuniad o 'todd' a 'maen' a gedwid yn yr enw. Wedi dysgu mwy am hanes y fferm, deallwyd fod yna olion hen waith mwyn gerllaw.

Towcett (NY5718): Plwyf yn ardal Shap. Cyfuniad o *tu*, hen air am 'ochr', a *cett* hen air am 'coed'. Enghraifft gynnar o'r enw poblogaidd 'Ger-y-coed'.

Tranearth (SD2895): Stad ar gyrion Torver. Mae yna sawl 'tre' wedi aros yn yr ardal ond does dim llawer i'w gweld ar fapiau bras. Enghraifft debygol arall yw 'Trainriggs' (NY5816), enw fferm ar gyrion Shap.

Tranthwaite (SD4793): Stad ger Underbarrow. Cyfuniad amlwg o 'tre' a 'thwaite'. Felly, 'Tref y Llannerch'.

Triermain Castle (NY5967): Castell ger Brampton a adeiladwyd o gerrig wedi eu dwyn o Fur Hadrian. *Treverman* oedd yr hen enw, ystumiad amlwg o 'Tref y Maen'.

Trusmadoor (NY2733): Enw'r bwlch rhwng Meal Fell a Great Cockup. Cyfuniad o'r 'drws' Cymraeg a'r 'door' Saesneg. Safle tebygol y frwydr rhwng Owain ap Urien a Dunawd mab Pabo a ddisgrifir yng nghanu Llywarch Hen. Gwelir defnydd tebyg o 'drws' yn 'Truss Gap' (SD5113), bwlch uwchben dyffryn Swindale.

Wampool (NY2257): Afon sy'n llifo i Solway a lleoliad tebygol brwydr Gwen Ystrad. Gan mai *Waunpol* oedd yr hen enw, rhaid cynnig mai 'Gwaun Pwll' oedd yr enw gwreiddiol.

Watermillock (NY4422): Pentref ger Ullswater, ond *Wedirmeilok* oedd yr hen enw. Gair Brythonig am waun oedd *widu ac y mae'r 'millock' yn ystumiad amlwg o 'moelog'. Felly'r ystyr tebygol yw 'Gwaun y Foel'.

Winster (SD4285): Pentref i'r de o Windermere. Yn ôl Ifor Williams, dyma lle yr ymladdwyd brwydr Gwensteri. Gwallawg oedd trefnydd y frwydr honno ac y mae'n werth nodi fod y pentref yn agos i'r ffin debygol rhwng teyrnas Rheged a theyrnas Elfed.

Mynegai

358

Ffynhonnell y Lluniau

Lluniau a mapiau gwreiddiol ar wahan i'r canlynol:

Pennod 1. Tud. 18: Addaswyd o wefan geograph.org.uk. Tud. 26: Addaswyd o adroddiad a gyhoeddwyd yn 1873. Tud. 28: Addaswyd o gyfrol David Barrowclough 'Prehistoric Cumbria'. Tud. 35: Addaswyd o adroddiad a gyhoeddwyd yn 1861.

Pennod 2. Tud 52: Trwy ganiatâd yr Amgueddfa Brydeinig. Tud. 54: Llun lloeren Google Earth Infoterra Ltd a Bluesky. Tud 58: Addaswyd o gyfrol Ffransis Payne 'Yr Aradr Gymreig'. Tud. 71: Trwy ganiatâd yr Amgueddfa Brydeinig.

Pennod 3. Tud. 87: Trwy ganiatad amgueddfa dinas Caerhirfryn. Tud. 89: Llun o'r we gan Robert Estall. Tud. 100: Trwy ganiatad Amgueddfa *Vindolanda*. Tud. 118: Addaswyd o gyfrol Ken Dark 'Britain and the End of the Roman Empire'. Tud. 119: Llun o boster a osodwyd wrth ymyl caer Birdowald gan English Heritage.

Pennod 4. Tud. 126: Addaswyd o gyfrol Paul Slaçk a Ryk Ward 'The Peopling of Britain'. Tud. 141: Addaswyd o Wikipedia. Tud. 142: Addaswyd o Wikipedia. Tud. 167: Addaswyd o wefan visitcumbria.com.

Pennod 5. Tud 206: O wefan the-wanderling.com. Tud. 223: Addaswyd o Wikipedia. Tud. 238: Addaswyd o'r we (Creative Commons).

Pennod 6. Tud. 246: Addaswyd o gyfrol Charles Thomas 'The Early Christian Archaeology of North Britain'. Tud. 252: Addaswyd o gyfrol Charles Thomas 'The Early Christian Archaeology of North Britain'. Tud. 253: Addaswyd o gyfrol Charles Thomas 'The Early Christian Archaeology of North Britain'.

Pennod 7. Tud. 311: O wefan borderreiversstories (Tom Moss). Tud. 327: Addaswyd o lun ar y we. Tud. 328: Trwy garedigrwydd yr artist Peter Kearney. Tud. 332: Llun o gasgliad lleol.